Ayahuasca

Arno Adelaars
Christian Rätsch
Claudia Müller-Ebeling

Ayahuasca

Rituale, Zaubertränke
und visionäre Kunst aus Amazonien

AT Verlag

Zu diesem Buch

In Südamerika existieren gleichbedeutend mit dem Namen Ayahuasca die Bezeichnungen Yagé (= *yagí, yají, yage* usw.), Kaapi (= *caapi, kapi, cají* usw.) und Natema (= *natöm, natëm* usw.); da aber jeder das Wort *ayahuasca* versteht, benutzen wir in diesem Buch durchgehend diese Bezeichnung.

Zitate ohne Quellenangabe sind von uns notierte Aussagen oder Aussprüche von Personen, mit denen wir gesprochen haben oder die wir bei Vorträgen hörten.

Warnhinweis

In diesem Buch wird die traditionelle Medizin der *ayahuasqueros* dargestellt. Es soll nicht zum Konsum illegaler Substanzen auffordern, auch wenn diese überzeugend beschrieben sind. Ayahuasca wird in den Ursprungsländern legal als rituelle Medizin geschätzt und genutzt; ohne rituellen Kontext und erfahrene Ritualleiter ist die Einnahme von Ayahuasca jedoch sinnlos und gegebenenfalls sogar gefährlich. Autoren und Verlag lehnen jegliche Verantwortung für den unsachgemäßen Gebrauch illegaler Substanzen, zu dem der Text inspirieren könnte, ab.

© 2006
AT Verlag, Baden und München
Lektorat: Barbara Imgrund, Heidelberg
Sämtliche Fotos, soweit nicht anders angegeben, © by Christian Rätsch, Hamburg
Alle weiteren Illustrationen aus den Archiven der Autoren
Lithos: AZ Print, Aarau
Druck und Bindearbeiten: AZ Druck und Datentechnik, Kempten
Printed in Germany

ISBN 3-03800-270-4
ISBN 978-3-03800-270-3

www.at-verlag.ch

INHALT

AYAHUASCA: DER ZAUBERTRANK VOM AMAZONAS

Ayahuasca ist eines der stärksten schamanischen Heilmittel, das die Menschheit der Pflanzenwelt zu verdanken hat. Es ist der Name eines Trankes aus mehreren Pflanzen des Amazonasgebiets, der durchschlagende körperliche und verblüffende psychische Wirkungen zeitigt. Ayahuasca ist ein Heilmittel, und zwar der Prototyp eines echt schamanischen Heilmittels. Es ist das Zentrum des amazonischen Schamanismus und eines der kulturgeschichtlich bedeutendsten Entheogene. Ayahuasca stellt für viele Ethnien die Grundlage der Kultur dar, eine kulturschaffende und -erhaltende Institution. Ayahuasca ist ein Heilmittel, das in Ritualen verwendet wird; es ist ein Erkenntnismittel, das dem Menschen seine Stellung im Universum zeigt und die wahre Wirklichkeit offenbart, ein Generator kreativer Prozesse, ein Quell künstlerischer Inspiration. Ayahuasca – richtig angewandt – schenkt Heilung und Gesundheit, verleiht persönlich bedeutsame Visionen und stimuliert das kreative Schaffen.

In diesem Buch wollen wir diesem schamanischen Zaubertrank und seiner kulturellen Bedeutung nachgehen. Wir zeigen die rituelle Verwendung in schamanischen Ritualen, wir öffnen das ethnobotanische und ethnopharmakologische Feld und verfolgen die kulturellen Spuren. Wir tauchen ein in schamanisch-visionäre Welten, reisen in andere Wirklichkeiten, beschäftigen uns mit den Pflanzen und ihren Seelen und begegnen den Wirklichkeiten amazonischer Kulturen und ihren künstlerischen Manifestationen.

Die Erforschung der Ayahuasca ist ein wissenschaftliches Abenteuer, das nicht nur von einem einzigen Forscher bewältigt werden kann. Ayahuasca ist ein breites Forschungsfeld, das interdisziplinäre Annäherungen[1] erfordert. Es genügt nicht, Ethnologe zu sein, um Ayahuasca gerecht zu werden; auch reicht es nicht, Mediziner oder Pharmakologe zu sein. Um Ayahuasca verstehen zu können, bedarf es vieler Disziplinen: Ethnografie, Ethnologie, Ethnobotanik, Ethnopharmakologie, Kunstethnologie, Psychologie, kognitive Anthropologie, Geschichtswissenschaft, Kunstgeschichte, Archäologie, Ethnohistorie, Kriminologie, Medizin, Psychiatrie, Pharmazeutik, Pharmakologie, Chemie. Doch dieses Arsenal an wissenschaftlichen Zugängen reicht noch immer nicht aus, um Ayahuasca zu verstehen; es bedarf vielmehr der Erfahrung, der persönlichen Begegnung mit dem Trank, um seinen Geheimnissen näher zu kommen.

---

1 »Annäherungen« im Sinne von Ernst JÜNGER (1980).

Deshalb haben wir dieses Buch zu dritt geschrieben; in der Hoffnung, dadurch einige Facetten mehr berücksichtigen zu können, und um die Wissenschaft mit persönlichen Erfahrungen zu bereichern. Wir wollen zeigen, dass es sich bei Ayahuasca nicht nur um etwas Exotisches handelt, sondern welche Bedeutung Ayahuasca für die Menschheit generell hat. Denn die Erforschung von Ayahuasca hat auch in unserer Geschichte Wesentliches hinterlassen.

Die allgemein menschliche Bedeutung von Ayahuasca geht weit über die Grenzen Amazoniens hinaus und führt uns zu uns, zu den großen Fragen unseres eigenen Lebens. Das Erforschen der Ayahuasca ist zwangsläufig mit den Grundfragen der Philosophie verknüpft, die seit der Antike Gegenstand unserer Geistesgeschichte sind: Woher kommen wir, was tun wir hier, wohin gehen wir? Ebenfalls zwingt uns Ayahuasca dazu, das schwierige Terrain der Frage nach Materie und Geist zu betreten. Ayahuasca ist eine Herausforderung, oder eine Einladung, uns mit dem Sinn des Lebens zu beschäftigen.

Wenn wir einen Schamanen aus Amazonien danach fragen, was der Sinn des Lebens, der Zweck des Daseins, der Grund unserer Existenz, die Bedeutung des Todes sei, bekommen wir eine sehr schlichte Antwort: »Trink Ayahuasca! Dann wirst du verstehen.«

Der Ayahuasca-Fluss

Ayahuasca ist ein Fluss, an dessen Ufern die Visionspflanzen (*pinta*) und Schnupfpulverzutaten (*yopo*) wachsen, die *remedios* gedeihen, Tabak und Coca angebaut sowie die Räucherstoffe (*copales*) und Duftpflanzen gesammelt werden.

Dieser Fluss ist der Amazonas, der Schamanenstrom, die Heiler-Anakonda (die Anakonda, *Eunectes murinus* = *ronin* [Shipibo], gilt als Ahnin aller Muster). Dieser Fluss ist die Universität der Dschungelmedizin. Das Wasser ist der Strom des Lebens, wird von Visionen erleuchtet, von Erkenntnissen getränkt, von Düften erfüllt, von Pflanzengeistern geheilt.

Der Fluss mündet in den Ozean der Selbstentgrenzung und ist am wirksamsten (mächtigsten), wenn darin der schamanische Geist schwimmt. Der Geist des Schamanen kann aus allen Quellen der Pflanzenwelt schöpfen, gar schaffen, aber die Lebenskraft und Heilkraft stammt von den Pflanzen. Er kann den Fluss der Pflanzengeister zum Nutzen der Menschen kanalisieren – mehr nicht! Aus dem Fluss der Ayahuasca ergießt sich das Delta der Rituale. Aus seinen blitzenden Tropfen erblühen die visionären Kunstwerke.

Der Amazonas ist eine Boa constrictor, die auf Deutsch Abgottschlange heißt. Wohl zu Recht, weil sie ein indianischer »Abgott«, ein *ídolo*, ein »Götze«, ist. Oder ein Gott des Aberglaubens? Dabei ist Aberglaube kein alternativer Glaube, keine

Konkurrenz zu herrschenden Religionen, sondern bedeutet eigentlich »Zauberglauben«.

Viele ethnobotanisch bedeutende Pflanzen stehen mit Ayahuasca in Zusammenhang:

- *La pinta*, die visionären Pflanzen
- Yopo, die Schnupfpulver
- Coca und andere Stimulanzien
- Tabak und Rauchkräuter
- Copal, Weihrauch und Duftstoffe
- *remedios*, die Heilmittel

Ayahuasca ist der Amazonas, die anderen Pflanzen sind wie seine Zuflüsse (Ucuyali, Putomayo, Río Negro usw.). Sie vermischen sich zu einem kulturellen Gebräu, zur Dschungelmedizin. Daraus ergießt sich in zahllosen Armen das Delta der Rituale. Denn alle Rituale werden vom Fluss gespeist. Ohne ihn würden sie vertrocknen, verdorren und schließlich versiegen. Das Delta schließlich mündet ins Meer der Kunst.

Die sieben Pfeiler der Dschungelmedizin

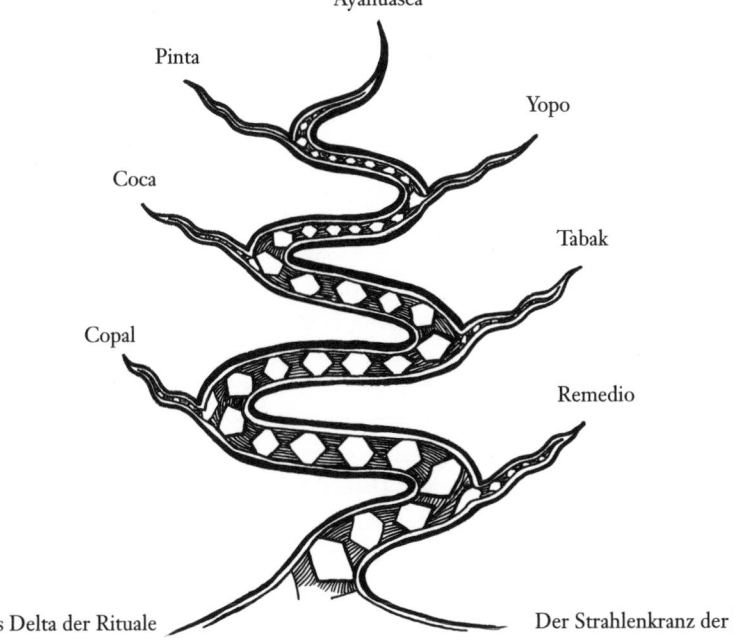

Ayahuasca

Pinta

Yopo

Coca

Tabak

Copal

Remedio

Das Delta der Rituale

Der Strahlenkranz der Kunst

Der ethnopharmakologische Ayahuasca-Komplex setzt sich aus den »sieben Pfeilern der Dschungelmedizin« zusammen: Ayahuasca, Pinta, Yopo, Coca, Tabaco, Copal und *remedios* (oder der Trank, die Visionspflanzen, die Schnupfpulver, Coca und andere Stimulanzien, der Tabak und weitere Rauchwaren, Copal, also Weihrauch und Duftstoffe, und *remedios*, die Heilmittel). Dabei ist der tägliche Umgang mit diesen Kategorien jedoch nicht so abstrakt. Es gibt Überlappungen, Doppeldeutigkeiten und multiple Zuordnungen. So können die hauptsächlich als Stimulans gekauten Cocablätter ebenfalls als Visionsverstärker dem Ayahuasca-Trank zugesetzt werden, sie können pulverisiert als Schnupfpulver inhaliert, mit Tabak vermischt geraucht, mit Copalharz als Weihrauch geräuchert werden und in verschiedensten Zubereitungen als Heilmittel dienen. Ähnlich verhält es sich mit Tabak oder Weihrauch. Jede Kategorie wird aufgrund der hauptsächlichen Anwendung gebildet.

Im Ayahuasca-Ritual können alle sieben Säulen die ethnopharmakologische Architektur konstruieren. Zusätzlich zum Ayahuasca-Trank können Zubereitungen aus Visionspflanzen *(pinta)* gereicht werden, Yopo geschnupft, Coca gekaut, Tabak geraucht und Copal geräuchert sowie Heilmittel *(remedios)* angewendet werden.

> »Die Eingeborenen verwenden Ayahuasca in Zeremonien zur Heilung und Visionsfindung und bezeichnen die Flüssigkeit als ihre ›Universität‹.«
> (Kraemer 1997: 142)

Für den Regenwaldmenschen existiert nicht nur die sichtbare, fühlbare, fassbare, essbare, riechbare Wirklichkeit des Dschungels. Für ihn existiert hinter der materiellen Welt, die als eine Welt des Scheins interpretiert wird, eine dem gewöhnlichen Blick verborgene Wirklichkeit. Südamerikanische Indianer nennen diese andere Realität die »wahre Wirklichkeit«, die »Wirklichkeit der Seelen«, die »unsichtbare Welt«. Sie ist als paralleles Universum zu verstehen. Die »wahre Wirklichkeit« liegt nicht irgendwo außerhalb des Waldes, sondern ist sozusagen der Urgrund des Seins – der Ort, an dem die Seelen, die Bewusstseinsstrukturen, die Urbilder, die Archetypen aktiv werden. Dort ist alles spiegelverkehrt. Dort erscheinen die Seelen der Regenwaldmenschen in Tiergestalt. Die Seelen der Bäume sehen wie Menschen aus – Menschen, die auf dem Kopf stehen. Denn die Baumseele ist anthropomorph. Die Welt des erweiterten, außergewöhnlichen Bewusstseins ist ein Ort außerhalb der gewöhnlichen Wahrnehmung, jenseits der bekannten Räume und der verlorenen Zeit; es ist eine unsichtbare Welt, ein Ort der Träume, ein »Haus aus Rauch«, und die »wahre Wirklichkeit« liegt – so sagen die Tukano-Indianer – jenseits der Milchstraße.

Der Wald ist die Welt der Erscheinungen und der Gestalten, die sich in der Form der Materie ausdrücken. Die Erfahrung jenseits der Milchstraße ist die wirklichere Welt, der Ort der Erkenntnis, der Quell der Kraft. Dort leben die Götter und Göttinnen, an deren Lebenskraft alle Wesen des Waldes teilhaben. Dieser jenseitige Ort aber ist keine Welt in weiter räumlicher Ferne, sondern liegt in uns und um uns herum. Die materielle, im alltäglichen Bewusstsein wahrnehmbare Welt ist das äußere Wirken des Unsichtbaren, das erst sichtbar wird, wenn man den Wald und das alltägliche Bewusstsein verlässt.

Alle Regenwaldmenschen kennen Techniken des Bewusstseinswandels, die es ihnen erlauben, in den Kern der Dinge zu blicken, zum Ursprung des Seins zu reisen und sich den Abenteuern des erweiterten Bewusstseins und den Kräften des Visionären hinzugeben. Das Schauen der jenseitigen Welt, deren Wirkungen die diesseitige Welt sind, geben dem Regenwaldmenschen die Orientierung, die er braucht, um im Wald leben und überleben zu können. Im erweiterten und außergewöhnlichen Bewusstsein beginnt der Mythos seine Wirksamkeit zu entfalten. Dort wird die Mythologie Wirklichkeit. Sie ist auch die Landkarte, die der Schamane nutzt, um gezielt an gewünschte Orte innerhalb der anderen Welt zu reisen.

Die von den meisten Regenwaldmenschen bevorzugte Technik zum Bewusstseinswandel ist der gezielte Gebrauch von Meisterpflanzen, also Pflanzen mit psychoaktiven Wirkungen. Meisterpflanzen sind Werkzeuge (»Pflanzenlehrer«), durch die man die anerzogenen Wahrnehmungsmuster verlernt und den Blick für höhere Dimensionen oder andere Wirklichkeiten öffnen kann. Schamanen nennen sie die »Pflanzen der Götter«, weil sie ihnen den Zugang zu der anderen Welt, der »wahren Wirklichkeit«, und den Kontakt mit den Göttern ermöglichen.

»Träume, Besessenheit und durch Drogen oder auf andere Weise ermöglichte Visionen sind deshalb wertvolle, mit Respekt und Sorgfalt zu behandelnde Schlüssel zu jener anderen Welt, die tiefere Wahrheit birgt und von größter Relevanz ist für den einzelnen wie für die in ihrem inneren Gleichgewicht immer wieder neu bedrohte Gemeinschaft, wenn man bloß die Kunst beherrscht, ihre Botschaften zu hören und zu lesen.«
(PRINS 1987: 68)

Im Schamanismus steht im Zentrum die Heilung durch Ausflüge in andere Wirklichkeiten, sprich außergewöhnliche Bewusstseinszustände. Dazu versetzt sich entweder der Schamane allein, der Schamane und dessen Patient oder ein Kollektiv (Stamm, Geheimgesellschaft) in einen Zustand des veränderten Wachbewusstseins, wie etwa bei den Ayahuasca-Kulturen am Amazonas. Entweder nimmt der Schamane Ayahuasca, um die Krankheit im Patienten zu erkennen, oder er gibt dem Patienten auch Ayahuasca und führt ihn durch die »wirkliche Wirklichkeit« zu seinem eigenen Zentrum. Dadurch kann der Patient seine Probleme oder Krankheitsursachen erkennen und so verändern bzw. beheben. Manchmal geht der ganze Stamm auf Trip, um durch geteilte mystische Erfahrungen die soziale Integrität zu stärken und die Stellung und Aufgabe des Stammes im Kosmos zu erkennen. Schamanen sind keine »abergläubischen Spinner«, sie sind vielmehr »echte« Naturwissenschaftler. Sie vertrauen auf Erfahrung und Empirie, nicht auf religiösen Glauben, nicht auf wissenschaftliche Theorien und schon gar nicht auf die populistische Esoterik, die im Kaufhaus zu Ramschpreisen verschleudert wird. Ein Schamane sagte einmal, dass Astrologen den Büchern mehr glauben als ihrer Erfahrung, dass aber die Schamanen mit den Sternen sprechen – direkt, versteht sich. Schamanen sind die »Lehrlinge zu Sais«, die als gestorbene Menschen den Schleier der Isis lüften können – jener Göttin, die »alles, was ist, was war und was sein wird«, vereinigt. Sie unternehmen bei lebendigem Leibe Reisen in die jenseitigen Welten. Aber sie kennen den Trick, wie man ins Diesseits zurückkehrt. Mit Wissen, Macht und Heilkraft.

Der Weltenbaum

Im schamanischen Weltbild ist der Weltenbaum von zentraler Bedeutung. Es ist ein mächtiger Baum, der im Zentrum der Welt wächst, mit seinen Wurzeln mit der Unterwelt verbunden ist, und dessen Wipfel im Reich der Götter endet. Der Weltenbaum ist die Axis mundi, die »Weltenachse«. Er ist das Verbindungsglied zwischen Unterwelt, Erde und Himmel und für den Schamanen der zentrale Knotenpunkt, von dem aus er in die anderen Wirklichkeiten reisen kann. Ein Indianer hat mir einmal erklärt, dass der Weltenbaum wie ein Fahrstuhl sei: Er befördert zwar keine »normalen« Menschen, aber er transportiert die Seelen von einer Welt in die andere. An der Wurzel des Weltenbaumes werden deshalb Opfergaben für die Götter dargebracht, weil die Seelen dieser Gaben, also ihre geistigen Prinzipien, durch den Stamm in den Himmel aufsteigen. Weltenbäume sind aber nicht nur in der Topografie des schamanischen Universums von Bedeutung, sie liefern auch meist eine Reihe von Heilmitteln.

Das Konzept des Weltenbaumes ist in fast allen Kulturen, besonders in denen des Regenwaldes, bekannt. So ist für die Indianer Mittelamerikas genauso wie für viele Amazonasbewohner der *kapok*-Baum *(Ceiba pentandra)* der irdische Repräsentant des Weltenbaumes.

Der *kapok*-Baum wird bis zu 60 Meter hoch, bildet Brettwurzeln aus und hat eine mächtige, eindrucksvolle Krone. In den Wipfeln lauern oft Harpyien und Adler, die nach Beute Ausschau halten. Außerdem sollen zahlreiche Geistwesen in den epiphytenbewachsenen Ästen hausen. So gedeiht in der Ceiba eine Orchidee, die sich manchmal in eine verführerisch schöne und erotische Frau verwandelt. Mit ihr können sich die einsamen Jäger des Nachts vergnügen.

Die Samen des *kapok*-Baumes sind in weiße Baumwollfasern eingebettet, daher wird er auch Baumwollbaum genannt. Die Fasern wurden früher als Füllung von Schwimmwesten und als Isolationsmaterial verwendet. Mit der Rinde werden volksmedizinisch Wunden und Verletzungen behandelt. Sie hat außerdem Erbrechen erregende, harntreibende und entkrampfende Wirkung. Kräftige Abkochungen der Rinde werden von Indianerfrauen zum Austreiben der Plazenta nach der Geburt getrunken. Die Amazonas-Schamanen geben die Rinde des Weltenbaumes als Heilmittel in den geheimnisvollen, visionär wirkenden Ayahuasca-Trank.

Der Weltenbaum *Lupuna blanco* (*Chorisia insignis*; Iquitos, Amazonien, Peru, 2/1999) ist nah verwandt mit dem Baumwollbaum.

Christian Rätsch

Ethnobotanica Ayahuasca

»Die Einnahme halluzinogener Drogen ist die am schnellsten
und sichersten wirkende Methode von Schamanen, mit der
sie Zugang zu ›anderen Wirklichkeiten‹ erlangen, in Kontakt
mit ›außermenschlichen Personen‹ (›Geistern‹) treten und
sich so Wissen und Macht verschaffen.«
(ILLIUS 1991: 105)

Das Wort Ethnobotanik hat sich in den letzten Jahrzehnten in vielen Sprachen der Welt verbreitet. Was aber versteht man darunter? Das Wort setzt sich aus *ethnos*, »völkisch«, und Botanik, die Lehre von den Pflanzen, zusammen. Mein Kollege Wolf-Dieter Storl formulierte dazu die schönen Sätze:

»Bestimmte Pflanzen spielen in der Ernährung, in Märchen, Mythen und Sagen, Zeremonien, Ritualen, im Zauber, im natürlichen Kalender, in der Heilkunde, im Orakel und in der Weissagung, in der Religion und überhaupt im symbolischen und kulturellen Kosmos der unterschiedlichen Kulturen eine wichtige Rolle. Mit vielen verschiedenen Namen werden solche Pflanzen benannt, wobei jede Benennung etwas über die Eigenschaften und das Wesen der Pflanze aussagt. So sehen wir, dass Pflanzen nicht nur eine botanische oder pharmakologische Identität haben, sondern auch eine linguistische und eine kulturelle. Diese Beziehungen zwischen Pflanze und menschlicher Kultur auszuloten, ist die vornehmlichste Aufgabe der Ethnobotanik.« (STORL 2003b: 3)

Ethnobotanik ist eine Ethnowissenschaft (Kognitive Anthropologie), keinesfalls eine Subdivision der Botanik und schon gar keine Ökonomische Botanik. Wer Ethnobotanik betreibt, versucht in die kulturelle Perspektive des Untersuchten, des »Forschungsobjektes«, Einblick zu gewinnen. Der Ethnobotaniker sollte – rein wissenschaftlich betrachtet – immer die Perspektive des Untersuchten einzunehmen versuchen. Das klingt fast zu einfach, ist aber möglicherweise äußerst schwierig, wenn nicht gar unmöglich. Gelingt es dem Forscher, in die Rolle des Untersuchten zu schlüpfen, werden sich unvorhersehbare Möglichkeiten des Verstehens fremdkultureller Realität eröffnen. Der Forscher verliert sich in einem Universum von Bedeutung und gleichzeitiger Bedeutungslosigkeit.

Wenn ein Ethnobotaniker forscht, versucht er die multiperspektivischen Wirklichkeiten, die sich zwischen ihm und dem Forschungsobjekt entspinnen, zu durchleuchten. Wenn dieses abenteuerliche Unterfangen gelingt, entsteht eine Brücke der Verständigung und des Verstehens zwischen den Völkern. Es ergibt sich die Chance zur Völkerverständigung. Wer diese nutzen möchte, kann damit beginnen, sein eigenes Glaubens- und Überzeugungssystem, seine eigenen Kognitionen und Welterkenntnisse zu überwinden (im Sinne von Nietzsches »den Menschen überwinden«).

Aber genug der Theorie, mit Ayahuasca haben wir die Praxis vor uns. Mit dieser »Dschungelbrühe« lösen sich die philosophischen Probleme und Fragestellungen der Vorsokratiker. Das Seiende wird nicht mehr als Antipode des Nichtseienden betrachtet, sondern schlichtweg aufgelöst. Wenn Heraklit (um 500 v. Chr.), Protagoras (5. Jahrhundert v. Chr.) usw.[2] den Trank aus dem

Lande der gefürchteten Amazonen getrunken hätten, dann wäre unsere Welt auch nicht zu verstehen und zu retten gewesen; wir stehen immer vor dem großen Mysterium; uns beschäftigen oder beherrschen die dringlichen Fragen: Woher kommen wir? Was sollen wir hier? Wohin gehen wir? Die Schamanen haben genauso wenig eine passende Antwort auf diese Fragen wie die antiken Philosophen, die christlichen Mystiker, die orientalischen Sufis oder die indischen Fakire und Sadhus. Denn es gibt keine Antwort, die sich in irgendwelchen Worten irgendeiner Sprache fände. Um diese drei Fragen nach unserer Existenz dreht sich alle Philosophie, an ihnen versucht sich jede Religion, an ihr verzweifelt jeder spirituell Suchende. Die Antwort(en) auf diese Fragen sind der Treibstoff im Getriebe des menschlichen Geistes. Sie zu lösen, jedenfalls in verbaler, das heißt sprachlicher Form, erscheint unmöglich. Diejenigen, die das Mysterium (= »Geheimnis«) in Worte gekleidet und als Ablagerungen unseres menschlichen Geistes in unsere Geschichte hineinsedimentiert haben, haben zwar schöne, erbauende, poetische Worte und philologisch hervorragendes Material hinterlassen – wie etwa Platon (427–347 v. Chr.) oder Apuleius (2. Jahrhundert n. Chr.) –, aber ihre Worte haben für den Suchenden, der das Mysterium nicht erfahren hat, keine Bedeutung. Nur der *mystes*, der Eingeweihte, weiß oder glaubt zumindest zu wissen, was die Alten gemeint haben könnten.

Der sokratische Ausspruch: »Ich weiß, dass ich nichts weiß« scheint ein Paradoxon, ein innerer Widerspruch zu sein.[3] Er löst sich im Ayahuasca-Zustand einfach nur auf und lässt den Suchenden unbekümmert zurück. Der seriöse Ayahuasca-Trinker versteht vielleicht die Weisheit des Sokrates (469–399 v. Chr.) – der übrigens in der hellenischen Demokratie als »Verderber/Verführer der Jugend« (wie zweieinhalbtausend Jahre später Dr. Timothy Leary in den USA) angeklagt und zum Tode verurteilt wurde.[4] Die Weisheit des Sokrates lautete, sofern man den Quellen trauen darf: »Erkenne dich selbst!«

Dieser allzu banal klingende Spruch ist der kognitive Schlüssel zur eigenen Welterfahrung, zum Ayahuasca-Reich; dort lauern die »Wahrheiten«. Wer sie schaut, weiß, was ich meine. Diese andersweltlichen »Wahrheiten« sind nicht mehr mitteilbar – jedenfalls nicht in verbaler Form. Einige begnadete und erfahrene Künstler haben ein paar Türchen aufgestoßen. Wer aber wirklich wissen will, was sich dahinter verbirgt, der muss das Wagnis eingehen und selbst suchen.

2 Vgl. dazu die erhellende Schrift *Die Natur und die Griechen* von Erwin Schrödinger, erstmals erschienen im Jahre 1954; dies ist der Physiker, der »Schrödingers Katze« erfand und sagte: »Ein rein verstandesmäßiges Weltbild ohne alle Mystik ist ein Unding« (SCHRÖDINGER 1989: 175).

3 »In Wirklichkeit wissen wir nichts; denn die Wahrheit liegt in der Tiefe« (DEMOKRIT, Fr. 117).

4 Tim Leary (1920–1996) hatte übrigens mehr Glück als Sokrates, er kam nur ins Gefängnis.

»Experimentieren ist die einzige Art, um etwas zu lernen«, schreibt der kolumbianische Schamane Kajuyali TSAMANI (2003: 13) – nicht, um uns kapitulieren zu lassen, sondern im Gegenteil, um uns zu ermutigen. Wer selbst die Welt erforscht, wird sie vielleicht – zumindest in Teilbereichen oder gewissen Perspektiven – verstehen. Aber je mehr man *glaubt*, die Welt zu verstehen, desto mysteriöser wird sie. Das Mysterium ist ein sich selbst potenzierender Faktor aller (oder unserer?) Existenz. Es ist nicht fassbar, nicht sichtbar, nicht wahrnehmbar – und dennoch begleitet uns das Mysterium auf Schritt und Tritt. Wir können es greifen, aber nicht begreifen; wir können uns nur hingeben und ausrufen: Alles ist eins, alles ist miteinander verbunden, alles ist hier und jetzt!

Der Schamanismus – auf Deutsch »Zauberei«[5] – ist eine Erfahrungswissenschaft, kein doktrinäres Glaubenssystem. In der schamanischen Welt ist es belanglos, was geglaubt wird; nur die Erfahrung ist von Belang. Wer sich in dieses Abenteuer stürzen mag, dem kann der Weg geebnet werden. Es ist die eigene Erfahrung, die zählt und Bedeutung hat; Glaubenssätze sind nur für Herrscher und Ausbeuter von Bedeutung. Die schamanische Erfahrung kann uns von allen Glaubenssystemen, -inhalten und -strukturen frei machen. Es spielt keine Rolle, was man glaubt, es ist nur entscheidend, was man erfährt!

Amazonien: »El mundo de la Ayahuasca« – das Reich der Ayahuasca

Amazonien ist die Ayahuasca-Welt. Schon in den vorspanischen Kulturen Südamerikas galt der Wald als die Heilquelle, als Hort der Heilkunst, als göttliche Apotheke. Bereits die Moche überquerten die Anden, um in den Wald der Wunderdrogen zu wandern. Noch heute ziehen die *curanderos* von Chiclayo nach Amazonien. Denn dort gibt es am meisten zu lernen.
Die Ethnobotanik der Ayahuasca hat ihren Ursprung in dem »geheimnisvollen Lande«, das von den frühneuzeitlichen Europäern als von wilden Amazonen bevölkertes Gebiet gefürchtet und schließlich Amazonas oder Amazonien getauft wurde.

> »Der Urwald ist weiß getupft von Hunderten von Vögeln, großen unbeweglich im Geäst fußenden Stelzvögeln, die beim Vorbeifahren unseres Bootes kaum ihre Flügel lüften. Mit der vollen Trockenzeit verlässt eine Unmenge Getier den Urwald und sucht an den Ufern der Flüsse etwas Frisches. Da kann man Überraschungen erleben.«[6]

5 Siehe dazu RÄTSCH 2005.
6 Alain GHEERBRANT: *Welt ohne Weisse: Vom Orinoko zum Amazonas*, München: dtv 1962, S. 105 [1950].

Die Laguna Yarinacocha im peruanischen Amazonasgebiet ist die Heimat der Shipibo und ihrer von der Ayahuasca geprägten Kultur.

Jedes Jahr werden große Flächen des Regenwaldes überflutet: Dann ist Amazonien eine Wasserwelt, die nur mit Booten zu durchqueren ist (bei Iquitos, Amazonien, Peru).

Amazonien ist eine riesige Projektionsfläche. Der unbekannte Wald wird mit zahllosen Imaginationen getränkt, ja geradezu überfrachtet – jedenfalls von denen, die dort nicht heimisch sind. Für die Einheimischen ist der Wald ihre Welt, die sie kennen und mit ihr leben können (oder aus heutiger Perspektive: leben konnten), ohne sie zu zerstören. Das heißt, die Einheimischen haben den Ast, auf dem sie sitzen, noch nicht abgesägt. Allerdings wird dieser Ast seit rund 500 Jahren von fremden Eindringlingen, die aus ihrer Heimatwelt die Angst vor dem Wald, dem einstigen heiligen Hain, in die Neue Welt mitgebracht haben, gnadenlos abgehackt – genauso, wie die Waldwelt unter den Hightech-Maschinen, den Erfindungen der Alten Welt, zugrunde gerichtet wird.

Was ist Ayahuasca?

Ayahuasca ist die Essenz des Amazonaswaldes. Nur wer von ihr kostet, kann diese Wasserwelt verstehen. Nur dem Ayahuasca-Trinker öffnet das Schatzhaus des Dschungels seine Pforten. Nur ihm wird das Geheimnis des Waldes offenbart. Ayahuasca ist ein Heilmittel, *medicina poderosa* (span. »kostbares Heilmittel«). Nach fast drei Jahrzehnten ethnobotanischer Forschung in der ganzen Welt und vielen schamanischen Erfahrungen ist mein Resümee eindeutig: Für mich ist Ayahuasca das beste schamanische Heilmittel, das die Menschheit bisher entdeckt hat. Andere Leute mögen anderer Meinung sein. Aber ich weiß, dass viele Menschen, die dem Ayahuasca-Geist begegnet sind, mir beipflichten. Ich behaupte nicht, dass Ayahuasca das beste Entheogen oder Psychedelikum ist; Ayahuasca ist, viel mehr als andere Zauberpflanzen und -tränke, ein *Heilmittel*, eben eine *Medizin*, die nicht unbedingt Spaß bringt. Für den Spaß gibt es schließlich ein ganzes Arsenal an »Partydrogen«. Ayahuasca gehört nicht dazu, sondern ist eine ernste Angelegenheit. Und je ernster wir sie nehmen, desto größer ist ihr Heilpotenzial.

Entheogene

»Entheogen« ist ein aus dem Griechischen abgeleiteter Begriff (*entheos* = »innere Gottheit«, -*gen* = »werden«), der von dem Pilzforscher und Ethnomykologen R. Gordon Wasson (1898–1986), den Gräzisten Carl Ruck und Danny Staples (Boston University), dem Naturstoffchemiker Jonathan Ott und dem Pilzkenner Jeremy Bigwood in die wissenschaftliche Literatur eingeführt wurde (RUCK et al. 1979: 145): »Heilige Pflanzen oder schamanische Rauschmittel, die religiöse Ekstase oder Visionen hervorrufen; meist in der archaischen Welt für die Divination zum schamanischen Heilen und die Heilige Kommunion, wie etwa bei den Eleusinischen Mysterien oder im vedischen Somaopfer, benutzt« (OTT 1994: 88).

Der Begriff bezeichnet keine chemische Wirkstoffgruppe, sondern alle Substanzen (Reinsubstanzen, pharmazeutische Zubereitungen), die von Menschen für einen speziellen Zweck kultureller Handlungen benutzt werden (OTT 1996). Der Begriff ist nicht pharmakologisch, das heißt aufgrund eines spezifischen Wirkungsmechanismus, definiert, sondern kulturell (ORTIZ DE MONTELLANO 1981). Allerdings sind die meisten entheogenen Pflanzen, Zubereitungen und Substanzen biologisch aktiv, vor allem psychotrop bzw. psychoaktiv (stimulierend, narkotisch, halluzinogen). Aber nicht alle psychoaktiven Stoffe werden als Entheogene benutzt.

Zu den weltweit bedeutendsten Entheogenen gehören Hanf, Opium, Fliegenpilz, Stechapfel, Coca, Peyote, Zauberpilze, fermentierte und destillierte Alkoholika, Tabak, Kava-Kava, Ayahuasca und Betel (RÄTSCH 1998b). Die von Schamanen genutzten Entheogene werden aus Pflanzen hergestellt, die in den jeweiligen Kulturen als heilige Pflanzen (»Pflanzen der Götter«) verehrt werden, also eine zentrale kulturelle Bedeutung haben (SCHULTES et al. 1998).

Neuerdings hat sich in manchen subkulturellen Szenen eingebürgert, alle psychoaktiven Substanzen als Entheogene zu bezeichnen, auch wenn keine kulturelle Verwendung bekannt ist. Dieser Gebrauch des Begriffes ist nicht korrekt und sollte dringend vermieden werden (vgl. OTT 1996). Ebenfalls wird der Begriff »Entheogen« zunehmend in einem religiösen oder pseudoreligiösen Sinn verwendet. Danach sollen Entheogene psychoaktive Substanzen sein, die beim Benutzer religiöse Visionen und Gefühle auslösen sowie als Ursache für (messianistische) Religionen und religiöse Bewegungen oder Befreiungskulte verantwortlich sind (z.B. FORTE 1997). Diese Umdeutung des Begriffes »Entheogen« wird von den Wortschöpfern (RUCK et al. 1979) heftig kritisiert (OTT 1998a).

Ayahuasca ist das ethnobotanische Zentrum der Kultur im südamerikanischen Amazonasgebiet. Sie ist weit mehr als ein einfaches Heilmittel, es ist ein Entheogen[8], ein schamanischer Zaubertrank. Ayahuasca wirkt sowohl auf den Körper als auch auf den Geist und harmonisiert beides. Es reinigt, regeneriert und heilt den Körper und schenkt dem Geist Visionen und Erkenntnisse. Ayahuasca offenbart dem Kranken die Ursache seines Leids und hilft ihm bei dessen Bewältigung; für den Gesunden ist sie wohltuend und erquickend und fördert sein spirituelles Wachstum.

Wenn es einen Nobelpreis für Ethnopharmakologie gäbe, müsste er den Schamanen aus dem Amazonasdschungel verliehen werden. Denn ihre Entdeckung des Zaubertrankes ist ein wahres Wunder. Wann und wo und von wem der erste Ayahuasca-Trank gekocht und erprobt wurde, ist nicht bekannt. Der Trank besteht grundsätzlich aus zwei Pflanzen, deren Inhaltsstoffe nur zusammen die erwünschte Wirkung ergeben.

Um Ayahuasca wirklich zu verstehen, muss man sie selbst getrunken haben; je öfter, desto besser. Denn Ayahuasca offenbart sich dem Trinker ganz von selbst – dank der Pflanzengeister, die darin anwesend sind. Die meisten Schamanen aus dem »Ayahuasca-Land« stimmen darin überein, dass der echte Schamane Ayahuasca sei; sie selbst seien nur Handlanger, Helfer, Ermöglicher, Assistenten, Vermittler, aber auch Führer. Sie sind die Reiseführer durch den Trip, den der Meisterschamane Ayahuasca auslöst.

Alle Fragen, die der Trinker bezüglich Ayahuasca hat, kann ihm der Trunk selbst beantworten, besser als jeder Mensch. Denn in gewisser Weise entzieht sich uns Menschen die Möglichkeit, über die Ayahuasca-Erfahrung zu spre-

---

8 »Das Entheogen ergreift vom Körper Besitz, steckt ihn mit der Jaguarkraft an, desorganisiert den Körper im Ayahuasca-Rausch, um die Wandlung zu aktivieren ...« (TSAMANI 2003: 93).

chen. Unsere linguistischen Fähigkeiten reichen niemals an die Erfahrungen, die sich in nonverbale Höhen oder unaussprechliche Tiefen winden, heran. Eigentlich ist es absurd, ein Buch über Ayahuasca zu verfassen; zumindest wenn die Autoren glauben, sie könnten mittels ihrer Schreibkunst den mystischen Raum der echten Erfahrung ausloten. Dennoch ist die Kommunikation über Ayahuasca von großer Bedeutung und kann dem Suchenden helfen, die bereits getätigten Erfahrungen zu verstehen oder sich auf die Reise zu den Pflanzengeistern[9] zu begeben.

»Wie die meisten Halluzinogene ist auch *ayahuasca* eine heilige Medizin und ein lebenswichtiges Requisit des Schamanen, das ihm erlaubt, auch aus großer Entfernung Diagnosen zu stellen, Übel abzuwehren und die Zukunft vorherzusagen. Aber für die Stämme im Nordwesten Amazoniens ist es viel mehr. *Ayahuasca* ist der visionsträchtige Vermittler, mit dessen Hilfe sich die Menschen im Kosmos orientieren können. Unter dem schützenden Mantel der Visionen begegnet der *ayahuasca*-Trinker den Göttern, den Wesen der Vorzeit und den ersten Menschen, während er sich, auf Gedeih und Verderb, im Banne wilder Geschöpfe des Waldes und der Mächte der Nacht befindet. Aus seinem Körper herausgehoben, dringt der Schamane in eine ferne Sphäre ein, schießt wie ein Vogel empor über die Milchstraße hinaus oder fährt auf heiligen Flüssen in dämonenbemannten Kanus in entlegene Gefilde, wo er verlorene oder geraubte Seelen finden oder auf mystischem Weg eine spirituelle Errettung vollbringen kann.« (DAVIS 2000: 149)

Ursprung und Entdeckung

Das Wort *ayahuasca* stammt ursprünglich aus der Quechua-Sprache. Quechua war die Sprache des untergegangenen Inkareiches und ist heute noch offiziell die Amtssprache Perus. *Ayahuasca* setzt sich aus *aya*, »Seele, Ahnengeist, Tod, Transformation, Anderswelt«, und *huasca*, »Liane, Rebe, Ranke, Winde« zusammen und wird meist als »Liane des Todes«, »Rebe der Seelen« oder »Geisterliane« übersetzt. In der deutschsprachigen Literatur findet man häufig die falsche Übersetzung »Wein der Seelen«, da manche Autoren den englischen Begriff *vine of the soul* (wörtl. »Winde der Seele«) fälschlich als »Wein« (engl. *wine*) und nicht korrekt als Rebe, Ranke, Liane übersetzen.[10]

---

9 Im Sanskrit heißt der Pflanzengeist Deva (wörtlich »Gott[heit]«): »Der Pflanzendeva ist also ein numinoses, ›jenseitiges‹ Wesen. Um Kontakt mit ihm aufzunehmen, muss der Pflanzensammler die Fähigkeit besitzen, sich in einen entsprechenden geistigen Zustand zu versetzen. Er muss die Regeln und Rituale beherrschen, die eine Interaktion mit dem Deva ermöglichen« (STORL 2000: 91).
10 So z.B.: »von den Blättern des Weinstrauches [sic!] (*Banisteriopsis caapi*) sammeln« (LEGINGER 1981: 334).

Das Wort »Ayahuasca« hat vier Bedeutungen, die alle miteinander verbunden sind. Zunächst gibt es eine (β-carbolin-haltige) Pflanze *(Banisteriopsis caapi)*, die Ayahuasca heißt. Dann wird auf der Basis dieser sogenannten Pflanze unter Zusatz zumindest einer anderen (DMT-haltigen) Pflanze ein entheogener Trank namens Ayahuasca zubereitet. Und schließlich nennt man das schamanische Ritual, bei dem der aus der Ayahuasca-Pflanze plus Zusätzen zubereitete Trank vom Schamanen und seinen Klienten eingenommen wird, ebenfalls Ayahuasca. Das mag zunächst etwas verwirrend erscheinen, ist aber in sich schlüssig. Mitunter bezeichnet man auch die psychopharmakologische Wirkung des Trankes und des Rituals schlicht als Ayahuasca. Wir haben es also mit folgenden vier Komponenten zu tun:

*   Ayahuasca-Pflanze
*   Ayahuasca-Trank
*   Ayahuasca-Ritual
*   Ayahuasca-Wirkung.

Andere Namen für Ayahuasca

Ambihuasca, Ambiwáska, Ayawáska, Biaxíi, Cají, Caapi, Calawaya[11], Camaramti (Shipibo), Chahua (Shipibo), Cipó, Daime, Dapa, Dapá, Djunglehuasca, Doctor, Dschungel-Ambrosia, El remedio, Hoasca, Honi, Iyaona (Zapara), Jungle Tea (engl. »Dschungeltee«), Kaapi, Kahi, Kahpi, La droga (span. »die Droge«), La purga (span. »das Reinigende«), La soga, Masha (Shipibo), Metí, Mihi, Mii (Huaorani), Moca jene (Shipibo »bittere Brühe«), Muka dau (Cashinahua »bittere Medizin«), Natem (Achuar), Natema, Natëma (Shuar), Natemá, Natemä, Nepe, Nepi, Nichi cubin (Shipibo »gekochte Liane«), Nishi sheati (Shipibo »Lianengetränk«), Nixi Honi, Nixi paé, Notema, Ohoasca, Ondi (Yaminahua), Pilde, Pildé, Pinde, Pindé, Rao (Shipibo »Medizinalpflanze«), Remedio (span. »Heilmittel«), Sachahuasca (Quechua »Wald-Liane«), Santo Daime, The brew (engl. »Das Gebräu«), Uni (Conibo), Vegetal, Yagé, Yajé, Yají, Yaxé.

Seit alter Zeit wird der Ayahuasca genannte psychoaktive Trank von Schamanen und Medizinmännern am Amazonas für Heilrituale und schamanische Erfahrungen benutzt. Seine Entdeckung liegt in mythischer Urzeit.[12] Der Gebrauch ist vielleicht so alt wie die südamerikanische Zivilisation; möglicherweise, so spekulieren Archäologen, wurde Ayahuasca im westlichen

---

11 Das andine Wort wird gewöhnlich für die Wanderheiler bzw. deren Medizin im Hochland benutzt. Die *calawayas* (andere Schreibweise *kallawayas*), auch *qolla kapachayuh* (Quechua »die Meister der Medizintasche«) genannt, praktizieren ihre Kräuterheilkunst seit über tausend Jahren; sie beherrschten die Hirnchirurgie und benutzten dazu vor allem *Ilex guayusa* (BASTIEN 1987).
12 KRAEMER (1997: 142) behauptete, dass Ayahuasca »seit etwa 2500 Jahren verwendet« wird.

Die Muster auf diesem postinkaischen Gürtel (um 17. Jahrhundert, Cuzco, Peru) gehen auf die Tradition der Inka zurück und erinnern stark an Ayahuasca-Muster. Viele amazonische Völker sehen in den Inka wissende Urahnen, die ihnen ursprünglich die Ayahuasca geschenkt haben.

»Tongefäß für den Zaubertrank Kaapi mit Kredenzkalabassen«, Río Tiquié (aus: KOCH-GRÜNBERG 1921: 225).

Amazonasgebiet (dem heutigen Ecuador) entdeckt (NARANJO 1979). Bei archäologischen Grabungen in Ecuador wurden Funde gemacht, die als »Hexertöpfe« in die Literatur, selbst die wissenschaftliche, eingegangen sind. Es sind recht einfache, große Keramikgefäße, die der Herstellung von Ayahuasca gedient haben sollen und der Milagro-Quevedo-Kultur (500 v. Chr.–1500 n. Chr.) zugeordnet werden (ANDRITZKY 1989a: 179).

Jeder Stamm, jeder Schamane, jeder *ayahuasquero* hat einen anderen Ursprungsmythos oder eine eigene Erklärung für die Entdeckung von Ayahuasca parat. Sein Ursprung Ayahuasca wird in einem Mythos[13] folgendermaßen erklärt:

---

13 Zu diesen Ursprungsmythen siehe SAMORINI 1998 sowie LUNA und WHITE 2000: 16f.

»Vor langer Zeit lebte ein guter Jäger im Regenwald. Eines Tages, er war weit von seiner Hütte entfernt, hörte er eine Liane, die zu ihm sprach. Der Jäger, der viel darüber wusste, wie man aus Wurzeln, Rinden und Samen Jagdgifte bereitet, wusste auch um die Kraft der Pflanzen. Er kehrte mit seinem neuen Fund nach Hause zurück. In der folgenden Nacht hatte er einen Traum, in welchem ihm der Geist der Liane erklärte, wie man mit ihr ein Gebräu zubereiten könne, mit dem sich viele Krankheiten heilen ließen.«

Die meisten Schamanen sagen, dass Ayahuasca aus der kosmischen Anakonda hervorgegangen ist. Deshalb sieht die oft armdicke Liane aus wie eine Schlange, die sich durch den Wald schlängelt. Sie enthält die Kraft der Anakonda. Die Liane trägt die Menschen wie in einem Kanu in höchste Höhen. Sie wird zur kosmischen Nabelschnur und verbindet den Menschen mit seinem Ursprung.

»Die Ayahuasca, die Nabelschnur des Kosmos, entspringt dem Ort des Jaguars, inmitten der Maloca des Kosmos, wo die Energien von der Anaconda und dem Jaguar sprudeln, direkt aus dem Herzen des Himmels und der Erde. Als die Ayahuasca zum ersten Male getrunken wurde, durchzuckte das Wort den Geist. Und aus dem Wort entstanden die Gesänge und die archaische Musik: die Macht der Beschwörung, die Heilkraft und der spirituelle Tanz.« (TSAMANI, CD-Text)

Bei den Shuar, die im heutigen Ecuador leben, wird Ayahuasca »Natema« genannt und mythisch auf einen Ahnen namens Natem zurückgeführt. Natem war ein weiser und hellsichtiger Mann, der die Menschen die Kunst der Jagd und das Heilen von Kranken lehrte. Als Natem alt wurde, schickte er sich an, die Erde zu verlassen. Sein Geist aber blieb auf der Erde und verwandelte sich in die Natem-Pflanze, die Ayahuasca-Liane. Sie sollte fortan den Menschen dazu dienen, ihr Bewusstsein zu öffnen und den Natem-Geist um Rat und Beistand zu bitten.

In allen indianischen Mythen wird die Entdeckung der Ayahuasca-Pflanze auf den Anfang der Welt datiert. Für die Indianer ist die Entdeckung der Ayahuasca gleichbedeutend mit der Entstehung der menschlichen Kultur. Ayahuasca ist für sie der Ursprung der Kultur.

Die indianischen Mythen sind so wie Blinde, die jeweils einen Teil des Elefanten berühren und korrekt beschreiben, ihn aber niemals als ganzes Wesen erkennen können. Diese Mythen sind also nur Modelle oder Metaphern, symbolische oder allegorische Bilder aus der Anderswelt.

Von den folgenden Indianerstämmen bzw. -kulturen des Amazonasgebiets ist bekannt, dass sie Ayahuasca verwenden oder verwendet haben:

Achuar, Aguaruna, Amahuaca (= Amawaka), Ashanínka (= Campa), Banihuas, Barasana, Barrés, Bora, Cashinaua, Cubeo, Desana, Guahibo, Huaorani, Inga (Ingano), Kofán, Kuripáko, Lamista, Makú, Matsigenka, Pira-Tapuya, Piro, Quechua, Secoya, Shipibo, Shipibo-Conibo, Shuar (= Jíbaro/Jívaro), Sikuani, Siona, Tarina, Ticuna, Tukano, Tuyuka, Uanano, Witoto (= Huitoto), Yagua, Yaminahua, Yawanahua, Zaperos.

Die Ayahuasca-Pflanze: Ethnobotanik

Die Ayahuasca-Liane *(Banisteriopsis caapi)* verbindet die Erde mit dem Himmel. Sie wurzelt in der Erde, sie entsprießt dem Erdreich. Sie wächst, wie alle Pflanzen des Regenwaldes, nach oben. Sie schlängelt sich an Baumstämmen hoch, manchmal gerade, manchmal umwindet sie den Stamm, denn sie muss ihre Blätter der Sonne entgegenstrecken. Sie wird von der Erde und dem Licht ernährt, und ans Licht gelangt sie nur, wenn sie sich im Blätterdach des Waldes einen Platz an der Sonne sichert. So wäct sie hinauf – und über das Blätterdach hinaus in Richtung Milchstraße.

Es ist nicht genau festzustellen, woher die Liane stammt, da sie in Peru, Ecuador, Kolumbien und Brasilien – also im ganzen Amazonasgebiet – kultiviert wird. Wildpflanzen scheinen in erster Linie verwilderte Bestände zu sein (GATES 1982: 113).[14]

Die riesige Liane bildet sehr lange, stark verholzte Stengel aus, die sich stark verzweigen. Die großen, grünen Blätter haben eine rundlich-ovale Form, laufen aber spitz zu (8–18 Zentimeter lang, 3,5–8 Zentimeter breit) und sind gegenständig. Aus den Stielachseln treten die Blütenstände mit vierblütigen Dolden hervor. Die 12–14 Millimeter großen Blüten haben fünf weiße oder blassrosafarbene Kelchblätter. Die Pflanze blüht nur selten, in den Tropen liegt die Blütezeit im Januar (aber auch zwischen Dezember und August). Die geflügelten Früchte treten zwischen März und August auf und erinnern an die Früchte des Ahorns.

Ayahuasca ist eine schnellwüchsige Pflanze, man könnte sie sogar aggressiv nennen – in Bezug auf ihr Wachstumsverhalten. So ist sie im Kampf um das Sonnenlicht sehr erfolgreich. Die kleinen Triebblätter sehen übrigens wie eine Schlangenzunge aus.

Wir sind es gewohnt, Pflanzen nach ihrer Blüte zu bestimmen und zu beschreiben. Anhand der Blüte wird eine Art oder Spezies definiert – in unserer

---

14 Die erste botanische Sammlung der Liane wurde von dem Botaniker Richard Spruce (1817–1893) zwischen 1851 und 1854 zusammengetragen (SCHULTES 1957 und 1983c). Die originalen Belegexemplare wurden sogar auf Alkaloide hin untersucht; sie konnten noch nachgewiesen werden (SCHULTES et al. 1983c).

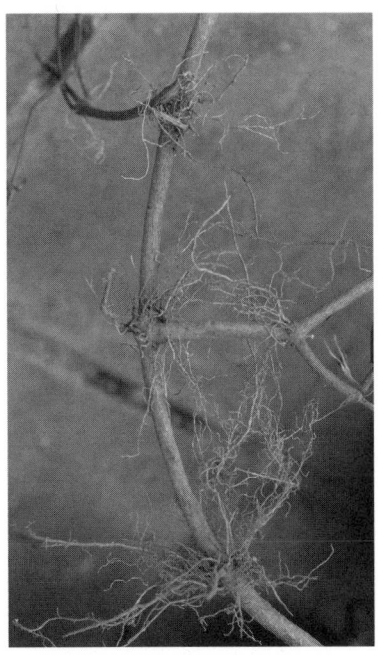

Tigrehuasca, »Jaguarliane«, wird die
Ayahuasca-Liane genannt, die im Anschnitt
ein charakteristisches Muster zeigt, das
dem Tatzenabdruck des Jaguars ähnelt. Sie
gilt den Schamanen als besonders kräftig
und reich an Jaguarkraft: »Zwischen der
Länge und Breite des Werdens zum
Jaguar-Dasein wird das Unwahrnehmbare
wahrnehmbar, das Unsichtbare sichtbar,
das Unaussprechliche aussprechbar«
(TSAMANI 2003: 101). Botanisch handelt
es sich jedoch um *Banisteriopsis caapi*
(Putumayo, Kolumbien; 4/2004).

Das typische Wurzelgeflecht der
Ayahuasca-Liane (*Banisteriopsis caapi*).

Wissenschaft, in unserer Kultur. Andere Kulturen haben indes andere kognitive Strukturen. So unterscheiden manche Ethnien verschiedene Arten oder Typen der Ayahuasca- oder Yagé-Liane. Wenn wir sie botanisch untersuchen, gehören sie alle zur selben Spezies: *Banisteriopsis caapi*, einer Art der Malpighiaceae (Malpighiengewächse).

Im Sibundoy werden zwei »Arten« von Yagé unterschieden – nicht nach ihren morphologisch unterschiedlichen Blüten, sondern nach ihrer unterschiedlichen Psychoaktivität: *culebrahuasca*, »Schlangenliane«, erzeugt Visionen von Anakondas; *tigrehuasca*, »Jaguarliane«, Visionen von Jaguaren (MCDOWELL 1989: 137).

Banisteriopsis caapi: Die Ayahuasca-Liane

Andere Namen: *ambi huasca* (Quechua »Medizinliane«; von *ambi*, »heilen«), *ayahoasca, ayahuasca negro, jayahuasca* (Quechua/Ecuador), *king of the snakes, medicina, soga de muerto* (span. »Liane der Toten«).

Amarón wáska (»Boa-Ranke«), *ambi-huasca* (Inga »Medizinliane«), *ambiwáska, ayahuasca amarilla, ayahuasca negra, ayawasca, ayawáska, bejuco de oro* (»Goldranke«), *bejuco de yagé, biaj* (Kamsá »Liane«), *biáxa, biaxíi, bichémia, caapi*[15], *caapí, cauupuri mariri, cielo ayahuasca, cuchi-ayahuasca, doctor, hi(d)-yati(d)yahe, iáhi', kaapi, kaapi-*Strauch, *kaheé, kahi, kalí, kamarampi* (Matsigenka), *maridi, mão de onça, natem, natema, nepe, nepi, oo'-na-oo* (Witoto), *purga-huasca, purga-huasca de los perros, reé-ma* (Makuna), *sacawáska, sachahuasca* (Inga »wilde Liane«), Seelenliane, *shuri-fisopa, tiwaco-mariri, yagé, yagé cultivado, yagé del monte, yagé sembrado, yahe, yaje, yáje, yajé, yajén, yaji, yaxé* (Tukano »Zauberers Pflanze«).

Es gibt noch eine andere verwandte Art, die als Stammpflanze für Ayahuasca von ethnobotanischer Bedeutung ist: *Banisteriopsis muricata* (Cavanilles) Cuatrecasas[16]. Diese in Ecuador *mii* genannte Art wird von den Waorani als Grundlage für Ayahuasca benutzt. Der Schamane (*ido*) bereitet den Trank aus der abgeschabten Rinde zu, die langsam gekocht wird. Der Schamane kann den Trank dazu nutzen, eine Person zu heilen, aber auch um ihr eine Krankheit oder sogar den Tod zu schicken. Allerdings kann man damit nur eine Krankheit heilen, wenn derjenige, der die Krankheit verursacht, den Trank zu Heilzwecken braut (Davis und Yost 1983: 190f.).

Die Witoto von Puco Urquillo am Río Ampiyacu (Peru) nennen diese Liane *sacha ayahuasca*, »Wilde Seelenliane«, und behaupten, sie könne anstelle von *Banisteriopsis caapi* benutzt werden. In Peru wird dieses Gewächs auch *ayahuasca de los brujos* (»Ayahuasca der Zauberer«), in Bolivien *bejuco hoja de plata* (»Silberblattliane«), in Argentinien *sombra de tora* (»Schatten des Stieres«) und in El Salvador *bejuco de casa* (»Liane des Hauses«), *pastora* (»Schäferin«) oder *ala de zompopo* genannt.

Eine weitere Malpighiacee, die Yahé-Liane (*Diplopterys cabrerana* [Cuatre-casas] B. Gates)[17], wird zur Zubereitung von Ayahuasca benutzt. Sie trägt viele volkstümliche Namen: *biaxíi, chagropanga, chagrupanga* (Inga »chagru-Blatt«), *chaliponga, ka-hee-ko (karapaná), mené kahima, nyoko-buko guda hubea ma (barasana), oco-yagé* (»Wasser-Yagé«), *yaco-ayahuasco* (Quechua/Peru), *yage-oco, yagé, yagé-úco, yahé 'oko* (Siona-Secoya »Banisteriopsis-Wasser«, Kofán), *yajé, yaji, yají.*

---

15 Die Makú-Indianer bezeichnen mit diesem allgemein in Amazonien weit verbreiteten Namen für *Banisteriopsis caapi* eine andere Liane aus derselben Pflanzenfamilie: *Tetrapteris methystica.*
16 Syn. *Banisteria acanthocarpa* Juss., *Banisteria muricata* Cav., *Banisteriopsis argentea* (HBK.) Robinson in Small, *Heterpterys argentea* HBK., u.a.
17 Auch findet man die Schreibweise *Diplopteris* in der Literatur. Synonyme: *Banisteria rusbyana* Niedenzu, *Banisteriopsis cabrerana* Cuatrecasas, *Banisteriopsis rusbyana* (Niedenzu) Morton, *Banisteriopsis rusbyana* sensu ethnobotanical, non (Ndz.) Morton. Diese Liane wurde zuerst unter dem Namen *Banisteria rusbyana* zu Ehren des ethnobotanischen Pioniers Henry Hurd Rusby (1855–1940) genannt (diese Ehre ist leider dem Synonym zu Opfer gefallen). Rusby war einer der ersten Weißen, die eine Ayahuasca-Zeremonie gesehen und zudem auch gefilmt haben.

»*Diplopterys cabrerana* wächst, wie auch *Banisteriopsis caapi*, im Amazonas-Tiefland, und die Pflanze wurde nur im südlichen Kolumbien und Venezuela, im östlichen Ecuador, im nördlichen Peru und im westlichen Brasilien gesammelt. *D. cabrerana* blüht, ähnlich wie *B. caapi*, selten, und wird normalerweise von den Schamanen zur Verwendung in Ayahuasca angebaut. Beide Pflanzen werden gewöhnlich durch Stecklinge vermehrt.« (OTT 1994: 30)

Die DMT-haltigen Blätter dieser nahe mit *Banisteriopsis* verwandten Liane werden von den Desana, Barasana und anderen Indianern im kolumbianischen Amazonasgebiet zur Herstellung von Ayahuasca verwendet. Die Shuar benutzen die Blätter als Ayahuasca-Additiv, ebenso die Siona-Secoya. Im Sibundoy wird ein *biaxíi* genanntes, berauschendes Getränk aus *Banisteriopsis caapi* und den Blättern von *Diplopterys cabrerana* gekocht. Mitunter wird in der Literatur angeführt, dass zur Herstellung von Ayahuasca lediglich die Liane ausgekocht wird.[18] Wenn diese ethnografischen Angaben richtig sind, muss es sich um *Diplopterys cabrerana* handeln, denn Blätter und Stengel enthalten nicht nur DMT, sondern auch β-Carboline.

»Für mich ist jedoch die Ayahuasca-Pflanze die wichtigste und effektivste Medizin überhaupt, die uns großes Wissen vermittelt, wenn sie nur geachtet und richtig angewendet wird. Ich glaube, dass man durch Ayahuasca einen ›sechsten Sinn‹ entwickelt, in eine vierte Dimension geführt wird und eine neue Intuitionsfähigkeit erringt, durch die der Medizinmann durch seine Visionen mit den Geistern schon verstorbener Medizinmänner in Verbindung treten kann. Diese Geister geben Mittel an, durch die die der Sitzung beiwohnenden Kranken geheilt werden können. Unsere Vorfahren richteten ihren ganzen Lebensrhythmus nach den Visionen des Ayahuasca aus; handelte es sich nun darum, Waffen, Zeichnungen, Grafiken, Farben, Kleidung, Medizin oder anderes herzustellen, oder ging es darum, den günstigen Zeitpunkt für eine Reise oder zum Bestellen der Felder zu finden – mit den Ayahuasca-Visionen versuchten sie, sich besser zu organisieren.«
Don Agustín Rivas, ein peruanischer ayahuasquero *(1989)*

Der Ayahuasca-Trank: Schlange und Jaguar

Der Ayahuasca-Trank besteht praktisch immer und in allen Zubereitungen aus der Ayahuasca-Liane *(Banisteriopsis caapi)* sowie aus den Blättern amazonischer Pflanzen, die DMT enthalten. Für die Indianer indes besteht der Trank aus Schlange und Jaguar. Dabei ist der Schlangenanteil der Extrakt aus

---

18 Z.B. REICHEL-DOLMATOFF 1970: 32.

Die Yagé-Küche
des Taita Martín
(Sibundoy-Tal,
Putumayo,
Kolumbien, 4/2004).

der Liane, der Jaguaranteil der Extrakt aus den Blättern. Schlange (Ana-konda) und Jaguar sind die beiden mächtigsten Schamanentiere des Waldes und die Grundkräfte des Zaubertrankes. Ayahuasca enthält die Pflanzen-geister in Gestalt der Anakonda und in der des Jaguars. Für die meisten Schamanen ist, wie bereits erwähnt, Ayahuasca der eigentliche Schamane, der Heiler und Verbündete; die Schamanen selbst sind nur kosmische Geburts-helfer für Visionen und Heilungen.

Der Ayahuasca-Trank: Ethnopharmazie

Ayahuasca ist so etwas wie Amazoniens Handbuch der pharmazeutischen Praxis und die Basis der Medizin aus dem Regenwald. Ayahuasca ist allein schon Medizin: *medicina poderosa*, *medicina prima*. Aber sie wird auch als Trägersubstanz oder Grundlage für weitere ethnopharmazeutische Mittel genutzt.

Es gibt zahlreiche Additive, die dem Trank neben seiner allgemein gesund-heitsfördernden und reinigenden sowie visionären Wirkung durch die geziel-te Beigabe spezielle medizinische Qualitäten verleihen. Zu den wichtigsten dieser Additive gehören weitere psychoaktive Gewächse wie Engelstrom-peten, *borracheros* und meskalinhaltige Kakteen, Coca und Tabak sowie die *remedios* Krallendorn *(Uña de gato, Uncaria tomentosa)*, *chuchuchuasi* (diverse Arten) und *huito (Genipa americana)*.

Die Bestandteile oder Rohdrogen sind bei allen Zubereitungen die Lianen-stücke von *Banisteriopsis caapi*. Die damit zusammengekochten DMT-haltigen Blätter stammen meist von *chakruna (Psychotria viridis)*, oftmals von *chagrop-anga (Diplopterys cabrerana)*, seltener von anderen *Psychotria*-Arten.

Der deutsche Ethnograf Theodor Koch-Grünberg (1872–1924) war einer der ersten Westler, die die Herstellung des Kaapi- oder Ayahuasca-Trankes

Die Rohdrogen (*Banisteriopsis-caapi*-Stängel und chaliponga-Blätter) für den Ayahuasca-Trank werden sorgfältig gewaschen (Chachagui, Nariño, Kolumbien, 4/2004).

aus *Banisteriopsis caapi* beobachteten und beschrieben (1921: 190ff.). Die Pharmakologie des Tranks konnte erst Mitte des 20. Jahrhunderts geklärt werden. Demzufolge enthalten die verschiedenen Tränke immer DMT pflanzlicher Herkunft, denn die spezifische Wirkung des Tranks ergibt sich nur aus der Verbindung zwischen den β-Carbolinen aus der Liane und dem DMT aus zugesetzten Pflanzen. Die Zubereitung des Ayahuasca-Tranks ist meistens schon ein Ritual. Sie wird an bestimmten Orten, zu bestimmten Zeiten und unter Gesängen und Gebeten begangen. Jeder *ayahuasquero* ist einzigartig; jeder hat seine eigene Rezeptur.

Beim Ayahuasca-Ritual wird der Ayahuasca-Trank getrunken bzw. verabreicht. Auf die Dosis kommt es an, aber auch auf die Struktur des Rituals: Mit der Verabreichung der Dosis sind weitere Praktiken und Drogen verbunden. Pflanzen, die zum Set und Setting gehören, sind Ritualpflanzen bzw. rituelle Elemente des Ayahuasca-Rituals. So wird immer zu Beginn geräuchert (Copal usw.) und/oder geraucht (Tabak). Manchmal werden Kräuterzubereitungen genommen, die reinigend wirken.[19] Oft wird vorher Coca gekaut. Vor, während oder nach dem Ayahuasca-Trinken werden zusätzlich Schnupfpulver (Yopo) eingenommen. Manche Stämme (vor allem die der Tukano-Sprachfamilie) trinken abwechselnd zu den mit Ayahuasca gefüllten Gefäßen große Kalebassen voll *cashiri* (Bier aus Knollen- oder Palmenfrüchten). Seltener ist die mehr oder weniger gleichzeitige Einnahme von San-Pedro-Tränken oder Extrakten aus Engelstrompeten, Schnaps und Bauerntabak.

19 Die Siona-Secoyas trinken vor der Einnahme von Ayahuasca einen Tee (Aufguss) aus der Palme *Chamaedorea integrifolia* DAMMER (Palmae) als Emetikum, um den Körper zu reinigen (SCHULTES und RAFFAUF 1990: 349).

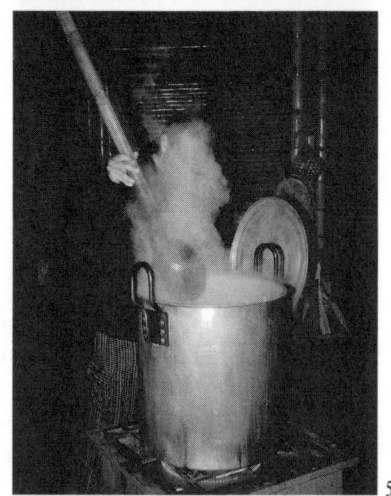

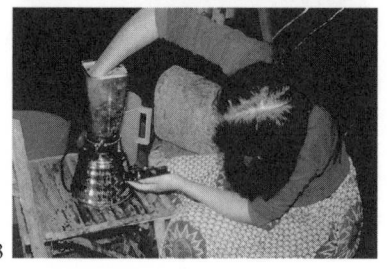

1 Die *chaliponga*-Blätter werden mit
kaltem Wasser gewaschen.
2 Die Lianenstücke werden geschlagen.
3 Die Blätter werden mit einem
modernen Mixer zerkleinert.
4 Die Lösung wird in den Kessel gefüllt.
5 Die Flüssigkeit im Kessel muss ständig
oder stets gerührt werden.
6 Das entstehende Dekokt wird oft geprüft.

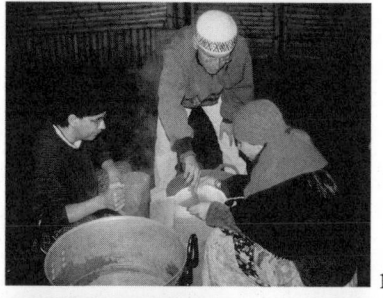

7

8

9

10

11

12

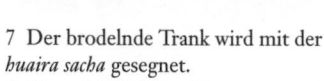
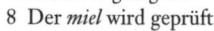

7 Der brodelnde Trank wird mit der *huaira sacha* gesegnet.
8 Der *miel* wird geprüft.
9 Es wird getestet, ob der *miel* noch abtropft.
10 Rückstände der Prozedur.
11 Nun wird der *miel* probiert.
12 Kajuyali prüft den *miel*, das Ergebnis langer Arbeit.
(Fotos: C. Rätsch und A. Adelaars)

Rezepturen für Rezeptoren

Alle Rezepte enthalten als Grundlage die Stengel von *Banisteriopsis caapi*. Zur Herstellung der Ayahuasca müssen zunächst handliche Stücke der Liane zerstoßen und ausgekocht werden. Dann werden die Chakruna-Blätter *(Psychotria viridis)* hinzugegeben. Das Gemisch bleibt so lange über dem Feuer, bis eine schwarze, dicke, ekelhaft schmeckende Flüssigkeit entsteht. Der Trank soll nie in Alutöpfen gekocht werden, da Ayahuasca das Aluminium angreift und ungenießbare Aluminiumsalze entstehen können. Selten werden reine Kaltwasserauszüge von *Banisteriopsis caapi* und *Psychotria viridis* angesetzt; aber auch diese Methode funktioniert.

Bei den Rezepten der Amazonas-Indianer überwiegt meist der Anteil an der Liane. Pro Dosis wurden bei verschiedenen Proben 20–40, 144–158 oder sogar 401 Milligramm β-Carboline sowie 25–36 Milligramm *N,N*-DMT nachgewiesen. Die Mestizo-Ayahuasca enthält durchweg höhere Konzentrationen an Alkaloiden, vor allem an *N,N*-DMT, als die indianischen Zubereitungen. Die höchsten Konzentrationen sollen im Trank der *Daime*-Richtung von Barquinha vorhanden sein (mündliche Mitteilung von Luis Eduardo Luna, 1996).

Schamanentränke auf dem Kräutermarkt der Iquitos.

Natema-Rezept der Shuar (Jívaro)

Die Shuar-Schamanen *(uwishin)* zerspalten einen 1–2 Meter langen Stengel von *Banisteriopsis caapi* in schmale Streifen. Diese werden in einen Topf mit mehreren Litern Wasser gelegt. Dazu gibt man die Blätter von *Diplopterys cabrerana*, *Herrania* sp., *Ilex guayusa*, *Heliconia stricta* und einer nicht identifizierten Malpighiaceae namens *mukuyasku*. Das Ganze wird so lange gekocht, bis das meiste Wasser verdampft ist und eine sirupartige Flüssigkeit zurückbleibt. Ähnlich sind auch die Zubereitungen der Kamsá, Inga und Secoya im Sibundoy-Tal (BRISTOL 1965: 207ff.).

Ecuadorianisches Rezept

Die Rinde wird von der *Banisteriopsis-caapi*-Liane abgeschabt und unter einem bestimmten Baum im Wald deponiert. Die angeschabten Stengel werden in 4–6 Streifen gespalten und zusammen mit frischen oder getrockneten Blättern von *Psychotria viridis* eingekocht. Es werden pro Person ein ca. 180 Zentimeter langes Lianenstück und 40 *Psychotria*-Blätter gerechnet. Allerdings soll auch bereits ein 40 mal 3 Zentimeter großes Stengelstück ausreichen. Generell gilt: Je weniger Liane, desto magenfreundlicher wird der Ayahuasca-Trank.

Rezept der Kofán: Tama Yagé

Der Ausdruck *tama yagé* bedeutet »wilde Ayahuasca« – aber sie ist nicht nur wild, sondern auch besonders stark wirksam. Tama Yagé enthält sehr viel DMT. Die Kofán-Schamanen bereiten dieses wilde Getränk aus 40 Kilogramm *Diplopterys*-Blättern und 150 Kilogramm *Banisteriopsis caapi*-Liane zu. Entweder werden die zerstampften frischen Pflanzenteile in kaltem Wasser ausgezogen oder zusammen eingekocht.

Zubereitung bei der União do Vegetal (UDV, Brasilien)

Die Lianenstücke von *Banisteriopsis caapi* werden zerstampft, mit den Blättern von *Psychotria viridis* vermischt und in rostfreien Stahltöpfen 10–12 Stunden gekocht, bis eine dicke Flüssigkeit entsteht, auf deren Oberfläche in allen Spektralfarben schillernde Fettaugen entstehen.

Rezept von Don Agustín (Peru)

Der peruanische Schamane Don Agustín arbeitet seit über 25 Jahren mit Ayahuasca, seiner *medicina prima*, dem »Heilmittel Nummer eins«. Er hat es bisher über 3000 Menschen gegeben. Sein Rezept: Man nehme 1 Kilogramm *Banisteriopsis caapi* und 200 Gramm Chakruna *(Psychotria viridis)*. Beides wird mit Wasser eingekocht. Das Resultat ergibt etwa 6 Portionen.

Übrigens: Der erste Urin nach der Ayahuasca-Einnahme wirkt noch einmal, wenn er von einer anderen Person getrunken wird – laut Agustín![20] Die nativen Zubereitungen von Ayahuasca können sehr unterschiedlich sein. Durch zahlreiche Pflanzenzusätze können psychoaktive Wirkungen hervorgerufen, aber auch stimulierende oder heilsame Getränke erzeugt werden. Als starkes Purgativ gilt eine ecuadorianische Zubereitung aus *Banisteriopsis caapi* und *Ilex guayusa*. Delirante Rezepte enthalten oft Tabak und Engelstrompeten *(Brugmansia)*. Erfahrene Ayahuasca-Schamanen verfügen über eine sehr reiche Kenntnis der Pflanzenwirkungen und können über hundert verschiedene Additive ihren Mischungen zusetzen, um gewünschte Effekte zu erzeugen. Oft enthalten die traditionellen Zubereitungen kein *N,N*-DMT. Aber für Europäer haben gerade die DMT-konzentrierten, visionär wirksamen Tränke eine starke Anziehungskraft. Sie trieb zahlreiche Ethnobotaniker, Psychedeliker, Künstler, Freaks, New-Age-Touristen usw. in den Dschungel (LEGINGER 1981, MCKENNA 1989, MCKENNA und MCKENNA 1975. Die Erfahrungen mit dem amazonischen Ayahuasca sind für die Fremden meist enttäuschend. Oft treiben die *curanderos* oder selbsternannten Schamanen mit den Drogen und Heil suchenden Weißen ihren Schabernack. Schon William Burroughs berichtete 1953: »bin von Medizinmännern übers Ohr gehauen« worden (BURROUGHS und GINSBERG 1964: 27). Es gibt aber auch Gegenbeispiele (WOLF 1992).

Westliche Medizin, Pharmazie und Pharmakologie

Schamanen sind Forscher, denn der Schamanismus ist kein statisches System, sondern ein dynamischer Prozess. Ebenso wie unsere Pharmazeuten stets nach neuen Wirkstoffen und Medikamenten suchen, erforschen die Schamanen die amazonische Waldwelt nach weiteren, bisher noch unbekannten Pflanzen, mit denen sich die Ayahuasca weiterentwickeln lässt und mit denen spezifische Eigenschaften verstärkt werden können.

Ayahuasca ist eine Zubereitung aus mindestens zwei Pflanzen: aus der Ayahuasca-Liane *(Banisteriopsis caapi* (SPRUCE ex GRISEB.) MORTON, syn. *Banisteria caapi* SPRUCE) und den Chakruna-Blättern *(Psychotria viridis* R. et P.). Dieser Trank stellt in Amazonien das bedeutendste schamanische Heilmittel dar (REICHEL-DOLMATOFF 1996). Der eigentliche Wirkstoff des Ayahuasca-Trunkes ist das bereits mehrfach erwähnte *N,N*-Dimethyltryp-

---

20 Bisher wurde in der wissenschaftlichen und kolloquialen Literatur nur über das Trinken vom Urin eines Fliegenpilzberauschten berichtet.

tamin (= DMT), eine Substanz, die als Neurotransmitter in unserem Nervensystem fungiert.

Nachdem die Chemie und Pharmakologie der Ayahuasca durch westliche Wissenschaftler (Bo Holmstedt, Dennis McKenna, James Callaway, Jonathan Ott usw.) aufgeklärt worden war, war das Staunen groß: Es zeigte sich, dass die Amazonas-Indianer eine eigene chemische Technologie entwickelt hatten, und zwar eine höchst wirkungsvolle.

Der psychedelische Wirkstoff *N,N*-Dimethyltryptamin wird nicht nur im menschlichen Körper gebildet, sondern reichert sich auch in zahlreichen Pflanzen und Tieren an, die ihn mit der Nahrung aufnehmen. Allerdings gelangt das DMT nicht ins Gehirn; es wird vorher von dem Enzym Monoaminooxidase, kurz MAO, abgebaut. Wenn die Ausschüttung der MAO verhindert werden könnte, müsste das DMT ungehindert die Blut-Hirn-Schranke passieren können, an die entsprechenden Rezeptoren andocken und das Nervensystem in einen außergewöhnlichen Zustand versetzen können, der sich in prächtigen und überwältigenden Visionen ausdrückt.

Genau dies aber geschieht, wenn man Ayahuasca trinkt. Denn in der Liane sind die β-Carboline Harmin und Harmalin enthalten; das sind sogenannte MAO-Hemmer, also Inhibitoren, die die Ausschüttung der Monoaminooxidase verhindern. Dadurch kann das im Trank befindliche DMT unzerstört ins Gehirn eindringen und dort einige Stunden wirken. Damit stellt Ayahuasca ein Glanzbeispiel des *chemical engineering* des Bewusstseins dar.

Die Ayahuasca-Liane wurde von dem britischen Botaniker Richard Spruce (1817–1893) entdeckt, der Wirkstoff jedoch von dem deutschen Toxikologen Louis Lewin (1850–1929) gefunden. Obwohl er dem bereits bekannten Alkaloid Harmin glich, nannte Lewin den Ayahuasca-Stoff Banisterin (vorher bekannt als Telepathin). Eine Reihe von Versuchen, bei denen man die telepathische Wirkung testen wollte, war alles andere als befriedigend. Keine der geschilderten Wirkungen trat ein. Lewin stellte lediglich fest, dass das Banisterin ein brauchbares Medikament zur Behandlung des Parkinson-Syndroms sei.

In dem zeitgenössischen pharmazeutischen Standardwerk, *Hagers Handbuch der pharmazeutischen Praxis*, heißt es in der Ausgabe von 1938 treffsicher:

> »Harmin ist in chemischer, physikalischer und pharmakologischer Hinsicht identisch mit dem Alkaloid Banisterin aus der in mittelamerikanischen (sic!) Ländern auftretenden Malpighiacee Banisteria Caapi.
>
> **Eigenschaften:** Weißes, schwach gelblichgrünstichiges Kristallpulver, das sich in Wasser von 20° zu etwa 2,5 %, in heißem Wasser leichter löst. Die stark verdünnten wässrigen Lösungen zeigen eine bläuliche Fluoreszenz. Harmin schmilzt unter Zersetzung bei 262°.

Anwendung. Bei Folgezuständen von Gehirngrippe, bei Muskelrigor, Hypokinese Paralysis agitans. Die Anwendung erfolgt oral, rectal und subcutan, aber nicht intravenös.« (FRERICHS et al. 1938: E 642)

Angeregt durch die Aufklärung der Ayahuasca-Pharmakologie – also die Entdeckung des synergistischen Prinzips DMT plus MAO-Hemmer – wurden sogenannte Ayahuasca-Analoge kreiert (OTT 1994). Dazu erprobte man in Labor, Küche und Keller zahlreiche Kombinationen von Rohdrogen, die zum einen DMT, zum anderen β-Carboline enthalten.

DMT: Das Erleuchtungsmolekül

DMT kann im Bewusstsein wahre Explosionen (mit Chrysanthemenmustern, Mandalas, psychedelischen Kathedralen) herbeiführen:

>»Eigentlich ist es unbegreiflich, dass eine so einfache chemische Substanz wie DMT uns den Zugang zu so einer erstaunlichen Vielzahl unterschiedlicher Erfahrungen eröffnet, deren Spektrum von völlig undramatischen bis zu unvorstellbar tief erschütternden Erlebnissen reicht: von psychologischen Einsichten bis zu Begegnungen mit Außerirdischen, von tiefstem Entsetzen bis zu fast unerträglicher Glückseligkeit, von Nahtoderfahrungen und Wiedergeburtserlebnissen bis zur Erleuchtung. Alles dies wird durch einen chemischen Verwandten des Serotonins bewirkt und somit durch eine Substanz, die einem weitverbreiteten und wichtigen Neurotransmitter ähnlich ist.« (STRASSMAN 2004: 414)

Viele Menschen, die einen echten DMT-Flash erlebt haben, stellen sich die Frage, »warum die Natur oder Gott DMT überhaupt erst hervorgebracht hat. Worin besteht der biologische oder evolutionäre Vorteil einer Synthese des Bewusstseinsmoleküls in verschiedenen Pflanzen und in unserem Körper?« (STRASSMAN 2004: 414)

Die Ayahuasca-Wirkung: Erfahrungen

Ayahuasca wirkt grundsätzlich auf Körper und Geist. Der Körper wird durch die emetische Wirkung (also durch Erbrechen) gereinigt, und der Geist setzt das körperliche Geschehen visionär um. Sind Körper und Geist solchermaßen geklärt, kann es zu fantastischen Abenteuern in der Anderswelt kommen. Oft ist die visionäre Wirkung durch das Erlebnis der Ekstase gekrönt. Dies ist nicht etwa ein Heraustreten aus dem Körper, sondern die direkte Verbindung mit Universum und Kosmos: Man ist wie in der Unio mystica der mittelalterlichen Mystiker mit der äußeren Welt und gleichzeitig mit dem eigenen Inneren vollkommen eins.»Ekstase ist die totale Erfahrung« (GAUP 2005: 365).

»Auch ich nehme zwei kleine Kalabassen von dem Zaubertrank [Kaapi], um die Wirkung am eigenen Leibe zu erproben. Das Zeug schmeckt leicht bitter. In der Tat habe ich nach einiger Zeit, besonders wenn ich in die Dunkelheit hinaustrete, ein merkwürdiges grellfarbiges Flimmern vor den Augen, und beim Schreiben huscht es über das Papier wie rote Flammen. Bei der vierten Kalabasse, erklärt mir der Inspektor, müsse man sich heftig übergeben, und dann habe man die schönsten Gesichte.«
KOCH-GRÜNBERG 1921: 201

Bei Ayahuasca-Ritualen geht es um Heilung, bei anderen Drogen auch um andere Dinge. In sogenannten Pilzkreisen gibt es öfter gemeinsame Visionen und Kommunikation; am stärksten ist das Gemeinschaftsgefühl jedoch unter LSD, weshalb LSD auch die beste »Partydroge« ist. Bei Ayahuasca-Ritualen hat jeder Teilnehmer seine eigene Erfahrung.

Über den Sinn und die Sinne: Einige persönliche Ayahuasca-Reflexionen

»Wir Menschen suchen nach einem Sinn unserer Existenz. Wir wollen nicht wahrhaben, dass wir keinen Sinn finden. Wir vertrauen unserer Sinneswahrnehmung nicht mehr und basteln uns Konstrukte über einen möglichen Sinn des Seins, des Lebens, des Universums. Vergeblich! Wir stellen Fragen, die uns niemand beantworten kann: Sind wir also nur ein Experiment des Universums, ein Versuch des Seins, etwas über sich selbst zu lernen?
Die Sinneswahrnehmung erfüllt uns mit Sinn. Mehr können wir nicht tun. Oder doch? Wenn wir uns selbst als Sinnesorgane des Universums erkennen, können wir unsere Wahrnehmung als einzigen Beweis unserer Existenz deuten. Unsere Erfahrung erweckt in uns den Wunsch nach Erkenntnis. Wir wollen alles ergründen, erforschen, ziehen durch alle Welten und suchen Anworten. Doch die Anwort sind wir selbst. Wenn wir Ayahuasca trinken, kommen wir uns selbst näher.
Diese Gedanken sind ein Resultat meiner persönlichen Begegnung mit Ayahuasca. Sie gelten für mich, für mich ganz allein und persönlich. Aber es erscheint mir doch sehr wichtig, diese Gedanken mitzuteilen, denn sie entstammen einer visionären Welt, die ich mit meinen Sinnen als wahr erlebt, eben wahrgenommen habe. Dafür danke ich den Pflanzengeistern. Dafür danke ich auch den unbeirrbaren Schamanen des Amazonaswaldes.
Ein Ayahuasca-Ritual ist nichts für psychedelische Hochleistungssportler. Ayahuasca ist nicht ein neuer Kick, sondern ein altes, bewährtes Heilmittel,

das nicht nur Krankheiten heilt und Leiden lindert, sondern auch Gesunde kuriert. Sie macht heiler, fördert die Gesundheit, entgiftet den Körper, reinigt die Organe, schafft Balance und gibt Lebenskraft.

Doch das ist kein Grund für überzogene Erwartungen an das »Wundermittel« aus Amazonien. Weg damit! Nur: Wie soll man das anstellen? Sich stellen, vielleicht einmal zufrieden geben, auch wenn der erhoffte Kick ausbleibt. Wenn man sich nur mit dem Mangel beschäftigt, sich nur fragt, warum man keine versprochenen Visionen von Schlangen und Jaguaren empfängt, hat man den Zug verpasst. Wer nur Visionen will, wird meist nur mit körperlichen Symptomen zu tun bekommen – eine wirksame Medizin bei hartnäckiger Verkopftheit!

Speisevorschriften: Ayahuasca-Diäten

Immer wieder hört oder liest man, dass vor der Einnahme von Ayahuasca gefastet werden muss und dass vor, aber besonders nach dem Ritual bestimmte Speisen nicht gegessen werden sollten, weil sie Stoffe enthalten, die durch die Anwesenheit von β-Carbolinen nun plötzlich giftig wirken können. Viele Publikationen führen zahlreiche Speisen auf, die man bei MAO-Hemmung nicht einnehmen sollte. In diesen Angaben spiegeln sich jedoch mehr die Ängste westlicher Wissenschaftler und Gesundbeter als die tatsächliche amazonische Praxis. Wer Angst vor bestimmten Nahrungsmitteln hat, sollte in jedem Falle auf ihren Genuss verzichten. Denn meist ist die Panik gefährlicher als das tatsächliche toxikologische Potenzial.

Die Wirkung der Ayahuasca kann dennoch durch diätetische Maßnahmen beeinflusst werden. So wird mitunter in der Zeit vor der Einnahme auf Salz, Chili und Bohnen verzichtet. Dadurch soll es einfacher werden, sich in die Ayahuasca-Erfahrung fallen zu lassen.

Für Ayahuasca-Unerfahrene ist es unbedingt ratsam, vor einem Ritual zu fasten. So sollte nach einem nicht allzu üppigen Frühstück den Tag über nichts mehr gegessen und auch kein Alkohol getrunken werden. Novizen wird ebenso empfohlen, zwei Stunden vor Einnahme gar nichts mehr zu trinken, auch kein Wasser.

Zum Abschluss einer Ayahuasca-Nacht wird oftmals, zumindest in den indianischen Kulturen, ein kräftiges Frühstück gereicht: Früchte, Bananen, Maniok – und vor allem Fleisch. Denn für die Regenwaldmenschen ist Fleisch die heilige Nahrung, das beste Nahrungsmittel, das es gibt. Das Fleisch erdet; es ist pure Lebenskraft. Aus schamanischer Sicht ist Fleisch, also das Tier, gleichwertig mit der Pflanze; beides sind Wesen, die das Wunder des Lebens in sich tragen.

Auch wenn Ayahuasca in Brasilien *vegetal*, »Gemüse«, genannt wird, ist es doch auch »fleischliche« Nahrung: Die Seele der Liane ist die Anakonda, und das DMT der Blätter ist der Jaguar. Schamanen machen keinen Unterschied zwischen Pflanzen und Tieren. Sie sehen sie als gleichwertige und gleichberechtigte, ja als gleich gültige Wesen im Kreis des Lebendigen an. Für Schamanen macht es keinen Unterschied, ob man eine Zwiebel köpft oder ein Tier erlegt. Denn wir Menschen können uns nur durch den Tod anderer Wesen am Leben erhalten. Wir müssen den Tod als Teil des Lebens und nicht als dessen Antipode verstehen und demütig annehmen. Denn auch wir werden sterben und durch unseren Tod den Fluss des Lebens weiterströmen lassen.

Heiliges Fleisch

Naturvölkern ist der Vegetarismus gänzlich fremd (STORL 2003a). Fleisch ist heilig und gilt allgemein als Kraftnahrung, ist aber auch Seelenspeisung. Die Weisheit und Erfahrung des erlegten Wildes trinkt man mit dessen Blut und isst man mit dessen Fleisch.

Für viele Schamanen sind Vegetarier Verächter des Lebens, denn sie stellen die Tiere über die Pflanzen und sich selbst über die Tiere. Aus schamanischer Sicht sind Pflanzen, Tiere und Menschen gleichwertig und miteinander verwandt – was uns übrigens auch die Paläontologie und Evolutionstheorie lehrt. Im schamanischen Weltbild sind alle Wesen mit dem Wunder des Lebens erfüllt, sind Ausdruck der universellen Lebenskraft, angeschlossen an denselben Ursprung. Es ist egal, ob man eine Pflanze oder ein Tier tötet, um sich selbst am Leben zu erhalten. Man muss auf jeden Fall töten, ein anderes lebendiges Wesen töten, um selbst zu leben – eine Erkenntnis, die man nur allzu leicht auf dem Weg zum Supermarkt vergisst.

Mitunter hört oder liest man auch Restriktionen im Sexualverhalten. Auch in diesem Punkt können die Angaben widersprüchlich sein. Manche Schamanen verordnen eine lange Periode sexueller Enthaltsamkeit vor dem Ritual – aber nicht aus Puritanismus, sondern aus energetischen Gründen. Manche *ayahuasqueros* sind sehr streng in ihren Vorschriften, andere extrem locker. Am besten ist es, wenn jeder für sich selbst die geeigneten Speise- und Sexdiäten ermittelt.

Guillermo Arévalo, Schamane der Shipibo, sagte einmal, dass man schon Sex haben könne, bevor man am Abend Ayahuasca trinkt; aber nur, wenn es Sex aus Liebe sei, nicht Sex aus Gier. Sex und Abstinenz sind in den monotheistischen Kulturen von zentraler Bedeutung in Bezug auf die Steuerung und Unterdrückung des ausbeutbaren Volkes.

La Pinta: Die Visionspflanzen

Das spanische Wort *pinta* bedeutet eigentlich »Flecken« im Sinne von gefleckten Mustern auf Tierhäuten (z.B. die Zeichnung bzw. Musterung auf dem Jaguarfell oder einer Schlangenhaut), »Tüpfel« im Sinne von getupften Flecken oder »Aussehen« im Sinne von Erscheinung; *pinta* wird auch mit der Bedeutung »Erkennungszeichen« gebraucht. Zudem verbirgt sich dahinter ein altes Maß, nämlich die »Pinte«. Ein *pinta* ist andererseits ein »Gauner« oder »frecher Kerl«. Auch das Verb *pintar*, »malen, schminken, färben, gebildet«, leitet sich von *pinta* ab. All diese Bedeutungen schwingen mit, wenn ein *ayahuasquero* das Wort *pinta* benutzt. Im regionalen Spanisch Südamerikas bezeichnet *la pinta* dasjenige, was dem Ayahuasca-Zustand Farbe gibt, sozusagen die Visionen malt. Damit werden auch all die Ayahuasca-Zusätze bezeichnet, die für die visionäre Wirkung, für visuelle Wahrnehmungen unter Einfluss, verantwortlich sind. Allgemein wird das ursprünglich spanische Wort von vielen Indianern als Lehnwort verwendet. Und zwar für alle psychoaktiven Pflanzen oder Zubereitungen, die visuelle, farbige Visionen auslösen können.

Schatten der Nacht

Die Nachtschattengewächse oder Solanaceen zählen zu den botanisch wichtigsten Säulen menschlicher Kultur. Sie sind weltweit verbreitet und werden ethnobotanisch reichlich genutzt. Es gibt in ihrer Familie viele Pflanzen, die dem Menschen als Nahrung, Genussmittel, Medizin, Rauschmittel, Reisekräuter und Räucherstoffe dienen. Diese botanisch definierte Pflanzenfamilie hat viele vegetabile Berühmtheiten hervorgebracht: so etwa die Kartoffel, die Tomate, den Paprika, die Aubergine, den Chilipfeffer; aber auch den Tabak, das Bittersüß, die Schlafbeere, den Schwarzen Nachtschatten, die Tollkirsche, den Stechapfel, die Engelstrompete, die Alraune und das Bilsenkraut.
Die letztgenannten Pflanzen können stark auf das Bewusstsein wirken, es verändern und dadurch auch kulturverändernd wirken. Die psychoaktiven Nachtschattengewächse wurden seit der Antike mit zauberischen, seit dem Mittelalter mit hexerischen, in der Moderne mit psychotischen Anwendungen assoziiert. Man hat sie mit dem Wahnsinn, mit der Dunkelheit, mit dem Schatten der Nacht (= Nachtschatten) in Verbindung gebracht. Diese Pflanzen sind Lehrer – ebenso unverhohlen wie gnadenlos. Sie können aphrodisische Wonnen herbeizaubern oder höllische Schrecken heraufbeschwören. Sie sind Pflanzen der Schamanen, Seher und Zauberer. Man sollte ihnen mit Respekt begegnen.

Viele Nachtschattengewächse werden im Zusammenhang mit Ayahuasca, aber auch mit anderen Kraftpflanzen und Zaubertränken, verwendet. Die Solanaceen, die halluzinogen sind, werden gern als *pinta* der Ayahuasca zugesetzt, allen voran Engelstrompete und Stechapfel. Sie verstärken Ayahuasca, vertiefen die Visionen und potenzieren Heilkräfte. Sie malen ihre Bilder in das visionäre Bewusstsein. Diese Bilder können wunderschön oder schrecklich sein, beglückend oder erschreckend, höchste Seligkeit und tiefste Furcht zugleich auslösen.

Maikua und *chamico:* Engelstrompete und Stechapfel

Stechäpfel *(Datura)* und Engelstrompeten *(Brugmansia)* gehören seit ihrer ersten Erwähnung bei Leonhart Fuchs (1543) zu den beliebtesten Zierpflanzen in europäischen Gärten. Sie verzaubern nicht nur mit ihrer Blütenpracht, sondern betören auch durch ihr verführerisches Parfüm. Sie sind Nachtdufter und verströmen ihren »göttlichen Duft« geradezu wollüstig in die lauen Sommernächte.

Diese Nachtschattengewächse zählen zu den wichtigsten südamerikanischen Schamanenpflanzen, aber auch zu den gefährlichsten. Sie können, richtig angewendet, heilen, aber in Überdosierungen extremen Schaden anrichten. Deshalb warnen die Schamanen vor ihrem Gebrauch. Nur die Schamanen können damit umgehen und die ungeheure Kraft dieser Pflanzen meistern.

Die Engelstrompeten haben trotz ihres schönen Namens in letzter Zeit bei uns eine recht schlechte Presse: »Todestee aus Engelstrompeten«, »Vergewaltigungsdroge«, »Gefährlicher Trip mit Engelstrompeten«, »Russisches Roulett mit Engelstrompete« usw. Sie sind ein beliebter Sündenbock, eine Zielscheibe des Naturhasses und eine Projektionsfläche oberflächlicher Banalitäten.

Darstellung einer Frau mit einem Engelstrompetenzweig (Keru; Holz mit polychromer Lackmalerei, Südamerika, 16. Jahrhundert).

Diese bei uns beliebten Zier- und Kübelpflanzen stammen aus Südamerika. Wildsorten sind botanisch unbekannt, was heißt, dass diese Pflanze schon seit sehr langer Zeit vom Menschen kultiviert worden sein muss. Die meisten Arten oder Sorten sind botanisch nur sehr schwer zu identifizieren. Es scheint im Wesentlichen drei Typen zu geben: *Brugmansia sanguinea, Brugmansia suaveolens, Brugmansia aurea.* Andere als Arten beschriebene Taxone sind möglicherweise Kreuzungen oder lokale Varietäten.

Alle Engelstrompeten enthalten stark halluzinogen und delirant wirkende, zentral stimulierende und peripher betäubende Tropanalkaloide – darunter besonders das Scopolamin, das früher in der Psychiatrie als »chemische Zwangsjacke« eingesetzt wurde. Die bezaubernd schönen Büsche werden überall in Lateinamerika, besonders in Ecuador, schamanisch genutzt.

Die Goldene Engelstrompete *(Brugmansia aurea)* ist vor allem für die Traumdeutung bedeutsam. Der ausgepresste Saft aus dem Mark eines 5 Zentimeter langen, fingerdicken Stengelstücks wird mit etwas Wasser getrunken. Er löst prophetische Träume aus, die dann für den weiteren Lebensweg als Leitbild interpretiert werden oder Probleme lösen helfen. Die Schamanen der Quechua benutzen die in Wasser mazerierte abgeschabte Guanto-Rinde *(Brugmansia arborea)* zur Erzeugung prophetischer Trancen (ALARCÓN GALLEGOS 1988: 96).

Die Blutrote Engelstrompete *(Brugmansia sanguinea,* syn. *B. vulcanicola)* wächst im Hochland und dient vor allem als psychoaktiver und aphrodisierender Zusatz zu den selbstgebrauten Bieren aus Mais *(chicha)*, Maniok und anderen Knollenfrüchten sowie Palmwein. Dazu werden ein paar Samen in das jeweilige Getränk eingelegt. Manchmal werden auch von der Frau eines Fremdgängers ein paar zermahlene Samen heimlich unter dessen Kaffee gemischt. So wird der Frauenheld mit einem Delirium bestraft, das ihn in der Öffentlichkeit zu einem geistlosen Affen macht.

Die Duftende Engelstrompete *(Brugmansia suaveolens)* wird im oberen Amazonasgebiet am häufigsten schamanisch genutzt. Die Jívaro oder Shuar und Achuar trinken einen Aufguss oder ein Dekokt aus der *maikuna* genannten Pflanze, um eine Vision zu erhalten, die dem Gewinnen der *arutam wakani,* der »visionären Seele«, dient. Diese Seele wird fortan ausgeschickt, um in der »anderen Welt« Erkundungen einzuholen. Bei den Achuar ist die Vision ihres *arutam* besonders wichtig, da sie dem Krieger (dem ehemaligen Schrumpfkopfjäger) die durch den rituellen Kriegsmord verlorene Kraft wiedergibt. Dazu geht der Krieger an einen geschützten Ort tief im Wald und nimmt ganz allein, isoliert von allem, den Pflanzensaft der Engelstrompete und auch Tabaksaft ein. Durch die Wirkung wird er bald ein *arutam* schauen (FERICGLA 1994).

Außerdem wird der frisch gepesste Stengelsaft bei den Jívaro getrunken, um »tapfer« zu werden und in die Zukunft blicken zu können. Ungezogenen Kindern wird der Trank verabreicht, damit sie im Delirium lernen, sich richtig zu verhalten (HARNER 1984: 143ff.). Die Achuar geben die Pflanze auch ihren Hunden, damit sie besser jagen (DESCOLA 1996: 88).

Die Bunte Engelstrompete *(Brugmansia versicolor)* kommt vor allem in Ecuador vor. Diese Art ist im Amazonasgebiet eine der wichtigsten Schamanenpflanzen. Trotzdem ist kaum etwas über ihren Gebrauch bekannt – nur, dass sie als Yagé-Zusatz benutzt wird, um sehr heftige Visionen auszulösen. Auch *Brugmansia × insignis* wird der Yagé zugefügt.

In Ecuador glauben manche Indianer, dass die Engelstrompeten giftigen oder berauschenden Honig liefern, wenn ihr Nektar von den Bienen gesammelt wird. Außerdem wird angenommen, dass eine Frau vom nächtlichen Duft der Engelstrompeten schwanger werden kann.

In der Kamsá-Tradition darf das »Jaguar-Rauschmittel« aus den frischen Blättern von *Brugmansia × candida* forma Culebra *(= Methysticodendron amesianum)* nur bei abnehmendem Mond hergestellt und getrunken werden. Die Blätter werden kurz vor der beabsichtigten Einnahme, höchstens eine Stunde vorher, vom Strauch gepflückt, zerstoßen und für etwa eine halbe Stunde in kaltes Wasser gelegt. Unmittelbar bevor der Auszug getrunken werden soll, wird er etwas erwärmt und umgerührt, aber keinesfalls aufgekocht. Danach wird die Flüssigkeit abgeseiht.

Die Schamanen trinken niemals alles auf einmal. Sie trinken über eine Dauer von etwa drei Stunden immer wieder ein paar Schlucke. So können sie offensichtlich die für sie jeweils richtige Dosis bemessen und einnehmen. Wenn der Schamane nach drei Stunden noch nicht in Trance gefallen ist, wird ihm von einem Gehilfen nochmals ein Trunk zubereitet und in kleinen Portionen gereicht – so lange, bis der gewünschte Bewusstseinszustand eingetreten ist (SCHULTES 1955: 9). In Kolumbien (Sibundoy) werden die Blätter bei schamanischen und religiösen Zeremonien der Kamsá und Inga-Indianer getrunken, hauptsächlich zum Erlernen von Methoden der Hexerei, Divination, Prophetie und von schamanischen Therapien.

Die als *Methysticodendron amesianum* beschriebene Form der Engelstrompete heißt bei den Kamsá *mets-kwai borrachero* oder *mits-kway borrachero:* »das Rauschmittel des Jaguars« (SCHULTES 1955: 10). Damit stellt sie entsprechend dem stärksten Schamanentier ein sehr potentes Schamanenfahrzeug dar. Die Schamanen der Kamsá benutzen dieses Mittel fast ausschließlich zur Divination und Prophetie. Meist greifen sie hierauf nur zurück, wenn ein wirklich schwieriger Fall vorliegt. Denn es kommt vor, dass der Körper des betroffenen Schamanen für zwei bis drei Tage im Koma oder Delirium liegt, während seine Seele die geheimen Winkel der nichtalltäglichen Wirklichkeit erkundet.

Bei einer derartigen Prozedur ist stets ein Gehilfe anwesend, der nicht nur auf den Körper des Schamanen aufpasst, sondern auch auf etwaige Botschaften, die er stammelt, achtet. Die Sibundoy-Indianer berichten, dass sie unter Einfluss dieser mächtigen Zauberpflanze vielen riesigen Schlangen in ihren Visionen begegnen. So beschreibt ein Sibundoy-Indianer seine erste Begegnung mit der »Schlangenpflanze«:

>»Beim ersten Mal habe ich nachts sechs Blätter [der Culebra-Form]
> getrunken. Ich wurde betrunken. Ich sah Wälder voller Bäume, Leute von
> woandersher, Tiere, Baumstümpfe, Weiden voll mit allen möglichen
> Schlangen, die am Rande der Weide – ganz in Grün – auf mich zukamen, um
> mich zu beißen. Als der Rausch stärker wurde, begann sich das Haus gegen
> den Rest der Welt aufzulehnen, ebenso die Dinge im Haus (...) Aber die
> Schlangen wollten mich weiterhin umbringen.« (Bristol 1965: 283)

Lange Zeit war unbekannt, wie die Engelstrompeten bestäubt werden. Zuerst dachte man an Insekten, die in den tiefen Trichter der Blüte krabbeln. Aber dann wurde beobachtet, wie eine ungewöhnliche Kolibriart als Bestäuber tätig wurde. Sie fällt durch ihren enorm langen, fast geraden Schnabel auf. Damit kann der kleine Vogel ganz tief in die Trompetenblüte eindringen, sich am Nektar berauschen und den Blütenstaub verteilen – und die ganze Zeit dabei in der Luft an einer Stelle schwirren. Die Indianer sehen darin einen metaphorischen Sexualakt. Der phallische Schnabel dringt tief in die Blüten-vulva ein und befruchtet die Pflanze – tagsüber. Nachts werden von den Blüten, die »des Nachts Moschusduft aushauchen« (*Vilmorin's Blumengärtne-rei*, 1896), große Nachtfalter angelockt. Auch sie fungieren als Bestäuber,

Engelstrompetenblüten mit Vogel
(zwecks Bestäubung); Darstellung auf
einem Trinkgefäß der vorspanischen
Inka-Kultur.

aber nur in seltenen Fällen. Die Hauptbestäuber sind Kolibris, die »Juwelen der Luft«. Die quasi-sexuelle Beziehung zwischen den Engelstrompeten und Kolibris sind die von *la Pinta* und *el pintador*, der Visionspflanze und dem »Maler«.

Die mit den Engelstrompeten verwandten krautigen Stechäpfel (*Datura* spp.) werden ganz ähnlich benutzt wie ihre großen Brüder und Schwestern; sie heißen *chamico*, nach den Quechua-Worten *chami* für »Wahnsinn, Verrücktheit« und *co* für »geben«. Wenn die Pflanze als Aphrodisiakum benutzt wird, kommt das hispanisierte Quechua-Wort *enchamicar*, »bestechapfeln«, linguistisch-kognitiv zum Schwingen.

Engelstrompeten und Stechäpfel gehören nicht nur zu den kräftigsten Ayahuasca-Zusätzen, zu den *pintas*, sie liefern auch die kriminell genutzten K.O.-Tropfen namens Burundanga und fallen zudem in die ethnotaxonomische Kategorie der *borracheros*, der pflanzlichen »Trunkenmacher«.

Borrachero, der »Trunkenmacher«

Das Sibundoy-Tal, Putumayo, ist das Tor zum Amazonas. Wir durchfahren es mit offenen ethnobotanischen Augen. Da steht er am Wegesrand. Seine Wipfel winken im Wind, seine roten Blüten strahlen wie Edelsteine in der funkelden Sonne. »Stopp!«, rufe ich. »Eine Schamanenpflanze!« Direkt am Weg zu unserem Ziel: dem Gehöft und Grundstück von Taita Martín, dem berühmten Schamanen der Kamsá, dem Lehrer von Kajuyali Tsamani. Vor lauter Aufregung rufe ich – noch ganz vom Pflanzenscanprogramm des Hochlandes aktiviert, »das ist eine Desfontainia.« Ist es natürlich nicht. Es ist vielmehr der fuchsienähnliche Veilchenstrauch, ein Nachtschattengewächs, *Iochroma fuchsioides*.

Der Strauch oder kleine Baum erinnert tatsächlich an eine Fuchsie, jene Pflanzen, die ihren Gattungsnamen (Fuchsia) zu Ehren des »Vaters der Botanik«, Leonhart Fuchs (1501–1566) trägt. Die in Büscheln herunterhängenden roten Blüten sehen wirklich ganz ähnlich wie Fuchsienblumen aus, fast wie die bei uns beliebte Balkonpflanze, die sogenannte »Zigaretten-Fuchsie«.

Begeistert frage ich Kajuyali, ob er diese psychoaktive Schamanenpflanze kenne und wenn ja, ob er über ihren entheogenen Gebrauch Bescheid wisse. Leider nicht. »Wir können aber gleich meinen Taitita fragen.« Wir brechen einige Zweige ab, bedanken uns beim Pflanzengeist für sein Erscheinen und fahren weiter zum Haus des großen Schamanen.

Wir folgen Kajuyali ins Haus. Taita Martín liegt, gebeugt vom hohen Alter, auf seinem Bett. Mit warmem Blick und verschmitztem Lächeln begrüßt er seinen Musterschüler und uns, dessen Freunde. Kajuyali erklärt ihm, dass wir ein Buch über Ayahuasca schreiben und etwas über Pflanzen lernen wollen. »Gut! Kein Problem.« Ich frohlocke. Der Taita meint, wir sollen uns in seinem »Saal« aufhalten, er würde gleich zu uns kommen.

Der »Saal« ist ein Bretterverschlag, in dem nachts die Ayahuasca-Rituale ablaufen. An den Wänden hängen Malereien von seinem Sohn, Bilder aus der visionären Ayahuasca-Welt, dazwischen Heiligenbilder, Fotos von verschiedenen Ethnien Kolumbiens, behördliche Zertifikate, Anerkennungen des Taita Martín als traditioneller Heiler und Kräuterkenner. Eine merkwürdige synkretistische Welt. Wie passt das zusammen, Ayahuasca und Katholizismus?

Als ich dem Taitita den Iochroma-Zweig zeige, nimmt er ihn milde lächelnd in seine Hände. Nach einer Weile sagt er: »Das müsste eine Tomate sein« – und schweigt sich genüsslich aus. Na ja, er hat das Gewächs immerhin in die richtige botanische Familie, die Nachtschattengewächse, eingeordnet. Aber jeder sieht sofort den Unterschied. Durch sein Schweigen wahrt er das Geheimnis des Veilchenstrauches, es bringt ihm aber den Spitznamen »Taita Tomate« ein. Kajuyali, sein Schüler und Adept, lacht sich schlapp. Später erzählt er mir, so sei es eben mit den Schamanen, sie führen Neulinge gern an der Nase herum.

Dennoch zeigt uns Taita Tomate, begeistert durch unser ethnobotanisches Interesse, seinen Kräutergarten. Dort wachsen eine Reihe von Zauberpflanzen, die meisten davon nennt er *borrachera* oder *borrachero*, »Trunkenmacher«.

In Südamerika werden viele berauschend wirkende Pflanzen so genannt, z.B. *Iresine celosia* L. und *Iresine herbstii* Hook.f. sowie alle anderen Arten der *Brugmansia*, aber auch *Iochroma fuchsioides*. Die *borracheros* sind Zauber-

Der kolumbianische Schamane Kajuyali Tsamani sammelt einen Zweig von *Iochroma fuchsioides*. Diese Pflanze gehört zu den borracheros genannten Gewächsen (Sibundoy, Putumayo, Kolumbien, 4/2004).

pflanzen der schamanischen Pharmakopöe. Sie stehen oft im Zusammenhang mit Ayahuasca, oft als Additive des Trankes.

Die Kamsá-Schamanen (Sibundoy, Kolumbien) nennen eine *Cestrum* sp., ein Nachtschattengewächs, *borrachero andoke*. Die Blätter werden in Wasser zerdrückt und getrunken, um Dinge wie unter Ayahuasca-Einfluss zu sehen. Eine weitere *Cestrum* sp. heißt in Kolumbien *borrachera andoke*, ein Name, der auch *Iochroma fuchsioides* gegeben wird. Die Kamsá halten den Busch für giftig. Dennoch wird aus den zerstoßenen Blättern ein Kaltwasserauszug bereitet und getrunken, um »Dinge wie auf Yagé zu sehen« (SCHULTES und RAFFAUF 1990: 428). Ähnlich verhält es sich mit *Pontederia cordata* L. (Pontederiaceae). Diese Pflanze wird im kolumbianischen Amazonasgebiet *amarón borrachero* (»Haselwurz-Trunkenmacher«) genannt und einerseits als Ayahuasca-Zusatz, andererseits möglicherweise auch allein für psychoaktive Wirkungen verwendet (SCHULTES 1972: 141).

Der Kaktus der Vier Winde

Kakteen sind nicht nur beliebte Sammlerobjekte, sondern auch wichtige Lieferanten von Heilmitteln, Pharmaka und Aphrodisiaka. Aber auch sie können den Schamanen ihre Reisen in die Anderswelten ermöglichen. Vor allem sind es zwei meskalinhaltige Kakteen, die als Schamanenpflanzen große Bedeutung haben: Peyote (in Mexiko) und San Pedro (in Südamerika). Sie sind mächtige Zauberpflanzen, potente Psychotropia, kulturschaffende Bewusstseinsöffner. Und sie sind *pinta*, die Maler der Anderswelt.

Der San-Pedro-Kaktus *(Trichocereus pachanoi)* stand am Anfang der andinen Zivilisation; er war die *materia prima* der Schamanen (GIESE 1989b: 225). In Peru bzw. im zentralen Andenraum und den angrenzenden Wüstengebieten wird der Kaktus seit mindestens 2000 Jahren rituell benutzt. Der älteste archäologische Beleg für die rituelle Verwendung findet sich in den frühen Schichten der Formativen Periode von Chavín. Der Kaktus fand als Sakraldroge und auch als schamanisches Heilmittel Verwendung und wird seit 200 v. Chr. an der peruanischen Küste kultiviert.

Niemand weiß genau, wie und wann der heilige Kaktus der Indianer den Namen eines katholischen Heiligen (Sankt Peter, heiliger Petrus) erhielt. Vermutlich stand der Kaktus mit Regenkulten und heidnischen Regengöttern in Zusammenhang. Da San Pedro der Heilige des Regens ist, lag es nahe, den Kaktus so zu nennen (und ihn vielleicht vor der pharmakratischen Inquisition zu retten). Außerdem ist Petrus derjenige, der den Himmelsschlüssel besitzt. Sein Schlüssel ist Achuma, der San-Pedro-Trank.

Der San-Pedro-Trank wird aus frischen Kaktusstangen oder -stücken bereitet. Die Stangen werden zerschnitten und in reichlich Wasser für ein paar

Stunden (oft unter Zusatz anderer Pflanzen) ausgekocht. Dann wird das Dekokt abgegossen und für weitere Stunden auf die Hälfte eingekocht. Manche *curanderos* kochen vier dünne Stangen in 20 Liter Wasser sieben Stunden lang aus. Die Dosis bemisst sich nach der Dicke und Länge des Unterames (vom Ellbogen bis zum Handgelenk) des Trinkers in spe. Einige *curanderos* und Schamanen verstärken den San-Pedro-Trank mit Blättern der *misha* genannten Engelstrompete oder mit Tabak.

Der Trank wird hauptsächlich von Schamanen eingenommen, um bei nächtlichen Zeremonien die Ursache einer Krankheit erkennen zu können; seltener wird dem Patienten und anderen anwesenden Personen etwas von dem Trank gereicht. Vorher muss allerdings aus einer Schnecken- oder Muschelschale ein alkoholischer oder wässriger Extrakt von Tabak durch die Nase »getrunken« werden, um sich zu reinigen und vor negativen Mächten zu schützen.

Es ist nicht bekannt, seit wann Schamanen San Pedro mit Ayahuasca verbinden; heute jedenfalls gibt es einige, die den San Pedro als *pinta* nutzen. Entweder wird der frische, in Scheiben geschnittene Kaktus gleich mit Ayahuasca zusammen gekocht, oder es wird am Tag vor oder am Tag nach Ayahuasca der San-Pedro-Trank getrunken. Der San-Pedro-Kaktus gehört neben den *borracheros* zu den wichtigsten *pinta*-Gewächsen. San Pedro allein kann ebenso stark wirken wie Ayahuasca, nur etwas anders, z.B. ohne Erbrechen, und sogar länger (6–8 Stunden).

Yopo: Schnupfpulver und Ayahuasca

In Amazonien werden mancherorts die getrockneten Rindenstücke und getrockneten Blätter der *Banisteriopsis caapi* geraucht oder geschnupft. So rauchen bzw. inhalieren die Witotos die pulverisierten Blätter als Halluzinogen. Rauchen[21] und Schnupfen sind verwandte Methoden zur Aufnahme von Pflanzenwirkstoffen.

Vor mir liegen zwei fette, fingerlange Linien des braunen Yopo-Pulvers. Ich soll jeweils eine in jedes Nasenloch einziehen; möglichst kräftig. Das Einziehen läuft besser, als ich dachte. Meine Nasenschleimhaut protestiert trotzdem mit einem heftigen Niesen. Nach dem ersten Schock kommt die Belohnung. Schon bald verschieben sich die Farben im Raum. Muster tanzen durch die Luft, leuchtende Farben laufen über meine Haut. Als ich aufblicke, sehe ich die Regenbogenfarben über die Körper aller Anwesenden gleiten. Das muss die viel zitierte Aura sein! Der

---

21 Um 2000 v. Chr. beginnt das Rauchen von Cebíl, den Samen von *Anadenanthera colubrina* var. *cebil* in Nordwest-Argentinien.

Schamane weist mich an, die Farbenflüsse über den Körpern genau zu betrachten, ihrem harmonischen Fluss zu folgen und auf eventuelle Störungen im Farbenstrom zu achten. Tatsächlich kann ich an manchen Körpern Störungen im Farbenspiel ihrer Aura erkennen. Das Ganze erinnert mich an die Ayahuasca-Muster. Nun beginnt der Schamane, die gestörten Stellen mit Tabakrauch zu beblasen und zu besingen. Ich sehe, wie er so die Harmonie der Farben wiederherstellt. Also so funktioniert die Yopo-Diagnose und Behandlung: Nur wer sieht, kann heilen. Und das Sehen ist eine Eigenschaft des Yopo in unserem Bewusstsein.

Im Jahre 1560 schrieb ein Missionar, der in den Llanos von Kolumbien tätig war, die Indianerstämme am Río Guaviare hätten die Gewohnheit,»Yopa und Tabak einzunehmen. Yopa ist ein Sämling oder Kern, vom dem sie schläfrig werden. In ihren Träumen zeigt ihnen der Teufel seine verderblichen Nichtigkeiten, die sie für wahre Erscheinungen halten. Sie glauben an ihre Visionen, selbst wenn ihnen der nahe Tod angekündigt wird. Der Genuss von Yopa und Tabak ist im Neuen Königreich allgemein bekannt«.[22]
Ein anderer spanischer Chronist schrieb 1599:»Sie kauen Hayo, Coca, Jopa und Tabak. Wenn sie ihr Bewusstsein verloren haben, spricht der Teufel zu ihnen (...) Jopa ist ein Baum mit kleinen Schoten wie jene der Wicken; auch die Samen gleichen ihnen, sind jedoch kleiner.«[23]
»Jop« wurde auch als »Wahrsagekraut« bezeichnet und von den Sonnenpriestern der Muisca zur Divination benutzt. Leider sind die Angaben der Spanier sehr dürftig, wahrscheinlich recht unpräzise und natürlich durch die »Christenbrille« entstellt. Aber eines wird doch deutlich: dass Yopo (Yopa, Jopa, Jop, Niopa, Niopo[24] sind nur andere Schreibweisen desselben Wortes) direkt mit der Einnahme von Tabak und sogar mit Coca bzw. Hayo[25] einhergeht.
Yopo[26] ist ein schamanisches Schnupfpulver aus den DMT-haltigen Samen von *Anadenanthera peregrina* (Leguminosae). Sein Gebrauch ist sehr alt und von der Karibik bis ins mittlere Südamerika weit verbreitet. Die gerösteten Samen dienen vielen Stämmen zur Herstellung von Schnupfpulvern, die für schamanische Zwecke, oft im Zusammenhang mit Ayahuasca, oder auch von Jägern zum Aufspüren der Beute geschnupft werden. Der schamanische Gebrauch dieser Art ist für viele Stämme belegt.

---

22 Fray Pedro de Aguado: *Recopilación historial* (Cronica de 1560), 4 Bände, Bogotá: Biblioteca de la Presidencia de Colombia 1956.
23 Zitat aus Schultes und Hofmann 1998: 117.
24 Niopo oder Curupa; wird von den Missionaren »Baumtabak« genannt (Humboldt 1990: 394).
25 = Ipadú, die Dschungelcoca *(Erythroxylum coca* var. *ipadu)*; *hayo* ist ein Tairona-Wort.
26 Das Wort *yopo* wird in vielen Ethnien benutzt. Synonyme sind *coboba* oder *pariká*.

Alexander von Humboldt (1769–1859) ist vielleicht der erste Europäer, der Gebrauch und Zubereitung von Yopo (= Niopo) beschrieben hat. Danach versetzen sich die Otomaken am Orinoko

>>auch noch in einen eigentümlichen Zustand von Rausch, man könnte fast sagen, von Wahnsinn, durch den Gebrauch des Niopopulvers. Sie sammeln die langen Schoten einer Mimosenart, die wir unter dem Namen *Acacia Niopo [= Anadenanthera peregrina]* bekanntgemacht haben; sie reißen sie in Stücke, feuchten sie an und lassen sie gären. Wenn die durchweichten Pflanzen anfangen schwarz zu werden, kneten sie dieselben wie einen Teig, mengen Maniokmehl und Kalk, der aus der Muschel einer Ampullaria[27] gebrannt wird, darunter und setzen die Masse auf einem Rost von hartem Holz einem starken Feuer aus. Der erhärtete Teig bildet kleine Kuchen. Will man sich derselben bedienen, so werden sie zu einem feinen Pulver zerrieben und dieses auf einen 13 bis 16 Zentimeter breiten Teller gestreut. Der Otomake hält den Teller, der einen Stiel hat, in der rechten Hand und zieht das Niopo durch einen gabelförmigen Vogelknochen, dessen zwei Enden in die Nasenlöcher gesteckt sind, in die Nase. Der Knochen, ohne den der Otomake diese Art Schnupftabak nicht nehmen zu können meint, ist 18 Zentimeter lang, und es schien mir der Fußwurzelknochen eines großen Stelzenläufers zu sein. Das Niopo reizt so, dass ganz wenig davon heftiges Niesen verursacht, wenn man nicht daran gewöhnt ist<<. (HUMBOLDT 1990: 393f.)

Dieser frühe Bericht trifft noch immer zu. Rezepte und Gebrauch des Yopo-Schnupfpulvers haben sich bis heute unverändert im tropischen Tiefland erhalten.

Schnupfröhre aus Vogelknochen und Schnupfschnecke (Ampullaria-Gehäuse), Schnupfgeräte der Indianer am oberen Tiquié und Río Apaporis (aus: KOCH-GRÜNBERG 1921: 214).

27 In Südamerika werden vor allem die Gehäuse der dort sehr groß geratenen Süßwasserschnecken aus der Familie Pomaceae, von der es auch Vertreter in europäischen und anderen Gewässern gibt, als Schnupfschnorchel benutzt. Besonders die sehr großen Gehäuse (durchschnittlich 8,5 Zentimeter hoch) von der sich epidemisch ausbreitenden Art *Pomacea (Ampullarius) cumingii* (KING 1831), scheint die am weitesten verbreitete Schnupfschnecke zu sein.

Ampullaria sp.; Shipibo; Yarinacocha, Peru. Die peruanischen Shipibo-Indianer benutzen die etwa 8–9 Zentimeter hohen Gehäuse als Amulette an den Ritualketten der Ayahuasca-Schamanen.

Schneckengehäuse *(Ampullaria)* als Baumopfergabe (Iquitos, Peru, 2/1999).

Yopo-Rezept der Sikuani (Kolumbien)

Doponae	Palo Yopo	geröstete Samen
Juipamaka	Bejuco Capi	geröstete Wurzelrinde
Kiwato	Caracol	Gehäuse von *Megalobulimus* sp.
Balatunuboto	Kochbanane	harte, das heißt unreife Früchte
Lumanae	Palo Guácimo	Kerne von *Guazuma ulmifolia* LAM., Sterculiaceae

Die Sikuani stellen ihr Yopo folgendermaßen her. Die Samen vom Yopo-Baum und die Kerne des Kakaogewächses *guácima* werden geröstet und fein zermahlen. Dazu wird der Löschkalk aus gebrannten Schneckenhäusern gemischt. Dieses Pulver wird mit harten bzw. unreifen Kochbananen zerquetscht und verknetet. Diese Masse wird an der Sonne getrocknet. Zum Gebrauch wird etwas vom Kuchen abgebrochen und mit einem Mörser aus Yopo-Holz auf einem Brett, ebenfalls aus Yopo-Holz, fein zerrieben.

Bevor Yopo von einem fischförmigen Schnupftablett mittels Vogelknochenröhren eingezogen wird, soll die geröstete Wurzelrinde der Ayahuasca-Liane *(Banisteriopsis caapi)* gut ausgekaut werden. Es heißt, dadurch würden die Kräfte des Schnupfpulvers gestärkt werden. Der Ayahuasca-Geist öffnet den Yopo-Geistern die Türen. Pharmakologisch wird durch die β-Carboline der Lianenrinde die Monoaminooxidase gehemmt. Somit ist die Wirkung des DMT länger und wohl auch intensiver. Dieses Verfahren stellt eine Art Kau-Inhalation der Ayahuasca dar.

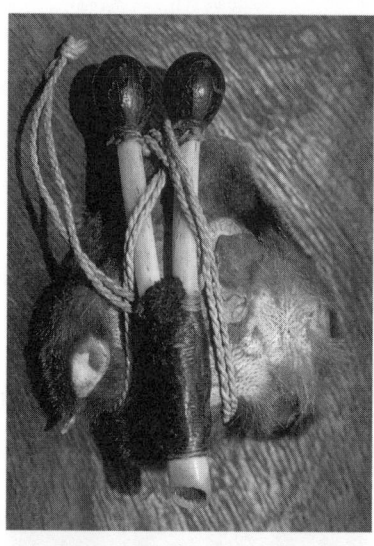

Yopo-Fläschchen, aus der Tatze eines Pumas gefertigt; mit Schnupfröhre (Sikuani; Putumayo, Kolumbien, 20. Jahrhundert).

Yopo-Paraphernalia: Mörser, Schnupftablett aus Yopo-Holz (Sikuani; Putumayo, Kolumbien, 20. Jahrhundert). Der Mörser ist ein Symbol für den Penis, das Brett repräsientiert die Vagina. Das Zerstoßen von Yopo gilt als Geschlechtsakt. Yopo selbst stammt aus der kosmischen Vagina.

Yopo hat auch einen Platz im Reich der *ayahuasqueros*. Viele *ayahuasqueros* benutzen das visionär wirkende Schnupfpulver während oder außerhalb ihrer Ayahuasca-Rituale. Meist wird Yopo zur Diagnose eines Kranken oder Leidenden (nur) vom Schamanen geschnupft. Das Pulver hat psychedelische Effekte, erzeugt visionäre Wahrnehmungen und verändert das Bewusstsein. Für den Schamanen ist es der Pflanzengeist, der ihn in die Anderswelt davonträgt. Mit Yopo wird die Reise in die anderen Wirklichkeiten ermöglicht. Ideal für eine schamanische Schnelldiagnose. Die psychotrope Wirkung des Yopo, die das DMT hervorruft, hält nur zehn bis zwanzig Minuten an, ist dafür aber heftig. Bei Ayahuasca-Ritualen kann es geschehen, dass der Schamane und andere, besonders gegen Ende, Yopo schnupfen. Dadurch kann die abklingende Ayahuasca-Wirkung wieder intensiviert werden. Das Yopo wirkt wie ein Verstärker: Die volle Wucht des DMT kehrt zurück. Zudem bewirkt das Yopo eine häufig beobachtete Steigerung der Sprach- und Sprechfähigkeit, erhöhte linguistische Einsichten, gesteigerte poetische Gabe und vertieftes verbales Verstehen. Manchmal können »Geyopte« fremde Sprachen sprechen und sich in ihnen miteinander verständigen, auch wenn man zwei verschiedene Sprachen spricht. Auf Yopo bringt das Sprechen Spaß. Man versteht, warum die Aussage »Das Gras ist grün« die größte Erleuchtung ist. Ein linguistischer Kosmos öffnet sich.

Coca: Das »Blatt des Lebens«

»Coca wird immer in sich windenden Reihen angepflanzt, was explizit den Schlangenkörper [der Ahnen-Anakonda] darstellen soll.«
(KAPFHAMMER 1992: 207)

Das Cocakauen ist eine ähnlich geniale pharmakologische Entdeckung der südamerikanischen Indianer wie das Rezept für Ayahuasca. Beim Cocakauen werden ebenfalls zwei Bestandteile zusammengefügt, die eine chemische Verbindung eingehen. Ohne den Zusatz würden die Blätter keinesfalls ihre Seele preisgeben: das Kokain, den Hauptwirkstoff, das Hauptalkaloid des Blattes. Es liegt im Blatt in Salzen mit organischen Säuren vor, die nicht wasserlöslich sind. Das heißt: Wenn man einfach nur Blätter in den Mund schiebt, kann sich das darin enthaltene Kokain nicht lösen. Erst wenn den im Mund zerkauten und durchspeichelten Blättern ein alkalisch reagierendes Mittel *(llipta)* zugesetzt wird, verwandelt sich das ionisierte Kokain in die Kokainbase, den reinen Wirkstoff, das pure Molekül. Dieses kann nun, da es aus dem Blatt befreit ist, über die Mundschleimhäute in den Blutkreislauf dringen und zentral wirksam werden.

Vor über 5000 Jahren entdeckten die südamerikanischen Indianer in den Anden, dass beim Kauen der Cocablätter durch einen alkalischen Zusatz der Hauptwirkstoff der nur in Kultur bekannten Cocapflanze (*Erythroxylum* spp., Erythroxylaceae) extrahiert und über die Mundschleimhaut in den Blutkreislauf aufgenommen wird. Seither wird Coca wegen seiner belebenden, leistungssteigernden und heilsamen Wirkung geschätzt und als Geschenk der Liebesgöttin Mama Coca rituell verwendet und verehrt.

Der Cocagebrauch wurde in Südamerika zu einem Mittelpunkt indigener Kulturen. Diesen Status hat die Pflanze bis heute. Sie wird nach wie vor als »Nahrung« klassifiziert, als Zauberpflanze verwendet, als Orakel benutzt und als Medizin geschätzt. Als sozialintegratives Element ist Coca aus vielen Indianerkulturen längst nicht mehr wegzudenken.

Dr. Richard Evans Schultes hat über 13 Jahre im nordwestlichen Amazonasgebiet den indianischen Gebrauch der Dschungelgewächse studiert. Er hat dabei viele interessante Details zur Zubereitung der Coca zusammengetragen. Er konnte vor allem zahlreiche Zusätze bestimmen (Pflanzenaschen, Maniokmehl, Muschelkalk usw.). Dabei stellte sich heraus, dass die Indianer über ein reiches Wissen der chemischen und pharmazeutischen Qualitäten verfügen. Sie können die Wirkung der Coca nach Bedarf durch Zugabe anderer Pflanzen und Substanzen zielsicher verändern. Besonders in medizinischer Hinsicht sind die Zusätze bedeutsam. Wird man von einem Leiden gequält, so verändert man die Mischung des Bissens. Manchmal werden die Cocablätter sogar mit Weihrauch (Copal, *caraña*, *incienso*) parfümiert, damit sie einen besseren Geschmack annehmen.

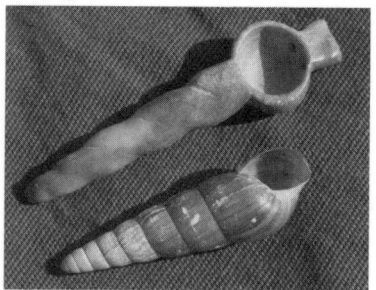

Präkolumbischer Kalklöffel der Tairona (Sierra Nevada de Santa Marta, Kolumbien) für den Cocagebrauch in Gestalt einer Dschungel-Turmschnecke (*Neobeliscus calcarius*; Privatsammlung). Die amazonischen Cocalöffel wurden früher hauptsächlich aus Jaguarknochen hergestellt (Schultes 1980: 51).

Moderne Tonmaske, die einen cocakauenden Schamanen darstellt (Bogotá, Kolumbien, 4/2004).

Bei vielen indigenen Völkern »küsst« das Cocablatt die Ayahuasca auf die eine oder andere Weise. Die Tukano-Indianer glauben, dass die erste Coca-pflanze aus dem Fingerglied einer Tochter des Herrn der Tiere entstanden ist. Da die *Banisteriopsis-caapi*-Liane aus dem Fingerglied einer anderen Tochter des Herrn der Tiere entstanden ist, gelten Ayahuasca und Coca als Geschwister. Auch einige Shuar-Schamanen haben angefangen, Coca unter die Ayahuasca zu mischen. *Ayahuasca con coca* oder Cocahuasca wird aus *Banisteriopsis caapi* und Chakruna sowie reichlich Cocablättern zusammengekocht. Es heißt, die Coca bewirke eine stärkere Zentrierung des Bewusstseins. Auch scheint sie das Sprechen zu stimulieren.

Ayahuasca especial

Banisteriopsis caapi	Stengel
Psychotria viridis	Blätter
Coca	Blätter
San Pedro	Scheiben
Opuntia (Feigenkaktus)[28]	Stücke
Peyote[29]	Buttons
Toé	Blüten

Diese spezielle Mischung von Guillermo Arévalo ist nur etwas für wirklich erfahrene Ayahuasca-Trinker und nicht für Anfänger gedacht! Es ist die wohl bisher potenteste pharmazeutische Entdeckung der *ayahuasqueros*.

Am Abend machten wir mit Guillermo Arévalo, dem Schamanen der Shipibo, in einem kleinen Kreis ein schamanisches Ayahuasca-Ritual in der Heide. Zuerst wurde die Flasche mit dem visionären Ayahuasca-Trank, der »braunen Brühe«, wie es die Shipibo nennen, von ihm mit Mapacho-Tabak in einer aus Holz geschnitzten Pfeife beräuchert. Dann wurde die jeweilige Dosierung bemessen und im Kreis verteilt getrunken. Danach stand Guillermo auf, rauchte seine Pfeife und ging im Kreis herum. Er blies den starken Rauch auf den Haarscheitelpunkt eines jeden Teilnehmers. Damit gab er ihm Schutz, öffnete das Körper-Geist-Gewebe und verlieh ihm die Bereitschaft, die andere Welt zu betreten.

Die Spezial-Ayahuasca war diesmal *con coca*, also besonders stark und heftig. Ich kotzte mich aus und flog zu den Sternen, zum Quell der Worte, aus dem ich für meine Schreibkreativität tanken wollte.

28 »Etwa 50 psychoaktive, nicht systematisch chemisch analysierte Arten« (BERGER 2002: 88). »*Opuntia cylindrica* wird wegen ihres hohen Meskalingehaltes in Chile als Rauschmittel verwendet, wurde allerdings früher auch mit San Pedro (*T. pachanoi*) verwechselt« (BERGER 2002: 89).
29 Der meskalinhaltige Peyote-Kaktus (*Lophophora williamsii*) stammt aus Mexiko. Er wurde durch den modernen Kontakt zwischen mexikanischen Huichol und amazonischen Shipibo in die dortige schamanische Pharmakopöe aufgenommen.

Guillermo rauchte zwischen seinen unglaublichen, aus übereinandergeschichteten und versetzten Obertönen bestehenden Gesängen[30] immer wieder die Mapacho-Pfeife, um den »magischen Schild« aus Tabakrauch für den Kreis zu erhalten. Manchmal ging er zu einer Person und beblies, das heißt beräucherte sie an einer jeweils von ihm als disharmonisch erkannten Körperpartie: zum einen, um die darin steckenden »Dämonen« auszuräuchern, zum anderen, um das Körper-Geist-Kontinuum wieder in Harmonie zu bringen – ganz ähnlich, wie es andere Schamanen, z.B. die der Piaroa beim Yopo-Ritual, tun.

Andere Wachmacher aus Amazonien
Im Amazonasgebiet wachsen außer Coca noch andere Gewächse, die in verschiedenen Zubereitungen stimulierende, anregende Wirkung haben. Es sind die koffeinhaltigen Pflanzen Südamerikas: Guayusa, Maté, Guaraná und Yoco. All diese Pflanzen werden von den *ayahuasqueros* genutzt, denn sie machen wach, aufmerksam und bewusst.

Yoco *(Paullinia yoco* SCHULT.*)*, auch Yocó, Yocoo, Yocoó oder Yoka, ist eine stark stimulierende Dschungelliane und als solche eng mit Guaraná *(Paullinia cupana)* verwandt. Seit wann diese Dschungelliane des nordwestlichen Amazonasgebiets von Indianern als Stimulans, Tonikum und Jagddroge verwendet wird, ist unbekannt. Die Pflanze wurde zuerst von dem Botaniker F. Claes studiert, der auch zur weiteren Untersuchung Exemplare aus Caquetá ins Naturkundemuseum von Paris brachte.

Die kolumbianischen Indianer schätzen Yoco weit mehr als Coca. Eine Dosis ist ein Stengelstück von 4–5 Zentimetern Durchmesser und 10 Zentimetern Länge. Botanisch wurde die Liane erstmals von Richard Evans Schultes beschrieben und nach ihrem indianischen Namen *Paullinia yoco* benannt (SCHULTES 1942).

Verpackung einer Guaraná-Mate-Kräuterteemischung, die »Kräuterpower« verspricht und mit einem präkolumbischen Schamanen wirbt (Deutschland). Guaraná und Mate sind koffeinhaltige Pflanzenprodukte aus Südamerika, die auch in Europa als stimulierende Kräutertees ihren Markt haben.

---

30 Guillermo mag es gar nicht, wenn man seine Gesänge als *ícaros* bezeichnet, denn das ist in Amazonien der Name für die simplen Lieder der urbanen Mestizo-Schamanen. Man kann seinen Gesängen auf der CD *Songs from Questembetsa, Shipibo Shaman of Peru* (X-TRACK Publishing 2000) lauschen.

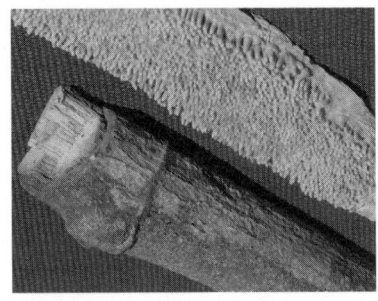

Yoco *(Paullinia yoco)*, Lianenstücke von etwa 4 Zentimeter Durchmesser (Putumayo, Kolumbien). Daneben die aus dem Mundknochen des paico-Fisches bestehende Raspel.

Die Ingano (Kolumbien) unterscheiden ethnobotanisch mehrere »Yoco-Arten«: *yoco blanco* (weiß), *yoco colorado* (rot, gefärbt), Schwarze yoco, Jaguar-Yoco *(tigre yoco)*, Hexen-Yoco *(yoco de brujo)* und *yagé yoco* *(yagé* = Ayahuasca). Der Name *yagé yoco* (bzw. *yoco yagé)* suggeriert einen Zusammenhang mit *Banisteriopsis caapi* (= Yagé, Ayahuasca) oder dem Gebrauch von Yoco als Additiv für den entheogenen Schamanentrank Ayahuasca oder als ethnobotanisches Element im Ayahuasca-Komplex. So wird bei den Siona ein *chiriquaspi*-Auszug *(Brunfelsia grandiflora* ssp. *Schultesii,* Solanaceae) vor der Einnahme von Ayahuasca oder kombiniert mit *yoco* getrunken (PLOWMAN 1977: 305).

Yoco ist außerhalb des Putumayo kaum bekannt. Einer der Ersten, die darüber schrieben und diese Liane einem größeren Publikum bekannt gemacht haben, war William S. BURROUGHS. In einem Brief vom 28. Februar 1953 aus dem Hotel Niza in Pasto (Nariño, Kolumbien) schrieb er an Allen GINSBERG:

»Zusammen mit einem indianischen Führer verbrachte ich einen Tag im Urwald, um seine Atmosphäre auf mich wirken zu lassen und Yoka zu sammeln. Die Indianer nehmen diese Rebe vor langen Urwaldmärschen, um Hunger und Müdigkeit vorzubeugen. Manche sind auch bloß zu faul zum Essen (...). Yoka wächst nur in hochgelegenen Gebieten, und wir brauchten Stunden, um hinzukommen. Der Indianer schnitt eine Yokarebe und schälte eine Handvoll der inneren Rebe mit einer Machete. Er tränkte die Rinde mit kaltem Wasser, drückte sie aus und reichte mir den Aufguss in einem Palmenblatt. Er hatte einen leicht bitteren, aber nicht unangenehmen Geschmack. Nach zehn Minuten verspürte ich ein Prickeln in den Händen und wurde von einer Welle der Schwerelosigkeit erfasst, wie nach Benzedrin, nur war der Anprall nicht so hart. Ich legte die vier Stunden Rückweg über den Urwaldpfad ohne Unterbrechung zurück und hätte noch zweimal so weit gehen können.« (BURROUGHS und GINSBERG 1964: 31f.)

Tabak: Nahrung der Jaguarschamanen

Unser Wort Tabak ist abgeleitet von *tabaco* – auch *tabago, tumbak* usw. geschrieben – dem karibischen Namen der Tabakpflanze *(Nicotiana tabacum)*.[31] Tabak gilt im südamerikanischen Schamanismus als »magischer Schild« sowie als pharmakologisches, toxikologisches und insektizides Schutzmittel. Tabakrauch ist bei Ayahuasca-Zeremonien und anderen schamanischen Ritualen ein »magischer Schild«, ein Schutz vor niederträchtigen Geistern, schädlichen Zauberern und blutgierigen Moskitos. Es heißt, der Tabakrauch halte die von den *mal aires*, den »bösen Winden« herangetragenen Krankheitsdämonen fern, die für das normale Auge unsichtbar sind. Der Rauch schützt die gewöhnlich unsichtbare Aura und den Körper des Menschen vor den unsichtbaren Krankheitserregern.

Dabei kann man davon ausgehen, dass wir es hier mit einer Metapher für die pharmakologische Aktivität des Tabakrauchs zu tun haben. Das Nikotin, die »Seele« der Tabakpflanze, ist antibiotisch und antibakteriell wirksam; es tötet die normalerweise unsichtbaren Bazillen. Wenn wir von »Tröpfcheninfektion« sprechen, meinen wir dasselbe wie die Erregung von Krankheiten durch Winde. Wir benutzen nur ein anderes Erklärungsmodell und behelfen uns mit dieser Metapher für die unglaubliche Tatsache.

Das gewöhnlich Unsichtbare kann uns krank machen; aber der Tabakqualm schützt uns vor dem Unsichtbaren. Wir können die frei flottierenden Bakterien mit einem mechanisch-optischen Hilfsinstrument, dem Mikroskop, sehen, nicht aber mit bloßem Auge. Die Schamanen können die Krankheitsdämonen nur in einem veränderten Bewusstseinszustand erkennen – z.B. durch eine Tabakzubereitung, durch ein Schnupfpulver (Yopo) oder durch Ayahuasca – und bannen.

Der Tabak ist in entheogenen Ritualen und im Schamanismus eine Art Leitmotiv, eine immer wiederkehrende Konstante. Er wird entweder als Zusatz zu anderen psychoaktiven Pflanzengemischen zwecks Synergismen benutzt, als Begleiter vor, während und nach der Einnahme anderer Entheogene geraucht oder anderweitig appliziert. Bei manchen schamanischen Ritualen wird der Tabak sowohl dem Entheogen (einer Zubereitung) zugefügt als auch pur oder vermischt mit anderen Substanzen währenddessen geraucht, geschnupft, getrunken, geschleckt oder gegessen.

Der Tabak gilt als verstärkender oder modifizierender Zusatz sowie als apotropäisches Räucherwerk, als Zentrierer des Bewusstseins und als Grenzen-

---

31 Das Wort *tabaco* wurde erstmals von Gonzalo Fernandez de Oviedo y Valdes (1478–1557) erwähnt. Er benutzte das Wort zunächst für das »Rauchen«, später auch für die Blätter und die Pflanze sowie für die Rauchrohre oder Zigarren selbst.

öffner. Tabak ist ein Soziogen und nimmt vielerlei Rollen an: als Ernährer, Reiniger, Beschützer, Heiler, Wahrsager, Orakel, Botschafter, Götterbote, Zerstörer, Killer, Freund, Verbündeter, Feind, Friedensbringer, Beglücker, Berauscher, Besänftiger.

»Dem Tabak, in welcher Aufbereitungsform auch immer, sprechen die Achuar alle möglichen außerordentlichen Eigenschaften zu. Als Rauch auf die erkrankten Körperteile exhaliert, kühlt und anästhesiert er diese, während er gleichzeitig Substanzen oder immaterielle Prinzipien von dem Behandelnden auf den Patienten überträgt. (...) In der Praxis ist Tabak der einzige *tsuak* [›Heilmittel‹], der ständig und für jedwedes Leiden benutzt wird.« (DESCOLA 1996: 246, 251)

»Der Tabak ist ein echtes Entheogen, ein Stoff, aus dem die schamanischen Träume wahr und die einem jedem Lebewesen die ihr zu eigene, innewohnende Göttlichkeit bewusst werden. Tabak gehört zu den *trance plants*[32], den Pflanzen, die in Trance versetzen können. (...) Tabak ist ein schamanisches Tonikum, ein Entheogen, eine halluzinogene Droge, ein wahres Geschenk der Götter, eine ›Pflanze der Götter‹, ein Zauberkraut, eine *planta maestra*, eine ›Meister- oder Lehrerpflanze‹. Der Tabakgeist ist kräftiger, als man denkt, jedenfalls wenn man nur Zigaretten kennt. Südamerikanischer Schamanismus ist ohne Tabak nicht denkbar, nicht vorstellbar, eben schamanisch. Das ist ethnografische Tatsache. Für westliche Esoteriker ein Graus, für Pharmakologen ein Rätsel, für Forscher ein gefundenes Fressen.« (RÄTSCH 2002b: 17f.)

Am Tabak scheiden sich nicht nur die Geister im Westen, sondern auch die Gewohnheiten des Ayahuasca-Gebrauchs. Schamanische Ayahuasca-Rituale ohne Tabak gibt es nicht. In allen religiösen Ayahuasca-Kulten ist Tabak indes streng verboten. Bis heute ist eine Hauptstrategie christlicher Missionare, den heidnischen Indianern das Tabakrauchen als »Teufelswerk« zu untersagen und es als »böse« zu stigmatisieren. Die perfidesten Missionare gehören heute zu den Wycliff Bible Translators, getarnt als psychowissenschaftliches Summer Institute of Linguistics, sowie die Seven Day Adventists *(adventistas)*. Beide Sekten sind fundamentalistische Vertreter des Christentums. Deshalb demonstrieren nichtbekehrte Indianer öffentlich ihr Festhalten an schamanischen Traditionen, indem sie Tabak rauchen. Tabak ist und bleibt Teil der indianischen Identität.

---

32 Den mehrdeutigen engl. Begriff *trance plants*, »Trance-Pflanzen«, verdanke ich der psychedelischen Musikkommune GONG Family, die das Wort im Begleitheft der CD GONG: *Family Jewels – Obscure Gems* (GAS Records 1998) einführt.

In einem Mythos der Umotina-Indianer aus dem tropischen Regenwald entstehen aus einer Anakonda, die von Indianern getötet und begraben wird, vier Pflanzen, die kulturell bedeutsam sind: Der *uruku*-Strauch (*Bixa orellana* L.), der Baumwollstrauch (*Gossypium* spp.), der Tabak (*Nicotiana* sp.) und der Harz liefernde *kiddoguru*-Baum[33]. Das heißt, dass der Tabak und das aromatische Harz transformierte Schlangenkraft sind, die der schlängelnde Rauch offenbart.

Trage mich, du große Schlange,
Kräftig sind deine Kiefer.
Der Tod kriecht mir in die Knochen
Und diese Hände sind gefesselt von Schmerz ...
Meine Kehle brennt ...
Es ist das Feuer deines Blutes.
In tausend Farben, dein Kristall
Trage mich weit hinfort, in das Reich der Schamanen.
Öffne meinen Mund ... Ist dieses Sein denn unendlich?
Reichlich gibst du mir meine Schicksalsschläge.
Schlangen des Öls ... Belegte Zähne.
Rotes Licht des Tabaks, öffnest mir den Scheitel.[34]

Ayahuasca ohne Tabak ist aus schamanischer Sicht nicht denkbar; beides gehört zusammen:

- Tabak *und* Ayahuasca
- Tabak *mit* Ayahuasca
- Ayahuasca *mit* Tabak
- Ayahuasca *und* Tabak.

Bei Ayahuasca-Ritualen wird Tabak geraucht, getrunken oder geschnupft. Manchmal werden Tabakblätter zusammen mit den anderen Ayahuasca-Ingredienzien gekocht. Es heißt, der Tabakgeist verstärke die Ayahuasca-Wirkung, beschütze den Trinker und reinige den Ort. Der Tabak hilft den Ritualteilnehmern, indem er vor inneren und äußeren Quälgeistern schützt, das Bewusstsein zentriert und den Körper reinigt.

Aus luftgetrockneten, das heißt nur wenig fermentierten Tabakblättern werden Zigarren gedreht. Diese *puros* (span. »die Reinen«) sind meist um die 20 Zentimeter lang, manchmal werden sogar »Meterzigarren« gerollt. Je länger, desto schamanischer! Die Schamanenzigarre der Araweté besteht aus einer *tauari*-Basthülle[35], in die Tabakblätter eingelegt sind. »Die Zigarre, in der

---

33 Das *kiddoguru* ist bisher nicht botanisch identifiziert.
34 Text nach VÁSQUEZ 2000: 15 und 57.
35 *tauari (tabari): [Coutari tauary* BERG (sic!)] *Couratari guianensis* AUBL., Lecythidaceae. Die weißliche Innenrinde wird als Zigarettenpaier benutzt und als Tabakersatz geraucht (WILBERT 1987: 85).

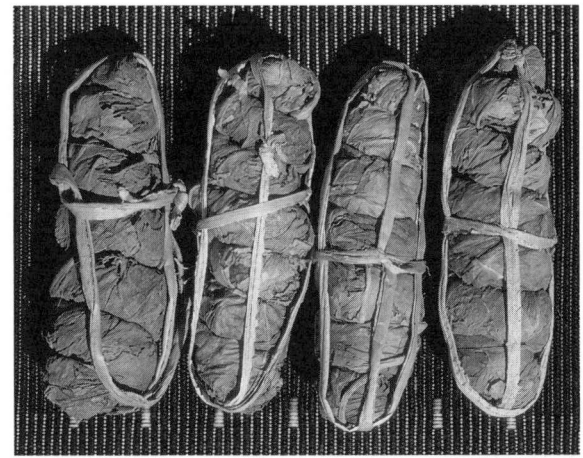

Tabaco bolo,
»Tabakspindel«,
mit Pflanzenfasern
zusammen-
geschnürte Blätter
vom *tabaco del
campo*, »Land-
tabak« *(Nicotiana
tabacum ?).* Dieser
Ritualtabak wird
zerkleinert und bei
Ayahuasca-Ritualen
geraucht oder
geräuchert (Markt,
Pasto, Kolumbien,
4/2004).

neben den Tabakblättern auch die bereits erwähnten ›*Pajika*‹ (die dazu geröstet werden) sind, wird nur von Schamanen geraucht [= *parikā*[36]]. (...) Ein Indianer erzählte mir: Wenn ein Medizinmann diese Zigarre raucht, beginnen für ihn Hütten und Bäume und alles andere zu wanken, und die Geister kommen herab.« (LUKESCH 1990: 221)

Oft werden Harze, Hölzer oder Blätter, die traditionell auch als Räucherwerk dienen, dem Rauchtabak zugesetzt: Palo Santo, *caraña*, Copal, *estoraque*, Perubalsam, Coca, *piripiri*. Manchmal werden sogar Blätter von *Banisteriopsis caapi* mit Tabak vermischt geraucht. Im Putumayo werden die Blätter von *sacha-ajo (Cephaelis williamsii* STANDLEY*)* mit Tabak vermischt von Schamanen geraucht.

Der Tabak ist die Verbindung von Schlange und Jaguar, besonders wenn er mit dem Breu-Harz der Jaguarbäume (*Protium* spp., Burseraceae) vermischt wird. Ayahuasca ist die Vereinigung der Schlangen- und Jaguarkraft, und so gehören Visionsschlangen und Jaguarschamanen zusammen und bilden den Schamanismus. Die Schamanen, die mit Tabak arbeiten und heilen, heißen in Amazonien *tabaqueros*.

36 Laut Kapfhammer ist *payika* der Samen von *Anadenanthera peregrina.* »*Payika* gilt als eine kräftige Substanz, die sogar ›den Ignorantesten‹ sehender mache und ihn die Gottheiten erkennen ließe. Im Gegensatz zum unentbehrlichen Tabak ist der Gebrauch von *payika* bei den Araweté nicht sehr verbreitet, alte Männer behaupten, sie benötigen diese Substanz nicht mehr. Bezeichnungen wie ›Keule‹, ›haut den Kopf entzwei‹ unterstreichen die ›umwerfende‹ Wirkung dieser Beimischung und erklären vielleicht den stützenden Einsatz bei einer Medizinmann-Initiation, wenn der initiatorische ›Tod‹ herbeigeführt werden soll« (KAPFHAMMER 1997: 65).

Mapacho: Der Dschungeltabak

Mapacho ist wahrscheinlich ein hispanisiertes Wort aus einer Indianersprache (auch wenn es etwas nach »Macho« klingt). Damit wird der besonders starke, selbstangebaute Tabak *(Nicotiana tabacum)*[37], eine weiß blühende Varietät, sowie der aus ihm bereitete Tabak bezeichnet.

Mapacho wird folgendermaßen hergestellt. Die Blätter werden im frischen Zustand aufeinander gelegt, eingerollt und mit Rindenbast fest zusammengeschnürt. Man kann aber auch halb getrocknete Blätter saucieren, mit Tabaksaft oder verschiedenen Aromastoffen, die Vanillin und Cumarine enthalten, bündeln und verschnüren.

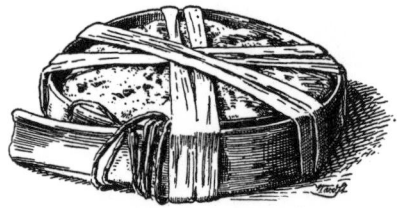

»Tabakpresse«, Kaua-Indianer, Río Aiary (aus: Koch-Grünberg 1921: 57).

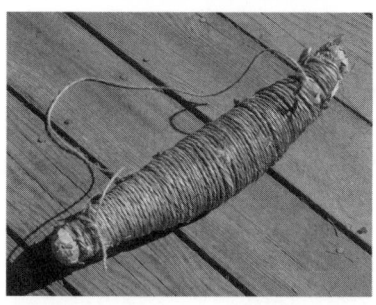

Mapacho (Tabakbündel) aus Amazonien (Handelsware).

Mapacho-Stück und mapachitos, kleine 5–8 Zentimeter lange, selbstgedrehte Zigaretten aus dem zerraspelten *mapacho*, in allen *tiendas* Amazoniens zu erwerben.

37 In der Literatur wird gelegentlich angegeben, dass der für Mapacho verwendete Tabak *Nicotiana rustica* sei. Das kann ich aus eigener Anschauung bisher nicht bestätigen.

Mapacho-Pfeife (shimitapon) der Shipibo aus dem peruanischen Amazonastiefland. Dahinter eine peruanische Schnapsflasche mit einer Imitation eines Moche-Porträtkopfes.

Später, nach Wochen oder Monaten, wird das Tabakbündel *(tabaco de andullo)* in Scheiben zerschnitten und in dieser Form auf Märkten angeboten. Wenn man dann *mapacho* rauchen oder kauen möchte, kann man von der Scheibe schmale Streifen schneiden: feinsten Schnitttabak. Geraucht wird er in Zigaretten *(mapachitos)* gedreht oder in Pfeifen gestopft. Die Schamanen benutzen beides, in ihren Ritualen aber vor allem besondere Pfeifen.

Tabakschlecken: Ambíl, *chimó* und *mambeo*

Tabak wird nicht nur geraucht, sondern auch getrunken, geschleckt oder gegessen. Dazu wird die frische Tabakpflanze ausgepresst oder als Kaltwasserauszug oder als Abkochung verflüssigt, also trinkfertig zubereitet. Dem Tabaksaft, Tabakwasser oder Tabaksud werden gelegentlich andere Pflanzen und Substanzen zugesetzt, z.b. *guayusa, yoco* und *piripiri.* Die Shuar (Jívaro) versetzen ihren Trinktabak mit *Cyperus*-Extrakten.[38] Solche Zubereitungen werden schamanisch genutzt:»In einem Mythos der Pemon gießt der Held eine flüssige Mischung aus Tabaksaft und *ayú (Virola* sp.*)* in die Nase und verwandelt sich daraufhin in einen Vogel« (KAPFHAMMER 1997: 63). Häufig trifft man den Gebrauch einer eingekochten Tabakpaste in schamanischen Kontexten an. Sie heißt in Südamerika meistens Ambíl.

Im westlichen Amazonasgebiet, vor allem in Kolumbien, und in Venezuela war und ist das sogenannte Tabakschlecken, -lecken oder -lutschen bekannt. Der Tabak wird zu einer Art Sirup oder einer schwarz glänzenden Paste

---

38 Die Frauen der Achuar Jívaro benutzen die Rhizome der mit *Balansia cyperi* EDGERTON infizierten Art *Cyperus prolixus* HBK. zur Einleitung der Geburt.

Chimó heißt eine aus Echtem Tabak (Nicotiana tabacum) und vielen Zusätzen eingekochte Paste (Venezuela).

namens Ambíl oder *chimó* (oder *chimú*) eingekocht. Der Sirup wird mit einem Stab in Cocapulver *(Erythroxylum coca* var. *ipadu)* oder Pflanzenasche getaucht und abgeleckt (KAMEN-KAYE 1971 und 1975). Diese Zubereitungs- und Genussformen gehen bis in vorspanische Zeit zurück. Je nach den Zusätzen und der Qualität der verwendeten Tabakblätter *(Nicotiana tabacum* oder *N. rustica)* ergibt sich ein *chimó manso* (»mild«), *chimó dulce* (»süß«), *chimó bravo* (»tapfer«) oder *chimó fuerte* (»stark«).[39] Die Siona stellen ihr Ambíl aus Tabakblättern her, die gekocht, ausgepresst und samt Presssaft weiter eingekocht werden, bis ein dunkelbrauner Sirup entsteht. Dazu wird die Asche aus den Fruchthülsen von *cacao colorado de monte*[40] und Bananenschale sowie die Rinde von *Paullinia yoco* gegeben. Das dickflüssige Gemisch wird in Kürbisgefäßen aufbewahrt und zum Verbrauch gelutscht oder sogar geschluckt (KAMEN-KAYE 1971: 53).

Die Witoto-Indianer, die im nordwestlichen Amazonasgebiet leben, kochen ihr Ambíl aus frischen oder getrockneten Tabakblättern *(dê'-oo-wê)* so lange ein, bis eine dicke schwarze Paste entsteht. Dazu mischen sie Pflanzensalz, das durch Veraschen verschiedener Pflanzen, Palmen und Bäume gewonnen wird. Es heißt, die Asche stärke den Tabakgeist.

Die Witoto benutzen Ambíl immer zusammen mit Cocapulver:

»Ambíl besitzt keine sinnestäuschenden Eigenschaften, ist aber für die *Enokaye* heilig. Es stellt ein weibliches Prinzip dar; das damit verbundene Coca ist ›männlich‹. Dieses Ambíl ist salzig, sowohl in der Praxis als auch metaphorisch, während Coca etwas ›süss‹ ist, obwohl dieser Geschmack während des *mambeo* (›Kauens‹) nicht spürbar ist. Diese Bezeichnung kam unter Anthropologen auf und bedeutet ›im Mund behalten‹. In weiterem Sinne bedeutet es ›zuhören‹. Die Bezeichnung der Enokaye für *mambeo* ist *duga*« (RAMIREZ in RÄTSCH 2002b: 216).

39 Eine venezolanische Varietät von *Nicotiana tabacum* heißt *chimó*; vielleicht ist sie die Grundlage der *chimó*-Zubereitungen.
40 *Herrania* sp; möglicherweise *Herrania breviligulata*.

Das Cocapulver öffnet die Herzen, und das Ambíl verleiht dem Geist die Fähigkeit, die Emotionen zum Ausdruck zu bringen und in Worte zu fassen. Ambíl oder *chimó* wird von südamerikanischen Schamanen bei Ritualen, vor allem beim Cocakauen und bei der Einnahme von Ayahuasca zur Klärung des Geistes und zur Zentrierung oder Konzentration eingenommen. Sie benutzen die Tabakpaste also als Zusatz zu entheogenen Ritualen. Ich habe auch beobachtet, dass Schamanen für eine Schnelldiagnose ein Schlückchen Ayahuasca trinken und eine Fingerkuppe voll Ambíl lutschen. Beides zusammen öffnet dann den Spalt zwischen den Wirklichkeiten und Welten – aber nur einen schmalen Spalt, jedenfalls bei dieser Dosierung.

Copal: Räucherwerk und Duftstoffe

Bei Ayahuasca-Ritualen in Amazonien wird hauptsächlich Tabak als Räucherstoff – geraucht in Form von Zigarren, *mapachitos* oder in Pfeifen – benutzt. Sehr selten ist der Gebrauch von Hölzern oder Harzen als Räucherwerk. Guillermo Arévalo, der Schamane der Shipibo, hat erklärt, dass der Pflanzengeist des Palo Santo mit den Ayahuasca-Geistern in Konkurrenz treten würde und das Ritual stören könnte; Palo Santo dürfe darum nur in ganz speziellen Fällen benutzt werden. Andere Schamanen wiederum schwören auf Räucherwerk, besonders auf Copal und heilige Hölzer.

Der Harzklumpen in meiner Hand wird langsam warm. Ein feiner Geruch, ein bald schon köstlicher Duft steigt aus meiner Hand in meine Nase. Vor einer halben Stunde habe ich eine ordentliche Portion Tamahuasca getrunken. Nun liege ich auf meiner Lagerstatt in der großen *maloca*. Gerade als vor mir die Farben und Muster in einem fantastischen Lichtspektakel erscheinen, rieche ich, inhaliere ganz tief: der Duft des Friedens ergreift mein Bewusstsein, macht mich glücklich. Ich bin erstaunt über die starke Wirkung des doch eher subtilen Harzgeruches. Copal ist der Duft des Friedens! Jedenfalls für mich, in diesem Augenblick, an diesem Ort, in diesem Bewusstseinszustand. Dabei habe ich das Harz nur mit meiner Hand erwärmt, nicht einmal auf glühende Kohle gelegt. Ayahuasca ist ein Geruchsverstärker.

Gerüche können, ganz ähnlich wie Klänge, das visionäre Erleben unter Ayahuasca-Einfluss maßgeblich beeinflussen. Es können die Gerüche des feuchten Waldes, Ausdünstungen der Erde, die bezaubernden Düfte von blühenden Nachtduftern wie Engelstrompeten *(Brugmansia)*, Nachtjasmin *(Cestrum nocturnum)*, Nachthyazinthen (Tuberose, *Polianthes tuberosa*) oder von reifenden Vanilleschoten, die Gerüche von Tabakrauch, Räucherwerk oder Duftstoffen und Dschungelparfüms sein. Es kann aber auch der Gestank von Erbrochenem, von Exkrementen, Schweiß, chthonischer Gärung, von Aas und Verwesung sein, der einem während des Rituals in die Nase steigt. Jeder, der einmal an einem entheogenen Ritual teilgenommen hat, hat erlebt, wie bestimmte Düfte oder Gerüche auf die visionäre Erfahrung Einfluss üben. Es können längst vergessene Erinnerungen getriggert oder Gerüche synästhetisch als Farbe oder Klang wahrgenommen werden. Düfte können das Bewusstsein klären, Ängste lösen, beruhigen, beglücken und verzücken. Sie können sogar musikalisch empfunden werden: Man kann sie hören, ihrem Duft lauschen, einem olfaktorischen Gesang – *ikaray* – »mit Rauch beblasen«. Das Räuchern gehört wie das Singen und Musizieren zu den wichtigsten schamanischen Techniken für entheogene Rituale.

Räucherstoffe sind Verstärker von Erfahrungen
Sie haben
- olfaktorische Wirkung auf die Psyche
- konditionierende Wirkung auf das Verhalten
- kognitive Wirkung
- pharmakologische Wirkung.

Das rituelle Räuchern ist eine olfaktorische Konditionierung. Gerüche werden im Gedächtnis zusammen mit Geruchswahrnehmungen als Erinnerung gespeichert. Die Erinnerung kann später durch die multisensorische Stimulation des Gedächtnisses abgerufen oder aktiviert werden. Wenn das Gehirn charakteristische Geruchsnoten im Gedächtnis abgespeichert oder abgelagert

Patienten werden für schamanische Behandlungen auf einen Holzschemel gesetzt. Darunter wird in einem Weihrauchfass Copal geräuchert (Chachagui, Nariño, Kolumbien, 4/2004).

und vernetzt hat, werden bei erneuter Wahrnehmung dieses spezifischen Geruchs die damit verknüpften und vernetzten Erinnerungen wachgerufen und aus ihrem inaktiven Schlummer am Grunde der Psyche erweckt. Duftstoffe haben in Ayahuasca-Ritualen mehrere Funktionen. Sie markieren den heiligen Ort und die heilige Zeit. Sie öffnen die Barrieren zwischen Körper und Geist, lösen Grenzen auf, schützen die Teilnehmer vor schadenbringenden Geistern, klären das berauschte Bewusstsein und zentrieren den umherirrenden Geist. Sie haben heilsame Kräfte.

Zur Pharmakologie der Ayahuasca-Erfahrung gehört unmittelbar die Einwirkung von Substanzen, die über die Nase wahrgenommen oder von der Nasenschleimhaut aufgenommen werden. Duftstoffe werden erkannt und erzeugen eine psychische Wirkung. Pheromone lösen an den entsprechenden Rezeptoren Verhaltensweisen aus, und inhalierte Alkaloide oder andere Verbindungen wirken pharmakologisch und können das Bewusstsein verändern. Deshalb wird der Nase und ihren Wahrnehmungen seit alters her große kulturelle Aufmerksamkeit entgegengebracht. Überall auf der Welt wurde und wird der gezielte Gebrauch von Duftstoffen, das Inhalieren von Dampf und Rauch, das Hochziehen von Flüssigkeiten und das Einziehen von schamanischen Schnupfpulvern praktiziert.

Räucherstoffe haben überall ihre eigenen Namen. Diese beziehen sich nur selten auf ihre Stammpflanzen. Die Namen werden Harzen oder Hölzern gegeben, die ganz bestimmte Eigenschaften aufweisen, wie Reinheit, Farbe, Härte, Form, Gestalt, Geruch im Rohzustand und Duft beim Räuchern. So werden viele Harze von den unterschiedlichsten Pflanzen als *copal, incienso, mirra, benjui, estoraque* usw. bezeichnet. Deshalb werden die Räucherstoffe, die im Zusammenhang mit Ayahuasca eine Rolle spielen, hier nach ihren allgemein üblichen Namen, volkstümlichen Bezeichnungen und Handelsbegriffen aufgeführt. Ihre Namen stammen entweder aus Indianersprachen (Quechua, Aztekisch), der *lingua geral*, der Verkehrssprache im Amazonasgebiet, oder aus dem Spanischen bzw. Portugiesischen.

Copal

Merkwürdigerweise wird das Wort *copal* überall in Südamerika benutzt, obwohl es aus dem Nahuatl stammt, der Sprache der mexikanischen Azteken. *Copal* bzw. *co-palli* setzt sich aus *cuahuitl*, »Baum«, und *palli*, »Droge, Tinktur, Lack/Firnis« zusammen und bedeutet »Lackbaum«. Es bezeichnet aber nicht nur die Harz liefernden Gewächse, sondern auch das zum Räuchern taugliche Harz und ist damit gleichbedeutend mit »Weihrauch«.

Copal entspricht in der Neuen Welt unserem Weihrauch. So wird z.B. das Copalharz von *Protium guianense* (AUBL.) MARCH. (syn. *Icica guaianeses* AUBL.),

Burseraceae, in Europa »Weihrauch von Cayenne« oder »Olibanum americanum« genannt.

Es ist unklar, ob das Wort Copal, als Bezeichnung für hochwertiges, köstlich duftendes Baumharz, schon in vorspanischer Zeit von Mesoamerika nach Südamerika entlehnt oder von den Spaniern dorthin eingeschleppt wurde. Beides ist denkbar. Vielleicht hatten die vorspanischen Kulturen im Norden Südamerikas, dem heutigen Kolumbien, bereits Handelskontakte mit mesoamerikanischen Völkern. Vieles lässt darauf schließen, denn in beiden Kulturarealen kommen ganz ähnliche kulturelle Erscheinungen vor. Es gibt viele Parallelen.

In Amazonien gedeihen mehrere *Protium*-Arten, die aromatische, wohlriechende Harze liefern. Sie werden von den verschiedenen Amazonas-Indianern als Heil- und Räuchermittel verwendet. Die Kuripako etwa sammeln das erstarrte Harz von *Protium crassipetalium* und verbrennen es zur Reinigung des Hauses, in erster Linie um eine dort aufgetretene Krankheit zu verbannen. Die Tanimuka-Indianer, die am Caño Peritomé leben, einem Nebenarm des Río Appaporis, benutzen den Rauch zum Aromatisieren von Coca. Dazu wird das Harz verbrannt und mit Hilfe eines Schilfrohres in die pulverisierte Coca geblasen.

Viele Stämme nutzen die *Protium*-Harze aber auch zur Behandlung von Nasenerkrankungen. Die Tikunas und Kubeo stopfen sich etwas Harz in die Nasenlöcher, um bei Erkältungen frei atmen zu können. Das copalartige *breuzinho*-Harz (von *Protium heptaphyllum* und *Protium* sp.) wird auch mit Tabak vermischt geraucht und bei manchen synkretistischen Ayahuasca-Kulten (Santo Daime u.ä.) in Brasilien zu Beginn der kirchenähnlichen Liturgie geräuchert.

Caraña goma, »Elemi-Salbe« (erworben in einem Naturheilmittelgeschäft in Pasto, Nariño, Kolumbien, 4/2004).

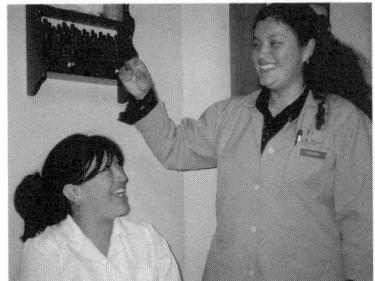

Sogar in Apotheken wird mit Palo Santo geräuchert (Pasto, Nariño, Kolumbien, 4/2004).

Auf Kräutermärkten in Ecuador, Bolivien und Peru werden stark riechende Holzstücke als Palo Santo, »heiliges Holz«, verkauft. Das Holz ist ein wichtiges schamanisches Räucherwerk, z.b. bei gewissen Ayahuasca-Ritualen, Divinationen mit Coca, *mesas* mit San-Pedro-Kaktus und Reinigungszeremonien (*limpias*) in der *brujería*. Das Holz ist auch Bestandteil von erotisierenden *florecimientos* (»Blumenwassern«) und Liebeszaubern (*pusanga*). Dieses Palo Santo wird aus den harzigen Stammstücken des kleinen Palo-Santo-Baumes (*Bursera graveolens* [H.B.K.] Tr. et Pl. oder *Bursera microphylla* Gray, Burseraceae) gewonnen. Es ist ein sehr intensiv duftendes, alles (selbst doppelte *zip lock*-Plastikbeutel und Schalenkoffer) durchdringendes, schwül-süßliches Rohmaterial.

Palo Santo kommt in Holzstücken verschiedener Größen (armdick, handlang, fingerdick) oder als grob gemahlenes Pulver in den Handel. Die handlichen Stücke werden als Einzelräucherwerk bei Bedarf entzündet. Das Holzpulver wird entweder unvermischt oder in Kombination mit anderen Räucherstoffen auf glühende Holzkohle gestreut. Palo Santo räuchert man überwiegend als Einzelstoff. Es wird zur Reinigung von Orten, zur volkstümlichen Heilbehandlung (*curanderismo*) und zu Beginn von entheogenen Ritualen (Ayahuasca- und San-Pedro-Zeremonien) entzündet.

Sahumerios

Das spanische *sahumar* (»räuchern, beräuchern, durchräuchern, ausräuchern«) leitet sich vom lateinischen *suffumare* ab, das aus *sub*, »unten«, und *fumus*, »Rauch«, zusammengesetzt ist. In Mexiko-Stadt wird die Form *sahumear* benutzt. In Michoacán spricht man von *limpiar con sahumerio*, »reinigen mit

Sahumerios, Räucherstoffe aus
der Drogerie (Quimicos del Sur, Pasto,
Kolumbien, 4/2004).

Räuchern«. Ein *sahumerio* zum Erwärmen der Atmosphäre und für *buen olor*, »guten Geruch«, besteht aus Copal, Romero *(Rosmarinus officinalis)* und *alucema* (Lavendel). Ein therapeutisches *sahumerio* besteht aus Copal-Stückchen *(Bursera* sp.*)*, Wachs aus Campeche, Terpentinöl aus Kiefern *(Pinus* sp.*)* und Büscheln aus Romero-Blütenständen *(Rosmarinus officinalis)*, Tabak *(Nicotiana tabacum)*, Malve *(Malva* spp.*)* und *pensamientos* (botanisch ungeklärt).

Siete plantas zahumerio: »Sieben Räucherpflanzen«
Man nehme zu etwa gleichen Teilen:
Palo Santo *(Bursera graveolens)*
Copal *(incienso;* Harz von *Protium* sp.)
Amerikanischer Styrax (Harz von *Styrax* sp., *Styrax tessmanii)*
Jatobá (= *brea* bzw. *breuzinho;* Harz von *Hymenaea courbaril)*
Lavendelkraut *(Lavandula angustifolia)*
Rosmarinblätter *(Rosmarinus officinalis)*
Boldo-Blätter *(Peumus boldus)*
Die grob zerkleinerten Zutaten werden gemischt. Esslöffelweise auf die glühende Räucherkohle streuen.

Dieses *curanderismo*-Rezept aus Pasto (Nariño, Kolumbien) besteht aus sieben Pflanzen, die der symbolträchtigen Sieben im Schamanismus Tribut zollen. Die sieben Räucherstoffe repräsentieren die Orientierung im Kosmos: die vier Himmelsrichtungen und die drei Welten (oben, Mitte, unten).

In diesem Rezept vereinigen sich zwei Räuchertraditionen: die südamerikanische und die europäische. Rosmarin und Lavendel sind aus Europa eingeführte Pflanzen, die von den südamerikanischen Schamanen in ihr Repertoire aufgenommen wurden. Auch die Anwendung dieses Räucherwerks ist synkretistisch. Es wird sowohl in schamanischen Ritualen als auch von *curanderos* benutzt. Es soll Schutz bieten sowie *mal aires*, »böse Winde«, fernhalten.

Räucherstoffe in modernen Ayahuasca-Ritualen
Im Prinzip ist es nicht so wichtig, welcher Räucherstoff bei Ritualen zum Einsatz kommt; deshalb finden in Ayahuasca-Ritualen außerhalb Südamerikas oft Räucherstoffe Verwendung, die in Südamerika unbekannt sind, aber andernorts eine kulturelle Bedeutung und Tradition als rituelles Räucherwerk haben. So werden in Nordamerika gern *sage* (»Salbei«) und *cedar* (»Zeder«) benutzt, die wichtigsten Räucherdrogen der Prärieindianer. Dabei bezeichnet *cedar* keinesfalls eine Zeder, sondern den amerikanischen Wacholder *(Juniperus virginiana)*, und *sage* ist kein Salbei, sondern der Präriebeifuß *(Artemisia ludoviciana)*. Auch der Gebrauch von Abalonenschalen *(Haliotis* spp.*)* als Räuchergefäß wurde von den nordamerikanischen Indianern übernommen.

In europäischen Ayahuasca-Ritualen wird neuerdings auch mit Harmel, den Samen der Steppenraute *(Peganum harmala)*, geräuchert, weil sie die β-Carboline Harmin und Harmalin reichlich enthalten.

Florida: **Das Dschungelparfüm**

Vom Räuchern ist es nur ein kleiner Schritt zum Parfüm. Das Wort leitet sich vom lateinischen *perfumare* her, »durchräuchern, beräuchern«. Der Schamane, der hauptsächlich mit Parfüm arbeitet, wird in Amazonien *perfumero* genannt: »Beräucherer«. Sein Metier ist die Kunst, Gerüche zielgerichtet bei Heilritualen einzusetzen. Er »baut« aus Gerüchen einen Tempel oder Schrein des Bewusstseins und schafft einen olfaktorischen Ritualplatz. Seine Kunst des Parfümierens ist eine Form der Aromatherapie: die Ethnoaromatherapie. Der *perfumero* verwendet hauptsächlich Samen, Blüten und Duftwässer. Die Duftstoffe werden den Patienten unter die Nase gehalten, während der Heiler die Duftwässer mit den Fingern versprengt oder in den Mund nimmt und im Raum oder über den Betreffenden durch heftiges Ausblasen versprüht.

Das rituelle Parfüm heißt in Amazonien sowie angrenzenden Gebieten allgemein *agua florida* (span. »blumiges/blühendes Wasser«)[41]. Die von den *ayahuasquero*s und *perfumero*s benutzten Duftwässerchen für Heilzeremonien stammen vor allem vom Kräutermarkt in Iquitos.

Duftkette der Kamsá-Indianer (Sibundoy, Putumayo, Kolumbien, 4/2004). Daneben die Wurzelknollen zweier *chunduro*-Pflanzen (*Cyperus* spp.). Der Kettenanhänger wird mit einem Stück des Rhizoms gefüllt.

41 *Agua florida*: »Es symbolisiert heilige Kräuter-›Gärten‹ und Blumen« (SHARON 1980: 236). »Ich werde mein Parfüm versprengen und das Agua Florida, ich werde die gefallene Seele erfrischen und wieder aufrichten« (ANDRITZKY 1994: 396).

In Iquitos gibt es einen Kräutermarkt. Der *mercado de las yerbas* liegt in einer Seitenstraße beim eigentlichen Markt. Dort stehen zweireihig Kräuterstände, die genauso aussehen, wie es sich ein Ethnobotaniker erträumt. Unendlich viele Hölzer, Rinden, Wurzeln, Knollen, Früchte und Samen quellen aus den Auslagen. Ganze Galerien von Flaschen mit Schnäpsen und Kräuterauszügen garnieren das Bild. Hier werden die kräuterkundigen Markthändler respektvoll *doctores* genannt. Sie sind ausgezeichnete Pflanzenkenner, *curanderas* und Pharmazeuten zugleich. Sie wissen wirklich Bescheid. Bei ihnen einzukaufen ist eine echte Freude. Hier gibt es alles, was das Herz begehrt: den starken, nur rituell benutzten *mapacho*-Tabak, der obligatorisch für den schamanischen Ayahuasca-Gebrauch ist, dazu Duftstoffe für Rituale wie Räucherwerk (Palo Santo, Copal) und *perfumes* sowie einen Badezusatz aus der Pflanze *sacha-ajo (Mansoa alliacea)* für *buena suerte* (»viel Glück«) in der Liebe und bei der Arbeit.

Hergestellt werden die Duftwässer überall: Wer auch immer die Pflanzen kennt und das Kräuterhandwerk beherrscht, kann *perfumes de la selva*, »Parfüms des Waldes«, produzieren. Auch wenn sie zum Teil nach billigem Duft- und Rasierwasser riechen, sind sie rein biologisch und organisch. Hauptsächlich dienen die Wurzelknollen von einem *piripiri* genannten Zypergras *(Cyperus sp.)* und die Wurzelknollen der *motelillo* genannten Pflanze als Grundlage des Parfüms.

Ein amazonisches Dschungelparfüm.

Die *floridas* in Flaschen sehen manchmal wie *seguros* oder *florecimientos* aus. Sie haben ein *corazón*, ein »Herz« (aus den roten Samen von *Ormosia* spp.) und enthalten unter anderem *alacranes*, »Skorpione« (bestimmte Pflanzenteile, die wie der Schwanz eines Skorpions segmentiert sind).

Remedios: Die Heilmittel

Das spanische Wort *remedio* bezeichnet sowohl in Spanien als auch in Lateinamerika zum einen »Behebung, Abhilfe, Wiedergutmachung, (Ver-) Besserung«, zum anderen »Mittel, Heilmittel«.

Alles, was als Mittel zur Heilung verwendet wird, ist also ein *remedio* (natürlich zählen auch Ayahuasca, Pinta, Yopo, Tabak und Weihrauch dazu, aber nicht in erster Linie). Die hier behandelten *remedios* sind Heilmittel, die im Zusammenhang mit dem Ayahuasca-Komplex von Schamanen und *curanderos* verwendet oder verordnet werden und aus dem Pflanzen-, Tier- oder Mineralreich stammen. Viele Schamanen bereiten aus selbstangebauten oder gesammelten Pflanzen, gesammelten oder gejagten Tieren und Steinen (im weitesten Sinne) pharmazeutische Produkte zu, die sie ihren Patienten im Bedarfsfall geben.

Im Regenwald stehen nicht die Kräuter als Heilpflanzen im Zentrum der Ethnomedizin, sondern die Bäume. Deshalb spricht man in Amazonien nicht von *yerbateros*, den »Kräuterheilern«, sondern von *paleros*, den »Baumheilern« (span. *palo* = »Baum« oder »Holz«). Im peruanischen Ucayali-Gebiet gibt es viele *paleros*, die sich auf den Gebrauch von Rinden und Hölzern der Dschungelbäume spezialisiert haben. Diese ethnomedizinischen Spezialisten sind oftmals in Sägewerken und anderen Holz verarbeitenden Betrieben beschäftigt. Sie benötigen für ihre Arbeit im Wald und den Flüssen

Shipibo-Apotheke: Heilhölzer aus dem Yarinacocha-Gebiet (Peru).

viel Energie und Kraft; deshalb stellen sie aus den verschiedenen Rinden und Hölzern (seltener aus Früchten) Schnäpse *(tragos)* oder Elixiere her.

Die peruanischen *paleros* gehören zu der Gruppe von *vegetalistas*, »Pflanzenkundigen«, die den rituellen und medizinischen Gebrauch von *plantas maestras*, »Meisterpflanzen«, praktizieren. Dazu zählen die *ayahuasqueros* (Schamanen, die mit Ayahuasca heilen), die *tabaqueros* (Schamanen, die mit Tabak arbeiten und heilen), ferner die *toeros* (Meisterschamanen, die mit dem gefährlichen Gebrauch der *toé*, der Engelstrompete, *Brugmansia* spp., vertraut sind und damit heilen), die *camalongeros* (die mit der botanisch unbestimmten *camalonga*-Frucht heilen), die *catahueros* (die mit dem Harz des *catahua*-Baums, *Hura crepitans* L., Euphorbiaceae, vor allem Geschwüre und Tumore heilen und Jagdgifte, Curare, bereiten) und die *perfumeros* (die mit Duftstoffen[42] eine Art Aromatherapie betreiben) (LUNA und AMARINGO 1991: 13).

In Kolumbien und Peru ist die harte Frucht (oder Nuss) der *camalonga*[43] oder *cabalonga negra*, angeblich eines großen Baums, eines der meistgesuchten Zaubermittel. Sie soll eine starke psychoaktive Wirkung entfalten können. Die Früchte sind sehr selten und werden auf Kräutermärkten nur unter der Hand und zu horrenden Preisen verkauft. Deshalb werden sie oft gefälscht: »Die echte Cabalonga erkennt man, indem man sie kurz unter die Zunge legt. Wenige Momente reichen aus, um Schwindelgefühle zu erzeugen. (...) Die Ashaninka von Atalaya, in deren Medizinmannwesen die Cabalonga eine große Rolle spielt, sagen, dass sie im Lande der Amahuaca im Quellgebiet des Río Inuya wachse« (FAUST und BIANCHI 1998: 249).

Nach Aussage der Kräuterhändler von Iquitos (Peru) und der Schamanen stammt die *camalonga* von einem Baum der Kordilleren. Sie wird von manchen Schamanen als Ayahuasca-Zusatz verwendet. Es gibt aber auch Schamanen, die nur mit *camalonga* arbeiten; sie werden im lokalen Spanisch als *camalongeros* bezeichnet. Aus einer zerstoßenen und zermörserten Frucht kochen sie auf 0,5–0,7 Liter Wasser ein Dekokt. Davon braucht man nur eine kleine Menge, um einen sehr starken ayahuascaähnlichen Effekt zu erzielen. Die psychoaktive Wirkung ist meist kürzer als zwei Stunden. Die *camalonga*-Frucht wird sowohl von Indianern als auch von Mestizos benutzt. Ihre Heilkraft ist legendär und soll sogar oft die Heilkraft der Ayahuasca übersteigen. Allerdings ist *camalonga* vielen Schamanen »zu stark« für ihre Heiltätigkeit.

42 Die *perfumes* werden in Peru auch als *florida* oder *agua florida* bezeichnet.
43 Das Wort *camalonga* leitet sich möglicherweise von Spanisch *camama*, »Schwindel« oder »Trug«, ab. In *Langenscheidts Handwörterbuch* wird *cabalonga* als »Ignatiusbohne« *(Strychnos ignatii* BERGIUS) übersetzt. In Südamerika werden bestimmte Früchte oder Nüsse, deren botanische Herkunft unbekannt ist, Camalonga genannt. Sie gelten als Zauberbohnen, haben psychoaktive und aphrodisierende Kräfte.

Phallusförmiges Trinkgefäß aus Keramik, mit Ayahuasca-Mustern bemalt (Shipibo; Yarinacocha).

Chuchuguaza-Extrakt (Flasche), Naturheilmittel aus Kolumbien (2004).

Im peruanischen Amazonasgebiet werden heutzutage die meisten Pflanzendrogen in Form von Schnapsauszügen verkauft und verwendet, und zwar von indianischen Schamanen, Mestizo-*ayahuasqueros*, allen *vegetalistas* und allen möglichen *curanderos*. Die berühmtesten Kräuterschnäpse sind *huito* und *siete raizes*. Der spanische Name *siete raizes* bedeutet »sieben Wurzeln«; damit wird ein angesetzter Schnaps bezeichnet, der sieben Ingredienzien enthält. Dieser Kräuterschnaps ist im peruanischen Amazonasgebiet berühmt wegen seiner tonisierenden, aphrodisierenden und potenzsteigernden Wirkung.

Huito *(Genipa americana)*. Aus dieser Pflanze wird der Farbstoff *genipapo* gewonnen, der in Ayahuasca-Ritualen benutzt wird. Der blaue Saft dient auch als Insektizid, mit dem man alle freiliegenden Körperteile (Gesicht, Hände usw.) einreibt. Die blaue Farbe schützt tatsächlich vor den Myriaden von Dschungelblutsaugern, hinterlässt aber für gut zwei Wochen eine blaue Haut (Iquitos, Peru, 2/1999).

Die genannten Bäume werden von den *paleros*, aber auch den *ayahuasqueros* als Naturheilmittel verwendet. Den *ayahuasqueros* dienen diese Hölzer als Ayahuasca-Zusätze und als Tonika (Stärkungsmittel) zur Nachbehandlung. Die im Ayahuasca-Kontext bedeutendsten Hölzer sind *uña de gato*, *chuchuhuasi* (oder *chuchuhuasca*) und *huito*.

Die *huito* genannten Früchte des ebenfalls *huito* oder *jagua* genannten Baumes (*Genipa americana* L., Rubiaceae) etwa werden mit *aguardiente de caña* (Zuckerrohrschnaps) angesetzt und sieben Tage mazeriert. Dann drückt man die Früchte aus, gießt den Schnaps ab und süßt ihn mit dem Honig der wilden Dschungelbienen *(miel de abejas del monte)*. Der Likör hat eine aphrodisische, sexuell anregende und tonisierende Wirkung.

Südamerikanische Arzneipflanzen

Als die Europäer begannen, die Neue Welt zu erobern und zu kolonialisieren, schickte der König von Spanien Ärzte und Botaniker nach Neuspanien, damit sie sich dort des einheimischen Schatzes an nutzbarer Flora bemächtigten. Die Neue Welt war reich an Pflanzenarten, wilden wie kultivierten, die von den Indianern seit alters her genutzt wurden, und man versprach sich einen nicht unbeträchtlichen Nutzen davon. Und in der Tat kam die europäische Aneignung indianischer Gewürz-, Speise-, Genuss- und Heilpflanzen einer Revolution gleich.

Im 19. Jahrhundert fand die Cocapflanze *(Erythroxylum coca)* in Gestalt des Vin Mariani, eines cocahaltigen Weins, in Europa unter der Künstlerschaft und der herrschenden und intellektuellen Schicht unzählige Anhänger, die sich von ihm für ihre Arbeit und ihr Schaffen stimulieren ließen. Das 1860 von dem Göttinger Apotheker Albert Niemann aus Cocablättern isolierte Kokain wurde zum ersten und besten Lokalanästhetikum der westlichen Medizingeschichte. Es hatte aber auch eine wachsende Bedeutung als Genussmittel und als Inspirationsquelle für Künstler.

Ebenso galt der Peyote-Kaktus *(Lophophora williamsii)* und sein Hauptalkaloid Meskalin als medizinische Entdeckung, vor allem für die Psychiatrie. Dank

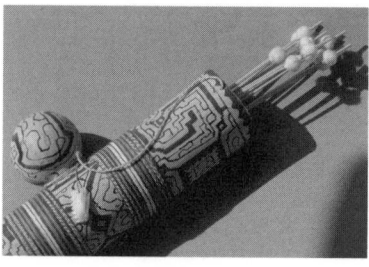

Ein Köcher für Blasrohrpfeile. Wie alle Gebrauchsgegenstände bei den Shipibo ist auch er mit Ayahuasca-Mustern verziert. An der Seite ist eine kleine, mit Curare gefüllte Kalebasse angebracht. Der Unterkiefer eines Piranhas dient zum Schärfen der Pfeile, bevor sie in das Jagdgift getaucht werden.

seiner Wirkungen, die bei gesunden Menschen psychoseähnliche Halluzinationen hervorriefen, nannte man ihn ein Psychotomimetikum, also ein »Psychose nachahmendes Mittel«. Die psychiatrische Modellpsychose wurde erfunden und gab Anlass zur weiteren Erforschung ähnlich wirkender Substanzen. Die mexikanischen Zauberpilze *(Psilocybe* spp.*)* reihten sich hier ebenfalls ein: Aus dem psychedelischen Wirkstoff Psilocybin wurden die ersten Betablocker entwickelt. Ganz ähnlich führte die Isolierung des Harmins bzw. Harmalins aus der amazonischen Dschungelliane Ayahuasca oder *Banisteriopsis caapi* zur Entdeckung der Antidepressiva.

Grünes Gold?

International genutzt werden nur sehr wenige Heilpflanzen aus den amazonischen Regenwäldern, was eine gewisse Paradoxie darstellt, glauben wir doch, dass der Amazonaswald die größte Apotheke der Erde sei.

Für die *ayahuasqueros* ist in jedem Falle Ayahuasca das beste und stärkste Heilmittel, *medicina prima, remedio poderoso.* Denn Ayahuasca ist der eigentliche Schamane, der wahre Heiler. Die Kräuter, Hölzer, Balsame und Wurzeln können hilfreich bei der Heilung sein. Es sind Gehilfen des Schamanen, Hilfsgeister der Ayahuasca.

Claudia Müller-Ebeling

Ayahuasca-Visionen und Kunstreflexionen

»Aber das sind keine Halluzinationen. Es gibt keine
Verzerrung der sichtbaren Realität; die Farben und Visionen
sind Teil einer anderen Realität, die auf die Rückseite der
Augenlider projiziert wird. Sobald ich die Augen schließe,
gelange ich in diese andere Welt, eine Welt so real wie
jede andere, wo Töne zu Licht werden und Licht zu Farbe
und Farbe zu geometrischen Formen, wo geometrische
Formen Erinnerungen wecken, Geschichten und Gefühle,
nicht nur aus meinem eigenen Leben, sondern, so seltsam
das ist, auch aus dem Leben anderer Menschen.«
(STING 2003: 17)

Was halten wir von Visionen?

Gemeinhin betrachtet man Visionen als höchst individuelle Angelegenheit. Man misst ihnen keinen objektiven Wert bei und begegnet ihnen daher vornehmlich skeptisch. Zwar weiß man von den Visionen Hildegards von Bingen und anderen Mystikern, doch von kirchlicher und weltlicher Seite wurden sie seit jeher meist als exaltierte Spinnereien abqualifiziert. Die von Altbundeskanzler Helmut Schmidt kolportierte Aussage: »Wer Visionen hat, sollte zum Arzt gehen«, verdeutlicht, was wir allgemein davon halten.

Nichtsdestotrotz stehen Visionen heutzutage hoch im Kurs – verblüffenderweise vor allem bei Wirtschaftsfunktionären, Politikern und in der Werbung. So formulierte der ehemalige Bundespräsident Roman Herzog: »Visionen sind Strategien des Handelns. Das unterscheidet sie von Utopien.« Und sogar die Automarke Mercedes appelliert in ihrer Werbung mit dem Slogan: »Sei Realist. Bleibe Träumer« an die unterschwellige Macht emotionaler Bedürfnisse potenzieller Käufer ihrer Luxuskarossen.

> »Der einzig wahre Realist ist der Visionär.«
> Federico Fellini

Die Umdeutung der traditionell verfemten Visionen zu weitsichtigen politischen, wirtschaftlichen oder psychologischen Handlungs- und Marketingstrategien ist zwar interessant, doch in diesem Kontext weniger gefragt. Wenn hier von Visionen die Rede ist, handelt es sich um kulturell tradierte Rauscherfahrungen, genauer: um nachhaltig deutlich erlebte innere Bilder, die durch Ayahuasca induziert und als solche weltweit von indigenen Völkern des Amazonasgebiets wie auch inzwischen von Menschen westlicher Industrienationen geteilt werden.

> »In Gesprächen mit erfahrenen *ayahuasqueros* hatte man mir bedeutet,
> dass Ayahuasca keine Droge ist, sondern eine Medizin. ›Eine Droge (...) verschafft ihre Befriedigung sofort, (...) aber später bezahlt man dafür mit
> Kopfschmerzen, Kater oder – was schlimmer ist – Sucht und Abhängigkeit.
> (...) Bei einer traditionellen Medizin ist das anders, sie verschafft keine
> sofortige Befriedigung. Es kann sein, dass man am Ende belohnt wird, aber
> bezahlen muss man vorher. Ayahuasca ist eine solche Medizin.‹«
> (STING 2003: 14)

Doch gerade durch Entheogene hervorgerufene Visionen – von den Medien oft und gern als »Drogenrausch« tituliert – provozieren skeptische Fragen: Ist das rauschhaft Erlebte real oder handelt es sich um individuelle Hirngespinste? Sind solche »inneren Bilder« interkulturell bedeutsam und gesell-

Kajuyali Tsamani und der Künstler Nisvan betrachten das Bild bei ihrer ersten Begegnung. (Foto: A. Adelaars)

schaftlich relevant? Leiten sich daraus für den Einzelnen funktionsfähige Alltagsstrategien ab? Oder, einfacher gefragt: Was hat man davon im Alltag? Inwiefern es sich bei der viel zitierten »Flucht aus der Wirklichkeit«, dem immer wieder gern angeführten Baudelaire-Zitat von den »künstlichen Paradiesen« oder dem Presseslogan »Machen Drogen kreativ?« um Missverständnisse handelt, wird noch zu klären sein. Wer sich mutig in die unsichtbare Topografie innerer Welten vorwagt und Unerfahrenen die eigenen unerhörten Erlebnisse vermitteln will, sieht sich unversehens in der Rolle eines Naturforschers, der der Alten Welt erstmals vom Schnabeltier aus Australien berichtete oder von Kolibris aus Mittel- und Südamerika und damit auf ungläubig-skeptisches Hohngelächter stieß. Weder hatte die zoologische Fachwelt bis dahin von einem Fell tragenden Wassertier mit Schnabel gehört, das Eier legt und mit einem Giftstachel bewehrt ist (und somit mehrere Tiergattungen vereint), noch von einem winzigen, edelsteinfarbenen Tier mit unsichtbar schnellem Flügelschlag, das eher einem Insekt als einem Vogel ähnelt. Inzwischen wissen wir, dass es diese beiden Tiere gibt, und distanzieren uns, vom ungebrochenen Fortschrittsglauben beflügelt, von unseren unwissenden Vorfahren. Doch die öffentliche Reaktion auf alles, was sich unserem Wissen und kritischen Verstand entzieht, blieb erstaunlich unverändert. Anerkannt kritische

Medien wie der *Spiegel* übertiteln entsprechende Berichte aus dem inneren Raum meist mit »Höllentrip«. Nicht anders schrieb 1560 der in Kolumbien tätige Missionar Fray Pedro de Aguado[44], dass die Indianer (Guayupe) am Rio Guaviare »die Gewohnheit haben, *yopa*[45] und Tabak einzunehmen. *Yopa* ist ein Sämling oder Kern, von dem sie schläfrig werden. In ihren Träumen zeigt ihnen der Teufel seine verderblichen Nichtigkeiten, die sie für wahre Erscheinungen halten. Sie glauben an ihre Visionen, selbst wenn ihnen der nahe Tod angekündigt wird.«[46]

Offensichtlich ist die Berichterstattung von der »Topografie des Unbewussten«[47] nach wie vor denselben Regeln verpflichtet wie zu Zeiten der Conquista, der Eroberung der Neuen Welt im 16. Jahrhundert. Die von Wissenschaftlern und Journalisten (beiderlei Geschlechts) viel beschworene Objektivität gestaltet sich daher schwieriger als vermutet, vor allem wenn sie nicht nur westlichen, sondern auch indigenen Perspektiven gerecht werden soll.

»Das ist kein Hokuspokus, sondern uraltes Wissen um die Geheimnisse der menschlichen Seele und der lebendigen Natur. Denn mit dem Verstand kommen wir nicht an alle Dinge heran. Die größere und reichere Welt, die Welt der Entscheidungen und die Welt der Gefahren, liegt außerhalb der Sphäre unseres Denkens. *In diese andere Welt muss der Schamane hinein.* Darin liegt seine Fähigkeit, und damit begibt er sich in große Gefahr.«
(LISSNER 1979: 302)

Den indigenen Erklärungen zufolge stellen sich die oben zitierten Aussagen anders dar. Das DMT-haltige Schnupfpulver Yopo und der Ayahuasca-Trank – so erklären sie – schläfere den Verstand ein, um das wahre Wesen der Wirklichkeit zu enthüllen. Das für das Alltagsbewusstsein taugliche Ego müsse sterben, damit sich die »Pforten der Wahrnehmung«[48] öffnen könnten. Und schließlich begegnen sie, nach eigenen Aussagen, im berauschten Zustand vielmehr Pflanzengeistern, Göttinnen und Göttern.

Konzepte von Teufeln sind in den Mythen der Naturvölker, denen wir den rituellen Gebrauch und die komplexen Rezepturen der Ayahuasca verdanken, schlichtweg unbekannt und wurden erst von christlichen Missionaren einge-

---

44 Fray Pedro de AGUADO: *Recopilación historial (Cronica de 1560)*, 4 Bde, Bogotá: Biblioteca de la Presidencia de Colombia 1956.
45 = Yopo.
46 Zit. in SCHULTES und HOFMANN 1979: 117.
47 Titel der 1975 in den USA und 1978 in Deutschland erschienenen LSD-Studie des tschechischen Psychiaters Stanislav Grof.
48 So der Titel des von Aldous Huxley 1954 veröffentlichten Essays über seine Erfahrungen mit Meskalin.

führt. Das bestätigen die entsprechenden wissenschaftlichen Einträge im *Reallexikon für Antike und Christentum*:»Die Vorstellungen von den Naturgeistern wurden einfach auf den Teufel übertragen, denn die Naturgeister waren unberechenbar und gefährlich.«[49] Mit dieser christlichen Bewertung wurden Ethnologen immer wieder konfrontiert. So musste der Erforscher des sibirischen Schamanismus, Waldemar Bogoras, noch 1901 während seiner Feldforschung bei den Inuit auf der (zur USA gehörigen) St.-Lorenz-Insel den amtierenden Baptistenpfarrer um Genehmigung bitten, an einer schamanischen Séance teilnehmen zu dürfen. Er erhielt sie,»musste allerdings versprechen, dass kein Eingeborener an dem teuflischen Vergnügen teilnehmen würde«.[50] Desgleichen war die völkerkundliche Literatur zum Schamanismus nachhaltig von psychiatrischen Definitionen geprägt, die den zitierten Aussagen von Fray Pedro de AGUADO ähneln. Nur wird für die»verderblichen Nichtigkeiten, die sie für wahre Erscheinungen halten«, nicht der Teufel, sondern die neurotische oder psychotische Disposition der Schamanen verantwortlich gemacht:»Es gibt keinen Grund und keine Entschuldigung, Schamanen nicht als ernsthaft neurotisch oder sogar psychotisch zu erachten«, erklärte 1956 der anerkannte französische Ethnopsychiater Georges DEVEREUX.[51] Dass es Schnabeltiere und Kolibris gibt, ist heute unbestritten. Wer ihre Existenz noch immer bezweifelte, würde sich lächerlich machen. Wenn es um vergleichbar erstaunliche Erfahrungsberichte von unsichtbaren, inneren Welten geht, stößt man jedoch auf eine nach wie vor gesellschaftsfähige skeptische Häme. Können wir uns diese Ignoranz gegenüber Erfahrungen, die Millionen von Menschen aus der sogenannten Dritten Welt seit Jahrhunderten (wenn nicht sogar Jahrtausenden) traditionell teilen und die seit nunmehr sechs Jahrzehnten auch westliche Reisende maßgeblich beeinflusst haben, im 21. Jahrhundert, das unter dem Vorzeichen der globalen Vernetzung steht, wirklich noch immer leisten? Worin liegen die historischen Hintergründe dieser tief verwurzelten Skepsis?

Historische Hintergründe
Zum besseren interkulturellen Verständnis seien hier folgende Erläuterungen angebracht: Die skeptische und negative Bewertung von Visionen hat im Westen eine lange Tradition. Sie wurzelt im Christentum, das zu Beginn des 4. Jahrhunderts im Einflussgebiet des vormals römischen Imperiums zur

49 Theodor KLAUSER: *Reallexikon für Antike und Christentum*, Stuttgart: Hiersemann 1976, Bd. IX, S. 704.
50 Zitiert nach HALIFAX 1983: 16f.
51 In NARBY und HUXLEY 2001: 120.

Staatsreligion erklärt wurde. Die Bekehrung der unterworfenen heidnischen Völker vom Polytheismus (der viele Göttinnen und Götter verehrt) zum Monotheismus, zum Glauben an einen einzigen Gott, der keine fremden Götter neben sich duldet, veränderte die Haltung zur Natur grundlegend. Sie verbot jede kultische oder rituelle Verehrung der Natur – ihrer Pflanzen, Tiere und Naturgewalten – und forderte stattdessen die ausschließliche Verehrung Gottes, »der alles geschaffen hat«.

Der Glaube anderer Völker an Götter und Göttinnen wird nicht nur in Frage gestellt, sondern als Teufelsglaube disqualifiziert. Visionäre Erkenntnisse werden als trügerisch und den Geist verwirrend erklärt. Selbst empirische Naturbeobachtungen werden dem selig machenden Glauben an den Alleinherrschaftsanspruch des einzig wahren Gottes untergeordnet.

In der Reformationszeit wetterte Calvin gegen alle Künstler, die durch Gebilde ihrer Einbildungskraft »Gottes Majestät in ungeziemender und schändlicher Einbildung in den Schmutz ziehen«. Das Misstrauen gegenüber Naturritualen und visionären Welten wurde in der Aufklärung bestätigt und von maßgeblichen Instanzen der modernen Wissenschaft übernommen.

> »Trotz ihres Alleingültigkeitsanspruchs ist die naturwissenschaftlich positivistische Sprache nicht geeignet, dem schamanischen Erleben Ausdruck zu verleihen, denn sie schließt ganze mythologische Bereiche aus. Es liegt in ihrer Natur, geistig-seelische Dimensionen auszuklammern, als irrelevant zu erklären.«
> (STORL 2005: 26f.)

Kein Wunder also, dass man dem Realitätsgehalt innerer Bilder, die den seelenerweiternden und psychoaktiven Getränken aus Dschungelpflanzen zu verdanken sind, welche die Indianer ehrfurchtsvoll als »Pflanzenlehrer« bezeichnen, und der Heilung von Körper und Geist durch *ayahuasqueros* nach wie vor zutiefst misstraut.

Der Schlüssel zu diesem bis heute nachwirkenden Misstrauen liegt im Alleinherrschaftsanspruch der monotheistischen Weltanschauung, den die wissenschaftliche Weltsicht beerbte. Er unterscheidet sich wesentlich von der relativistischen Perspektive indigener Völker, die anderen nicht nur ihre eigenen Götter zubilligen, sondern auch verschiedene Heilmethoden als gleichrangig akzeptieren.

Die Bilderwelten der Ayahuasca
Teilnehmer eines Ayahuasca-Rituals wünschen sich *una buena pinta* – »schöne Bilder«. Dieser Wunsch zielt weniger auf ein oberflächlich unterhaltsames, buntes Dschungelkino als vielmehr auf die »Wahr-Nehmung« sinnstif-

Ayahuasca-Zubereitung bei Iquitos, Peru. Die zufälligen Lichtreflexe könnte man als Geister interpretieren, mit denen Schamanen und ayahuasqueros beim Ayahuasca-Ritual in Kontakt treten. (Foto: A. Adelaars)

tender Erfahrungen und Erkenntnisse ab. Die getrennte Schreibung verweist auf die dem Wortsinn entsprechende, als wahr und wirklich empfundene Erfahrung.

Eine wichtige Bemerkung vorab: Ayahuasca beschert nicht zwangsläufig schöne Bilder und ausgefeilte plastische Visionen. Im Gegenteil! Häufig vermittelt die Dschungelmedizin umwälzende Erkenntnisse auf rein gefühlsmäßige Weise, bar jeglicher visueller Erscheinungen. Andere sehen DMT-typische abstrakte geometrische Tunnel- und Rautenmuster oder komplexe bildhafte Visionen. Einer groben Schätzung erfahrener (vorwiegend männlicher) Schamanen, *ayahuasqueros* und Ritualleiter zufolge nehmen 60 Prozent der Ritualteilnehmer die Wirkung der Dschungelmedizin auf rein gefühlsmäßiger Ebene wahr. Zwanzig Prozent berichten von geometrischen Strukturen und 20 Prozent von komplexen bildlichen Visionen.

Die Rauschwirkung des DMT wird von zwei Faktoren wesentlich bestimmt: von der individuellen Biochemie, wobei das Enzym Monoaminooxidase (MAO) eine große Rolle spielt (siehe dazu Seite 254ff.), und von der psychischen Befindlichkeit. Wer große Angst vor einem möglichen Kontrollverlust hat, kann die Wirkung erstaunlich lange unterdrücken.

Westliche Autoren haben ihre Erlebnisse mit Yagé nicht nur als Farbenrausch, Bildertaumel und Visionsflut beschrieben, sondern darüber hinaus als Einblicke in kosmische Bedeutungsebenen und Enthüllungen verborgener Seinsschichten und Wesenskerne. In einem Brief vom 10. Juni 1960 aus Pucallpa, Peru, beschrieb Allen Ginsberg William S. Burroughs eine seiner Ayahuasca-Visionen folgendermaßen:

»… nach einer Stunde (…) begann ich etwas zu sehen oder zu fühlen, von dem ich glaube, dass es Das große Wesen sei oder irgendeine Empfindung Dessen, und das sich meinem Geist wie eine große feuchte Vagina näherte – legte mich eine Weile hinein – das einzige Bild, mit dem ich aufwarten kann, ist das eines großen schwarzen Loches der Nüster Gottes, durch das ich ein Mysterium schaute – und das schwarze Loch war von der ganzen Schöpfung umgeben – besonders von farbigen Schlangen – alle wirklich.« (BURROUGHS und GINSBERG 1964: 71f.)[52]

Der Briefwechsel der beiden berühmten Heroen der Beatgeneration William S. Burroughs (1914–1997) und Allen Ginsberg (1926–1997) ging unter dem Titel *The Yagé Letters* (*Auf der Suche nach Yage*) in die Literaturgeschichte ein. Ihre Schilderungen machten viele Abenteurer auf die mysteriöse Dschungelliane aufmerksam und beeinflussten maßgeblich die literarische Verarbeitung solcher visionärer Erfahrungen. Möglicherweise blieben sie auch dem berühmten Popmusiker Gordon Sumner – besser unter seinem Künstlernamen STING bekannt – nicht verborgen, der zu Beginn seiner Autobiografie *Broken Music* ausführlich Visionen beschreibt, die er in einer organisierten Ayahuasca-Kirche Brasiliens erlebte: »Dieses Erlebnis des Einsseins ist überwältigend. Es ist, als treibe ich auf den tanzenden Wellen eines unendlichen Ozeans von Gefühlen« (STING 2003: 57).

Immer wieder beschwört die entsprechende Literatur unerhört plastische und realistische Visionen, in denen Jaguare, schillernde Boas, ätherische Pflanzengeister und funkelnde Kristallpaläste eine häufig wiederkehrende und dominante Rolle spielen: »Mein Bewusstsein umfasst plötzlich den gesamten Urwald. (…) Ich nehme den Wald in mich auf, bin der Wald. Ich spüre ihn in mir. Ganz kurz gleite ich in eine neue Dimension der Empfindung hinüber. Ich schwebe. Ich gehe hinter meinen verschlossenen Augen spazieren.« – »Ich sehe Tausende von Schlangen, die meinen Körper verlassen.« (SOMBRUN 2005: 60, 62)

Die verblüffend kulturunabhängige Häufigkeit der genannten Motive wurde sogar zum Gegenstand wissenschaftlicher Untersuchungen, die dem kognitiven Psychologen Benny SHANON von der hebräischen Universität in Jerusalem zu verdanken sind. Er befragte mehr als 150 Personen aus Lateinamerika und westlichen Industrienationen zu den Inhalten ihrer Ayahuasca-Visionen – Männer und Frauen mit unterschiedlichem sozialem Hintergrund und aus städtischem wie auch ländlichem Milieu, Informanten, die nur auf

---

52 Der deutsche Umschlagtext warnte bezeichnenderweise: »Das Buch ist für jugendliche Leser ungeeignet, und deshalb muss der Verlag auf strenger Einhaltung der Subskriptionsbedingungen und der Abgabe eines entsprechenden Verpflichtungsscheins bestehen.«

eine oder auf mehr als vierzig Erfahrungen zurückblickten. Zusätzlich analysierte er literarische und anthropologische Visionsberichte und Gemälde, die vom Ayahuasca-Erlebnis inspiriert wurden. Dabei stellte SHANON (2000: 242) fest, dass Naturmotive unter den von allen Befragten mehrheitlich genannten visionären Inhalten am meisten vertreten waren: »Schlangen, Raubkatzen und Vögel wurden weitaus am häufigsten genannt. Selbst von Informanten mit einem ausgewiesen städtischen persönlichen und kulturellen Hintergrund, die nicht aus dem Amazonasgebiet stammen.«

Zu den von allen befragten Gruppen meistgenannten Motiven zählen auch Visionen kostbar ausgeschmückter Paläste, die uns bei der Frage nach spezifischen Unterschieden und universal gültigen Visionsinhalten noch beschäftigen werden. Aufgrund der erstaunlich kulturunabhängigen Übereinstimmung von Ayahuasca-Visionen fragt sich Shanon, ob diese Gemeinsamkeiten auf einen transpersonalen Informationsspeicher im menschlichen Unterbewusstsein verweisen. Der Ähnlichkeit Jungscher Archetypen mit visionären Inhalten widmete er daher eine eingehendere Analyse (SHANON 2002). Offensichtlich birgt das Gebräu der Dschungelliane und ihrer DMT-haltigen Zusätze eine universale Bilddatei des Regenwaldes, die selbst Menschen westlicher Großstadtdschungel zugänglich ist, auch wenn sie nie im Regenwald des Amazonas gelebt haben.

Allerdings speisen sich persönliche und literarisch verarbeitete Visionen nicht nur aus genuin eigenen Erfahrungen, sondern auch aus mündlichen oder schriftlichen Berichten anderer. Der mächtige Einfluss solcher Berichte manifestiert sich in Alice Walkers 2004 erschienener Novelle *Now Is the Time to Open Your Heart*. Bei ihrer spirituellen Suche macht die Protagonistin mit anderen US-Amerikanern mehrfach Erfahrungen mit Ayahuasca. Die Leiterin der Rituale »verschwieg ihnen, dass sich höchstwahrscheinlich nach Einsetzen der Wirkung als Erstes das Bild zweier gigantischer, ineinander verschlungener und vermutlich kopulierender Schlangen einstellen würde«. Dasselbe Bild taucht später wieder auf: »Jeder erzählte mir, ich würde Drachen sehen. Aber ich sah lediglich ziemlich große Schlangen. Einige Schlangen – fügte sie hinzu – die umeinander geschlungen waren« (WALKER 2004: 69, 158).

>»Das erlebten Menschen seit Tausenden von Jahren. Großmutter Yagé
> ist wahrlich eine Medizin vom Ursprung und Ende der Zeiten. (...) Deshalb
> erscheint immer der Großvater der Reptilien.«
> (WALKER 2004: 159)

Darin klingt deutlich die populäre Untersuchung des schweizerisch-kanadischen Ethnologen Jeremy Narby an (die freilich Überlegungen aufgreift,

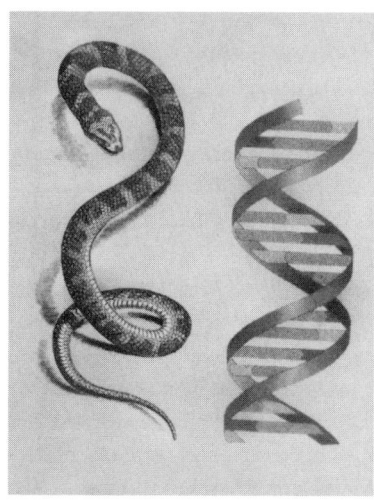

Schlange und Doppelhelix der DNA.
Titelbild der deutschen Ausgabe des
Buches von Jeremy Narby.

Die beiden Kräfte der harmin- und
DMT-haltigen Pflanzen erscheinen
visionär oft als umeinander gewundene
Schlangen. (Aquarellierte Tusche-
zeichnung von C. Rätsch)

welche schon 1975 von den McKenna-Brüdern Terence und Dennis in *The Invisible Landscape* veröffentlicht wurden).[53] In *Die kosmische Schlange* vergleicht Narby seine überaus plastische Vision zweier ineinander verschlungener Schlangen – die von indigenen Ethnien des Amazonas traditionell als Verbindung der beiden Zusätze zum »bitteren Trank« gedeutet werden (welche botanisch der harmalinhaltigen Ayahuasca-Liane *Banisteriopsis caapi* und DMT-haltigen Zusätzen wie etwa *chakruna* bzw. *Psychotria viridis* entsprechen) – mit der Doppelhelix der DNA. Dass die von Walker beschriebene Vision daran anknüpft, ist kein Zufall. Die afroamerikanische Autorin, die für ihren Roman *Die Farbe Lila* den Pulitzer-Preis gewann, verweist in ihrer Danksagung ausdrücklich auf Narby, der mit seiner anthropologischen Studie »unserer Zeit wichtige Einblicke bescherte«.

Verweilen wir kurz bei Jeremy Narby. Sein Fall ist ein Paradebeispiel für das Scheitern der wissenschaftlich geforderten objektiv distanzierten Haltung in der konkreten Feldforschungssituation. 1985, zu Beginn seiner Befragungen der Ashaninca im peruanischen Amazonasgebiet, fragte sich der Anthropologe, ob er wirklich verstand, was seine Informanten meinten, wenn sie

---

53 Mit Verweis auf vorliegende biochemische Studien weisen die McKenna-Brüder darauf hin, dass sich LSD sowie die für Ayahuasca relevanten Wirkstoffe *N,N*-DMT und Harmin an die DNA binden, was für das Verständnis ihrer Wirkung wesentlich ist.

ayahuasqueros immer wieder als Quelle des Wissens und Ayahuasca selbst als »Dschungel-TV« bezeichneten:»Man kann damit Bilder sehen und manches lernen« (NARBY 2001: 12). Als westlich ausgebildeter Wissenschaftler fürchtete er allerdings, allzu subjektive Betrachtungen indigener Halluzinogene würden beim wissenschaftlichen Studium unweigerlich zu Problemen führen.»Im Jahr 1985 waren *ayahuasqueros* für mich eine Grauzone und tabu für die Untersuchung, die ich durchzuführen beabsichtigte« (NARBY 2001: 10). Mit dieser Haltung stieß er jedoch im Verlauf seiner botanischen Studien zunehmend an Grenzen. Denn um das, was ihn interessierte, zu verstehen, musste er Ayahuasca trinken, wie ein Informant ihm unmissverständlich erklärte. Dieser bot ihm einen Wissensaustausch an: Narby solle ihn mit den Regeln der Buchführung zum Zwecke der Vermarktung einheimischer botanischer Erzeugnisse vertraut machen, und er werde ihm im Gegenzug Einblicke in ihre »okkulte Wissenschaft« mit Hilfe einer Ayahuasca-Erfahrung gewähren. Schließlich überwand der Ethnologe seine Skrupel und ließ sich auf das unkalkulierbare Abenteuer der Selbsterfahrung mit der »bitteren Brühe« ein.

»Da sind diese Riesenschlangen, meine Augen sind geschlossen, und ich sehe eine spektakuläre Welt aus strahlendem Licht, und mitten in diese verwirrten Gedanken hinein beginnen die Schlangen, wortlos mit mir zu sprechen. Sie erklären mir, dass ich nur ein Mensch bin. Ich spüre, wie mein Denken zerreißt, und in den Rissen sehe ich die bodenlose Arroganz meiner Vorurteile.«
(NARBY 2001: 15)

Zwei ineinander verschlungene Ayahuasca-Lianen. Diese Wuchsform spielt in Ayahuasca-Visionen eine Rolle. Sie inspirierte Jeremy Narby zum Vergleich mit der DNA-Doppelhelix.

Die Intensität seiner Visionen verblüffte den Anthropologen nicht nur aufgrund der »Vertrautheit dieser Menschen mit einer Wirklichkeit, die alle meine Axiome auf den Kopf stellte und von der ich nicht das Geringste verstand« (NARBY 2001: 16). Sie inspirierte ihn auch zu seiner in vielen Sprachen und Auflagen erschienenen vergleichenden Studie, in der er Parallelen aufzeigt zwischen der durch die Ayahuasca-Vision gewonnenen Einsicht in molekulare Strukturen und der Doppelhelix der DNA in der Biochemie. Sie wurde viel beachtet – trotz zweifelnder Kommentare seitens etablierter Wissenschaftler: »Sie meinen, die Indianer behaupten, sie bezögen verifizierbare molekularbiologische Informationen aus ihren Halluzinationen. Das nehmen Sie doch nicht wörtlich, oder?«[54]

Auf die interkulturelle Verständigung übertragen lautet die in der Betriebs- und Volkswirtschaft übliche Gewinn- und Verlustrechnung: Erkennen wir außereuropäische Konzepte von Wirklichkeit an und verzichten auf den Anspruch auf Alleinherrschaft, so gewinnen wir gegenseitige Achtung und vermeiden somit Kriege, Unterdrückung und Armut. Bestehen wir auf der (nach wie vor anerkannten) Alleinherrschaft westlicher Realitätsmodelle, so missachten wir außereuropäische Konzepte von Wirklichkeit und fördern somit Unterdrückung und Armut, was zwangsläufig zur Auflehnung gegen die westliche Übermacht und damit zum Krieg zwischen Arm und Reich führt. Wir haben die Wahl ...

Pilz- und DMT-Visionen

Unterscheiden sich Ayahuasca-Visionen von solchen, die durch andere Entheogene (wie LSD, Peyote oder etwa psilocybinhaltige Pilze) hervorgerufen werden?

Um auszuschließen, dass entsprechende Berichte zuvor Gehörtes oder Gelesenes aufgreifen, ist es sinnvoll, an Erstberichte anzuknüpfen. Hierfür bieten sich exemplarisch die heiligen mexikanischen Pilze und die gut dokumentierten historischen Quellen und Aussagen des US-amerikanischen Bankiers und Mykologen Gordon Wasson, des Schweizer Chemikers Albert HOFMANN sowie anderer Psychonauten an, die sich zu ihren Erlebnissen äußerten.

Als erster Westler erlebte Gordon WASSON vor fünfzig Jahren bei der Séance mit der mazatekischen Heilerin Maria Sabina die Wirkung psilocybinhaltiger Pilze, die die mexikanischen Ureinwohner als *teonanacatl*, »Fleisch der

---

54 NARBY 2001: 52. In diesem Zusammenhang schrieb Narby, dass auf dem Weltklimagipfel in Rio de Janeiro 1992 zwar viel über das ökologische Wissen der Ureinwohner geredet, doch dabei niemals erwähnt wurde, dass »dieses Wissen zum Teil aus Halluzinationen stammt, wie die Eingeborenen selbst betonen«.

Götter«, bezeichnen.[55] Er nahm insgesamt an neun nächtlichen Heilsitzungen im traditionell-indianischen Setting teil. In seinen ausführlichen
Schilderungen der »keineswegs verschwommenen oder vagen Visionen«,
deren »Linien und Farben so scharf waren, dass sie mir realer als alles bisher Gewohnte erschienen«, erwähnt er das Bild einer »Frau in primitivem
Gewand, die da stand und über das Wasser blickte. Rätselhaft und schön wie
eine Skulptur, die jedoch atmete und von einem farbenfroh gewebten Tuch
umhüllt war«.[56]
In seinem Buch *LSD – Mein Sorgenkind* schildert HOFMANN seine erste
Erfahrung mit einer Dosis von 100 Gramm getrockneter *Psilocybe mexicana*,
die ihm der französische Mykologe Professor Roger Heim aus eigener
Laborzüchtung zur Verfügung gestellt hatte:

> »Nach einer halben Stunde begann sich die Außenwelt fremdartig zu ver-
> wandeln. Alles nahm einen mexikanischen Charakter an. Weil ich mir voll
> bewusst war, dass ich aus meinem Wissen um die mexikanische Herkunft
> dieser Pilze mir nun mexikanische Szenerien einbilden könnte, versuchte ich
> bewusst, meine Umwelt so zu sehen, wie ich sie normalerweise kannte. Alle
> Anstrengungen des Willens, die Dinge in ihren altvertrauten Formen und
> Farben zu sehen, blieb [sic!] jedoch erfolglos. Mit offenen oder bei geschlos-
> senen Augen sah ich nur indianische Motive und Farben. Als der den Versuch
> überwachende Arzt sich über mich beugte, um den Blutdruck zu kontrollie-
> ren, verwandelte er sich in einen aztekischen Opferpriester, und ich wäre
> nicht erstaunt gewesen, wenn er ein Messer aus Obsidian gezückt hätte.«
> (HOFMANN 1979: 129f.)

Ähnlich erging es dem leider viel zu früh verstorbenen grandiosen Schweizer
Orientalisten Rudolf Gelpke, dem wir die Übersetzungen persischer
Klassiker und eine kulturvergleichende Studie zum Drogengebrauch in Ost
und West verdanken.[57] Wiederholt sah er sich in einen Indianer verwandelt.
Und seine Frau Li, die aus der Erinnerung an ihre Pilzerfahrung eine Zeich-

---

55 In der Nacht vom 29. auf den 30. Juni 1955 machte Wasson seine erste Erfahrung, die in der auf-
lagenstarken Ausgabe des amerikanischen Magazins *Life* am 13. Mai 1957 ein Millionenpublikum
erreichte. Wassons spektakulärer Erfahrungsbericht, reich illustriert mit Fotos seines Reisebegleiters,
des New Yorker Fotografen Allan Richardson, löste bei den Jugendlichen der Beatnik- und Hippie-
ära eine Pilgerwelle auf den Spuren der heiligen Pilze aus, die Maria Sabina und der indianischen
Bevölkerung von Huautla de Jiménez viele Probleme bescherte. Im Herbst 1962 folgten Albert
Hofmann und seine Frau Anita der Einladung Wassons zu einer Expedition nach Mexiko. Dem
Chemiker war es gelungen, aus den Pilzen den Wirkstoff Psilocybin zu synthetisieren. Ihn bewegte
die Frage, ob Maria Sabina in den mitgebrachten Pillen die Seele der heiligen Pilze erkannte – was
sie in einem gemeinsamen nächtlichen Sitzung bestätigte (RIEDLINGER 1990: 122f.).
56 WASSON 1957: 109.
57 Das (unter wechselnden Titeln) in vielen Auflagen erschienene Buch *Drogen und Seelenerweiterung*.

nung erstellte, berichtet: »Als mir Wochen später Bücher über mexikanische Kunst in die Hände kamen, fand ich die Motive meiner Vision dort wieder – mit einem jähen Erschrecken« (HOFMANN 1979: 129, 137).

Auch Hofmanns Frau Anita entdeckte die reiche Ornamentierung ihrer Pilzvisionen im Altarschmuck einer Kirche aus der Kolonialzeit bei Puebla, Mexiko, wieder, in den die beim Bau beteiligten indianischen Künstler »indianische Elemente hineingeschmuggelt hatten«. In diesem Zusammenhang verweist Albert HOFMANN (1979: 166) auf *Die künstlich gesteuerte Seele* von Klaus Thomas, der den Einfluss von Psilocybin-Visionen auf die mesoamerikanische Kunst einräumt: »Ein kulturhistorischer Vergleich indianischer Kunstwerke aus alter und neuer Zeit ... muss unvoreingenommene Betrachter von der Übereinstimmung der Bilder, Formen und Farben mit dem Psilocybinrausch überzeugen.«

Die häufige Nennung von Stilelementen des mesoamerikanischen Kulturraums ist auffällig, wie auch die erstaunliche Übereinstimmung zwischen Kunst und Visionen. Die Schlussfolgerung, die Kunst der Azteken und Maya sei wesentlich durch die Pilzerfahrung inspiriert, wird durch Augenzeugenberichte der spanischen Eroberer unterstützt. In der zwischen 1529 und 1590 verfassten wichtigsten Quelle, der *Historia General de las Cosas de Nueva España*, schreibt der Franziskaner Frater Bernardino de Sahagún: »Bei der festlichen Zusammenkunft, zur Zeit, wenn die Flöten geblasen werden, aßen sie Pilze. Sie (...) aßen die Pilze zusammen mit Honig. Als die Pilze zu wirken begannen, wurde getanzt und geweint ...« Dann folgen (in diesem Kontext unwesentliche) knappe Visionsinhalte und der Hinweis, dass man sich nach dem Ausklingen der Wirkung gegenseitig die Visionen erzählte. Das »Fleisch der Götter« wurde also im kultischen Rahmen regelmäßig genossen, wichtig war vor allem der Austausch des innerlich Erlebten.

Die Kunst der Maya – wie auch die der Azteken, obgleich stilistisch unterschiedlich – offenbart sowohl motivisch als auch formal Hinweise auf Genuss, rituellen Gebrauch und typische Pilzerfahrungen: in den Pilzsteinen, die im Hochland von Guatemala gefunden wurden und auf 1000 v. bis 600 n. Chr. datiert werden, in Kodex-Darstellungen von Mayagottheiten, die Pilze halten, ihnen opfern oder von diesen umgeben sind, sowie in Jaguar-Mischwesen, die in Steinskulpturen und Keramikbemalungen Verwandlungen von Menschen in Jaguare zeigen. All das belegt unmissverständlich die inspirierende Kraft von *teonanacatl*, die sich prägend auf die mesoamerikanische Kunst und Kultur auswirkte und selbst Visionen von Menschen färbt, die einem anderen Kulturraum angehören.

Die Bezüge zur mexikanischen Kunst sind für Pilze typisch und eindeutig. Ebenso frappierend sind die geradezu stereotyp auftauchenden Bilder von

Schlangen und Pflanzengeistern im Zusammenhang mit der Amazonasliane.

Vergleicht man visionäre Szenarien von Gordon Wasson mit solchen, die auf die bittere Ayahuasca-Brühe zurückzuführen sind, stellt sich erneut die Frage nach Unterscheidungsmerkmalen zwischen den Wirkstoffen DMT und Psilocybin.»Paläste mit Innenhöfen, Arkaden, Gärten – prächtige Paläste, inkrustiert mit Edelsteinen« (die Wasson in der nächtlichen Sitzung mit Maria Sabina sah) – um hier nur ein oft erwähntes Bild aufzugreifen – tauchen in sämtlichen Schilderungen psychedelischer Erfahrungen, ja sogar mystischer Ekstase auf, die nicht auf die Einnahme bewusstseinsverändernder Substanzen zurückzuführen sind, und scheinen für das visionäre Erleben schlechthin typisch zu sein. Das bestätigte der Psychologe und Statistiker Adolf DITTRICH, der in seiner empirischen Untersuchung »ätiologie-unabhängige« (das heißt von Ursachen unabhängige) Strukturen veränderter Wachbewusstseinszustände erforschte.[58] Dennoch stößt man bei eingehender Analyse auf spezifische Unterschiede, die sich weniger im Inhalt als vielmehr in der Struktur der inneren Bilder manifestieren.

Bei Schilderungen von Pilzvisionen ist immer wieder von teppichartig gewobenen Mustern die Rede; von abstrakten, in Farben und Formen rasch wechselnden Motiven, denen eine Staffelung und Schichtung von Umrisslinien eigen ist:»[Ich] sah mit Entzücken das uferlose Hintereinander der Baumreihen im nahen Wald; dann die Wolkenfetzen am Sonnenhimmel, die sich jäh mit lautloser und atemberaubender Majestät zu einem Übereinander von Tausenden von Schichten auftürmten – Himmel über Himmel« – so charakterisiert Rudolf Gelpke die durch Psilocybin ausgelösten optischen Eindrücke.[59]

»Die Visionen sind ständig im Fluss; ich sehe wunderbare, rotierende geometrische Gebilde: Türme, Gänge, Strudel, Kammern.«
(STING 2003: 17)

DMT-Visionen hingegen verweisen eher auf »rotierende geometrische Gebilde: Türme, Gänge, Strudel, Kammern«, wie bei STING (2003: 17) zu lesen ist, oder auf »Spiralen aus lauter kleinen Rauten in Blau, Gelb und Rot« wie sie Corine Sombrun wiederholt beschreibt:»Ich sehe wieder die Rauten blau, rot, gelb. Wie leuchtende Materieteilchen. (...) Wie ein Netz, dessen

---

58 Die von DITTRICH 1996 aufgestellte (und bislang nicht falsifizierte) Hypothese besagt, »dass ABZ (= außergewöhnliche Wachbewusstseinszustände) unabhängig von der Auslösung einen gemeinsamen Kern haben. Dieser ist durch drei (...) Dimensionen zu beschreiben«: Erfahrungen ozeanischer Selbstentgrenzung, angstvoller Ichauflösung und visionärer Umstrukturierung.
59 Zitiert in HOFMANN 1979: 134. Gelpkes Selbstversuche mit Psilocybin (und auch LSD) erschienen 1962 im Januar-Heft der Zeitschrift *Antaios*.

Maschen sehr weit sind. Ein regenbogenfarbiges Moskitonetz, das sich bewegt, wie das Meer« (SOMBRUN 2005: 77).

Auch das DMT-haltige Yopo-Schnupfpulver, das in der Kultur der im brasilianischen Amazonasgebiet lebenden Yanomamö-Indianer eine große Rolle spielt, provoziert Visionen »leuchtender Materieteilchen«, die der US-amerikanische Anthropologe Napoleon CHAGNON (1977: 157) als »aufflackernde Lichtpunkte und Tupfen« beschrieb. All dies sind offenbar optische Konstanten, die uns bei der Beschreibung indigener und westlicher Kunst noch beschäftigen werden.

Diese Farben und Muster sind unabhängig von der Wahrnehmung der sichtbaren Wirklichkeit und sowohl bei offenen als auch geschlossenen Augen zu sehen. Der Ethnologe Florian DELTGEN schildert ein entsprechendes Erlebnis mit *cají* (wie die bittere Brühe von den Yebásama-Indianern im Vaupés-Gebiet, Kolumbien, genannt wird):

> »Während ich die Erscheinung betrachtete, fielen mir die Augen zu. Schlagartig setzten farbige Bilder ein. Leuchtende Farben und abstrakte Formen. Gebilde von sphärischer Skurrilität. Ich öffnete die Augen wieder und es traf mich wie ein Donnerschlag: Ich sah die gleichen Dinge auch mit geöffneten Augen. (...) Die einzig mögliche Schlussfolgerung war, dass ich aufgehört hatte, mit den Augen zu sehen. Ich sah mit dem Gehirn.« (DELTGEN 1993: 320)

Nichtsdestotrotz berichten Brillenträger immer wieder, dass sie die inneren Bilder mit ihren Gläsern weitaus deutlicher als ohne sie wahrnehmen können. All dies sind erstaunliche Phänomene, die noch ihrer neurophysiologischen Klärung harren ...

Vom Sinn der Muster, Zeichen und Signaturen

Die Ornamentalkunst der Indianer des Amazonasbeckens wird in kunstethnologischen Beiträgen kaum erwähnt. Den meisten Autoren erschien sie als zu simpel und aufgrund der geringen technischen Beherrschung künstlerischer Mittel kaum erwähnenswert.

Erst Gerardo REICHEL-DOLMATOFF schenkte solchen Kunstzeugnissen in den 1970er-Jahren die gebührende Aufmerksamkeit. Er beschränkte sich dabei nicht nur auf seine profunden Sprachkenntnisse und Feldforschungsdaten bei den Tukano und Desana (im Nordwest-Amazonas von Kolumbien), sondern nutzte interdisziplinäre Forschungsansätze, um sein Verständnis der symbolischen Bedeutung zu vertiefen. Zum Gebrauch entheogener Pflanzen der von ihm erforschten Ethnien profitierte er in den 1960er-Jahren von seiner Zusammenarbeit mit dem Ethnobotaniker Richard Evans Schultes (1915–

Angeregt durch
den Ethnologen
Gerardo Reichel-
Dolmatoff setzt
ein Indianer seine
Yagé-Vision bild-
lich um (aus:
REICHEL-
DOLMATOFF 1978:
Tafel B).

Von Reichel-
Dolmatoff inspi-
riert, malt ein
Barasana-Indianer
geometrische
Muster in den
Sand, die auf
Yagé-Visionen
verweisen (aus:
REICHEL-
DOLMATOFF 1978:
Tafel C).

2001). Ein tieferes Verständnis der Ornamente auf den Artefakten dieser
Regenwaldindianer ermöglichte ihm seine Kenntnis der Arbeiten von Heinrich Klüver und Max Knoll.

Formkonstanten und Phosphene

Die Studien dieser beiden Wissenschaftler basieren auf der physiologischen
Entdeckung, dass sich durch physische Reizung der Netzhaut Lichteffekte
einstellen, die nicht auf äußeren visuellen Erscheinungen basieren, sondern –
vereinfacht gesagt – im Nervensystem aller Menschen entstehen. Reibt man
sich beispielsweise die Augäpfel, kann man bei geschlossenen Lidern zunächst
Lichtblitze und mit einiger Übung auch das kurzzeitige Aufflackern geometrischer Muster wahrnehmen. Dass diese entoptischen (im Innern des Auges

erzeugten) Phänomene bisweilen sogar erschreckend konkrete Gestalt annehmen, kann jeder erleben, der nach langen nächtlichen Autofahrten übermüdet am Steuer sitzt und plötzlich rosa Elefanten auf der Fahrbahn erblickt.

Bei seiner Beschäftigung mit »konstant auftretenden Formen optischer Halluzinationen« entdeckte der Experimentalpsychologe Heinrich Klüver vier Kategorien von Formkonstanten, die er als Gittermuster, Spinnwebmuster, tunnelartige Gebilde und Spiralen klassifizierte. Der Elektroniker Max Knoll definierte diese optischen Erscheinungen als »Phosphene« und führte Ende der 1950er-Jahre im Laboratorium für medizinische Elektronik an der Technischen Hochschule München Untersuchungen durch, in denen die beteiligten Probanden bestimmte geometrische Formen erkannten, welche die Klüverschen Formkonstanten um eine Reihe weiterer Grundmuster ergänzten: so etwa punktierte Linien, parallel angeordnete Wellen, Spiralen, Sterne, Zickzacklinien, Kreuze und von Strahlen umgebene Kreise, die allesamt in prähistorischen Felsgravuren auftauchen und deren Bedeutung den Paläontologen bislang Rätsel aufgaben.

In diesem Kontext ist interessant, dass die Wahrnehmung dieser Phosphene dem Menschen angeboren ist und dass sie – unabhängig von individuellen oder kulturellen Einflüssen – willentlich durch veränderte Bewusstseinszustände erzeugt werden können, sei es nun durch Meditation, Reizentzug oder die Einnahme entheogener Substanzen. Diese Grundbedingung der menschlichen Physiologie machten sich Menschen aller Kulturen und zu allen Zeiten zunutze. So findet man weltweit Höhlen oder speziell hergerichtete Orte, die vom Tageslicht und äußeren Reizen abgeschirmt sind und zur kontemplativen Versenkung aufgesucht wurden.[60] Noch heute begeben sich Schamanen in solche Höhlen, um in der Dunkelheit Visionen zu empfangen.

Es ist das spezielle Verdienst des Ethnologen Gerardo Reichel-Dolmatoff, in Knolls Formenspektrum von Phosphenen die Grundkonstanten der Musterkunst der von ihm erforschten Tukano-Indianer und ihre im Drogenrausch wurzelnde und daraus abgeleitete mythische Bedeutung erkannt zu haben: »Die dekorativen Muster der Tukano gehen fast vollständig auf innerlich erlebte Lichteffekte zurück, die von Drogenerfahrungen herrühren« (REICHEL-DOLMATOFF 1978: 47).

---

60 Bei den Externsteinen in Westfalen gibt es beispielsweise am See einen steinernen Alkoven, wo man sich in eine dem menschlichen Umriss angepasste Wanne legen kann. Der enge Raum konnte offensichtlich mit einem hölzernen Verschlag verschlossen werden, worauf Vertiefungen im Fels rings um die Öffnung hindeuten. Auf Bali betritt man durch ein in den Fels gemeißeltes Dämonenmaul die enge Eremitenhöhle Goa Gajah, die einer Person erlaubte, dort in völliger Dunkelheit auszuharren.

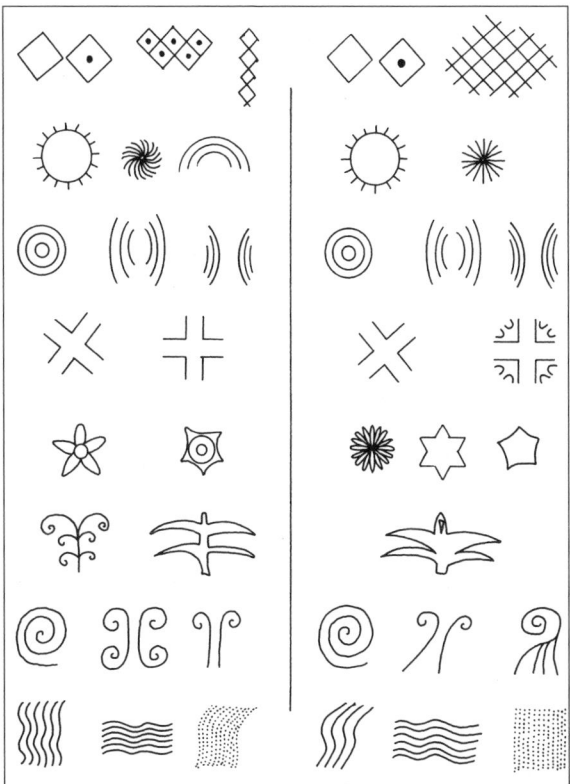

Vergleich phosphener Muster bei den Tukano und bei Knoll: Die Rauten und das Gittermuster bei Knoll (rechts oben) entsprechen horizontal und vertikal verbundenen Rauten der Tukano (links oben; aus: REICHEL-DOLMATOFF 1978: Abb. 53).

Abstrakt-symbolische Darstellung kosmischer Fruchtbarkeit: Die vertikale Reihe mittig gespiegelter Dreiecke über der Sonne im Zentrum ist die mythische Anakonda, in deren schlangenförmigem Kanu die Vorfahren der Tukano ihr heutiges Stammesgebiet besiedelten. Die gelben Gebilde mit Doppelspiralen sind männliche Symbole. Die Reihe von Punkten symbolisiert die Befruchtung. Die mit farbigen Parallellinien gefüllten Rhomben rechts daneben bedeuten Frauen. Die ähnlichen Gebilde unterhalb der Sonne verweisen auf eine Versammlung von Männern, deren rituelle Lieder die Regeneration des Universums herbeiführen (Zeichnung und Kommentar des Tukano-Indianers Biá, Piraparaná, Kolumbien; aus: REICHEL-DOLMATOFF 1978: Tafel I).

Das ermöglichte ihm ein gänzlich neues (wenn nicht sogar ein erstmaliges) Verständnis der Muster, mit welchen die Tukano, Desana und benachbarte Stämme ihre Umwelt verzieren – Hauswände, Ritual- und Alltagsgegenstände, ihre Kleidung aus weich geklopfter Rinde und den eigenen Körper. Diese Muster stellen Grundstrukturen des Yagé-Rausches dar, die mit mythischen Überlieferungen und davon abgeleiteten Ritualen sowie gesellschaftlichen Vorgaben und Tabus[61] verwoben sind.

Inspiriert von diesen interdisziplinären Erkenntnissen gab Reichel-Dolmatoff acht Männern vom Stamm der Tukano der südlichen Vaupés-Region Papier und Wachsstifte und bat sie, ihre Visionen darzustellen, was alle mit großer Begeisterung taten. Zur konkreten Bedeutung der einzelnen abstrakten Motive äußerten sich die älteren Männer sehr detailliert und ausführlich, die jüngeren hingegen eher vage. 1978 publizierte der Ethnologe die so entstandenen 45 farbigen Zeichnungen mitsamt Erläuterungen.

Zickzackmuster

Zu den am häufigsten dargestellten abstrakten geometrischen Formen (die den Konstanten von Knoll entsprechen) gehören Zickzacklinien in unterschiedlicher Gestaltung. Oft beidseitig (als farbig ausgefüllte Dreiecke) um eine Mittelachse gespiegelt, als aneinander gereihte Rauten und einmal auch als Schlangenlinien mit Köpfen repräsentieren sie alle Schlangen oder das »Schlangenkanu«, mit dem die Vorfahren dieser Schlangen in mythischer Vorzeit einst die (ebenfalls als Schlange oder Boa gedachten) Flussläufe besiedelten und die Gewässer, Ufer und Wälder befruchteten.

Die am Ucayali siedelnden Bora-Indianer sind weitgehend christianisiert und an die westliche Lebensart assimiliert. Ihre traditionelle Kultur aktivieren sie nur noch für touristische Zwecke. Fragt man sie nach der Bedeutung der Zickzackmuster, die ihre aus weich geklopfter Rinde hergestellten Röcke und Schurze zieren, weichen sie zunächst aus, verweisen dann aber (bei hartnäckigen Nachfragen indigener Übersetzer) auf Visionen der Yagé-Schlange. Die Schamanen *(uwishin)* der in Ost-Ecuador lebenden Shuar stellen den Hilfsgeist *(tsentsak)* als Schlange mit einem Zickzackmuster dar und erklären, dass die *uwishin* ihn so unter dem Einfluss von Ayahuasca *(natema)* im Körper der Patienten wahrnehmen können. [62]

---

61 So z.B., welche sexuellen Beziehungen tabu sind und wer wen heiraten darf oder nicht.
62 Der US-amerikanische Anthropologe Michael Harner setzte sich in seinen Feldforschungen 1956, 1957 und 1973 ausführlich mit den verborgenen Welten des Schamanismus bei den ehemals als Jívaro bezeichneten Indianern Ost-Ecuadors auseinander. Er veröffentlichte die Zeichnung eines solchen *tsentsak*.

Die mit Zick-
zackmustern ver-
zierten traditionel-
len Frauenröcke
der Bora geben
Musterkonstanten
des Ayahuasca-
Rausches wieder.
(Foto: C. Müller-
Ebeling)

In den beschriebenen Beispielen manifestieren sich in der Häufigkeit von Zickzacklinien zentrale Umweltmerkmale und kulturelle Faktoren indianischer Gesellschaften des Amazonasraums. Mäandernde Flussläufe zählen ebenso dazu wie die sich schlangenartig windende Ayahuasca-Liane *(Banisteriopsis caapi)*, die als »Yagé-Schlange« wahrgenommen wird. Sie entsprechen dem Zickzackmuster der Schlangenhaut und abstrahieren in eckiger Form das Körperschema und die Fortbewegungsart dieser Reptilien, das sich im Wort »schlängeln« ausdrückt und schon von Kindern entsprechend umgesetzt wird. Dass sie zum neurophysiologischen Arsenal der Formkonstanten gehören, erklärt einmal mehr die (von Shanon konstatierte) interkulturelle Relevanz und Häufigkeit von Schlangenvisionen.

Selbstverständlich begegnen wir den für die DMT-Erfahrung typischen Zickzack- und Rautenmustern auch in der Kunst von Ethnien, denen der Gebrauch von Yagé oder Yopo unbekannt ist: z.b. bei den im Alto-Xingu Brasiliens lebenden Waurá-Indianern, deren Schamanen für Heilrituale ausschließlich Tabak anwenden. Diese kleine, selbstbewusste Population widmet sich mit großer Begeisterung der Verzierung und grafischen Ausschmückung von Keramik und Gegenständen aus Holz (z.b. Schemeln, Schwirrhölzern und Küchengeräten), und Männer wie Frauen wenden viel Zeit für die Körperbemalung auf. Ihre ästhetisch ausgewogenen Binnenverzierungen beschränken sich auf wenige geometrische Grundelemente: Kreise, Punkte, Linien und vor allem Dreiecke, Rauten und Gittermuster (Formkonstanten von Max Knoll).

Im Gegensatz zur beschriebenen Kunst der Shipibo und Tukano bestechen die von der brasilianischen Archäologin und Ethnologin Vera Penteado Coelho angeregten und 1986 publizierten Bilder der Waurá durch eine naturgetreue Wiedergabe der menschlichen Gestalt und der Tiere und Bäume ihrer

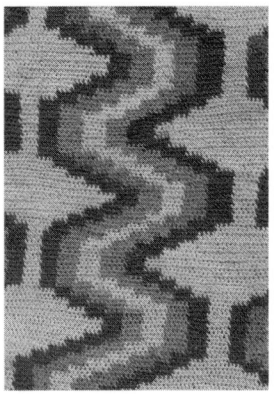

Die dem Webvorgang folgenden Zickzackmuster entsprechen typischen Visionen, ausgelöst durch das tryptaminhaltige Schnupfpulver Cebíl (Details gewebter Beutel der Mataco-Indianer aus Nordwest-Argentinien).

Umgebung. Die aus Zickzacklinien und Rauten bestehende Binnenzeichnung der häufig dargestellten Schlangen mag sich daher am natürlichen Muster der (auch mythisch bedeutsamen) Reptilien orientieren. Allerdings fiel mir bei den von Coelho publizierten Bildern[63] auf, dass diese Muster vor allem vorherrschen

- bei Masken, die übernatürliche Wesen darstellen;
- bei Gebrauchsgegenständen, bei denen es auf die Abwehr Unheil bringender Kräfte ankommt;
- bei Körperbemalungen von Jugendlichen, die sich in einem Übergangsritus befinden;
- bei Schlangen und Vögeln, die zu den traditionellen Hilfsgeistern der Schamanen zählen.

Das deckt sich mit der universalen Verbreitung dieser Motive zur Abwehr negativer Mächte.[64]

63 Vera Pentendo COELHO (1986: 7) beabsichtigte keine ikonologische, also inhaltliche Deutung der von ihr angeregten Bilder der Waurá. Vielmehr schienen ihr »sowohl die Mythen als auch die Illustrationen und die Lebenslehren der Indianer« einer größeren Verbreitung würdig, welche die Grenzen akademischer Erörterungen überschreitet.

64 Die Vorstellung, Unheil verheißende Geister nähmen nur gerade Wege und könnten unterbrochene oder verwirrende Wellen- oder Zickzacklinien nicht durchbrechen, drückt sich zu allen Zeiten und in allen Kulturen in entsprechenden ornamentalen Umgrenzungen aus. Basierend auf der Naturbeobachtung, dass nur mäandernde Flussläufe die Gewalt des Wassers bändigen, während gerade oder begradigte Flussläufe Dämme brechen und verheerende Überschwemmungen bewirken können, schützte man Räume, Gebäude und Gefäße durch rechtwinklig gebrochene Mäander-, Wellen- oder Zickzackmuster vor der Einwirkung unheilvoller Elementargewalten, unsichtbarer Mächte und Gifte. Diesem apotropäischen Zweck – und keineswegs dem ästhetischen Gestaltungswillen – sind die Wellenlinien, welche die Öffnung römischer Trinkgläser umgeben, ebenso verpflichtet wie das in der antiken Architektur und bei orientalischen Teppichen gleichermaßen beliebte Mäandermuster, das als »laufender Hund« bekannt ist. Die apotropäische Magie schlägt sich im schwarzweißen Karomuster balinesischer »Geistertücher« ebenso nieder wie im kleinkarierten Rotweiß alpenländischer Vorhänge und sogar im weißblauen Rautenmuster der bayerischen Flagge.

Den im brasilianischen Alto-Xingu-Quell-
gebiet lebenden Waurá ist der Gebrauch
DMT-haltiger Getränke oder Schnupfpulver unbekannt. Das Vorherrschen von
Rhomben und Zickzackmustern in ihrer
Gestaltung von Tanzmasken, die übernatürliche Wesen verkörpern, verweist auf
eine universale Symbolik der Abwehr
übler Kräfte.
Kuābābalo-Maske. Zeichnung von
Matiri, Waurá, Alto Xingu, Brasilien
(aus: COELHO 1986: Nr. 6).

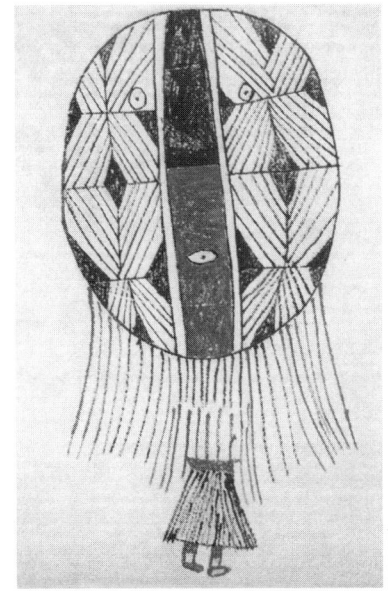

Das Zickzackmuster ist also nicht nur im Ayahuasca-Kontext besonders
bedeutsam, sondern für den Schamanismus insgesamt, bei dem es ja vornehmlich um die Abwehr von Krankheiten mit Hilfe verbündeter Tiergeister
geht.

Wenden wir uns weiteren Formkonstanten von Max Knoll zu, die in den
Designs der Tukano auftauchen – Musterkonstanten, die auch von westlichen
Ayahuasca-Trinkern als charakteristische Merkmale des Rausches genannt
werden.

Spiralen und Kreise
Spiralen gelten weltweit als Symbole des Werdens und Vergehens. Sie versinnbildlichen den Ablauf kosmischer Prozesse und den individuellen Ent-
wicklungsprozess des Bewusstseins. In der klassischen Form kommen sie erstaunlicherweise bei den Tukano kaum vor, dafür umso häufiger als (vom
Pflanzenwachstum abgeleitete) gegenständig eingerollte Stengel. Sind sie nur
oben eingerollt, so bedeuten sie »sexuelle Vereinigung«. Enden sie beidseitig
in Spiralen, symbolisieren sie mögliche weibliche Geschlechtspartnerinnen.
Von Strahlen oder Dreiecken umgebene Kreise werden von den Tukano als
Sonne und fruchtbare Kraft des mythischen Sonnenvaters interpretiert. Sie
tauchen weltweit in Felszeichnungen und Höhlenmalereien auf und werden
in diesem Kontext meist als Sonnenzeichen gedeutet. In schamanischen Kul-

turen werden diese umstrahlten Kreise auch auf den menschlichen Kopf und das ekstatische Bewusstsein bezogen.

>Den Verfassern Jean Clottes und David Lewis-Williams kommt das Verdienst zu, den Schamanismus in origineller und fachkundiger Weise wieder in das Blickfeld der Wissenschaft gerückt zu haben. Zum ersten Mal werden hier die Bezüge zwischen paläolithischer Wandkunst und Schamanismus wissenschaftlich diskutiert ...«
Peter Nittmann (in: CLOTTES und LEWIS-WILLIAMS 1997: 6)

Wer sich – wie 1997 die Paläontologen Jean Clottes und David Lewis-Williams – die Mühe macht, noch heute in der Umgebung prähistorischer Felszeichnungen lebende Ethnien nach der Bedeutung der rätselhaften Zeichen zu befragen, fördert erstaunliche Hinweise auf transkulturelle schamanische Erfahrungen zutage. So deuteten beispielsweise die in der südafrikanischen Kalahari lebenden San Punkte und punktierte Linien, die Figuren aus den Felszeichnungen von Natal Drakensberg umgeben, als ekstatische Energie, die sich am Höhepunkt der Trance in aufsteigender Hitze und Rüttelbewegungen bemerkbar macht und mit deren Hilfe die Schamanen der San noch heute heilen. Ebenso stellen die Tukano-Indianer Amazoniens Prozesse und Energien als Punkte dar und erklären sie als männlichen Samen,»Befruchtung« oder»aufsteigende Gedanken«.

Kreuze

Die im christlichen Kontext vertraute Form der rechtwinkligen Kreuzung einer (längeren) vertikalen und einer (kürzeren) horizontalen Linie kommt im Repertoire der Knollschen Phosphene nicht vor. Man trifft im Flechtwerk nur Umrisse horizontaler oder diagonaler Kreuzungen an. Obschon in den von Reichel-Dolmatoff publizierten Tukano-Designs Kreuze (in Form von Plus-Zeichen) vereinzelt dargestellt werden, wird deren Bedeutung von den indianischen Urhebern erstaunlicherweise unterschlagen. Bei geflochtenen Körben oder Matten verstehen schamanische Gesellschaften die schlichte Kreuzung interkulturell als Vereinigung männlicher und weiblicher Prinzipien, aus der die Vielfalt der Schöpfung hervorgeht.

Die Stadien der Rauschwirkung

Im Verlauf seiner Untersuchungen präzisierte Reichel-Dolmatoff, diese neurophysiologisch bedingten Muster zeigten sich nur im ersten Stadium des Rauschzustands. Später im berauschten Zustand können sich diese abstrakt-geometrischen Muster auch zu figurativen Visionsinhalten wandeln, die kulturell gefärbten Interpretationen unterliegen. Kosmologische Deutungszusammenhänge ergeben sich erst im letzten Stadium. In traditionellen Stammesgesellschaften obliegt es allein dem Schamanen, daraus visionäre Einsichten zum Wohle der Gemeinschaft abzuleiten.

»Die Indianer nehmen deutlich wahr, dass sich der Drogenrausch in nacheinander ablaufenden Phasen entwickelt, die den Eigenschaften der jeweiligen Droge, den Begleitumständen (dem Setting) des Umfeldes und mannigfaltigen persönlichen Faktoren entsprechen und die Wahrnehmung und Empfänglichkeit des Individuums deutlich beeinflussen.« (REICHEL-DOLMATOFF 1978: 34)

Nach Reichel-Dolmatoffs Pionierarbeit beschäftigten sich weitere Ethnologen (obschon nicht widerspruchslos[65]) mit der Erforschung der Rauschwirkung und verwiesen dabei auf drei Stadien: die Wahrnehmung geometrischer Formkonstanten, das halluzinatorische und das visionäre Stadium. Zur Erklärung dieser Stadien zitiert Florian Deltgen den Yebámasa-Schamanen Pacho Léon: »Zunächst nimmt man nur bloße Zeichen *(dibujos)* wahr. Dann sieht man Dinge, Tiere, Personen, die man ohne *cají* nicht sehen kann. Schließlich erkennt man alles. Die Ahnen der Urzeit, die Erschaffung der Welt, die Götter und alles« (DELTGEN 1993: 147).

Ayahuasca-Kunst am Amazonas

Der Amazonas fließt mit seinen zahlreichen Quell- und Nebenflüssen durch den Osten von Venezuela und Kolumbien, durch Ecuador, Peru und einen großen Teil Brasiliens, wo er in den Atlantik mündet. Bei den indigenen Stämmen des Amazonasbeckens ist der rituelle Gebrauch von Ayahuasca weit verbreitet – unter anderen bei den am Río Ucayali in Peru lebenden Shipibo-Conibo sowie den Jagua und Bora, in Kolumbien bei den an den Flüssen Vaupés und Caquetá lebenden Tukano und Desana[66] und den im Sibundoy-Tal siedelnden Kamsá und Inga wie auch bei den Kofán und Siona und an den Zuflüssen des Putumayo. Die Kunstzeugnisse dieser indianischen Völker reflektieren auf unterschiedliche Weise die bewusstseinsverändernde Wirkung des bitteren Trankes.

---

65 In seiner leider erstaunlich wenig beachteten Erforschung der kulturellen Dimension von *caji* (wie die Yebásama-Indianern des mittleren Río Piraparaná Ayahuasca bezeichnen) widersprach FLORIAN DELTGEN (1993: 143) REICHEL-DOLMATOFFS These, dass zwischen den »elementaren Symbolzeichen der Desana« und Knolls Phosphenen eine Übereinstimmung bestehe.
66 Die Tukano und Desana nutzen die DMT-Wirkung allerdings eher in einer Yopo genannten Schnupfmischung (siehe Seite 98).

Shipibo-Conibo

Dabei brachten es die Shipibo-Conibo, die auf ihre kulturtragende Stellung zu Recht stolz sind, zu einer besonderen Meisterschaft.

Als mir ihre Musterkunst vor Jahren zum ersten Mal begegnete, war ich von der Komplexität der kurvilinearen Ornamentik, die den Hintergrund auf ästhetisch bestechende Weise rhythmisch einbezieht, zutiefst beeindruckt. Sämtliche Alltagsgegenstände der Shipibo sind von diesen Mustern überzogen, ob gestickt, gezeichnet, tätowiert oder graviert: Keramik, Stoffe und Kleidungsstücke bis hin zu Hauswänden und Körperbemalungen, die heutzutage bei bestimmten rituellen Anlässen die ehemals üblichen Tätowierungen ersetzen.

Auch im Straßenbild von Pucallpa – einer Stadt von 100 000 Einwohnern in der Nähe des Sees Yarinacocha, an dessen Gestaden die Shipibo-Conibo siedeln – ist ihre Kunst an den Mauern der kleinen Universität und an Ladeneingängen allgegenwärtig; kaum ein Tourist kann den Shipibo-Händlerinnen entrinnen, die in Pucallpa und auch in Iquitos, der größten Stadt im amazonischen Tiefland Nordost-Perus, geschäftstüchtig ihre Produkte feilbieten.

> »Shipibo-*quené* [sind] Teil eines komplexen Systems (...), das sich über die Bereiche Kosmologie, Medizin, Musik und bildende Kunst erstreckt.«
> (Illius 1991: 157)

Laut einschlägiger Lexika meint ein »Muster« im westlichen Sprachgebrauch »eine flächige Verzierung« und das aus dem Lateinischen *ornare* (»schmücken«) abgeleitete »Ornament« eine Verzierung bzw. Dekoration von Bauten und Gegenständen. Allerdings sind diese geometrisch-abstrakten Muster weit mehr als bloße Verzierungen, die – wie immer wieder zu lesen ist – »allein dem Schmuckwillen des Menschen« entspringen. Vielmehr geriet die ur-

Mit Shipibo-Muster verzierte Mauer der Universität in Pucallpa, Peru.

Links oben:
Shipibo-Künstlerin
beim Bemalen
eines Tuches.

Rechts oben: Drei
Frauen bemalen
gemeinsam ein
anthropomorphes
Gefäß.

Rechts: Gefäß-
mündung mit
menschlichem Kopf
(Shipibo-Conibo).

sprünglich magische, Unheil abwehrende (apotropäische) Bedeutung von
Ornamenten im Lauf der Zeit in Vergessenheit, weshalb man sie nur noch
unter oberflächlichen, rein ästhetischen Gesichtspunkten wahrnimmt.

Auf die überraschenden Erklärungen, die ich während eines Aufenthaltes in
Pucallpa von einem Shipibo-Schamanen und einer weiblichen Informantin
über die als *quené* bezeichneten Shipibo-Muster erhielt,[67] war ich jedoch nicht
vorbereitet. Sie bereicherten meine Wertschätzung ihrer Kunst um eine ungeahnte Dimension jenseits meiner rein visuellen Wahrnehmung. Denn es
wäre mir wohl kaum von selbst in den Sinn gekommen, dass sich hinter den
geschwungenen Linien ein Notensystem verbirgt, das Kundige tatsächlich
noch immer nachsingen können.

Im Zustand des »Denkens« – worunter die Shipibo und andere indigenen
schamanischen Gesellschaften des Amazonasgebiets den durch Ayahuasca

67 Einen vertieften Einblick in die Kunst der Shipibo-Conibo verdanke ich der Künstlerin
Nana Nauwald sowie den brillanten Feldforschungsberichten von Angelika Gebhart-Sayer (1987)
und Bruno Illius (1991).

berauschten Bewusstseinszustand verstehen – erkennen die Schamanen Muster, die bei Gesunden harmonisch, bei Kranken aber disharmonisch gestört sind.[68] Der schamanische Heilvorgang besteht darin, die harmonische Struktur des individuellen Musters mit Hilfe von Gesängen (den sogenannten *icaros*) wiederherzustellen. Diese *icaros* werden den Schamanen in Ayahuasca-Visionen von Geistwesen vermittelt. Sie behalten nur so lange ihre heilkräftige Wirkung, wie sie dem Schamanen als aktive Schutzgeister zur Seite stehen. Werden sie von konkurrierenden Schamanen erobert, verliert der besiegte Schamane ihren Beistand und damit seine heilkräftigen *icaros* sowie die Fähigkeit, gestörte Muster harmonisieren und Krankheiten heilen zu können. Der spirituelle Kontakt zur unsichtbaren Welt mit Hilfe von Ayahuasca ist in der Regel Männersache. Frauen sind davon jedoch nicht ausgeschlossen und können ebenso Schamanen werden. Die künstlerische Umsetzung der Visionen obliegt wiederum allein den Frauen. Die Wahrnehmung der Muster der unsichtbaren Welt wird von Kindheit an trainiert, indem Mütter ihren Kindern *piripiri* (Zypergras) in die Augen träufeln.

Die synästhetische Übereinstimmung der Muster mit Melodiefolgen befähigt die Shipibo-Conibo-Künstlerinnen, ohne Blickkontakt überlebensgroße Gefäße von zwei Seiten so bemalen zu können, dass sich schließlich alle Linien ohne erkennbare Übergänge vereinen. Die gemeinsam gesummte Melodie gibt die Struktur des Musters vor und schärft den Sinn für die notwendige Orientierung bei der gemeinsamen Bemalung der bis zu hundert Liter fassenden Maniokbiertöpfe, denen früher (mehr als heute) kultische Bedeutung zukam.

Ihre bauchige, sich nach oben und unten verjüngende Gestalt entspricht dem universal gültigen schamanischen Prinzip der drei Welten – allerdings mit der spezifischen Besonderheit, dass die drei Zonen unterschiedliche Zustände des berauschten Bewusstseins symbolisieren. Die Zone der Öffnung wird als »Kulmination des Lichts« – als höchster Himmel *(nete shama)* gedeutet; ein Zustand, den nur erfahrene Meisterschamanen erleben. Die bauchige Mitte ist die Oberwelt *(nai)*, die im Ayahuasca-Rausch als großflächiges rektilineares Himmelsgerüst erscheint. Die Grenzlinie zwischen dieser gemusterten Oberwelt und der musterlosen Unterwelt wird als Mittelwelt der alltäglichen Realität gedeutet. Die unbemalte Sockelzone entspricht der Unterwelt –

---

68 Die Forschungen zum »Wasser als Informations- und Kommunikationsmedium« von Prof. Dr. Bernd Kröplin, Direktor des Instituts für Luft- und Raumfahrtkonstruktionen der Universität Stuttgart, weisen dazu erstaunliche Parallelen auf. Auf einen Glasträger aufgebrachte Tropfen von Körperflüssigkeiten gesunder Menschen zeigten unter einem Dunkelmikroskop harmonische Muster, während die beim Trocknungsprozess entstehenden Muster von Kranken deutliche Störungen und Disharmonien aufwiesen. Siehe dazu: www.welt-im-tropfen.de.

Die Bemalung
von Gefäßen ist
bei den Shipibo-
Frauen Gemein-
schaftsarbeit.

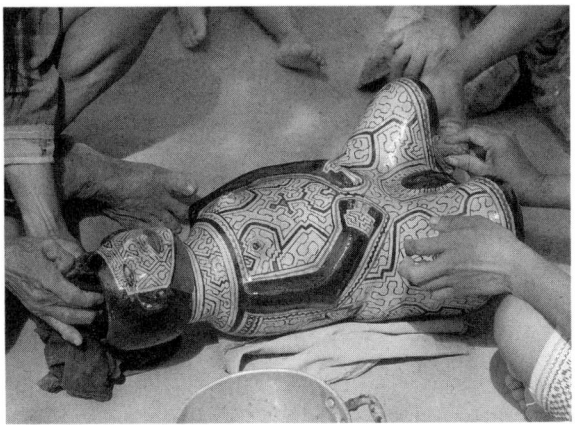

einer Unterwasserwelt, in der gefährliche Wesenheiten lauern, die die Initi-
anden mit verdrängten Bereichen der Psyche konfrontieren.

Über diese symbolische Einteilung sollte man nicht leichtfertig hinwegsehen.
Immerhin offenbart sich darin ein Weltbild, das dem unseren diametral ent-
gegensteht. Die Shipibo-Conibo messen dem Rauschzustand nicht nur eine
zentrale Bedeutung zu, die für das Verständnis ihrer Musterkunst unerlässlich
ist und die die Symbolik ihrer wichtigsten Ritualgefäße erklärt; die drei
Zonen der Maniokgefäße verweisen darüber hinaus auf den archetypischen
Verlauf der Rauscherfahrung:

• auf die nur Schamanen vorbehaltene Fähigkeit, den Rausch bewusst lenken zu können (in der oberen Zone);
• auf die bewusstseinsverändernde Wirkung, die jeder Ayahuasca-Trinker
  erlebt (in der Mitte);
• auf erschreckende Visionen, die jeden heimsuchen können (unten).
• Diese Zonen korrelieren mit Erkenntnissen der westlichen Psychologie,
  genauer gesagt mit der Einteilung Adolf Dittrichs in drei Kategorien.
  Dementsprechend gilt die
• obere Zone der Maniokgefäße der »ozeanischen Selbstentgrenzung«, die
  nur erlebt werden kann, wenn man sich widerstandslos dem Fluss der
  außergewöhnlichen Erfahrung anvertraut;
• die mittlere Zone der von allen erfahrbaren »visuellen Umstrukturierung«;
• die untere Zone der »angstvollen Ichauflösung«.

Auch der christlich geprägten Kunst ist die Dreiteilung spiritueller Erfah-
rungsebenen nicht fremd. Allerdings werden sie dort nicht wertfrei, sondern
moralisch interpretiert. So ist auf den mannigfaltigen Bildbeispielen zum
Jüngsten Gericht der göttliche obere Bereich nur Eingeweihten – in diesem

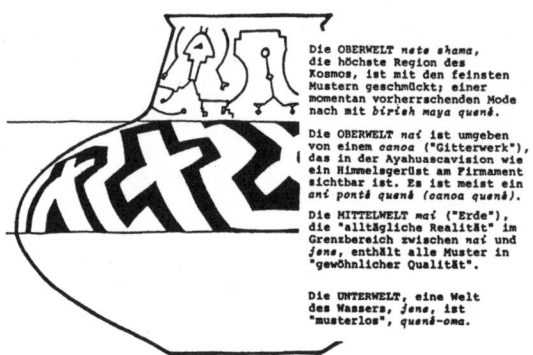

Die OBERWELT *nete shama*, die höchste Region des Kosmos, ist mit den feinsten Mustern geschmückt; einer momentan vorherrschenden Mode nach mit *birish maya quené*.

Die OBERWELT *naí* ist umgeben von einem *canoa* ("Gitterwerk"), das in der Ayahuascavision wie ein Himmelsgerüst am Firmament sichtbar ist. Es ist meist ein *aní ponté quené (canoa quené)*.

Die MITTELWELT *maí* ("Erde"), die "alltägliche Realität" im Grenzbereich zwischen *naí* und *jene*, enthält alle Muster in "gewöhnlicher Qualität".

Die UNTERWELT, eine Welt des Wassers, *jene*, ist "musterlos", *quené-oma*.

Die Shipibo vergleichen den traditionellen *masato*-Gärkrug mit einem Mikrokosmos. Wie in vielen schamanischen Kulturen entsprechen die drei Zonen der Ober-, Mittel- und Unterwelt (Schemazeichnung von Bruno ILLIUS 1991: 171).

Falle den Heiligen – vorbehalten, während sich die darunter befindliche Menschheit in zwei Gruppen spaltet: Die erlösten Seelen werden von Engeln ins himmlische Reich geleitet und die Verdammten von Teufeln in die Hölle getrieben.

Informanten wiesen den Ethnologen Bruno Illius bei seinen Feldforschungen darauf hin, dass manche dieser optischen Muster für den Ablauf der Ayahuasca-Vision typisch sind und in der Musterkunst wiederkehren. Demnach treten zu Beginn der Vision *ponté quené* (rektilineare, das heißt rechtwinklige Muster) auf. Auf dem Höhepunkt des Ayahuasca-Rauschs erscheinen *mayá quené* (kurvilineare = kurvige Muster) und gegen Ende wieder *ponté quené* (ILLIUS 1991: 163). Somit stellt sich die Musterkunst der Shipibo-Conibo unter anderem auch als Visionsablauf dar.

Doch woher kommen diese Visionen? Wie erklären die Shipibo die Herkunft der Bilder, die ihr Leben und ihre Kunst so maßgeblich prägen? In der Antike erkannte man Musen als Inspirationsquelle schöpferischer Fähigkeiten an, in der Renaissance verwies man auf den künstlerischen Genius, und westliche Künstler der Gegenwart fühlen sich als einmalig begabte und begnadete Genies. Für die Shipibo-Conibo sind unsichtbare Geistwesen, die *yoshinbo*, die ursprünglichen Eigner und Vermittler der *quené*. Ein indianischer Informant erläuterte Bruno ILLIUS (1991: 157), wie Frauen mit Hilfe eines *meraya* (Meisterschamanen) die Muster aus der Geisterwelt erhielten:»*Meraya* hielten auf Anfrage künstlerisch tätiger Frauen auch besondere Sitzungen ab, um diese mit *quené* zu versorgen. Die Frauen schoben dem *meraya* zu Beginn seines Rituals kleine Stoffstücke oder Rindenbaststreifen in den ›mosquitero‹[69], wo dieser (...), den Blicken der Anwesenden entzogen, sich mit den *yoshinbo* beriet.« Diese gewöhnlich unsichtbaren Geistwesen zeichneten die Muster

---

69 Ein *mosquitero* ist ein mit feinmaschiger Gaze abgeschirmter Raum, der den Schamanen vor Moskitos schützt.

In der Vorstellung der Amazonas-
bevölkerung entspricht der Weltenbaum
der Form eines Kruges. Aus der Gefäß-
mündung wachsen die Pflanzen der
Götter in die Oberwelt. Sie berauschen
das Bewusstsein und vermitteln somit
Einblicke in jenseitige Sphären (Plakat
im Museum von Pucallpa, Peru).
(Foto: C. Müller-Ebeling)

entweder selbst auf, oder sie sangen sie, wobei der Schamane ihre Gesänge
nachahmte und die Melodielinie nach ihrem Verschwinden in sichtbare *quené*
umwandelte.

Nana Nauwald recherchierte dazu den folgenden Mythos:

Ich werde euch die Geschichte erzählen, wie die Muster zu den Shipibo
kamen. Eines Tages ging ein Mann zwei Biegungen flussabwärts, um zu
fischen. Als er an den Ort kam, an dem er immer seine Netze auslegte, klet-
terte er wie immer auf einen trockenen, überhängenden Ast am Flussufer.
Von dort aus überblickte er den ganzen Fluss und wartete darauf, dass die
Fische in sein Netz schwammen. Nach einer Weile sah er eine Frau. Am jenseitigen Flussufer angekommen, stieg sie aus dem Wasser. Sie trug einen
leuchtenden, reich bestickten Rock und ein mit Mustern bemaltes Tuch.
Auch ihr Gesicht und ihr Körper waren wunderbar bemalt. Sie schaute flussabwärts und flussaufwärts. Als sie niemanden sah, kniete sie nieder, um sich
Gesicht und Beine zu waschen. Dann ging sie in die Mitte des breiten, sandi-
gen Flusses. Aber es war Mittag, und der Sand war sehr heiß. Die Frau hielt
diese Hitze nicht aus und verbrannte im Sand. Als der Mann dies sah, über-
querte er den Fluss mit dem Kanu. Er sammelte Holzstücke auf, um zu ihr zu
gelangen. Doch als er ankam, sah er, dass seine Hilfe vergeblich war. Traurig
kehrte er nach Hause zurück und erzählte seinen Angehörigen, was er gesehen hatte. Weinend begaben sich alle gemeinsam zum Ort des Geschehens.
Dort fanden sie nur noch die leere, bemalte Haut der Frau, ihren verzierten
Rock und ihr bemaltes Tuch. Als sie trauernd alles zu sich zu nahmen und

wieder am Ufer landeten, tauchte eine riesige Schlange aus dem Wasser auf. Sie hatten große Angst, doch die Schlange tat ihnen nichts und sagte:»Ich bin die Frau, deren Haut und Kleidung ihr bei euch habt. Ich bin eine *ronin*-Frau. Ich lebe im Wasser, beschütze es und die Tiere, die im Wasser leben. Ich schenke euch meine Muster, damit ihr sie malt.« Zu Hause angekommen, teilten sie die Überreste der verstorbenen *ronin*-Frau untereinander auf, sodass jede Familie ein Stück des Musters bekam. So verbreitete sich die Kunst, Zeichnungen auf Röcke, Stoffe und Keramik zu malen.

Zentrale Shipibo-Muster

Die Muster kommen also nicht beliebig oder zufällig zustande. Sie entspringen keiner momentanen Laune ihrer Schöpferinnen, sondern wurzeln in der unsichtbaren Welt und bedingen genau definierte unterschiedliche Schemata. Ihre indianischen Bezeichnungen verweisen auf die Herkunft von Geistwesen; auf alte (vergessene oder seltene) und neue (häufig verwendete) formale Prototypen und auf rituelle oder soziale Funktionen der *quené*.[70]

Zu den meistgefürchteten und -verehrten Geistwesen gehört *ani ronin*, die »große Boa« und Weltenschlange.[71] Auf sie geht das *roni quené*, das Muster der Anakonda, zurück, das im mittig angeordneten, spiegelbildlich verdoppelten Wellenmuster deutlich erkennbar ist und eine zentrale Stellung in den Visionen und der Musterkunst der Shipibo einnimmt.

Penpen quené entstammen dem Geist der Schmetterlinge. Sie sind Helfer der *hermano*-Geister, der »Geisthelfer des Jaguars«, und weben mit den schillernden Farben ihrer Flügel die »Fäden« (sprich Töne und Melodielinien) der Gesänge, die den Patienten Glück bringen. »Die Farben, die man mit Ayahuasca sieht, sind die Farben des Schmetterlings. Er hat klare Muster, die helfen, die kranken Muster der Patienten wieder in Ordnung zu bringen«, erfuhr Nana Nauwald von Shipibo-Informanten. *Hermano*-Geister werden nur in schweren Krankheitsfällen angerufen. Wie flatternde Schmetterlinge entziehen sie sich dem Zugriff der Menschen. Daher tauchen sie sehr viel seltener als die Anakonda auf und können nur durch bestimmte Zusätze zum Ayahuasca-Trank herbeigerufen werden. Zwei durch einen akzentuierten, meist andersfarbigen Mittelpunkt verbundene Schmetterlingsflügel sind das zentrale Merkmal entsprechender Muster, die von Shipibo-Stickerinnen nur selten verwendet werden.

---

70 Die Erklärungen der Muster basieren auf der Information von José Roque Maynas aus Santa Clara (bei Yarinacocha) an Nana Nauwald, die sie mir freundlicherweise überließ.
71 *Ronin* ist eine mythische Anakonda, auf deren komplexe symbolische und mythologische Bedeutung auch die von REICHEL-DOLMATOFF (1996: 197f.) erforschten Desana-Indianer verweisen, die im Zustromgebiet des Vaupés im nordwestlichen Amazonasgebiet von Kolumbien leben.

Coros oder *koros quené* verweisen auf den »Geistjaguar«. Das ehemals »heilige« Muster, das nur bestimmten Personen vorbehalten war, zeichnet sich durch gleichschenklige Kreuze in unterschiedlicher Form aus. Dieses Muster taucht in Produkten für den Tourismus nur selten auf.

Ponte quené wird für *faldas* (Frauenröcke) verwendet, die festlichen Anlässen vorbehalten sind. Das rektilineare Muster orientiert sich spiegelbildlich an einer diagonalen Achse.

Beibanan quené kommen von den »Geistern der Brüder«. Es handelt sich dabei um gegenständige Muster, damit diese sich »wie lebendige Wesen fühlen können, die immer wieder an einer Konversation teilnehmen«.

Maya quené kommen von denselben »Geistern der Brüder«. Das Muster besteht aus Kreuzen, die deren Kraft und Geheimnis enthalten.

Die geometrisch abstrakten Formkonstanten traditioneller Stickmuster und Malereien beziehen sich auf mannigfaltige Aspekte. Sie symbolisieren kosmische Erscheinungen, Landschaftsformen, Tiere, Gegenstände, Körperteile – ja sogar soziale Strukturen, psychische Vorgänge und/oder sexuelle Interaktionen. Es wäre sinnlos und verwirrend, hier detailliert auf indigene Deutungen einzugehen. Doch es ist bemerkenswert, dass sich die Aussagen individuell unterscheiden und dass sie – was besonders aufschlussreich ist – geschlechtsspezifischen Interpretationen unterliegen.

Dazu muss man wissen, dass westlich geprägte Wissenschaftler eindeutige Aussagen gewohnt sind und daher aus voneinander abweichenden Informationen den Schluss ziehen, die jeweiligen Informanten würden die einzig mögliche, »wahre« Bedeutung nicht (mehr) kennen oder sie ihnen vorenthalten. In indianischen Gesellschaften aber gibt es keine *einzige*, sondern nur eine *relativ* gültige Wahrheit, die vom individuellen Zugang zu verschiedenen

Blockmuster *(ponté quené)*.

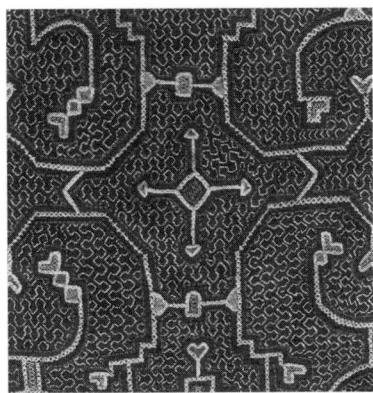

Kurvilineares Shipibo-Muster *(mayá quené)*.

Bedeutungsschichten abhängig ist. Daher beziehen sich Männer und speziell Schamanen der Shipibo auf geistige Dimensionen der unsichtbaren Welt, Frauen hingegen eher auf materielle Bereiche des alltäglichen Lebens. So erklärte mir eine weibliche Informantin ein Mustersegment als Dorf mit Landungsstellen für Boote. Ein männlicher Informant deutet dasselbe abstrakte Motiv als Ort, an dem das »Denken« des Schamanen stattfindet, als einen geistigen Idealzustand, der ihm erlaubt, mit den Geistwesen zu kommunizieren. Beide Aussagen reflektierten den jeweiligen Kenntnisstand des befragten Individuums und geschlechtsspezifisch unterschiedliche gesellschaftliche Rollen und Blickwinkel. Gesamtkompositionen und Mustersegmente besitzen nach indianischem Verständnis keine verbindliche, allgemein gültige Bedeutung. Vielmehr ergeben sich die unterschiedlichen Erklärungen aus dem Kontext der sozialen Position des Informanten.

Das mag nach »ethnologischer Esoterik« klingen. Das folgende Beispiel aus unserem eigenen westlichen Alltag macht aber deutlich, dass uns diese verwirrend anmutende Vielfalt von Informationen geläufiger ist als vermutet. Auf die Frage, was ein »Programm« ist, erhielten wir – je nach persönlicher Neigung und Beschäftigung der Befragten– mannigfaltige Antworten: Verleger würden auf ihr Buchprogramm für die Herbstmesse verweisen, Computerfreaks auf Softwareprogramme, Reiselustige auf Programme von Reiseveranstaltern, kulturell Interessierte auf Kino- oder Opernprogramme, Politiker auf ihr Parteiprogramm und unzählige andere auf das Fernseh- oder Waschprogramm.

Vor diesem kulturspezifischen Hintergrund verblüffte es mich zu erfahren, dass das schamanische Universum der abstrakten Shipibo-Muster interkulturell verständlich ist. Aus Forscherneugier hatte ich es mir zur Gewohnheit gemacht, Schamanen und Schamaninnen, denen ich bei meinen Feldforschungsaufenthalten in Asien und Südamerika begegnete, Fotos und Artefakte fremder schamanischer Kulturen vorzulegen und sie nach deren symbolischer Bedeutung zu befragen. Niemals hätte ich mir träumen lassen, dass nepalesische Schamanen mit dem abstrakten Linienmuster ihrer südamerikanischen Kollegen etwas anfangen konnten. Ich erwartete, der Sherpa-Schamane würde den vorgelegten Fotos und Stickereien nur einen kurzen Blick widmen und sie dann kommentarlos zur Seite legen. Doch weit gefehlt! Zu meiner großen Verwunderung betrachtete er sie eingehend und gab detaillierte Erklärungen ab, die absolut ins Schwarze trafen.

Desgleichen ließ sich der von mir befragte Shipibo-Schamane von der ihm fremden figürlichen Darstellung eines typisch nepalesischen *thankas* nicht beirren und interpretierte es zutreffend als »Reise eines Schamanen in die unsichtbare Welt der Geistwesen«.

Tiersymbolik

Im schamanischen Geschehen und der davon beeinflussten Kunst spielen Tiere eine wichtige Rolle in Gestalt positiver und ambivalenter Hilfsgeister oder auch gefährlicher Urheber von Krankheiten. Zu den Hilfsgeistern zählen vor allem Vögel, Schlangen und der Jaguar als gefürchtetes wie auch bewundertes ambivalentes Wesen, in das sich mächtige Schamanen verwandeln können und das als Vermittler zwischen Menschen und Göttern gilt.[72] Ob mit oder ohne Ayahuasca spielen Tiere als Hilfsgeister eine wichtige Rolle im Schamanismus, indem sie Schamanen mit spezialisierten Sinnen ausstatten, die das menschliche Wahrnehmungsvermögen übersteigen. Raubvögel verleihen dem Menschen einen außergewöhnlich scharfen Sehsinn, der einen Überblick über Raum und Zeit und somit über Ursache und Verlauf von Krankheiten ermöglicht. Reptilien verdanken Schamanen einen geschärften Geruchssinn und dem Jaguar die Rolle als mächtiger Beherrscher der Nahrungskette und das Vermögen, sich unerkannt an gefährliche Krankheitsursachen anschleichen zu können.

Als Überbringer von Krankheiten gelten vielen Ethnien Amazoniens vor allem Tiere, die im oder am Wasser leben, da sie sie dem aquatischen Bereich der gefährlichen Unterwelt zurechnen. So betrachten die Shipibo-Conibo den weißen und rosa Flussdelphin (im Gegensatz zum westlichen Empfinden) als gefährlichen Wassergeist, als *jene yoshinbo*, der sich kurzzeitig in menschliche Gestalt verwandeln, Menschen verführen und ins gefährliche Unterwasserreich entführen kann. Auch Anakondas, Otter und Kaimane sind zu einer solch unheilvollen Verwandlung fähig und können Erkrankungen bewirken.

72 Vor allem Jaguar und Schlange tauchen im Zusammenhang mit Ayahuasca überraschend häufig auf. Daher sind die Beobachtungen des durch zahlreiche Publikationen berühmten englischen Zoologen Desmond Morris aufschlussreich, dass sich bedrohte Raub- und Hauskatzen durch Fauch- und Zischlaute verteidigen, wodurch sie die Abwehrhaltung von Schlangen imitieren. Ferner ähneln ihre in Ruhestellung zusammengerollten Körper den von ihnen gefürchteten Reptilien, weshalb – so Morris – kreisende Raubvögel von einer Attacke auf die vermeintlich giftigen Tiere absehen.

Rhombenartiges
Schildkrötenmuster.

Das Aussehen der
in Quistacocha dar-
gestellten Geister
basiert auf dem
amazonischen Volks-
glauben, in dem
sich europäische mit
indianischen Vor-
stellungen vermischen:
Ein plötzlich aus
dem Inneren der
Erde auftauchender
Geist erschreckt
einen Menschen
(Wandbild in
Quistacocha, Peru).

Ein gefährlicher
Wassergeist tritt
aus den Fluten.
Er ist riesig, grün
und hat spitze
Ohren (Wandbild
in Quistacocha,
Peru).

Dass viele Indianer des Amazonas die Vogelspinne als gefährlichen Vertreter der Dämonenwelt fürchten, können wir indessen nachvollziehen:»Sie sammelt ›Krankheitsgift‹, das ›im Eingang des Hauses am Boden liegt‹, in fünf Blatttütchen, die sie nebeneinander an einen Faden bindet und dann im Wald über den Köpfen der Menschen ausschüttelt, so dass das Gift auf sie fällt und sie krank macht« (KOCH-GRÜNBERG 1921: 329).

»Die Vögel stehen in Beziehung mit Drogenritualen.«
(Museo del Oro, Bogotá[73])

»Er stieg empor in die Lüfte: man vernahm die verschiedensten Vogelstimmen, er ahmte das sausende Flügelschlagen des Falken nach, täuschend klang das Glockentönen gleiche Lied hoch in den Lüften dahinziehender Singschwäne, die den Schamanen auf ihren Schwingen ins Geisterreich tragen.«
(Eugen W. Pfizenmayer zitiert in CLOTTES und LEWIS-WILLIAMS 1997: 5)

Vögel

In schamanischen Kulturen standen Vögel schon immer in enger symbolischer Beziehung mit dem »Flug« der Schamanen in andere Welten. So stieß man in der Höhle von Lascaux (bei Montignac-sur-Vézère in der französischen Dordogne) in einem acht Meter tiefen Schacht auf die Darstellung eines starr liegenden Menschen mit einem Vogelkopf. Daneben sitzt ein Vogel auf einer Stange. Diese mit einfachen Strichen skizzierten Figuren befinden sich zwischen zwei naturalistisch wiedergegebenen Tieren: einem nach links davontrabenden Nashorn und einem verwundeten Bison, der der vogelköpfigen Gestalt bedrohlich nahe ist.

Der universal gebildete lettische Autor Ivar Lissner (1919–1967) verwies in seiner schamanischen Deutung dieser rund 30 000 Jahre alten (ins Aurignacien datierten) Szene auf eigene Beobachtungen bei sibirischen Schamanen. Ihre auf freistehenden Türmen aufgebahrten Särge sind meist von vier Pfählen flankiert, auf denen Vogelfiguren angebracht sind:»Die Seelen von Menschen können die Gestalt von Vögeln annehmen. Auch sind solche Vogelfiguren oft Helfer beim Schamanisieren« (LISSNER 1979: 300).

Wer glaubt, den Schamanen würden dabei tatsächlich Flügel wachsen, mit denen sie sich für Außenstehende sichtbar in die Lüfte erheben, befindet sich auf dem Holzweg.[74] Der Vogelflug verweist lediglich auf die Fähigkeit der

73 »Las aves estan asociado al ritual de la droga« (Museo del Oro, Bogotá, Kolumbien).
74 Durchaus im schamanischen Sinne verweist der etymologische Ursprung dieser Redewendung darauf, dass sich Holzwege immer im Wald, also außerhalb der Zivilisation befinden, und keine geografischen Orte verbinden.

Schamanen, im willentlich herbeigeführten Trancezustand die Gesetze des Alltagsbewusstseins außer Kraft zu setzen und den veränderten Bewusstseinszustand so zu lenken, dass dieser – aus der Vogelperspektive – einen Überblick über Ursachen, Verlauf und Heilung von Krankheiten ermöglicht. Es ist daher kein Zufall, dass Adler und Kondor als Raubvögel, die die höchsten Regionen der Lüfte erobern, weltweit als Vermittler zwischen Menschen und Göttern gelten und als »Reichsadler« und Herrschaftssymbole von verschiedenen Nationen vereinnahmt wurden. Im Christentum zählt der Adler zu den vier zentralen Evangelistensymbolen. Er steht für den Evangelisten Johannes, der von Thomas von Aquin verdächtig schamanisch gedeutet wurde: »Johannes schwinge sich wie ein Adler über die Nebel menschlichen Unvermögens hinaus und blicke, aufschauend mit dem standhaften ›Auge seines Herzens‹, in das Licht der unwandelbaren Wahrheit«.[75]

Unter den vielen anderen Vögeln des Regenwaldes kommt vor allem dem Kolibri und Papagei die Rolle als Vermittler von Visionen zu. Denn Kolibris stimulieren nicht nur die Potenz: Bei den Shipibo, den im Südosten Kolumbiens lebenden Huitoto und den Shuar gelten sie aufgrund ihrer Geschwindigkeit und ihres schnellen Ortswechsels auch als positive Omen und mächtige Hilfsgeister. Die Shipibo-Conibo verehren den Kolibri ebenfalls als »Kunstboten«, der mit seinem spitzen Schnabel die Muster zeichnet.

>»Der Mächtige hat ein Muster;
> der mächtige Kolibri hat ein Muster:
> an der Spitze seines Schnabels
> hat er ein schönes Muster,
> das er mir in mein Buch zeichnet ...«
> Shipibo-Gesang (in: ILLIUS 1991: 162)

Gesichts- und Körperbemalung

Indigene *ayahuasqueros* bemalen vor der Einnahme der Ayahuasca vor allem mit schwarzen Pigmenten des Genipa-Baumes *(Genipa americana)* und der roten Farbe der Annatto-Samen *(Bixa orellana,* auch *urucú* genannt) Körper und Gesicht, um ihren Hilfsgeistern attraktiver zu erscheinen und schädliche Kräfte abzuwehren.[76]

---

75 Thomas von Aquin zitiert in Bruno MOSER: *Bilder, Zeichen und Gebärden. Die Welt der Symbole,* München: Südwest 1986: 42.

76 Die Achuar-Jívaro malen sich beispielsweise im Anschluss an Bestattungsriten schwarze Flecken mit Genipa auf die Wangen, um sich vor gewissen Geistern zu tarnen.

Die feinen Linien der Gesichtsmuster werden mit Hilfe von Malstäbchen aufgetragen. Von seiner völkerkundlichen Forschungsreise 1903 bis 1905 in das Amazonasgebiet zwischen Kolumbien und Brasilien brachte Theodor Koch-Grünberg (1921: 163) detaillierte Beschreibungen mit, die die ebenso einfache wie raffinierte Technik der Tukano-Indianer vermitteln: Die Malstäbchen »sind dünne Holzstäbchen, die an dem einen Ende mit einer Faserumwicklung verdickt sind. Die rote Farbe *(Bignonia chica)* wird in kleinen Brocken in Säckchen aus rotem Bast oder in kleinen kugeligen Kalebassen aufbewahrt. Auch haben sie eine Art Farbtuben aus glänzend schwarzen Palmfruchtschalen, die häufig mit Ritzmustern verziert sind. An der Seite haben diese Fruchtschalen ein Loch, das zum größten Teil mit Wachs zugeklebt ist, so dass man immer nur wenig Farbe herausschütten kann. Beim Gebrauch zerreibt man ein Bröckchen Farbe auf dem Knie, dem Oberschenkel oder auf der Seite des Fußes und dreht das mit Speichel angefeuchtete Malstäbchen mehrmals darauf hin und her. Zur Körperbemalung mit Genipapo-Saft bedienen sich die Indianer (...) zylindrischer Rollstempel aus sehr leichtem Holz, in das Muster eingeschnitten sind.«

Die Bemalung der Haut war nicht allein den Schamanen und ihren Reisen in die unsichtbare Wirklichkeit vorbehalten, sondern ursprünglich bei allen Indianern des Amazonasgebiets weit verbreitet. Mitunter wird sie mit großer Hingabe mehrmals täglich verändert oder erneuert. Bis heute dienen die Körpermuster dem Schmuckbedürfnis im Alltag, der Vorbereitung zum Jagen und Fischen und für festliche Zusammenkünfte. Zu diesem Zweck lassen sich neu ankommende Gäste von den Frauen ihrer Gastgeber das Gesicht mit feinen Mustern bemalen oder reiben den Körper zunächst mit roter Farbe und anschließend mit dem Saft von Genipa ein. Verzichtet man anschließend auf ein Bad, wird der Saft an der Luft schwarzblau und bleibt einige Wochen haften.

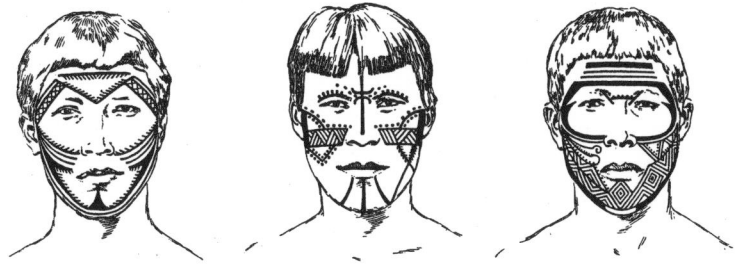

Drei Gesichtsmuster der Tukano-Indianer am Río Caiary, Nordwest-Brasilien (aus: KOCH-GRÜNBERG 1921: 367).

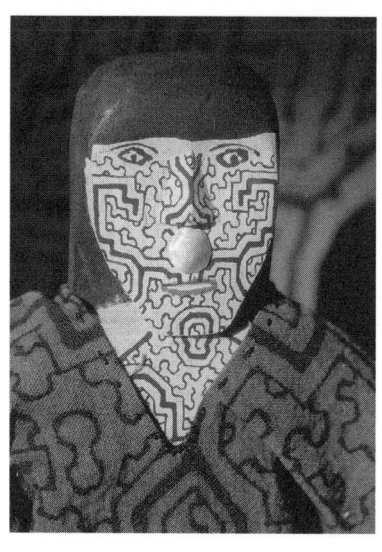

Holzpuppe mit
Gesichtsbemalung
der Shipibo-
Conibo, Peru.

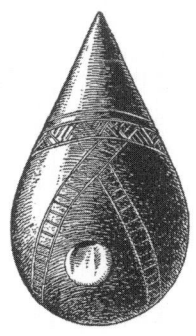

Mit Ritzmustern verzierter Farbbehälter aus der Palmfrucht der Tukano. Die bröselige rote Farbe *(Bignonia chica)* wird aus dem partiell mit Wachs verklebten Loch herausgeschüttelt (aus: KOCH-GRÜNBERG 1921: 242).

»Die Sterne haben für den Indianer, abgesehen davon, dass sie mit seinen Mythen eng zusammenhängen, ein ganz besonderes, praktisches Interesse. Sie gelten ihm als Zeitmesser, als Wegweiser; nach der Stellung der einzelnen Sternbilder zueinander berechnet er die Jahreszeiten, bestimmt er die Arbeit in seinen Pflanzungen.« (KOCH-GRÜNBERG 1921: 160f.)

Letztlich dienen die Muster auf Gesicht und Körper dem Schutz vor fremden und gefährlichen Kräften, denen man bei den genannten Aktivitäten ausgesetzt wird – ob bei Begegnungen mit der unsichtbaren Welt mit Hilfe der »Geisterliane« (wie Ayahuasca genannt wird), bei Jagdausflügen oder bei Festen mit anderen Stämmen.

Das zeigt sich besonders an der Herrichtung eines Leichnams, die der französische Ethnologe Philippe Descola (1996: 394) bei den Achuar in Ecuador beobachtete. Die Schwägerin malte der Toten »mit Urucú das Motiv von Orion und den Plejaden auf die Wangen: zwei Grüppchen kleiner Punkte rechts und links, umrahmt von zwei Streifen, die durch eine Zickzacklinie verbunden sind und sich halbrund vom Mund bis zu den Schläfen ziehen«. Dieser Hinweis ist auch im Zusammenhang mit dem Zickzackmuster von großer Wichtigkeit. Beim Jívaro-Stamm der Achuar (wie auch bei vielen anderen Amazonasindianern) verweist das Zickzackmuster nicht nur auf die Anakonda, sondern auch auf die Konstellation des Orion: »zwei vertikale Linien und eine Diagonale, die alle übrigen Sterne der Gruppe verbindet, wobei das Muster durch Aneinanderreihen des gleichen Motivs beliebig verlängert werden kann« (DESCOLA 1996: 253). Dass diese Gestirne in der Gesichtsbemalung des Leichnams auftauchen, hängt mit einem Achuar-Mythos zusammen, wonach die Musach, eine Gruppe von Waisen, ihrem Stiefvater auf einem Floss entflohen, bis sie an eine Stelle kamen, wo der Fluss an das Himmelsgewölbe stieß. Dort stiegen sie zum Himmel auf und verwandelten sich selbst zu den Plejaden und ihr Floß zum Orion. Diese Reise kann alljährlich nachvollzogen werden, wenn die Plejaden »Mitte April vom westlichen Horizont verschwinden und flussaufwärts ihr Floß Orion besteigen, um im Laufe des Juni (...) im Osten wieder aufzutauchen« DESCOLA (1996: 353). Durch die Bemalung werden die Toten in dieses zyklische kosmische Geschehen integriert.

Welche Bedeutung die einzelnen Motive der Gesichts- und Körperbemalung auch haben mögen, sie – wie auch die ornamentalen Muster auf Textilien und Gegenständen – dienen allgemein als Schutzschild vor übernatürlichen Anfechtungen. Ferner gelten sie als Auszeichnung individueller Fähigkeiten, als Markierung der sozialen Zugehörigkeit und als kulturelles Unterscheidungsmerkmal gegenüber anderen Ethnien.

Der Ort des Geschehens

Rein äußerlich betrachtet wirkt ein typischer Ort, an dem sich die Beteiligten eines Ayahuasca-Rituals irgendwo im Amazonas unter der Leitung eines *ayahuasquero* versammeln, eher fade und aus künstlerischer Sicht geradezu kärglich: eine ärmliche Bretterbude am Rande des Dschungels. Um eine nackte Glühbirne, die unter einem Blechdach schaukelt, wartet eine Armada blutsaugender Insekten auf das nächtliche Tête-à-tête mit zweibeinigen Warmblütern. Derweil hocken ihre Opfer auf nackten Dielen rings um eine Plastikflasche mit einer schmutzigbraunen Flüssigkeit, deren Farbe und Konsistenz an Rohöl erinnert.

Ob in einem solchen, für die meisten Barackensiedlungen am Rande der Großstädte von Brasilien, Peru oder Kolumbien typischen Ambiente, ob in einer der unzähligen kahlen Kirchen, in denen sich Mitglieder der União do Vegetal oder einer anderen Ayahuasca-Kirche versammeln, oder in einer indianischen *maloca* – Kunst ist bei einem Ritual mit der bitteren Brühe erst auf den zweiten Blick im Spiel.

»Die Wahrnehmung geometrischer Muster im Ayahuasca-Rausch wird von vielen Informanten und Wissenschaftlern bestätigt. Die Muster können mit geöffneten Augen kurzzeitig als ›Überzug‹ aller Objekte wahrgenommen werden, auf die der Berauschte seinen Blick richtet.«
(ILLIUS 1987: 160f.)

Die komplexen kosmischen Bezüge in der mehr oder weniger aufwändigen Gestaltung der im Ritual verwendeten *chacapas*, Flöten, Trommeln und Ritualgewänder *(kushmas)* werden in der ethnografischen Literatur nicht selten ignoriert oder als schmückendes Beiwerk interpretiert, als Folklore, Volkskunst, Kunsthandwerk oder Ethnokunst. In der Regel sprechen Experten den Verzierungen und Ornamenten wenig Bedeutung zu. So liest man in der ethnologischen Fachliteratur immer wieder, die Verzierung der Gegenstände entspringe einem reinen Schmuckwillen und berge keinen tieferen Sinn. Allenfalls heißt es, es handle sich um tradierte Motive, deren ursprüngliche Bedeutung inzwischen in Vergessenheit geraten sei. Bezogen auf die (heutzutage durch Ausstellungen und touristischen Handel weltweit verbreitete) Kunst der Shipibo-Conibo, die an den Ufern des Ucayali und seiner Nebenflüsse im Amazonasgebiet von Peru siedeln, meinte der Ethnologe FARABEE (1922: 100f.):»Da die ursprüngliche Bedeutung dieser Zeichnungen verloren gegangen ist, werden sie heutzutage nur aus dekorativen Gründen genutzt.« Dies trifft allerdings weniger zu, als allgemein angenommen (siehe Seite 114ff.).

Wer einmal hinter die Kulissen der Rituale geblickt hat – nicht als »objektiver Beobachter«, sondern als intensiv Beteiligter –, kann derartige Aussagen nur als oberflächliche Orientierungsversuche in der visionären Welt des Yagé werten, die dem schwankenden Gang unerfahrener Berauschter ähneln. Wenn man die Bedeutung der Symbolik von Ayahuasca-Artefakten zu erkunden sucht, führen objektive Beobachtungen und kunstethnologische Aussagen aus dritter Hand meist ebenso ins Leere wie zufällige Befragungen. Die Tiefe und Effizienz des Austauschs scheitert weniger an der Unkenntnis der Befragten, sondern vielmehr am Vertrauensverhältnis zwischen Wissenschaftlern und Informanten. Fühlen sich Informanten ernst genommen, so enthüllen sie selbst bei flüchtigen ersten Kontakten den bis heute tradierten tiefgründigen symbolischen Gehalt der Muster und Zeichen auf Töpfereien, Textilien und Ritualgegenständen.

Archäologische Ayahuasca-Artefakte

Die klimatische Situation im (noch) ausgedehnten Regenwaldgebiet Amazoniens begünstigt das Auffinden von Artefakten aus längst vergangenen Zeiten nicht. Die feuchte Hitze unterwirft alles einem raschen Zyklus von Werden und Vergehen. Im Gegensatz dazu stießen Archäologen in den trockenen Gebieten an der Pazifikküste von Peru oder in der Atakama-Wüste in Chile auf eine erstaunliche Menge und Vielfalt von gut erhaltenen Grabbeigaben, zu denen selbst hölzerne oder textile Produkte zählen.

Berücksichtigt man die enorme künstlerische Produktion mancher Ethnien, die bis heute das gewaltige Tiefland des Amazonasbeckens besiedeln, so muss man daraus schließen, dass Zeugnisse aus der Vergangenheit lediglich dem Zahn der Zeit zum Opfer gefallen sind – vor allem, weil als gesichert angesehen werden kann,»dass zumindest der unmittelbare Uferbereich und das daran angrenzende Hinterland des Amazonas in prähistorischer Zeit dicht besiedelt waren und auch komplexe Gesellschaftsformen hervorbrachten. Ähnliches ist für große Nebenflüsse zu vermuten«, wie die Ethnologin und Altamerikanistin Doris KURELLA betont (Kurella und NEITZKE 2002: 54). Im einst von den Maya dicht besiedelten Regenwald im Grenzgebiet zwischen Mexiko und Guatemala – in der Selva Lacandona – stießen die dort noch heute überlebenden Lakandonen-Indianer beim Bearbeiten ihrer *milpas* mitunter sogar auf Relikte der Olmeken (deren Kultur um 900–400 v. Chr. datiert wird), wie Christian Rätsch während seiner Feldforschungen selbst erlebte.

Nicht zuletzt die dürftige Fundlage verleitete zum gängigen Vorurteil der »Geschichtslosigkeit« der Tieflandindianer, was jedoch von neuesten archäologischen Erkenntnissen und entsprechenden Einwanderungs- und Besiedlungstheorien widerlegt wird. Gerade Funde der ältesten Keramik Südamerikas, die um 5000 v. Chr. datiert werden, stammen aus tropischen und subtropischen Regionen.[77]

Laut Plutarco Naranjo gehen die Anfänge des Ayahuasca-Gebrauchs auf das »tropische Neolithikum« zurück. Man setzt sie vor etwa 5000 Jahren an.[78] Allerdings sind derartige Aussagen sehr spekulativ, denn es ist quasi unmöglich, verwertbare Spuren eines eindeutigen Gebrauchs der »bitteren Brühe« anhand archäologischer Funde zu ermitteln. Organische Überreste der tagelang eingekochten Pflanzen sind im tropischen Klima schon nach kurzer Zeit nicht mehr nachweisbar. Die dafür erforderlichen keramischen Großgefäße könnten auch zur Herstellung von Maniokbier verwendet worden sein. Entsprechende Ritualgeräte, wie die *maraca* oder *chacapa*, bleiben kaum von einer Generation zur anderen erhalten und sind auch bei indianischen Gesellschaften in Gebrauch, die weder Yagé noch Yopo kennen.

Auch die verblüffende Ähnlichkeit der Bemalung von Schamschurzen aus Ton (die zahlreich in Grabhügeln der Marajoara-Kultur – vor 1000 v. Chr. – auf der Insel Marajó im Delta des Amazonas gefunden wurden) mit Mustern,

---

77 Siehe dazu KURELLA und NEITZKE 2002:»Die indigenen Völker Amazoniens gelten als jung und ohne historische oder gar prähistorische Tiefe. Ausgrabungen insbesondere Ende des letzten Jahrhunderts führten jedoch zu einer anderen Sichtweise.«
78 Plutarco NARANJO:»El ayahuasca en la arqueología ecuatoriana«, in: *America Indigena* 1986, 46: 117–127.

die für die Shipibo charakteristisch sind, kann nur Spekulationen zulassen, die vom bekannten Ayahuasca-Gebrauch der am Ucayali ansässigen Indianer auf einen Ayahuasca-Gebrauch der Marajoara-Kultur schließen.

Die Shipibo selbst schreiben ihre Kenntnis verschiedener handwerklicher und künstlerischer Techniken – wie auch anderer wesentlicher Elemente ihrer Kultur – den Lehren eines mythischen Inka und seiner Frau zu. Diese Annahme – obwohl historisch falsch – steht in vollkommenem Einklang mit der Auffassung der Shipibo vom Platz ihrer Kultur zwischen den sie in der Zeit und im Raum umgebenden Kulturen, resümiert Bruno ILLIUS (1991: 156) seine diesbezüglichen Forschungsergebnisse bei den Shipibo-Conibo.

Der *maloca*-Kosmos

Die *maloca* war bis vor wenigen Jahrzehnten bei vielen indianischen Völkern Südamerikas das traditionelle Gemeinschaftshaus – vor allem bei den Indianern im Amazonas-Tiefland bis hin zu den Kogi der kolumbianischen Sierra Nevada.[79] Sie beherbergt Clans von 100 bis 150 Menschen. Das runde, ovale oder rechteckige Gebäude hat in der Regel zwei Eingänge, die – wie die bei-

Neubaugerüst einer *maloca* der Indianer am Río Aiary und Río Caiary und Vaupés, Nordwest-Brasilien (aus: KOCH-GRÜNBERG 1921: 38).

Maloca am Río Apaporis, Nordwest-Brasilien (aus: KOCH-GRÜNBERG 1921: 368).

Theodor Koch-Grünberg bezeichnete die *maloca* als »Gemeindehaus«. Er gab an, diese Zeichnung eines Tanzfestes stamme von einem »Kobeua-Indianer vom Río Cuduiary« (aus: KOCH-GRÜNBERG 1921: 52).

79 Inzwischen wurde sie vielerorts von einfachen Hütten verdrängt, in denen jeweils nur eine Kernfamilie lebt. Das bedeutet langfristig nicht nur den Untergang handwerklicher Fähigkeiten, die zur Konstruktion eines solch riesigen Gebäudes erforderlich sind, sondern auch den Verlust der komplexen *maloca*-Symbolik, die für die kulturelle Identität der betroffenen Ethnien wesentlich ist.

Innenraum einer *maloca*, wie sie der deutsche Ethnologe während seiner Reise 1903 nach Nordwest-Brasilien (ohne konkrete Ortsangabe) vorfand (aus: KOCH-GRÜNBERG 1921: Tafel III).

den gegenüberliegenden Öffnungen am Dachgiebel[80] – an der Ost-West-Achse ausgerichtet sind. Vier Hauptpfosten markieren die Mitte des bis zu 12 Meter hohen palmen- oder grasgedeckten Daches. Zwölf Pfeiler stützen es zur geschlossenen Außenwand hin ab. Der große, dunkle Raum ist durch keinerlei Trennwände gegliedert. Dennoch ist das Wohn- und Ritualhaus in präzise Bereiche unterteilt. Die westliche Seite ist den Frauen und dem Privatbereich, die Ostseite den Männern, unverheirateten Söhnen und Besuchern vorbehalten. An der nördlichen und südlichen Seite leben die verheirateten Söhne des Hauseigners. Diese räumliche Zuordnung des weiblichen und männlichen Prinzips erklärt sich durch die Bahnen der Sonne und des Mondes, da die Sonne im Westen untergeht und ihren Platz am Himmel dem Mond überlässt, der den weiblichen Zyklus bestimmt.

Die symbolischen Bezüge einer *maloca* sind so differenziert und mannigfaltig, dass sie Bücher füllen könnten.[81] An dieser Stelle sollen einige Hinweise genügen, die, von ethnischen Unterschieden abgesehen, interkulturell gültig sind.

---

80 Anhand der Lichtstrahlen, die durch diese Öffnungen dringen, können die Bewohner der *maloca* den Tages- und Jahresverlauf ablesen.
81 Siehe dazu den Beitrag von Elizabeth REICHEL-DOLMATOFF und entsprechende Literaturangaben in: GOTTWALD und RÄTSCH 1998: 25–95.

Jede *maloca* ist das Abbild des Universums und ein Ort mythischer Erinnerung. »Die Welt wird als große runde *maloca* verstanden, deren Konstruktion durch ihre geografische Ausrichtung und den Bezug auf eine ursprüngliche Wasserachse bestimmt wird« (CAYÓN 2002: 89). Diese »ursprüngliche Wasserachse« bezieht sich auf die (von vielen Stämmen des Tieflandes geteilte) Orientierung an der Mündung des Amazonas in den Atlantik in ostwestlicher Richtung.

Das Gemeinschaftshaus wird als Körper der Ahnenmutter interpretiert, die das Licht gebiert. Die am Lauf der Sonne orientierte, horizontale räumliche Ausrichtung repräsentiert den Makrokosmos des universalen Geschehens, welches das tägliche Leben und die dem Jahreslauf folgenden Rituale, Ernten und Jagdzeiten reguliert. Die vertikale Symbolik folgt dem universalen dreigeteilten schamanischen Weltbild. Die Erde (oder Mittelwelt) ist die Lebenswelt der *maloca*-Bewohner. Das Dach repräsentiert den Himmel (oder die Oberwelt). Die Bahn des Mondes verläuft durch die unter dem Gebäude befindliche Unterwelt.

Die Konstruktion des Gebäudes entspricht dem Mikrokosmos des menschlichen Körpers. Das Dach repräsentiert die Haut, das Gerüst die Rippen, die Befestigungen der Streben die Venen und Nerven und der Eingang die Vagina. In den vier zentralen Pfeilern erkennen manche Ethnien (wie beispielsweise die Huitoto im äußersten Südosten Kolumbiens) nicht nur die vier Extremitäten des menschlichen Körpers, sondern auch die vier zentralen Stämme, mit denen sie eine gemeinsame Herkunft teilen.

Die Mitte des Gemeinschaftshauses ist ausnahmslos dem rituellen Geschehen vorbehalten. Der von den vier zentralen Pfeilern umgrenzte Bereich gilt als heiliger Ort und als Uterus der Ahnenmutter. Ihn achtlos zu durchqueren oder zu betreten wäre ein schwerwiegender Fauxpas. Dieses Ritualzentrum wird als *mambeadero* bezeichnet; als Ort, an dem entheogene Zubereitungen gekaut, geschnupft, inhaliert oder getrunken werden, um den Schamanen (und *maloqueros*) Einsichten in unsichtbare Welten zu gewähren und die Geschicke der Gemeinschaft auf jeder Ebene und in jeder Hinsicht zu lenken. »*Mambeo* bedeutet ›im Mund behalten‹ und im weiteren Sinne ›zuhören‹. Ein Mambeo wird durchgeführt, um wichtige Stammesangelegenheiten zu besprechen, Krankheiten zu heilen, Mythen zu erzählen« (RAMIREZ 2005: 1) und zwischenmenschliche Konflikte der *maloca*-Bewohner zu klären, bevor sie eskalieren. Die Huitoto verwenden für das *mambeo* zwei heilige Pflanzen: eine Ambíl genannte Tabakpaste und Cocapulver. Bei anderen (wie den am Río Piraparaná in Kolumbien ansässigen Yebámasa-Indianern) bestimmt der Gebrauch von Ayahuasca oder Yopo die schamanischen Heilrituale und den rituellen Mittelpunkt der *maloca*.

Denkstühle

In jeder *maloca* gibt es zwei »Denkstühle« *(bancos)*, die an den beiden östlichen Mittelpfeilern auf der männlichen Seite ihren festen Platz haben. Es sind keine schlichten Sitzgelegenheiten, sondern Ritualobjekte, deren Gebrauch Schamanen und bedeutenden Persönlichkeiten der indianischen Gemeinschaften vorbehalten ist. Die »Wissenden« *(sabedores)* der *maloca*-Gemeinschaft lassen sich an bestimmten Tageszeiten (meist abends) auf ihnen nieder, um im berauschten Zustand mit den Wesen der unsichtbaren Ober- und Unterwelt zu kommunizieren. Sie selbst umschreiben die Versenkung in die visionären Bilder als »denken«, daher auch die Bezeichnung »Denkstühle«.

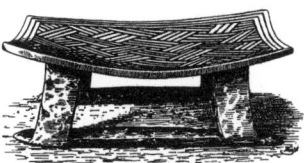

Flechtmuster auf einem Schemel vom Río Caiary-Vaupés, Brasilien. Schwarze Bemalung auf rotem Grund (aus: KOCH-GRÜNBERG 1921: 96).

Traditionelles Shuar-Haus mit zwei Denkstühlen. Auf der Männern und Besuchern vorbehaltenen linken Seite des Hauses sitzt der Großvater des Zeichners mit Federschmuck auf einem Denkstuhl. Rechts vorn neben der Feuerstelle erkennt man den zweiten Denkstuhl, mit seitlicher Stütze und ovaler Sitzfläche, die in einem geschnitzten Schlangenkopf mündet. Rechts davon schöpft die Großmutter Bier aus einem Krug, der auf einem Gestell ruht. Neben dem Mittelpfosten stehen Blasrohr, Lanze und Köcher mit Pfeilen (Zeichnung eines Shuar-Kindes, Sammlung Mark MÜNZEL 1977: Abb. 228).

Die drei inneren Umrisslinien bezeichnen Himmel, Wasser, Erde. Die diagonal gekreuzten Linien im Mittelpunkt versinnbildlichen die Vereinigung von Mann und Frau. Das Geflecht zu beiden Seiten ist das Gewebe des Universums aus männlichen und weiblichen Kräften (Sitzfläche einer Ritualbank der Desana, Kolumbien, Sammlung William Torres). (Zeichnung: C. Müller-Ebeling)

Man müsste sie eigentlich eher als Schemel oder Hocker bezeichnen denn als Stühle, weil sie keine Rücken- oder Armlehne haben und man auf ihnen eher hockt als sitzt. Es handelt sich dabei um kleine Hocker von 15 bis 30 Zentimeter Höhe, die aus einem einzigen Stück Holz gearbeitet sind. Zwei Typen dieser rituellen Hocker sind im amazonischen Tiefland verbreitet: Im Putumayo-Gebiet von Kolumbien werden sie schmucklos mit einer runden Sitzfläche angefertigt, die tellerartig vertieft ist und auf zwei nach unten breit auslaufenden Stellflächen ruht. Der bei den Indianern der Tukano-Sprachfamilie verbreitete zweite Typus besteht aus einer bemalten rechteckigen Sitzfläche von etwa 30 bis 40 Zentimeter Breite und vier Beinen, die paarweise an der Längsseite kufenartig miteinander verbunden sind. Das Muster als Ganzes stellt den Regenbogen atmosphärischer Einflüsse und das Wirken der kosmisch und mythologisch bedeutsamen Boa dar.

Beide Formen von Denkstühlen – ob unverziert oder mit Mustern bemalt – werden auf dieselbe rituelle Weise eingesetzt und haben als solche in den *malocas* der indigenen Völker des Amazonasgebiets ihren festen Platz. Denkstühle stellen göttliche Orte der Kraft dar, die den Fokus des Austauschs zwischen Menschen und Göttern markieren. Sie repräsentieren ein »Inventar von Denktechniken« und »ein zentrales Kapitel der Entwicklung des Bewusstseins« (PINEDA 1994: 5). Ihr schamanisch-ritueller Gebrauch reicht in präkolumbische Zeit zurück.

Die Persönlichkeit, die sich auf einem solchen Ritualschemel niederlässt, verwandelt sich in einen Jaguarschamanen und kommuniziert zum Wohle seiner Gemeinschaft mit Wesen der unsichtbaren Wirklichkeit. Ein reich verziertes Exemplar der Taíno im Pariser Musée de l'Homme illustriert diese Verwandlung. Es hat eine zur Rückenlehne verlängerte Sitzfläche, die auf vier zoomorph gestalteten Beinen ruht, wobei das linke vordere als Jaguarkopf geschnitzt ist.[82] Oder aber er verwandelt sich in einen Vogel, wie entsprechend gestaltete Sitze beweisen.

Auch auf ihrer letzten Reise nahmen die Experten der Verwandlung hier Platz: Sie wurden in Hockstellung auf Denkstühlen bestattet, wie Mumienfunde aus vorspanischer Zeit belegen. Somit reicht die Funktion und Bedeutung dieser rituellen Hocker über den Tod hinaus.

---

82 PINEDA 1994: 7. In diesem fundierten Artikel wird detailliert auf die vielschichtige Symbolik der Denkstühle eingegangen.

Musikinstrumente

Von Christian Rätsch und Claudia Müller-Ebeling

Für die Herstellung traditioneller Musikinstrumente werden Rohstoffe aus dem amazonischen Lebensraum verwendet; Teile von Pflanzen und Tieren sowie Steine, Ton und Mineralien. Die Indianer stellen daraus eine Vielzahl von Instrumenten her:

- Rhythmusinstrumente: Rasseln, Stampfstöcke, Trommeln, Fußklappern, Handschellen, Schellenketten, Fächer, Maultrommeln
- Blasinstrumente: Schneckentrompeten, Yuruparí-Trompeten, Pfeifen, Panflöten (Okarinas), Obertonflöten (*rucu iinquyo*, »alte [Großvater-]Flöte«)
- Saiteninstrumente: Musikbogen, Berimbau, Ukulelen.

In den Tönen der Materialien klingt die ganze Waldwelt wider. Viele der Pflanzen, die Materialien für Musikinstrumente liefern, haben im Ayahuasca-Komplex auch andere Bedeutungen und Nutzanwendungen (z.B. als Heilmittel).

Die Komplexität kosmischer Bezüge wird an der *maraca* von Juan Carlos España deutlich. Sie besteht aus einer Kalebasse und einem Griff (aus Holz oder einem Stück der Liane *Banisteriopsis caapi*). Im abgebildeten Beispiel ist der auch *chonta* (»Pfeil«) genannte Griff aus dem extrem harten Holz bestimmter Palmenarten geschnitzt. Das untere Ende ist mit einem Adlerkopf verziert. Jeweils drei Mäanderbänder rahmen oben und unten die Stelle ein, an der die *maraca* gehalten wird. Am oberen Drittel des Griffs ist eine ausgehöhlte Kalebasse mit einer Mischung aus Bienenwachs, Ruß und Harz be-

Mit typischen Mustern der Shipibo-Conibo bemalte *maraca*.

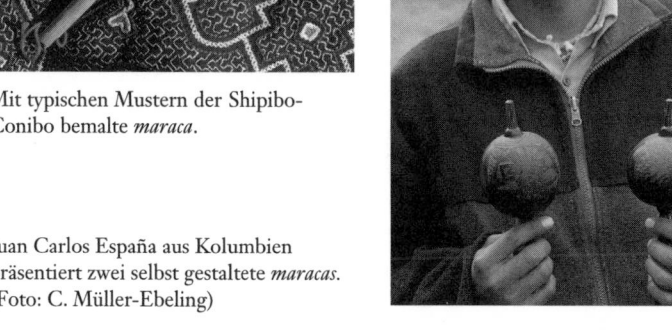

Juan Carlos España aus Kolumbien präsentiert zwei selbst gestaltete *maracas*. (Foto: C. Müller-Ebeling)

festigt. Sie ist mit *cocuindo-* und *achira*-Samen und kleinen Hirschknöchelchen gefüllt, deren Klang beim Rasseln durch zwei Schlitze nach außen dringt.[83] Zwei verschiedene Mandalas zieren beide Hemisphären. Die geschwungenen Linien des einen Mandalas repräsentieren die Kraft der Boa, die sich in der Liane der *Banisteriopsis caapi* verkörpert. Das Zentrum bildet die katzenartige Pupille des zum Jaguar verwandelten Heilers. Das Mandala auf der anderen Seite ist aus Blattmotiven zusammengesetzt, die sich auf den anderen pflanzlichen Bestandteil des Gebräus, die Blätter der *Diplopterys* beziehen. Der tiefere Sinn ergibt sich sowohl aus den einzelnen Bestandteilen der *maraca* als auch aus den ornamentalen Darstellungen und bezieht sich auf ihre Funktion als Musikinstrument und magischen Ritualgegenstand zur Heilung.

»*Yuwipi wasicun* – das ist die Macht der heiligen Felsen. Es ist auch ein Name für Tunka, unseren ältesten Gott, der wie ein Fels, älter als jede Vorstellung, zeitlos und ewig ist.«
(LAME DEER und ERDOES 1972: 174)

Schlitztrommel der Bora. Das Zickzackmuster symbolisiert die mythische Schlange, die Windungen der Flüsse und die Ayahuasca-Liane.

Chacapa mit Griff in Perlstickerei aus Kolumbien.
(Foto: C. Müller-Ebeling)

83 Auch den Indianern Nordamerikas ist die kosmologische Bedeutung aller Bestandteile von Rasseln bewusst. Die Sioux bezeichnen winzige, gerundete Steinchen, die sie in Ameisenhügeln finden und zur Füllung ihrer Rasseln benutzen, als *yuwipi*. »Ihnen wohnt Kraft inne. Wir füllen unsere Kalebassenrasseln, die wir bei unseren Zeremonien verwenden, mit 405 dieser kleinen, heiligen Steine. Diese Zahl entspricht der Anzahl unserer grünen Verwandten und den verschiedenen Bäumen des Sioux-Universums«, erklärte der Sioux-Medizinmann Lame Deer (LAME DEER und ERDOES 1976: 174).

Der Griff repräsentiert das Männliche, den Penis; die Kalebasse steht für das Weibliche, den Uterus, und die Klangschlitze verkörpern die Vagina. Die Mäanderbänder stellen für den Besitzer oder Nutzer Tore zum Eintritt in die magische Welt dar und halten gleichzeitig schädliche Geister ab – ein universal verbreitetes apotropäisches Motiv. Wird die *maraca* als Gegenstand zum Heilen benutzt, werden mit Hilfe des spitzen Adlerschnabels Krankheiten aus dem Körper »gesaugt«.

Obgleich sich Juan Carlos España, der Schöpfer der beschriebenen *maraca*, bei der Gestaltung des Instrumentes an eigenen Visionen orientierte, beruht sie auf verbreiteten Motiven des Yagé-Universums, in dem sich Duft und Klang, Pflanzen und Tiere, Männlich und Weiblich zu einer schöpferischen Gesamtkomposition verbinden. Die Pflanzen sind die *materia* des Klangkörpers und Auslöser der entheogenen Erfahrung. Auf der gestalterischen Ebene ist die Form der *maraca* mit der von Früchten und Samen kongruent. Auf der symbolischen Ebene gilt die Musik als himmlisches Vaginalsekret: eine sexuelle Symbolik, die der Ähnlichkeit mancher Flöten mit der Glockenform der *Brugmansia* entspricht (CASTANO 2002: 59).

Aus seinen Forschungen bei den Kamsá und Inga im Sibundoy-Tal in Südwestkolumbien folgerte der Anthropologe Carlos Ernesto Pinzón CASTANO (2002: 57), dass der »schamanische Garten das Alter Ego des Schamanen« darstellt und in den Pflanzen dieses Gartens die Bilder *(pintas)* zum Ausdruck kommen, die die Kräfte der Tiere und Pflanzen verkörpern, welche das Universum schamanischer Fähigkeiten ausmachen.

Ayahuasca-Musik
Von Christian Rätsch

> »Musik, Tanz und Gesänge gehören zu den ältesten und am weitesten verbreiteten Medizinen der Menschheit.«
> (ANDRITZKY 1994: 359)

Musik ist eines der wichtigsten Elemente in allen Ayahuasca-Ritualen, wenn nicht sogar das zentrale. Jeder Schamane, *ayahuasquero*, *curandero* oder *cantador* hat sein eigenes Live-Repertoire: Er pfeift, summt, singt, spielt auf diversen Instrumenten oder bläst über den Hals der Kalebasse oder Flasche, aus dem die bittere Brühe verteilt wird. Die Klänge erschließen den berauschten Musizierenden und Zuhörern neue Welten und dirigieren ihre Erfahrungen. Jede Form der Musik hat einen starken Einfluss auf das Erleben des Ayahuasca-Zustandes. Deshalb gehört sie zu den wichtigsten Zaubermitteln der *ayahuasqueros*. Sie besingen die Teilnehmer, die dadurch verzaubert werden. Sie behandeln die Patienten mit Gesängen und Klängen, wie beispielsweise dem magischen Rauschen der *chacapas*. Im Ritual werden ihre Musikinstrumente zu Medizingeräten. Musik ist mystisch und unbegreiflich und dennoch erlebbar. Sie ist eine temporäre Anomalie des akustischen Zeitraumes, aus Rhythmus, Melodie und Klang strukturierte Zeit. Musik kann die Seele – oder wie man diesen geheimnisvoll immateriellen Resonanzkörper auch immer bezeichnen mag – tief berühren. Musik ist eines der großen Mysterien der Menschheit. Klang, Rhythmus und Melodie begleiten den Menschen seit Beginn seiner Geschichte. Und schon immer war diese auditive Kreation mit dem Schamanismus und der rituellen Einnahme von Entheogenen verbunden. Mit Musik und Gesangstexten kann man gezielt den veränderten Bewusstseinszustand stimulieren, strukturieren und steuern. Musik erzeugt Farben, Muster, Bilder, von ornamentalen Gebilden bis hin zu dreidimensionalen fantastischen Szenerien. Sie erschafft vor dem inneren Auge synästhetische Kunstwerke.

Synästhesie ist eine gleichzeitig erlebbare Gesamtkomposition verschiedener Sinne: So hört man etwa Farben und sieht Töne. In veränderten Bewusstseinszuständen – ob pharmakologisch ausgelöst oder nicht – hört man Musik nicht nur, sondern kann sie schmecken, sehen, riechen, fühlen, kurz: erleben und erfahren. Dieser Eigenschaft bedienen sich nicht nur die Schamanen des Amazonas, sondern auch Psychotherapeuten, Psychiater und vor allem Musiktherapeuten in aller Welt.

»Überall im nordwestlichen Amazonien ist Musik unverzichtbar bei allen schamanischen Aktivitäten. Die Gesänge der *payés* und das Spielen der Panflöten vor und während magisch-religiöser Zeremonien sind essentiell. Viele der Gesänge und Musiken sind den heiligen halluzinogenen Pflanzen, *Virola* und *Banisteriopsis*, den Rohdrogen für psychoaktive Schnupfpulver und berauschende Tränke, vor allem *caapi*, gewidmet. Die Eingeborenen versichern, dass diese Pflanzen bzw. die in ihnen anwesenden Geister mit dieser musikalischen Ehrerbietung erfreut werden.« (SCHULTES und RAFFAUF 1992: 168)

Ayahuasca-Musik ist psychedelische Musik. Sie wird zum Bewusstseinsprogramm aller Ritualteilnehmer und -teilnehmerinnen, um ihr Bewusstsein in die Welt der Mythen und Visionen zu tragen.

Darüber hinaus gibt es auch Musik, die durch Ayahuasca-Erfahrungen inspiriert und anschließend komponiert oder aufgeschrieben wurde; sie muss nicht unbedingt psychedelisch sein, kann aber psychoaktiv wirken, aktiviert also die Psyche. Psychedelische Musik ist psychotrope Akustik, applizierte Synästhesie, Transfiguration der Sinne, Versinnlichung der Wahr-Nehmung, der Er-

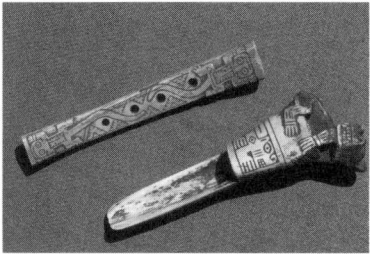

Präkolumbianische Flöte aus
Jaguarknochen.

Flötenspieler. Diese langen, lochlosen
Flöten aus den südkolumbianischen
Anden werden häufig in Ayahuasca-
Ritualen verwendet (Chachagui, Nariño,
Kolumbien, 4/2004).

fassung des Wahren. Sie ist aber auch akustische Stimulation – ein auditiver
Reiz, um im psychedelischen Bewusstseinszustand oder bei der visionären
Schau visuelle Wahrnehmungen freizusetzen oder zu erzeugen und zu struk-
turieren.

Der natürliche Klang der Dschungelsymphonie

Der natürliche Klang der Dschungelsymphonie gehört zur Ayahuasca-Musik
wie Lieder, Gesänge und Instrumente. Prinzessin Therese von BAYERN
(1850–1925) beschrieb sie in *Meine Reise in den Brasilianischen Tropen* (Berlin
1897) folgendermaßen:

»Auf dem Rio Negro – Tauapessassú, Montag, den 9. Juli [189x] (sic)
... in vollen Zügen genossen wir das stets poetische, immer neuen, unsag-
baren Reiz entwickelnde nächtliche Konzert im Urwald. Der tausendstimmige
Gesang wechselte in unendlichen Modulationen die dunklen Stunden hin-
durch. Bald knurrten diejenigen Kröten, welche nur zur Zeit der Vazante
[= Ebbe] lärmen. Dann quakte eine Art von Glattfröschen, die den wilden
Indianern als Nahrung dienen. Um 2 Uhr nachts zischten Jupurá, diese in den
Wäldern des Río Negro häufigen Baumbären, eine Begleitung dazu ... Das
Froschlurchkonzert war mit einsetzender Dämmerung verstummt.
Wundervoll zog der purpurne Sonnenaufgang hinter dem Waldsaum empor,
nachdem der noch wundervollere, hellblitzende Sternenhimmel langsam
verblaßt war.«

Die Tiere des Waldes erfüllen den Dschungel am Amazonas Tag und Nacht mit unzähligen Klängen und Rhythmen: Millionen von Grillen und Zikaden schwängern die feuchtheiße Tropenluft mit an- und abschwellenden elektrisierenden Tönen. Frösche, Kröten und Geckos erzeugen in der Nacht unwirklich menschliche Laute. Nachtvögel schlagen an. Aus den Flüssen dringen die magischen Gesänge der Flussdelphine. Brüllaffen fallen ein. Nachtäffchen schreien. Großkatzen fauchen in der Tiefe des nächtlichen Dschungels. Wildschweine und Pekaris geben Grunzlaute von sich. Und zu alldem das Glucksen des an- und abschwellenden Wassers der Andenströme, Rauschen der Wasserfälle, Plätschern der Bäche, Trommeln und Prasseln der Regentropfen auf den Dächern der Hütten, das Donnern von Gewitterwolken und das Heulen der Winde.

Wer sich jemals am Amazonas aufgehalten hat, weiß um die magische Wirkung dieser natürlichen Geräuschkulisse – wie auch die meisten Schamanen des Amazonas davon überzeugt sind, dass die nächtliche Dschungelsymphonie einen wesentlichen auditiven Stimulus der Ayahuasca-Erfahrung darstellt: Indem man ihr lausche, könne man lernen, die geheime Sprache der Natur zu verstehen. Ebenso seien die Tiere des Dschungels für die Wahrnehmung von Menschen empfänglich, die Ayahuasca trinken. So stimmten vor allem Frösche währenddessen besondere Chorgesänge an. Die Schamanen des Amazonas sind sich sicher, dass der bittere Trank die Verständigung zwischen Menschen und Tieren begünstige und dass man in diesem Zustand beim Erlauschen der Klänge der Natur von den Fähigkeiten der Tiere lerne, in die sich Schamanen verwandeln können.

Bei den Shuar in Ecuador ist der »Klang des rauschenden Wassers« ein wichtiges Element der Heilung ihrer Natema-Rituale. Davon berichtete der US-amerikanische Ethnologe Michael Harner (1972: 17):

> »Allmählich tauchten schwache Linien und Formen aus der Dunkelheit, und
> die schrille Musik der *tsentsak*, der Hilfsgeister, schwoll um ihn herum an.
> Die Kraft des Tranks nährte sie. Er rief, und sie kamen. Zuerst wand sich
> Panki, in eine goldene Krone verwandelt, um seinen Kopf. Dann schwebte
> Wampank, der riesige Schmetterling, über seinen Schultern und sang ihn mit
> den Flügeln an. Schlangen, Spinnen, Vögel und Fledermäuse tanzten in der
> Luft über ihm. Auf seinen Armen wurden Tausende von Augen sichtbar:
> Seine Hilfsgeister kamen hervor, um die Nacht nach Feinden zu durchsuchen.
> Der rasende Klang rauschenden Wassers füllte seine Ohren, und wie er auf
> dies Brausen hörte, da wusste er, dass er die Macht von Tsunkui, dem ersten
> Medizinmann, besaß. Er starrte auf den Magen des kranken Mannes. Langsam wurde der Magen durchsichtig wie ein seichter Gebirgsfluss, und im
> Innern sah er, wie Makanch, die Giftschlange, sich auf- und zusammenrollte.

Der feindliche Medizinmann hatte sie geschickt. Der wahre Grund der Krankheit war gefunden.«

Gesänge als »Kartografien der wahren Wirklichkeit«

Im veränderten Bewusstseinszustand hört man mitunter eine innere Musik, die einen durch innere Räume leitet. Solchen inneren Melodien kommt in vielen schamanischen Gesellschaften besondere Bedeutung zu. So ist es bei den Shipibo erwünscht, unter dem Einfluss von Ayahuasca eigene Lieder zu empfangen. Sie gelten als Geschenke aus der Anderswelt, aus der wahren Wirklichkeit – Geschenke der Ayahuasca-Pflanzengeister.[84] Singen ist Zaubern: »Lateinisch *cantare* wird im Allgemeinen mit *singen* übersetzt; ursprünglich aber heißt es: zaubern, durch Zauber schaffen. Man spürt den Übergang, den es da irgendwann einmal gegeben haben muss: indem der Mensch durch den Laut – den Ur-Laut – zauberte, Veränderungen bewirkte, begann er, die Ur-Laute musikalisierend, zu singen« (BERENDT 1985: 69). Der Schamane ist Sänger, Dichter und Zauberer zugleich. Das gesungene Wort hat Zauberkraft: »Mehr als Zaubertränke und Zaubermittel, als Gesten und Kräuter ist es das Wort, das den Zauber bewirkt« (BERENDT 1985: 69). Das spürt jeder Teilnehmer eines Ayahuasca-Rituals. Es ist nicht nur die semantische und kognitive Bedeutung eines Wortes, sondern auch der Klang des Wortes, der den Zauber wirkt.[85] Oft wird berichtet, dass man unter Ayahuasca-Einwirkung plötzlich den Sinn von Worten aus unbekannten Sprachen »verstehe«, dass diese fremden Worte zu einem sprächen, als wären sie die eigenen. »Verstehen« ist schon vom Hauch des Zaubers umhüllt, vom Gefühl der Magie begleitet. Weit verbreitet und seit alters her bekannt ist die Vorstellung, dass der Schöpfer ein unendlicher Gesang sei und dass die Schöpfung eine Kristallisation dieses Gesangs darstelle (COTTE 1992: 9). Im traditionellen Schamanismus werden auch Ayahuasca-Gesänge benutzt, die vor allem als »Kartografie« für die Reise in die andere Wirklichkeit brauchbar sind. Im Ayahuasca-Schamanismus der urbanen Heiler von Iquitos spielen gepfiffene Melodien zur Erzeugung bestimmter standardisierter Visionen eine erhebliche Rolle (KATZ und DOBKIN DE RIOS 1971). Dazu werden auch die sogenannten *icaros* benutzt (LUNA 1986 und 1992).

84 »Während psychedelischer Zustände können Musiken aus dem eigenen Innenraum ins Bewusstsein treten. Sie tauchen spontan auf oder bilden sich aus der Reizflut des *white noise*, des ›weißen Rauschens‹, einer Folge von Zufallsgeräuschen, die durch einen Tongenerator erzeugt werden (...) Diese selbsterschaffene Musik wird vom Bewusstsein, das sich dabei seiner selbst bewusst ist, gleichzeitig erzeugt und wahrgenommen. Das Bewusstsein wird zu Musik. Und die Musik wird zur Schöpfung« (RÄTSCH 1986: 308f.).
85 »Das Wort ist ein innerer Klang« (Kandinsky in BERENDT 1985: 67).

»Dadurch verfügt das Ayahuasca in Verbindung mit den *icaros* über eine einzigartige Eigenschaft, die von keiner anderen Substanz bekannt ist. Sie läßt den Zuhörer in einer Welt verschwinden, die ein Heiler nur für ihn kreiert, und dieser kann sich dort mit jedem Lebewesen oder Gegenstand identifizieren und Erfahrungen machen, die sich einer verbalen Darstellung weitgehend entziehen, gewöhnlich jedoch eine Mischung maßgeschneiderter psychologischer Konfrontationen darstellen und einen Einblick in den universellen Zusammenhang der menschlichen Existenz gewähren.« (KRAEMER 1997: 24)

Im peruanischen Amazonasgebiet wird gegenwärtig in der *lingua geral* das Wort *icaro* als Bezeichnung schamanischer Gesänge für Ayahuasca-Rituale häufig benutzt. *Icaro* ist ein Hispanismus des Quechua-Verbs *ikaray*, das »mit Rauch beblasen [um zu heilen]« bedeutet (PARK et al. 1976: 45, LUNA 1992: 233). Wie kommt es, dass »mit Rauch beblasen« die Bedeutung von »Lied« oder »Gesang« angenommen hat? Beräuchern und Besingen sind ein synästhetisches Paar. Beides wird mit Heilen identifiziert, beides ist mit der sinnlichen Wahrnehmung und Erfahrung verknüpft: das Beräuchern mit dem Riechen, das Besingen mit dem Hören. Der Rauch durchdringt den Raum genauso wie der Klang. Deshalb ist das Vortragen eines Heilgesangs bei den Wakuénai, den »Leuten von Unserer Sprache«, auf das Riechen und Hören konzentriert. Der *malírri* (Schamane) sitzt bewegungslos, das heißt alle Bewegungen sind auf ein äußerstes Minimum reduziert, schaltet alle Sinne ab, bis nur noch der Klang des Gesangs *(málikai)* und der Geruch von Tabak *(dzéema)* präsent sind (HILL 1992: 196).

Shipibo-Schamanen benutzen im Ayahuasca-Ritual als wichtigstes Werkzeug ihrer Kunst bestimmte Gesänge *(huehua)* und gepfiffene Melodien.[86] Diese strukturieren die visionäre Erfahrung der Teilnehmer. Die Gesänge bestehen sowohl aus Lauten als auch aus Worten oder Texten. Ein Ayahuasca-Gesang der Shipibo lautet:

»Ayahuasca, Medizin, berausche mich gut!

Hilf mir, indem du mir deine Schönen Welten öffnest!

Auch du bist von dem Gott erschaffen,

der die Menschen erschaffen hat.

Deine Medizin-Welten

öffne du mir ganz.

Ich will die kranken Körper heilen:

---

86 Der Shipibo-Schamane Quetsembétsa bezeichnet seine Gesänge nicht als *icaros*, da dies in Amazonien der Name für die simplen Lieder der urbanen Mestizo-Schamanen ist. Man kann seinen Gesängen auf der CD *Songs from Questembétsa, Shipibo Shaman of Peru* (X-TRACK Publishing 2000) lauschen.

Dieses kranke Kind
und diese kranke Frau
will ich heilen, indem ich alles gut mache!«[87]

Dabei werden bei Ayahuasca-Ritualen gewöhnlich drei Gesänge vorgetragen, die vor allem der Erzeugung und Nutzung von Obertönen dienen: Der erste Gesang öffnet die Tore zur visionären Welt, der zweite (das berüchtigte »Kotzlied«) stimuliert durch messerscharfe Obertöne Erbrechen, Durchfall und allgemeine Katharsis. Da er der Reinigung von Körper und Geist dient, ist dieser Gesang therapeutisch am wichtigsten. Der dritte Gesang führt die Teilnehmer zu sich selbst zurück, zurück in die »normale«, »gewohnte« Welt. Haben Teilnehmer des Rituals spezielle Probleme, so werden sie gesondert behandelt. Dafür werden sie meist besungen oder mit ätherischen Ölen oder billigen Parfüms besprüht.

Sind die im visionären Zustand zu sehenden Ayahuasca-Muster auf dem Körper eines Menschen gestört, so singt der Schamane die Melodielinien der geschauten Muster so lange, bis sie wieder harmonisch sind, denn verzerrte Muster sind Ausdruck einer Disharmonie oder Krankheit. So werden die Gesänge der Muster zu Heilmitteln. Sie dienen dazu, die Harmonie des betreffenden Menschen wiederherzustellen. Ich habe diese Form der »Musiktherapie« oft beobachten können – natürlich nur, wenn ich selbst Ayahuasca getrunken hatte.

Persönliche Erfahrung

Manchmal wurde ich von der Ayahuasca-Musik geradezu in eine ästhetische Ekstase versetzt. Ein akustischer Kosmos entfaltete sich, der synästhetisch in visuellen Wahrnehmungen erschien. Manchmal hatte ich das Gefühl, die Musik werde auf den Nervenbahnen oder Organen meines Körpers gespielt. Manchmal erzeugte die Musik in mir eine unwiderstehliche Resonanz, in die ich mit meiner eigenen Stimme oder mit einem Instrument, etwa einer Flöte oder einer Rassel, einsteigen musste, um mitzuschwingen, mitzumachen, mitzuklingen und Muster wie Gesänge als Einheit zu erfahren.

Wenn ich Ayahuasca getrunken habe, klingt alles anders als sonst. Genauer gesagt: Es klingt wie sonst, aber es erklingt noch mehr, als bekäme der Klang eine zusätzliche Dimension. Ich habe Froschchöre gehört, die wie eine Symphonie von Gustav Mahler klangen. Ich habe Gesänge gehört, die mein Bewusstsein strukturierten, als ob ein Regisseur einen Film machte. Ich habe Trommeln, Rasseln, Flöten, Schne-

---

87 Zitiert in Bruno ILLIUS: *Ani Shinan*, Münster: Litverlag 1987, S. 55f.

ckenhörner gehört, als seien es Klänge aus dem Elysium. Ich habe den Klängen der Hang gelauscht und wurde in die Weiten des Weltalls katapultiert.

Ich habe auf Ayahuasca Musik wahrgenommen, die meine inneren Organe berührten und heilsam in Harmonie versetzten. Die Ayahuasca-Musik ist wie eine Dusche, ein psychedelisches Bad, das reinigt und beschenkt, das heilt und gesund macht. Sie wabert in Wellen durch Körper und Bewusstsein und versetzt beides in Harmonie und Gleich-Klang.

Die Ayahuasca-Erfahrung machte mir klar, dass die Visionen den Gesängen gehorchten, oder sollte man besser sagen, dass man den Verlauf der Visionen mit den Gesängen steuern konnte. Um das in der nächsten Sitzung auszuprobieren, sang ich, was ich sehen wollte, und stellte mit wachsender Sicherheit und Ruhe fest, dass die Visionen meinen im Lied ausgedrückten Wünschen folgten, welcher Art sie auch sein mochten.

Am Anfang war der Rhythmus

In der indianischen Mythologie haben die Vögel ihre Stimmen durch verschiedene Flöten erhalten; viele Zaubergesänge haben die Schamanen direkt von den Vögeln gelernt. Manchen Mythen zufolge stammen die rituellen Gesänge von der Wirkung der Zauberpflanze Kumí. »Diese Pflanze, mit ihren langen grasförmigen Blättern, ist eine äußerst wichtige Zauberpflanze, die besonders gern zum Verwandeln gebraucht wird« (KOCH-GRÜNBERG 1956: 201).

Die Bibel sagt: »Am Anfang war das Wort.« Andere glauben, am Anfang sei der Klang gewesen. Der legendäre Wagner-Dirigent Hans von Bülow (1830–1894) wiederum soll gesagt haben: »Am Anfang war der Rhythmus.« Aber was ist eigentlich mit »am Anfang« gemeint? Der »Anfang« von was? Des Universums, der Welt, der Menschwerdung? Die moderne Physik spricht vom Urknall – einer kosmischen Explosion und einer Art unerklärlichen Paukenschlags, der sich seither in Schwingungen ausbreitet und dem ganzen Universum Rhythmus verleiht.

Unser Leben jedenfalls ist mit der Bildung des akustischen Sinnes bzw. schon durch die Resonanz des Fötus auf den Grundrhythmus der Mutter, ihren Herzschlag, von »Anfang« an rhythmisch geprägt. Rhythmus ist eine akustische Strukturierung von Zeit und wesentlich für unser Zeitempfinden. Denn Leben ist ohne den Lauf der Zeit unvorstellbar.

Eine vibrierende Bogensaite/-sehne versinnbildlicht den Übergang in andere Welten – zumindest in Amazonien. Ein Ton, ein Klang, ist die Metapher für den Bewusstseinswandel, für den Eintritt in eine andere Wirklichkeit. Dieser Klang versetzt das Bewusstsein in die Anderswelt, vor allem, wenn er während der Ayahuasca-Wirkung erklingt und wahrgenommen wird. Der Klang

Der brasilianische
Musikbogen
Berimbau.
(Foto: A. Adelaars)

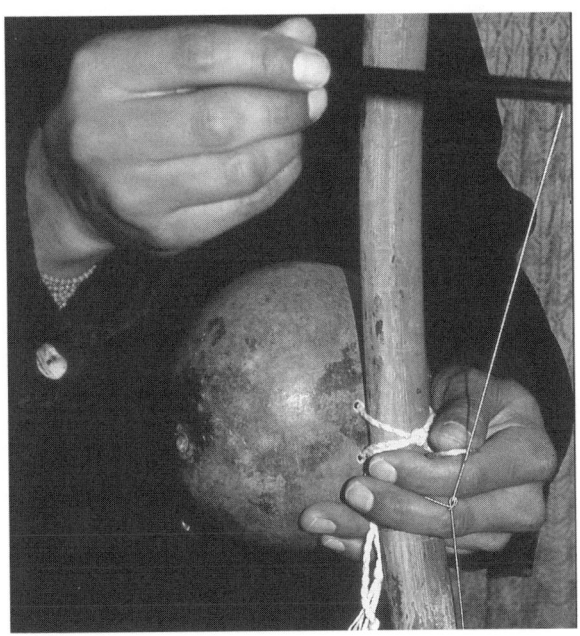

strukturiert das Ayahuasca-Bewusstsein: Er führt den Geist gezielt hinüber in
die andere Welt.

Dass Klänge das Bewusstsein in visionäre Welten leiten, haben viele
Schamanen entdeckt. Aber in Amazonien hat sich die Kunst der klanglichen
Führung in veränderten Bewusstseinszuständen besonders ausgeprägt und
entwickelt. Die Klänge der Ayahuasca-Musik beschreiben und erzeugen eine
visionäre Kartografie anderer Wirklichkeiten.

Dionysische Musik

Die Ayahuasca-Musik ist durch verschiedene Traditionen und persönliche
Stile geprägt. Manche *ayahuasqueros* benutzen nur den eigenen Körper als
Musikinstrument (durch Singen, Summen, Bellen, Grunzen, Pfeifen, Flöten,
Händeklatschen). Andere verwenden zusätzlich eine ganze Reihe von Musik-
instrumenten, vornehmlich obertonreiche, schrille Flöten (und andere Blas-
instrumente) sowie intensive Rhythmusinstrumente.

Die *ayahuasqueros* benutzen im Prinzip dasselbe Instrumentarium, wie es in
antiken und anderen Kulturen zur Erzeugung von Trance und Ekstase verwendet wird. Es ist das dionysische Instrumentarium. Ayahuasca-Musik *ist*
dionysisch. Dionysische Musik ist durch harte, oft monotone und schnelle
Rhythmen sowie übereinander gelagerte Obertöne charakterisiert. Es ist das

Grundrezept der ekstatischen Musik. Damit wird seit Urzeiten das ekstatische Bewusstsein geweckt. Im antiken Dionysos-Kult wurde mit Handtrommeln und hohen Flöten musiziert, genau wie bei vielen Ayahuasca-Ritualen.

Beim Hexensabbat: »Einer von den Teufeln saß auf einem doppelt gespaltenen Baum und schlug die Trommel; ein anderer setzte sich zu ihm und spielte auf der Pfeife; und sie machten den anderen einen lustigen Tanz.«
(PRAETORIUS 1979: 63)

Diese beiden musikalischen Elemente wurden von der Kirche verboten. Deshalb entstand der gregorianische Gesang – ohne Trommeln, Zimbeln und Flöten, ohne schnelle Rhythmen und schrille Obertöne. Der Klang des Dionysos wurde zum Höllenklang. Zimbeln, an sich schon Symbole der Hölle, wurden im Mittelalter zusammen mit der »Harmonie der Flöten« von der christlichen Kirche verboten (COTTE 1992: 206f.). Wie der alte heidnische Vegetationsgott Pan durch christliche Propaganda zum Teufel erklärt wurde, verbot man auch seine Panflöte (= Syrinx), deren Klang die Panik, Pan-Besessenheit, Pan-Ekstase und den panischen Schrecken auslöst. So waren die spanischen Konquistadoren davon überzeugt, dass sie es mit Teufelsanbetern zu tun hatten, als ihnen Panflöten spielende Indianer begegneten. Im Westen hält man den internationalen Hit *El condor pasa* für indianische Musik. Dieses »folkloristische« Lied wird zwar auf einer indianischen Panflöte gespielt, entspricht aber der gewohnten europäischen Melodik. Die echte ethnische Panflötenmusik ist für das europäische Ohr zu schrill und schräg und für das christliche Ohr zu »teuflisch«. Auf Ayahuasca aber sind ihre Klänge himmlisch, bezaubernd, ekstatisch – eben dionysisch.

Yuruparí: Der Klang der Plejaden
Die Plejaden sind für die Indianer des Amazonas von großer Bedeutung. Zum einen kalendarisch: Wenn die Plejaden am westlichen Gesichtskreis verschwinden, beginnt die Regenzeit, in der es oft an Nahrung mangelt. Wenn die Plejaden im Osten wieder auftauchen, ist die Regenzeit zu Ende, und die Feldarbeit (Rodung) beginnt.
Zum anderen mythologisch: Nach indianischer Deutung bilden die Plejaden den Kopf des Jilljoaibu, eines Flöte spielenden Jungen, der in der Urzeit zum Himmel aufgestiegen ist. Seinen Körper bildet die Aldebarangruppe, sein linkes Bein ist ein Teil des Orion.
Das wohl ursprüngliche Tukano-Wort *yuruparí* wird in der Literatur recht unterschiedlich übersetzt oder gedeutet: so etwa mit »der Teufel«, »Ahnengeist«, »Mysterium«, »Fruchtbarkeitsritus«, »Initiationsritual«, »Schöpfer-

gott«, »Sohn der Plejaden« (vgl. Vesga Núñez 2003). »Yuruparí ist eine spirituelle Kraft, die sich physisch in den heiligen Flöten und Trompeten manifestiert, die all das Wissen eines Stammes enthalten.« (Cayón 2002: 23f.).

Das Wort *yuruparí* bezeichnet aber nicht nur mythologische Gestalten und kosmologische Bezüge, sondern ist auch der Name eines großen Blasinstruments, einer Art Trompete, vergleichbar dem australischen Didgeridoo, dem alpenländischen Alphorn und dem tibetischen Dung-chen, jener langen Trompete, die wie ein Elefantenrüssel klingt. Das *yuruparí* besteht aus einem eingerollten oder gedrehten Klangkörper und einem Trompetenmundstück, geschnitzt aus dem harten Holz der Paschiuba-Palme *(Iriartea exorrhiza)*.[88] »Dem Yurupary-Tanze wird eine starke Zauberwirkung zugeschrieben. Er soll alle Krankheiten vertreiben und selbst große Wunden heilen« (Koch-Grünberg 1921: 202). »So ist es bei jedem Fest, wenn die große Zigarre geraucht wird. So leben wir schon lange Zeit, so tanzen wir, so trinken wir Kaschiri, so trinken wir Kaapi, wir sind Freunde!« erklärt der Tuyuka-Schamane Antonio (Koch-Grünberg 1921: 201).

»Am 1. Mai 1977 trank ich erstmals *cají*. Die Wirkung war unerwartet intensiv und ich wurde in einen mir bis dahin ganz unbekannten Bewusstseinszustand versetzt, der mir den überwältigenden Eindruck vermittelte, mich in einer vollständig anderen Welt zu befinden, die aber mindestens ebenso wirklich wirkte wie die gewohnte Wirklichkeit. (...) Nur die Musik behielt ihren Wirklichkeitswert in jener Welt wie in dieser. Daher erschien sie mir als eine Vermittlerin zwischen den beiden Welten und Wirklichkeiten. Besonders das Rasseln der *maracas* und das heisere Rauschen der *yuruparí*-Instrumente schienen sich zu verselbständigen. Diese Töne wurden für mich zu einer akustischen Brücke, auf der ich in einen anderen Bereich der Wirklichkeit gelangte und die mir erhalten blieb, während sich alle vorherige Wirklichkeit auflöste. (...) Die Musik bleibt für das *cají*-Bewusstsein nicht nur wirklich, sie behält auch ihre Bedeutung.« (Deltgen 1993: 193)

Schneckenklang

Erwachsene halten Kindern gern eine große Schneckenschale ans Ohr bzw. die Ohrmuschel und erklären, sie würden darin das Rauschen des Meeres hören. Tatsächlich: Es rauscht! Aber es ist natürlich nicht das Meer, sondern das eigene Blut, dessen Rauschen von der spiralig gewundenen Schneckenschale reflektiert und verstärkt wird. Die Schneckenschale hilft lediglich dabei, ein inneres, gewöhnlich unhörbares Geräusch zu hören.

---

88 *Iriartea exorrhiza* Martius, Palmae = Paxiúba-Palme. Das aus dem Rhizom gewonnene Mehl und die Asche der Blätter sind Coca-Additive. Die Asche der Blüten wird als Salzersatz verwendet. Aus den Stängeln der Blätter werden Curare-Pfeile für Blasrohre gefertigt.

Schnecken (Gastropoda) gehören zu den Weichtieren oder Mollusken. Sie leben im Wasser, in Meeren, Flüssen, Seen oder an Land auf Felsen und auf Bäumen. Die meisten Schneckenarten bilden eine Schale (Conchylie), ein Kalkgehäuse aus, das meist spiralförmig aufgebaut ist. Es gibt winzig kleine und zarte sowie sehr große und stabile Schneckenhäuser. Die großen, schweren Gehäuse mancher Meerschnecken werden als Schneckentrompeten seit alters her weltweit als Klangkörper genutzt.[89] Dazu wird die Spitze des Gehäuses abgeschliffen, oder es wird ein kreisrundes Loch in die schmaleren Windungen geschnitten. Derart bearbeitete Schneckenschalen können wie Trompeten oder Hörner geblasen werden. Sie klingen auch so ähnlich, aber doch eigenwillig anders. Der damit erzeugte Klang ist laut, durchdringend und markerschütternd.[90] In präkolumbischer Zeit wurden Schneckentrompeten sogar aus Ton bzw. Keramik oder Gold nachgebildet, worin sich ihr hoher kultureller Stellenwert ausdrückt.[91]

»Trompeten aus Schneckenhäusern findet man in der Frühgeschichte Amerikas überall. (...) Die Moche in Peru und die Anasazi im amerikanischen Südwesten schätzten die stabile und recht schwere pazifische Flügelschnecke, *Strombus galeatus*, die sie bei religiösen Zeremonien und bei bestimmten Festen sowie in Kriegszeiten als Trompete benutzten. Beide Kulturen mussten die Schneckenhäuser durch Handel erwerben, denn diese Schneckenarten stammen aus dem Hunderte Kilometer von ihren Wohngebieten entfernten Meer.«
(HILL 1997: 235)

In Südamerika werden Schneckentrompeten seit Jahrtausenden in vielen Kulturen benutzt. In der Karibik und im Pazifik leben mehrere Arten, deren Gehäuse für Schneckentrompeten sehr geeignet sind. Sie werden oft bis 30 Zentimeter lang, manche sogar bis über einen halben Meter. Je größer das Gehäuse, desto tiefer der Klang. Die meisten Menschen bekommen nur

---

89 In der Sach-, Fach- und wissenschaftlichen Literatur wird meist fälschlich von »Muscheltrompeten« oder »Muschelhörnern« gesprochen. Muscheln (obzwar ebenfalls Mollusken) unterscheiden sich aber wesentlich von Schnecken, denn sie haben *immer* zweiteilige Schalen (deshalb heißen sie Bivalvia) und sind denkbar ungeeignet für die Fabrikation von Trompeten.
90 Schneckentrompeten wurden und werden als Ritualinstrumente benutzt und als heilig verehrt. In Indien, im Himalaya und bis in die Mongolei hinein wird von Schamanen, Yogis, Sadhus, Brahmanen und Buddhisten die Shanka *(Turbinella pyrum)* als heilige Schnecke verehrt und für Heilrituale, Meditationen, Pujas und Feste verwendet. Im japanischen Yamabushi-Kult werden Tritonshörner als heilige Schneckentrompeten (mit angebrachtem Metallmundstück) verehrt. Tritonshörner wurden auch in der Alten Welt als Schneckentrompeten benutzt, entweder als Signalhorn (etwa unter Fischern) oder Sakralinstrument für die Meeresgottheiten.
91 Präkolumbische Okarinas aus Ton in Schneckenform stammen vor allem aus Ecuador und Kolumbien, insbesondere aus Pupiales in der südkolumbianischen Provinz Nariño. Diese Okarinas datieren wahrscheinlich in die Capulí-Periode (800–1250 n. Chr..

einen einzigen Ton aus so einer Trompete, nur wenige können darauf sogar Melodien spielen. Schneckentrompeten gehören zum Instrumentarium vieler *ayahuasqueros*. Sie werden manchmal als Signalhörner geblasen, um eine Ayahuasca-Zeremonie anzukünden, denn ihr Klang durchdringt den Dschungel meilenweit. Wer ihn hört, weiß Bescheid. Manchmal wird die Schneckentrompete zu Beginn eines Ayahuasca-Rituals geblasen, sozusagen als akustisches Anfangszeichen. Manchmal wird sie auch als Musikinstrument während des Rituals gespielt. Dann vermischt sich ihr Klang mit den anderen Instrumenten. Es kommt auch vor, dass ein Patient vom Schamanen direkt mit dem Schneckenhorn beblasen wird, um mit dem vibrierenden Klang heilend oder harmonisierend auf Körper und Geist einzuwirken. Es heißt, der Klang einer Schneckentrompete *(pototó)* vertrete die Stimmen der Götter und gelte als Orakel. Die Schneckentrompete ist das ikonografische Symbol des Orakelgottes. Schneckentrompeten und Schneckenmonster« (schamanische Mischwesen) sind oft auf den Keramikgefäßen der Moche dargestellt.

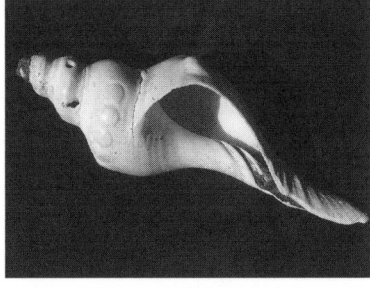

Präkolumbianische Ritualtrompete aus einer Fasciolaria-Schnecke.

Präkolumbische Tonpfeifen (Okarinas) in Schneckenform (Nariño, Kolumbien). (Foto: C. Müller-Ebeling)

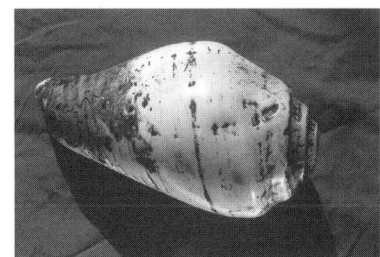

Pototó: Schneckentrompete aus *Strombus galeatus* (Grabfund, 11. Jahrhundert, Ecuador).

Religiöse Musik: *Himnos*

In allen Sekten religiöser Kulte, die Ayahuasca als Sakrament verwenden, spielen die *himnos*, die »Hymnen«(Lobpreisungen der Götter), als religiöse Gesänge eine zentrale Rolle:

»Besonders überzeugend ist die Rolle, die die Musik in den Sitzungen der Santo-Daime-Kirche spielt. In diesen Sitzungen bilden die Hymnen das wesentliche Gerüst zur Strukturierung all dessen, was erfahren wird. Praktisch jeder, der einmal an einem Daime-Ritual teilgenommen hat, erkennt für sich selbst, wie perfekt die Hymnen und ihre Reihung den verschiedenen Stadien der Ayahuasca-Berauschung entsprechen.« (SHANON 2002: 310f.)

Der Brasilianer Padrinho Mestre Irineu, Begründer der Santo-Daime-Sekte, soll als Erster unter Ayahuasca-Einfluss die wichtigsten Hymnen »empfangen« haben. Es heißt, er wurde vom Heiligen Geist zum Singen aufgefordert. Da er aber nach eigener Einschätzung nicht singen konnte, sträubte er sich zunächst gegen das göttliche Gebot. Doch schließlich war er begeistert: »Ich singe hier auf der Erde von der Liebe, die Gott mir gibt. Für immer, für immer, für immer«, soll Mestre Irineu gesagt haben (FISCHER-FACKELMANN 1996: 250). Er brachte die religiösen Lieder, die bis heute zur Liturgie der *daimistas* gehören, in den Kult. Diese *himnos* sind einfache folkloristische Lieder, begleitet von Gitarre, Harmonika und Akkordeon oder Ziehharmonika.

Die portugiesischen Texte sind christlich-religiös und unterscheiden sich kaum von der katholischen Folklore in Südamerika.[92] Allerdings wird in den *himnos* auch die Natur mit einbezogen, wie in einem Lied von Padrinho Alfredo (zitiert in MEYERRATKEN und SALEM 1998: 173):

»Ich bin verbunden mit der Natur,
die sich mir offenbart.
Das, was sie mir mitteilt,
ist das Beste, was es gibt:
zu lieben und Gutes zu wollen.

Ich werde befolgen
mit Freude und Liebe,
was immer Gott will,
hier auf der Erde
oder wo sonst.«

---

92 Der brasilianische Musikstar Zizi Possi singt ein Lied, das auf einer Melodie von Heitor Villa-Lobos basiert (STING 2003: 48). Als Musik bei Santo Daime benutzt!

Ayahuasca als Inspirationsquelle

Es gibt einen großen Unterschied zwischen der Musik, die während der Ayahuasca-Rituale gespielt wird, und derjenigen, die von einer Ayahuasca-Erfahrung inspiriert wurde. Die dadurch inspirierte Musik ist meist nicht für Rituale geeignet, wohl aber zur Erinnerung daran und beim passiven Hörgenuss zur Kontemplation brauchbar.

Die Weisheit eines Volkes manifestiert sich in dessen Sprache. Inspiration heißt auf Deutsch »Eingebung«. Man könnte dafür auch das schöne Wort »Begeisterung« verwenden. Begeisterung ist ein Zustand, in dem die Geister unser Bewusstsein strukturieren, uns Ideen und Gedanken eingeben und zu Architekten unseres Bewusstseins werden. Das Wort geht auf die Wirkung des göttlichen Mets des germanischen Schamanengottes Wotan/Odin zurück: Wer von diesem Met der Begeisterung trank, wurde zu Dichtung und Gesang inspiriert.

Musiker und/oder Komponisten hatten fast immer und in den meisten Kulturen ihre »psychoaktiven Musen«, psychotrope Substanzen, die sie inspirierten oder begeisterten. So schrieb der französische Komponist Hector Berlioz (1803–1869) seine *Symphonie fantastique* (1829/30) unter Opiumeinfluss, Richard Strauss (1864–1949) liebte Kokain. Indische Raga-Meister rauchen Haschisch. Aztekische Schamanen aßen Zauberpilze usw. ...

Der französische Komponist Olivier Messiaen (1908–1992) war vielleicht der erste Europäer, der sich von der Dschungelsymphonie und von Ayahuasca inspirieren ließ.

> »Messiaen glaubte, dass die Vögel die größten Komponisten sind, größer
> als die Menschen. Denn sie haben alles erfunden, die Tonarten, die Modi, den
> gregorianischen Gesang, die Vierteltöne und das Leitmotiv. Jeder von ihnen
> hat seine eigene Klangfarbe und sein eigenes Thema. Das alles hat schon
> lange existiert. Wir müssen nur bemerken, wir müssen es hören.« (METZ-
> MACHER 2005: 71)

Messiaen – berühmt für seine monumentale *Turangalila-Symphonie* (1949; das Wort bedeutet »Zeit-Spiel«) sowie sein *Quatuor pour la fin du temps* (»Quartett auf das Ende der Zeit«, 1941) – betrachtete sich selbst als Ornithologe und war ein tiefgläubiger Katholik und Bürgerschreck. Er konnte über 600 verschiedene Vogelstimmen identifizieren! In den meisten seiner Kompositionen (z.B. *Réveil des oiseaux, Catalogue d'oiseaux*) spielen die Vogelstimmen eine zentrale Rolle.

> »Olivier Messiaen zum Beispiel erzählte im Jahr 1960 im Institut für Musik-
> wissenschaft an der Sorbonne, wie er sich in Südamerika für eine seltsame
> Erfahrung zur Verfügung gestellt hatte: Er ließ sich eine bestimmte Droge

verabreichen, die aus verschiedenen Kräutern zusammengestellt war. Während mehrerer Stunden war seine Sehkraft getrübt, der Sehsinn und Gehörsinn waren vermischt. Er ›sah‹ die Töne und ›hörte‹ die Farben.« (COTTE 1992: 22) In Messiaens Komposition *Chronochromie für großes Orchester* »Farbe der Zeit« (1960; Uraufführung im SWR am 16. Oktober 1960) sind diese Erfahrungen sowie Vogelstimmen und Geräusche von Wasserfällen verarbeitet (RENNER 1965: 621). *Chronochromie* ist ein historisches Werk moderner Musik, vergleichbar mit Stockhausens *Kontakten* oder Ligetis *Atmosphères*. Messiaens Kompositionen für großes Orchester mit zahlreichen Perkussionsinstrumenten beunruhigen und wühlen auf – wie der eklige Trank selbst. Für manche Zuhörer sind sie kaum als Musik erkennbar, eher als Wucht erschreckender Klänge.

Auch der brasilianische Komponist Heitor Villa-Lobos (1887–1959) ließ sich von den Geräuschen der Natur inspirieren. Deutlich erklingt die Dschungelsymphonie des Amazonas in seiner Komposition gleichen Namens: *Amazonas* (für Sopran und Orchester). In Südamerika ist es ein populäres Werk, das sogar von so manchen kolumbianischen *ayahuasqueros* geschätzt wird. Hat es für sie eine Art »Wiedererkennungswert«? Villa-Lobos sah in seinem musikalischen Werk »das Produkt eines gewaltigen, heißblütigen und fruchtbaren Landes«. Ob er mit Ayahuasca vertraut war, ist unbekannt, obgleich es denkbar wäre, dass der emsige Folklore-Sammler amazonische Schamanengesänge, *icaros, himnos* oder die Santo-Daime-Lieder gehört und kompositorisch verarbeitet hat.

Rocking Ayahuasca

Dass Rockmusik mit dem Gebrauch psychoaktiver Drogen innig verbunden ist, hat die Welt spätestens verstanden, als der englische New Waver Ian Dury seinen Hit »Sex & Drugs & Rock 'n' Roll« (1978) herausbrachte. Immer wieder haben sich Rockmusiker von bewusstseinsverändernden Substanzen inspirieren lassen (RÄTSCH 1986). Ende der 1960er- und Anfang der 1970er-Jahre waren dies vor allem LSD, Zauberpilze und Marihuana, aber auch Kokain, Opium, Heroin und Amphetamine spielten eine Rolle. Später kamen eher elusive, also schwer fassbare Substanzen hinzu: PCP, Ketamin, Nachtschattengewächse, MDMA.

Natürlich wurde mit der Popularisierung von Ayahuasca auch das Dschungelgebräu in die musikalische Psychopharmakopöe aufgenommen. Viele berühmte Rock- und Popmusiker haben inzwischen Erfahrungen mit Ayahuasca gemacht, und manche, wie Sting, bekundeten dies sogar öffentlich.

Besonders eindrückliche Zeugnisse dafür finden sich in Kolumbien, wo Ayahuasca zum akzeptierten traditionellen Heilschatz gehört. Zur musikalischen Bandbreite gehören neben Salsa, Venenato, Vendetto auch auch Heavy Metal (z.b. La Pestilecia), Rock und Pop (z.b. Shakira). So ist von der im kommerziellen Radio viel gespielten Rockband Aterciopelados[93] bekannt, dass sie mit dem berühmten Maler Antonio Jacanamijoy und mit anderen *taitas* Yagé getrunken hat. Ihre im Jahre 2000 erschienene CD *Gozo Poderoso* thematisiert ihre Ayahuasca-Erfahrungen.

Der sehr charakteristische Singstil der Kofán-*ayahuasqueros*, eine Art gutturales Gebell oder glottales Gegrunze in einem stark akzentuierten Rhythmus, wird von dem Growler (»Gröler«) der kolumbianischen Metal-Band Melting Flesh in ihrem Song »Human Destruction« musikethnologisch recht korrekt und erstaunlich stimmig nachgeahmt.

Stings »Message In A Bottle«

Der unter seinem Künstlernamen STING bekannte Engländer Gordon Matthew Sumner (geb. 1951)[94] gehört heute zu den internationalen Größen in Rock und Pop. Dieser Weltstar mit Geist, Herz und Intelligenz wurde durch die Punk-Band The Police bekannt, ein Trio, in dem er – flankiert von Andy Summers (Gitarre) und Stuart Copeland (Schlagzeug) – Bass spielte und sang. Die Band, ursprünglich Teil eines Projektes des Münchner Dirigenten und Komponisten Eberhard Schöner, wurde auf einen Schlag berühmt mit ihrem Album *Reggatta de Blanc* (A&M Records 1979) und dem Hit »Message In A Bottle«, einem Titel, der heute wie eine präkognitive Prophezeiung für Stings spätere Ayahuasca-Erfahrung wirkt. Nach dem Ende von The Police begab sich der Songwriter, Sänger und Bassist auf gleichermaßen erfolgreiche Solopfade.

Sting engagiert sich stark für Amnesty International und die Erhaltung der indianischen Kulturen des brasilianischen Regenwaldes. In seiner auch auf Deutsch erschienen Autobiografie *Broken Music* (2003) berichtet er von seiner Ayahuasca-Erfahrung, die er im Rahmen einer Santo-Daime-Zeremonie an einem Winterabend 1987 in Rio de Janeiro erlebte.[95] Dabei hatte die Musik auf den Vollblutmusiker eine besonders starke Wirkung:

---

93 Die Band wurde vor allem berühmt, weil sie 1999 für einen Grammy *(Caribe Atomico)* nominiert wurde (den sie aber nicht gewann). Auf ihrer Website werden Künstler, Ethnologen und Forscher auf dem Gebiet des Gebrauchs von Entheogenen, wie Donna und Manolo Torres, Stacy Schaefer, Luis Eduardo Luna und Pablo Amaringo genannt. www.aterciopelados.com
94 www.sting.com
95 Sting gab ausführlich über seine Ayahuasca-Erfahrungen in einem Interview der Zeitschrift *Rolling Stone* Auskunft und machte damit den »Zaubertrank« in der Rockszene bekannt (vgl. DUNN 1998).

»Ich höre die wunderbare, überirdische Stimme des *mestre* aus Manaus; sie schwebt in der feuchten Luft und erfüllt den Raum mit dem süßen Duft einer Melodie. Ich schließe die Augen, um den köstlichen Balsam dieses Liedes besser zu schmecken, und tauche ein in eine gewaltige Kathedrale aus Licht« (STING 2003: 17). Sting beschreibt geradezu klassisch die Synästhesie des visionären Bewusstseinszustandes mit überwältigenden visuellen Effekten bei geschlossenen Augen:

»Das Lied verwandelt sich in Licht und Farben, die fantastische Architektur von Dante und Blake. (...) Sobald ich die Augen schließe, gelange ich in diese andere Welt, eine Welt so real wie jede andere, wo Töne zu Licht werden und Licht zu Farbe und Farbe zu geometrischen Formen, wo geometrische Formen Erinnerungen wecken, Geschichten und Gefühle nicht nur aus meinem eigenen Leben, sondern, so seltsam das ist, auch aus dem Leben anderer Menschen.« (STING 2003: 18)

Kurz danach, 1987, gibt Sting sein bis dato größtes Konzert in Südamerika, in Rio de Janeiro. Ob und inwieweit die Ayahuasca-Erfahrungen in Stings Musik oder Texte einflossen, ist nicht bekannt. Parallel zur Niederschrift seiner Autobiografie entstand das Album *Sacred Love* (A&M Records, 2003), sozusagen die Musik zum Buch. In dem Song »Send Your Love« singt er wie von Ayahuasca inspiriert:

»There's no religion but sex and music
There's no religion but sound and dancing
There's no religion but line and color
There's no religion but sacred trance.«[96]

Trance-Amazonien

Technomusik soll nicht nur zum Tanzen animieren, sie soll direkt auf das Nervensystem, auf die Neurotransmission einwirken und zu veränderten Bewusstseinszuständen führen:

»Technomusik ist vor allem geeignet, im Tanz Trancezustände und Ekstase hervorzurufen, doch ist Technomusik weit mehr als gewöhnliche Tanzmusik. (...) Techno ist eine Art multimedialer Kunst, wie etwa die Oper, nur mit dem gewichtigen Unterschied, dass die Zuhörer und Zuschauer das Kunstwerk nicht nur betrachten, sondern integrierter Bestandteil desselben sind. (...) Der Plattenteller als Gebetsmühle, die Discothek als Tempel, der DJ als Zeremonienmeister – das ist die neue Realität einer lebensbejahenden und

---

96 »Es gibt keine Religion außer Sex und Musik, es gibt keine Religion außer Klang und Tanz, es gibt keine Religion außer Linien und Farben, es gibt keine Religion außer heiliger Trance.«

dynamischen Jugend im letzten Jahrzehnt dieses Jahrtausends.« (COUSTO 1995: 41, 42)

Techno ist die konsequente Transmutation der archaischen Schamanenmusik in das technologische Informationszeitalter. Ich behaupte: Techno ist die moderne Version der Schamanentrommel (vgl. RÄTSCH 2001b). So sieht es auch Colin Angus von der britischen Techno-Pop-Formation The Shamen (»Die Schamänner«): Er hält die Rhythmen von 80 bis 140 Beats pro Minute für tranceerzeugend.[97] Auf dem Album *Boss Drum* wird deshalb auch mächtig die elektronische Technotrommel zum Pulsieren gebracht. Spiritualität und Schamanismus sind Themen in der Technokultur und ihrer Musik. Es ist sicher kein Zufall, dass eine der kommerziell erfolgreichsten Techno-CDs ein Produkt ist, bei dem schamanische Gesänge eingesampelt wurden: *Sacred Spirit – Chants and Dances of the Native Americans* (Virgin Records 1994). Ein vergleichbares Produkt trägt den programmatischen Namen *Ambient Amazon* (TUMI TMD CD1, 1995): Dancefloor Ambient mit amazonischen Waorani-Indianer-Gesängen gemixt. Auf den Techno-Covers erscheinen zunehmend computergenerierte Bilder von schamanischen Themen oder Visionen: digitale Mandalas und Tunnel, digital-fraktal erzeugte Weltenbäume, Schamanentrommeln usw. Entsprechende CDs beziehen sich im Titel auf die Welt der Schamanen und integrieren Passagen aus Vorträgen von Protagonisten dieses Forschungsgebietes – oft und gern Zitate der verstorbenen Psychonauten Timothy Leary oder Terence McKenna, wie es etwa die Band The Shamans tut.

Bodh Gaya: *Ayahuasca* (High Society 1998)[98]

Unser Album *Ayahuasca – The Trip to the Fountain of Culture* folgt der Struktur des Ayahuasca-Rituals, wie es bis heute im peruanischen Regenwald von den Schamanen der Shipibo-Indianer durchgeführt wird. Die drei Phasen des Rituals werden musikalisch nachgezeichnet: 1. Die Reise in die visionäre Welt, 2. die Katharsis (Reinigung) und 3. die Rückkehr in die sichtbare Welt. Die psychedelische Reise beginnt abends oder nachts in der Dunkelheit. Spätestens im Morgengrauen ist die Wirkung abgeklungen; der neue Tag begrüßt die reich beschenkten Reisenden.

---

97 Persönliche Mitteilung vom Januar 1996.
98 Limitierte Auflage von 1000 Exemplaren, teilweise zusammen mit dem gleichnamigen Buch im Pack angeboten (ADELAARS et al. 1998).

Ayahuasca-Visionen in der Gegenwartskunst

Nach unserem vierwöchigen Studienaufenthalt in Kolumbien saßen wir drei Autoren, erschöpft von den peinlichen Zollkontrollen in Bogotá, im Flugzeug nach Paris. Als wir uns dem Display im winzigen Bildschirm des Vordersitzes zuwandten, um einen Film auszuwählen, entdeckten wir freudig erregt die Option *Blueberry* von Jan Kounen[99]. Wir hatten den Regisseur bei unserer *Psychoactivity*-Konferenz in Amsterdam kennen gelernt, und er hatte uns von seinem Plan erzählt, einen Hollywoodfilm über Ayahuasca zu drehen. Nun konnten wir es kaum fassen, vertraute Visionen, die uns die letzten Wochen so sehr beschäftigt hatten, auf dem winzigen Bildschirm zu erblicken – und den uns wohlbekannten Shipibo-Schamanen Quetsembétsa mit seiner Mutter.

Dschungelkino

Ich musste an meine Konversation mit einem kolumbianischen Ingenieur im Flieger von Pasto nach Bogotá denken – an die verblüffende Selbstverständlichkeit, mit der er mir von seinen Erfahrungen mit dem bitteren Trank erzählt hatte. Mir kamen Gesprächsfetzen über die Teilnahme an Ayahuasca-Ritualen in den Sinn, die ich in Bussen und in einem Thermalbad aufgeschnappt hatte. Offensichtlich wurde die »Liane der Seelen« in Kolumbien allgemein als legitimes Heilmittel betrachtet und keineswegs als »Droge«, über die man sich nur hinter vorgehaltener Hand unterhielt. Selbst der Presse war die Dschungelmedizin im Land der Drogenkartelle keine reißerischen Schlagzeilen wert. Und nun zeigte die Air France sogar einen Film, den sein Regisseur dieser visionären Medizin gewidmet hatte.

> »Ich wollte eine Geschichte erzählen, die im Verborgenen geblieben war:
> die Erfahrungen Mike Blueberrys kombiniert mit der Welt der Schamanen.«
> Jan Kounen (in: CHARLIER und GIRAUD 2004: 11)

In Kolumbien oder Peru hätte sich *Blueberry* sicherlich eines interessierten und kenntnisreichen Publikums erfreut – nicht aber in Europa. Zum Kinostart zurück in den Niederlanden und Deutschland genossen wir die atemberaubend überzeugende Umsetzung visionärer Bilder auf großer Leinwand – gerade noch rechtzeitig, wie sich herausstellte, denn der Film lief gerade mal zwei Wochen in den Kinos und ging dank der dürftigen Medienreklame und vernichtender Kritiken unter.

99 Der französische Originaltitel des im Frühjahr 2004 erstmals ausgestrahlten Films lautet: *Muraya, l'experience secrète de Blueberry*. *Muraya* ist das Shipibo-Wort für den Meisterschamanen, den Meister der Ayahuasca.

Computer-
animation mit
Schlangenmotiv
aus dem Film
Blueberry.
(Foto: Jan
Kounen. Prospekt
zu seinem
Dokumentarfilm
Other Worlds.
A Journey into the
heart of Shipibo
Shamanism. Ajoz
Films/Tawak
Pictures)

Schade, denn Kounens Umsetzung der beliebten »Blueberry«-Comics von
Jean Giraud hätte Insider sicherlich bereichert. Doch leider begriffen Gernot
Gricksch und Co. in ihren Filmankündigungen rein gar nichts:

> »Anders als die eher realistischen Bildergeschichten verwandelt sich dieser
> Vergeltungsfeldzug bei Kounen jedoch in eine esoterische Bilderflut, in der
> indianische Schamanen diverse Geister beschwören und Blueberry unter dem
> Einfluss halluzinogener Pilze nicht nur den bösen Buben Blount, sondern
> auch die Dämonen in der eigenen Psyche jagt. Immer wieder gibt's minuten-
> lange Szenen, in der die immer gleichen, am Computer designten Geister-
> schlangen und seltsamen Hightech-Grafikgebilde um Blueberrys dröhnenden
> Schädel schwirren. Ein greller, selbstverliebter Bildertanz, sonst nichts.«
> (*Cinema* 07/2004: 85)

Dabei hätte sich der Kritiker im selben Filmmagazin aus den Interviews mit
dem Regisseur Jan Kounen und dem Hauptdarsteller Vincent Cassel relevan-
te Informationen beschaffen können: etwa dass Cassel aus Blueberry einen
Antihelden hatte machen wollen, der »sich am Ende quasi selbst gegenüber
steht«. Dass er dem Regisseur die Lektüre der Bücher des Ethnologen Carlos
Castaneda empfohlen und ihn dazu inspiriert hatte, »in der für unsere Kultur
fremden Art die Realität zu deuten«, cineastisches Potenzial zu entdecken
und infolgedessen nach Peru zu reisen, um dort unter den Shipibo-Conibo

Darsteller für die Schamanen seines Films zu finden. Vielleicht hätte Gricksch dann erkannt, dass er mit dem Hinweis auf die Pilze den Drehort Mexiko mit der peruanischen Inspirationsquelle verwechselte ... Immerhin wussten Cassel und Kounen, worum es ging, und antworteten auf die Frage, ob die computeranimierten Visionen des Filmes realistisch seien:

Cassel: »Ob Sie es glauben oder nicht: Was Sie im Film sehen, ist keine Science-Fiction! Es ist, als ob du bei völligem Bewusstsein in einem Traum oder Albtraum feststeckst. Vereinfacht gesagt durchlebst du dein Unterbewusstsein.«

Kounen: »Es handelt sich um keinen psychedelischen Trip, sondern um eine metaphysische Reise ins Innere. Plötzlich visualisieren sich vor dir persönliche Emotionen, aber auch deine eigene Körperlichkeit. Ich habe das Blut durch meine Adern pulsieren sehen, andere sehen ihre Organe oder ihr Gehirn. Die Bilder gleichen sich aber. Nach einer Vorführung in Amsterdam kam ein Zuschauer zu mir und sagte, dass sich die Bilder mit seinen Visionen während einer Zeremonie decken. Offenbar leiten einen die Schamanen auf eine andere Realitätsebene, die der Psychoanalytiker Carl Gustav Jung das kollektive Unbewusste genannt hat. (...) Der Unterschied zur Psychoanalyse ist, dass du deine Erinnerung nicht bloß reaktivierst – du *bist* deine Erinnerung.« (*Cinema* 07/2004: 59f.)

Mike Blueberry betrat als Comic-Charakter am 31. Oktober 1963 im französischen Magazin *Pilote* das Licht der Comicszene und erlebte in 40 Bänden – getextet von Jean-Michel Charlier (1924–1989) und gezeichnet von Jean Giraud (geb. 1938) seine Abenteuer im Wilden Westen. Der Film von Jan Kounen basiert vage auf den zwei Bänden *Die vergessene Goldmine* und *Das Gespenst mit den goldenen Kugeln*.[100]
Girauds Ausflüge ins »Land der Seele« hatten einen gravierenden Einfluss auf sein Schaffen. Dazu Vincent Cassel (in: *Cinema* 07/2004: 59):

»Giraud hatte witzigerweise selbst Ende der 60er bei mexikanischen Schamanen magische Pilze probiert und nach diesen psychedelischen Erfahrungen begonnen, unter dem Pseudonym Moebius realitätsentrückte Fantasy-Comics zu zeichnen. Als er den fertigen Film gesehen hat, dankte er uns dafür, dass wir seine beiden Identitäten endlich wiedervereint hätten.«

---

100 Der Zweierzyklus *Die vergessene Goldmine* (*La mine de l'allemand perdu*, 1972, Dargaud) und *Das Gespenst mit den goldenen Kugeln* (*Le spectre aux balles d'or*, 1972, Dargaud) ist auch bekannt unter dem Titel *Superstition Mountains* (*Les Monts de la Superstition*). Man mag dabei an die Comicserie des Schweizer Zeichners Derib *Der Weg des Schamanen* (3 Bde, 1982–1983) denken, der die Lebensgeschichte eines Medizinmannes der Prärieindianer erzählt; ebenfalls eine Art mystischer Western, der stilistisch durchaus an *Blueberry* erinnert.

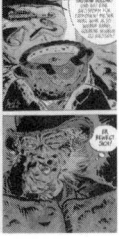

Unterirdischer Ritualraum, inspiriert
von der kira der Pueblo-Indianer aus dem
Südwesten der USA, der im Film eine
wichtige Rolle spielt. (Charlier/Giraud:
*Blueberry: Das Gespenst mit den goldenen
Kugeln*, 1972: 105)

Der Kampf des Schamanen mit
gefährlichen Geistern taucht auch im
Comic mit dem Titel *Chamán* auf.

Kounens Film ist keine filmisch-realistische Umsetzung der Comic-Hand-
lung. Sie diente ihm lediglich als Inspiration für Sujet, Kameraführung und
Szenario[101] und als Ausgangspunkt für die überraschende Konfrontation seines Helden Blueberry mit den Dämonen seiner eigenen Psyche, die sich in
beängstigenden Schlangenvisionen manifestieren.
»In der Kunst der klassischen Zeit werden Visionen stets als Schlangen dargestellt; die Vorfahren und Götter, die mittels der Visionen gesprochen und
gehört werden, kommen aus deren weit geöffneten Rachen hervor. Die Einnahme von Drogen war daher ein fester Bestandteil des Rituals, dessen sich
schamanistische Heiler wie auch die gottgleichen Könige bedienten, um Rat
und Beistand bei Göttern und Ahnen zu holen.« (GRUBE 2000: 295)
Kounens ungewöhnlicher Film thematisiert die Gier der Kolonisatoren der
Neuen Welt nach Reichtümern, die zum Scheitern verurteilt ist, weil diese
nicht auf materieller, sondern auf spiritueller Ebene zu finden sind. Und er
verwirrt simple Gemüter, indem er das gängige abendländische Schwarz-
weißschema von Held und Feind durchbricht und die zentrale Einsicht der
Ayahuasca-Erfahrung dokumentiert: Wir ignorieren nur allzu gern unsere

---

101 Szenisches Material, Charaktere usw., die in den Film eingeflossen sind, stammen vor allem aus
den Alben *Chihuahua Pearl* (Bd. 13), *Gebrochene Nase* (Bd. 21), *Der lange Marsch* (Bd. 22) und *Der
Geisterstamm* (Bd. 23).

dunklen Flecken und die eigene Beteiligung am Geschehen und stellen stattdessen in blindwütiger Rache nach außen projizierten Feindbildern nach. Kounens Kommentar:

>Ich habe Giraud aufgesucht, um ihm mitzuteilen, dass ich den *Blueberry*-Film drehen wollte, dass ich eine Geschichte erzählen wollte, die bis dahin im Verborgenen geblieben war: Die Erfahrung Mikes mit der Welt der Schamanen. (...) Es handelt sich jetzt jedoch eher um eine initiierte Suche als um eine wirkliche Schatzjagd, vor allem aber um eine Begegnung mit dem Mysterium.«

Das wahre Gold, der »echte Schatz« ist Ayahuasca!

Den Geist der Ayahuasca thematisierte auch die französische Abenteuerkomödie *Jaguar* (Frankreich 1996, Buch und Regie: Francis Veber), in der ein berühmter Schamane vom Amazonas auf seiner Europatournee nach seiner verlorenen Seele sucht. Zur Bewältigung dieser Aufgabe und der damit verbundenen unfreiwilligen Reise in den Amazonas wählt er einen (von dem französischen Schauspieler Jean Reno verkörperten) relativ naiven Anthropologen mit einer heimlichen Prise Yopo im Kaffee aus. Allen Kinoklischees zum Trotz ist dies eine interessante Auseinandersetzung mit dem Thema der kulturellen Verständigung.

La Pinta in der Malerei Südamerikas

Ayahuasca- und DMT-Visionen manifestieren sich seit jeher auf bildnerische Weise und inspirierten nicht nur Filmemacher und Comiczeichner, sondern

Aus dem Rachen eines Jaguars ergießt sich die »bittere Brühe« (Gemälde von © Augusto Salazar, Sammlung William Torres).

auch zahlreiche Maler: akademisch Ausgebildete wie Yando Rios aus Peru oder Carlos Jacanamijoy vom Stamm der Inga aus dem Sibundoy-Tal in Kolumbien sowie Autodidakten wie den Kamsá-Indianer Juan Bautista Agrado oder den in Pucallpa, Peru, lebenden Maler Pablo Amaringo, der durch die Publikation von Luis Eduardo Luna internationale Berühmtheit erlangte.

Pablo Amaringo

Der 1943 in einer kleinen Siedlung an einem Ucayali-Zufluss geborene Mestize war von 1970 bis 1976 als *vegetalista* im peruanischen Amazonasgebiet tätig. Schon viele seiner Vorfahren waren Heiler, und auch drei seiner Brüder wurden *vegetalistas*. Aufgrund einer beängstigenden Ayahuasca-Erfahrung, in welcher er sein Leben durch konkurrierende Heiler bedroht sah, gab er 1977 seine heilerische Tätigkeit mit Ayahuasca auf.

Seine bestechend komplexen Umsetzungen von Ayahuasca-Visionen entstanden erst viele Jahre später, ab 1985, als er dem kolumbianischen Ethnologen Luis Eduardo Luna begegnete und ihm seine Landschaftsbilder zeigte. Der nuancierte Gebrauch der Farben sei ihm in einer Ayahuasca-Vision vermittelt worden. Luna erklärt dazu:»Ich fragte, ob er seine Ayahuasca-Visionen ebenso klar und deutlich erinnern könne wie die Landschaften. Als er dies bejahte, bat ich ihn, einige seiner Visionen zu malen« (LUNA und AMARINGO 1991: 17). Nur wenige Tage später überreichte er dem Ethnologen die ersten Ergebnisse. Sie speisen sich folglich nicht aus unmittelbarer Erfahrung, sondern aus dem Widerhall von (teilweise konkret datierten) Erinnerungen, die

Die Schule von Pablo Amaringo in Pucallpa, Peru.

Pablo Amaringo mit Vorskizzen von Bildern für eine Ausstellung in der October Gallery, London.

ikonografisch durch den synkretistischen Kontext der urbanen wie auch ländlichen peruanischen Mestizo-Kultur geprägt wurden. In Amaringos Bildern kommen Engel und katholische Heilige oder buddhistische Bodhisattvas ebenso vor wie die allgegenwärtigen Schlangen und indianischen Pflanzen- und Tiergeister. Trotz des durch zahlreiche Ausstellungen im In- und Ausland bezeugten internationalen Erfolges seiner wesentlich durch Ayahuasca geprägten Kunst nimmt er heute zu dieser zentralen Inspirationsquelle eine distanzierte und sogar moralisch abwertende Haltung ein. Amaringo betreibt inzwischen mit Hilfe von künstlerisch begabten einheimischen Lehrern in Pucallpa eine Schule, die Kindern und Jugendlichen neben Maltechniken auch ein Verständnis für die Natur vermittelt, von der sie umgeben sind.

Seine bildliche Umsetzung von Visionen beeinflusst indes noch immer nachhaltig das Werk vieler südamerikanischer Künstler – weit über die Grenzen von Peru hinaus.

Yando Rios

In seinen Federzeichnungen setzt der akademisch ausgebildete Künstler, der mit seiner Frau – der Ethnologin Marlene Dobkin de Rios – bei Los Angeles lebt, wesentliche Aspekte seiner unter Ayahuasca gewonnenen Eindrücke um: z.B. die Erfahrung, mit einsetzender Wirkung von Schlangen verschlungen zu werden oder auch die überwältigende Vision der allumfassenden Belebtheit der Natur, die in einer bildfüllenden Detailvielfalt zum Ausdruck kommt.

© Yando Rios, *Healing Session*, Federzeichnung, 1977.

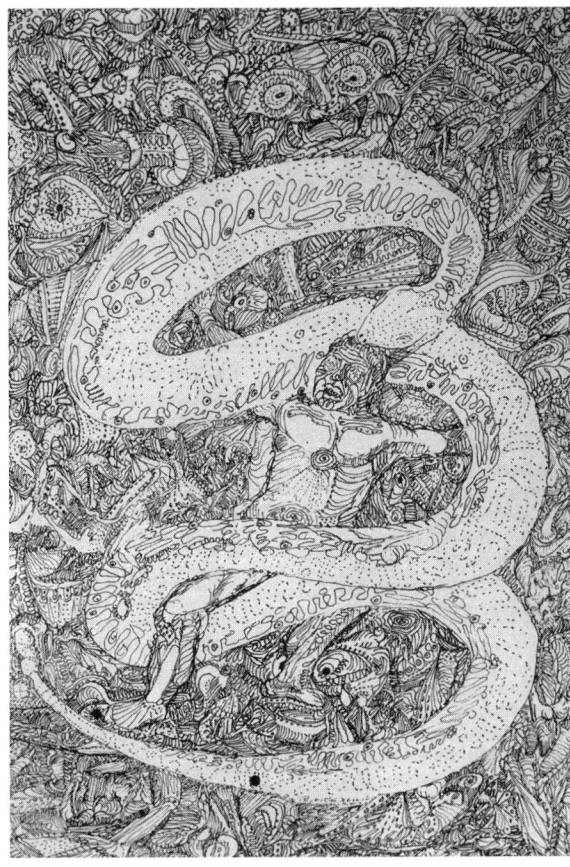

© Yando Rios,
Ayahuasca-Vision,
Federzeichnung,
1970.

Leider ist aufgrund des Fehlens einer populären Publikation seines Gesamt-werkes sein künstlerisches Schaffen nur einem kleinen Kreis bekannt.

Carlos Jacanamijoy
Carlos Jacanamijoy, 1964 im Sibundoy-Tal geboren, ist der Sohn von Taita Antonio, einem aufgrund seines umfangreichen Heilpflanzenwissens allge-mein geschätzten *curaca* der Inga. 1982 ging Jacanamijoy nach Bogotá zum Studium der Kunst an der Nationalen Universität von Kolumbien. Er zählt zu den bekanntesten kolumbianischen Künstlern der Gegenwart, genießt internationale Anerkennung und war mit großen Ausstellungen unter ande-rem in den USA vertreten.
Jacanamijoys Kunst beweist, dass inneren Reisen verpflichtete Motive und Bilder keiner illustrativ-gegenständlichen Umsetzung bedürfen. Sein Werk

ist deutlich vom Erlebnis des heimischen Dschungels und der mythischen Welt der Pflanzen- und Tiergeister geprägt, und in seinen farbenprächtigen abstrakten Gemälden scheinen Ayahuasca-Erfahrungen seiner Vorfahren durch. In vielen Gemälden fallen gelbgrün umrandete, dunkelblaue oder schwarze Dreiecke mit rot glühenden Punkten auf, die wie Schlangenköpfe von allen Seiten der Bildmitte zustreben. »In seiner Kunst wie generell in der Inga-Kultur ist die Natur eine Quelle der Inspiration, die dem Künstler und dem unvoreingenommenen Betrachter einen Blick in innere Welten erlaubt und Dimensionen öffnet, die Unterscheidungen zwischen Fantasie und Realität und Visionen von Erfahrungen schwierig macht« (VILLEGAS 2003: 11). Für das Booklet der im Jahre 2000 erschienene CD *Gozo Poderoso* der populären kolumbianischen Rockgruppe Aterciopelados, auf der sein Vater Mundharmonika spielt, steuerte er ein Bild bei.

Ob in Südamerika oder Europa – überall, wo man die »Liane der Seelen« aus eigenem innerem Erleben kannte, wurde ich auf Zeugnisse bildnerisch tätiger Menschen aufmerksam gemacht. Als wir in Kolumbien mit William Torres seinem Lehrer, dem berühmten *ayahuasquero* und Schamanen Taita Martín, im Sibundoy-Tal einen Besuch abstatteten, standen wir in seinem bescheidenen Ritualraum zugleich einer Galerie von Kunstwerken seines Sohnes Juan Bautista Agreda gegenüber. In seinen bildlichen Umsetzungen

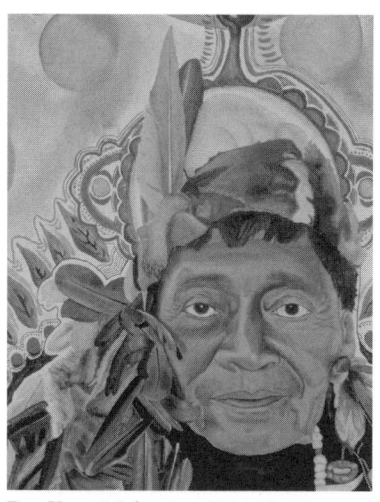

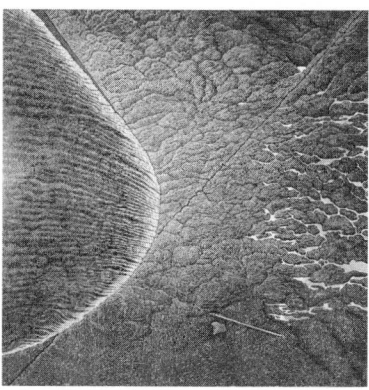

Der Kamsá-Schamane Taita Martín (Porträt seines Sohnes, © Juan Bautista, Agreda, Kamsá, Sibundoy, Kolumbien). (Foto: C. Müller-Ebeling)

Mati Klarwein, *Landebahn*, Öl und Tempera auf Leinwand, 120 x 120 cm, 1983, Privatsammlung Paris. (© Klarwein Family Trust, KLARWEIN 1995)

1

4

2

5

3

6

1 Die Ayahuasca-Liane (*Banisteriopsis caapi*).

2 *Chaliponga (Diplopterys cabrerana)*, auf 2000 Meter Höhe angebaut (Chachagui, Nariño, Kolumbien, 4/2004).

3 An den roten Früchten der *Chakruna blanca (Psychotria viridis)* kann man die botanische Verwandtschaft mit anderen Gewächsen aus der Familie der Rubiaceae (Rötegewächse), z.B. dem Kaffeestrauch, erkennen.

4 *Chagropanga (Diplopterys cabrerana)*, die wichtigste DMT-haltige Pflanze für die Ayahuasca-Zubereitung. (Foto: A. Adelaars)

5 Auch die *curuba* oder *poro-poro (Passiflora mixta* L.) wird manchmal Ayahuasca zugesetzt (Chachagui, Nariño, Kolumbien, 4/2004).

6 Der Amerikanische Basilikum oder *albahaca (Ocimum americanum)* wird der Ayahuasca wegen seiner medizinischen und belebenden Wirkung zugefügt.

9

7

10

8

7 Der Quastenstrauch *(Calliandra* sp.) aus der Bohnenfamilie mit psychedelischer Blüte. Sie gehört zu den Ayahuasca-Zusätzen, deren Gestalt schon an die Visionen erinnert.

8 Der Zweig der Dschungel-Coca Ipadu.

9 Aus der Blutfarbenen Engelstrompete *(Brugmansia sanguinea)* wird das berüchtigte *burundanga* gewonnen (La Calera, Kolumbien, 4/2004). *Burundanga* ist ein afrokubanisches Wort, das *brebaje ilícito,* »verbotenes Gesöff«, bedeutet. Dieses Betäubungsmittel ist eine ethnobotanische Keule, mit der ein ausgewähltes Opfer gezielt ausgeknockt wird. *Burundanga* wird in Kolumbien und Venezuela von kriminellen Elementen als K.O.-Tropfen missbraucht.

10 *Rojo borrachero,* »roter Trunkenmacher« *(Iresine* sp., Amaranthaceae), eine Schamanenpflanze (Sibundoy, Putumayo, Kolumbien, 4/2004). Manchmal wird diese Pflanze der Ayahuasca zugesetzt.

11

12

13

11 Ein auf dem Rücken liegender Jaguar
frisst *Banisteriopsis-caapi*-Blätter, um sich
zu berauschen. Dieser Vorgang wurde
2002 erstmals filmisch dokumentiert.
(© John Downer, BBC-1-Filmreihe *Weird
Nature*, Teil 6: *Peculiar Potions*)

12 Yopo, die Samen von *Anadenanthera
peregrina* var. *peregrina* (aus Guayana).

13 Camalonga-Früchte, eine bisher botanisch nicht indentifizierte Art, möglicherweise zur Gattung *strychnis*, gehörig.

14

17

15

18

16

14 Getrocknete *guayusa*-Blätter (Ilex guayusa). Oft wird vor Einnahme der Ayahuasca ein *guayusa*-Tee getrunken.

15 *Mirra*, »Myrrhe« (Rohdroge), ein Harz, das in Lateinamerika *mirra*, span. »Myrrhe«, genannt wird (Markt von Pasto, Nariño, Kolumbien; 4/2004).

16 *Benjui*, »Styrax« (Markt von Pasto, Nariño, Kolumbien, 4/2004). Beim Räuchern von *benjui* entsteht ein leichter Geruch von verkokeltem Plastik.

17 *Copal de Colombia*, »Copal aus Kolumbien« (Markt von Pasto, Nariño, Kolumbien, 4/2004).

18 *Ambar*, »Bernstein«, aus Kolumbien (subfossiles Harz von *Hymenaea* sp.). Manche Bernsteinarten wie der Kolumbianische Bernstein sind gar keine echten fossilen Harze, sondern Copale, die erst ein paar hundert Jahre alt sind.

19

20

21

22

23

19 Gewebte und mit Samen verzierte
Shipibo-Schamanenkrone.

20 Typische, gewebte Glasperlenarm-
bänder mit Zickzack- und Rautenmotiven.
(Foto: C. Müller-Ebeling)

21 Design einer Kogi-Tasche, Sierra
Madre, Kolumbien. Das Muster repräsentiert den Menschen inmitten
der vier Himmelsrichtungen.

22 Polierter Querschnitt einer Ayahuasca-Liane auf dem Hintergrund einer
Shipibo-Stickerei. Das traditionelle Stickmuster erinnert an die geometrische
Abstraktion des Lianenquerschnitts.

23 Blockmuster (ponté quené) der
Shipibo-Conibo.

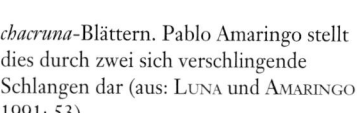

24 Affen im Regenwald (Gemälde von © Joel Bardales, Peru 1998, Sammlung Rätsch/Müller-Ebeling). (Foto: C. Müller-Ebeling)

25 Mandala. Linolschnitt des kolumbianischen Künstlers © Juan Carlos España.

26 Indianer des Amazonas beschreiben die Wirkung der Ayahuasca als Verbindung zwischen dem männlichen Prinzip der Liane und den weiblichen DMT-haltigen

chacruna-Blättern. Pablo Amaringo stellt dies durch zwei sich verschlingende Schlangen dar (aus: LUNA und AMARINGO 1991: 53).

27 Ein in einen Jaguar verwandelter Kamsá-Schamane kämpft mit Geistern der unsichtbaren Welt (Gemälde von © Juan Bautista Agreda, Kamsá, Sibundoy, Kolumbien). (Foto: C. Müller-Ebeling)

28 *Jaguar*, 1999. Ayahuasca-Vision von © Nana Nauwald.

29 Wellenlinien
und Lichtreflexe
prägen Nisvans
Vision von
Kajuyali Tsamani
mit Jaguar und
Ritualkreis
(© Nisvan).

30 Viele berichten,
im Ayahuasca-
Zustand einer
numinosen Macht
begegnet zu sein,
die sie auf sich
selbst zurückfallen
ließ. Hier an-
schaulich von
Nisvan dargestellt
(© Nisvan).

31

33

32

34

35

31 Der Kamsá-Schamane Tàita Martín Agreda in seinem traditionellen Ornat: gewebter Poncho, einer Federkrone sowie Ketten mit Jaguarzähnen und Samenkapseln.

32 Das Innere der Nabi-Nunhue-Maloca am Morgen nach einem Ayahuasca-Ritual (Chachagui, Narino, Kolumbien, 4/2004). (Foto: C. Müller-Ebeling)

33 Der Shipibo-Schamane Quetsembétsa. Vor ihm ein blühender Stechapfel (*Datura metel* f. *pleniflora*). Stechäpfel gehören zu den Ayahuasca-Additiven.

34 Ein typischer Marktstand mit Heilmitteln aus dem Amazonasbecken. (Foto: A. Adelaars)

35 Mischung indianisch-europäischer Provenienz.

von Ayahuasca-Erfahrungen orientiert sich der autodidaktische Künstler deutlich am Vorbild des Peruaners Pablo Amaringo.

Ferner begegneten wir Kunstwerken von Augusto Salazar, Javier Lasso Mejia und Juan Carlos España, der in Pasto Kunst studiert und dort ehrgeizige Environment-Projekte verwirklichte. Ich möchte mich mit diesen Erwähnungen begnügen, obgleich sich die Liste südamerikanischer Künstler, in deren Kunst sich Ayahuasca-Visionen spiegeln, endlos fortsetzen ließe.

La Pinta in der Malerei westlicher Künstler

Auch im Werk renommierter Künstlerinnen und Künstler westlicher Provenienz haben Visionen der Seelenliane ihre Spuren hinterlassen.

Mati Klarwein

Der Kosmopolit und Künstler Mati Klarwein wurde am 10. April 1932 in Hamburg als Sohn des berühmten Architekten Josef Klarwein geboren. Sein Vater, ein polnischer Jude spanischer Herkunft, hatte bei Walter Gropius studiert und mit Fritz Höger am Bau des Hamburger Chilehauses gearbeitet, bevor er 1934 mit seiner Familie vor den Nazis aus Deutschland flüchten musste. So wuchs Mati Klarwein in Israel auf und studierte in den späten 1940er-Jahren bei Fernand Léger in Paris. Nach einem langjährigen Aufenthalt in Frankreich siedelte er in den Siebzigerjahren nach New York über, wo er nicht nur seinem künstlerischen Vorbild Salvador Dalí begegnete, sondern auch mit Heroen der Musikszene wie Jimi Hendrix, Carlos Santana, Miles Davis und Jon Hassel in Berührung kam, die ihn mit Covergestaltungen beauftragten. Mit einem weiteren wegweisenden Musiker seiner Zeit, nämlich Frank Zappa, teilte er nicht nur Todesursache und collageartige Kunstauffassung, sondern auch den gnadenlosen Sarkasmus und Zynismus und die unerbittliche Ablehnung jeder weltanschaulichen, religiös-moralischen und künstlerischen Bevormundung, die auch in Klarweins Bildbeschreibung von *Landing Strip* zum Ausdruck kommt (siehe weiter unten).

Man könnte den kosmopolitischen Künstler aus dem Umkreis des fantastischen Realismus und Surrealismus, der immer wieder betonte, er habe psychedelische Bilder lange vor seinen einschlägigen Erfahrungen gemalt, als Trickster bezeichnen. So werden in der Mythologie schelmische Halbgötter und übernatürliche Wesen bezeichnet, die sich auf keinerlei Moral festlegen lassen und ihre Umgebung trickreich überlisten.

Das quadratische Gemälde stellt einen aus großer Höhe gesehenen grenzenlosen grünen Dschungel dar. Ihn durchzieht eine schnurgerade dunkle Narbe diagonal von links unten nach rechts oben. Von links brandet eine gelb umgrenzte Landzunge an, deren waldige Fracht in parallelen Schwingungslinien

vibriert. Am rechten Bildrand gegenüber wird die monochrom grüne End-
losigkeit durch blaue Zickzacklinien zerfasert, die sich zu Seen weiten und zu
haarfeinen Flussläufen verdünnen. Im Zwickel darüber das Dach ungestörten
Dschungels. Zwei Elemente irritieren den Blick auf den akribisch kartogra-
fierten Regenwald: eine schnurgerade braune Linie im rechten unteren
Bildviertel – der Bildtitel erklärt sie als Landebahn – und darunter eine mit
roten Punkten markierte gerodete Siedlung. Das Bild strahlt zugleich Ruhe und Dynamik aus – oder auch die Ruhe vor
dem Sturm. 1995 veröffentlichte der Maler eine Beschreibung dieses 1983
entstandenen Bildes mit sarkastischen Bemerkungen zu Religionsbetrieb,
Drogenkrieg und Heilslehre der *daimistas*:

> »Ein Kardinal, der heimlich mit mystischen Visionen durch Halluzinogene
> experimentierte, fand Gelegenheit, während eines Aufenthalts im Vatikan den
> Hustensaft des Papstes durch eine Flasche mit Ayahuasca auszutauschen. (...)
> Das löste beim Papst heftige mystische Visionen von Onkel Gott und seiner
> himmlischen Kohorte aus, die ihm unisono immer wieder zuriefen:
> ›Ayahuasca wird den Planeten retten.‹ Diese Vision weckte den Papst und
> überzeugte ihn davon, den Stoff als das wahre Blut Christi auszurufen, was er
> auch tat.« (KLARWEIN 1995 o.P.)

Des Weiteren ist von einer »Tsunamiwelle« kontroverser Presseberichte die
Rede, die die Drogendezernate auf den Plan rufen, welche den Stoff als überaus gefährlich kriminalisieren und seine Anhänger in den Schoß der Kirche
treiben, wie es »in Brasilien in Tausenden legaler ›Daime‹-Kirchen geschehen« sei. Dann erklärt Klarwein den Sinn und Zweck der Landebahn:
»Tausende geheimer Landebahnen wurden hastig in den Dschungel geschlagen, um Millionen von Litern Ayahuasca zur globalen Verteilung auszuflie-
gen«, was die Regierungen veranlasste, den Dschungel systematisch nieder-
zubrennen und alles Leben auszulöschen.
Mati Klarwein sagte von sich, er sei der »bekannteste unbekannte Maler«. In
der Tat wissen die wenigsten, dass das Cover der berühmten Santana-Scheibe
Abraxas ihm zu verdanken ist. Es zeigt die 1962 entstandene Mitteltafel *The
Anunciation* (»Verkündigung«)[102] der östlichen Wand des Aleph Sanctuary
von Klarwein – einem begehbaren Tempel, der die Kunstszene der 1960er-
Jahre ins Loft des Künstlers nach Manhattan lockte.[103]

---

102 Wer sich für die ikonografischen Hintergründe dieses Bildes interessiert, sei auf Erläuterungen
in *Mati Klarwein. Gesammelte Werke 1959–1975*, Mark Erlbach: Raymond Martin 1988: 17, verwiesen.
103 Eine Replik der von 1963 bis 1971 entstandenen Bildtafeln des New Aleph Sanctuary waren
vom 2.11.2005 bis 11.2. 2006 in der Ausstellung *Summer of Love. Psychedelische Kunst der 60er Jahre*
in der Schirn-Kunsthalle Frankfurt zu sehen (FRANKFURT 2005).

Die letzten Jahrzehnte seines Lebens verbrachte der Künstler auf Mallorca, wo er am 6. März 2002 an Prostatakrebs starb.[104]

Nana Nauwald

Das Gemälde von Nana Nauwald (siehe Farbteil Bild 28) ist die künstlerisches Umsetzung einer Vision des Shipibo-Schamanen Quetsembétsa aus einer Ayahuasca-Sitzung im peruanischen Amazonasgebiet. Welche archetypische und interkulturelle Überzeugungskraft ihren Bildern innewohnt, wurde der Künstlerin bei einem Besuch in Pucallpa bewusst, als sie plötzlich einem Plakat gegenüberstand, das sich ihres Bildes *Amazon Dancing* bediente.

Die 1947 geborene Künstlerin, Buchautorin, Gastprofessorin und ausgebildete Kunstpädagogin und Restauratorin lebt in der Lüneburger Heide. Seit 1994 werden ihre Bilder in diversen Einzel- und Gruppenausstellungen in Europa und in den USA gezeigt. Zu ihrem künstlerischen Selbstverständnis schreibt sie selbst:

»Meine Wahrnehmung wurde geprägt durch Kindheitsjahre in einem von magischen Bilderwelten bestimmten Künstlerhaushalt, durch intensive Begegnung mit den Geheimnissen der Farb- und Geisteswelten »alter« abendländischer Meister, (sic!) sowie durch die mein Leben begleitenden Aufenthalte in vom Schamanismus geprägten Kulturen – Brasilien, Kolumbien, Nepal, Nigeria, Peru. Es ist mir eine wichtige Herausforderung, gewohnte Wahrnehmungs- und Verhaltensmuster zu hinterfragen und zu verändern, um die Vielfalt möglicher Wirklichkeiten zu erfahren. Meine Bilder drücken keine subjektiven Befindlichkeiten aus. Sie entstehen auf schwarz grundierter Leinwand. Schwarz ist für mich die Farbe, aus der heraus sich alle Farben und Formen entfalten. Schwarz öffnet meinen Blick vom »Sehen« hin zum »Wahrnehmen«.

Ich verstehe meine Bilder als »Gesänge«, die ich durch Farbe und Form hörbar mache. Sie sollen Zugänge eröffnen zu einer Sicht von Wirklichkeit als Einheit vielfältiger Welten, ohne eine Trennung von Innen und Außen, ohne Trennung von Geist und Materie. Das Uni-Versum als Multi-Versum.«[105]

104 Sein künstlerischer Nachlass wird von seiner Tochter Serafina Klarwein verwaltet, die sich derzeit um die Herausgabe des Klarwein-Gesamtwerkes bemüht.
105 Siehe www.visionary-art.de

Nur wenige Künstler setzen DMT-Visionen so überzeugend um wie Alex Grey. ©Alex Grey, *InterBeing*, Öl auf Leinwand, 60 x 60 cm. (Abgebildet im Booklet von *Tool*, Sony BMG Music 2006 sowie eine andere Variante unter www.alexgrey.com.)

Alex Grey[106]

Den 1953 in Ohio, USA, geborenen Künstler beschäftigte schon früh das Thema von Tod und Transzendenz. Er studierte von 1971–1973 am Columbus College of Art and Design und ein weiteres Jahr an der Boston Museum School, wo er seiner Frau, der Künstlerin Allyson Rumland Grey und späteren Mutter der gemeinsamen Tochter Xena, begegnete.

In dieser Zeit wandelte sich sein agnostischer Existenzialismus durch eine Reihe von mystischen Erfahrungen zu einem »radikalen Transzendentialismus«. Seine Bilder, die einen anatomisch genauen Einblick ins physische Innere des Menschen gewähren, profitieren von seiner Beschäftigung als wissenschaftlicher Zeichner an der Harvard Medical School. Grey verbindet die Physis auf bestechende Weise mit der Psyche – und darüber hinaus auch mit der visionären Schöpferkraft des Bewusstseins. Aus dem Blickwinkel der transpersonalen Vision ist für ihn das Bewusstsein von zentraler Bedeutung und kein bloßes »Zufallsprodukt der Gehirnaktivität«.

Weitere Künstler

Die unendliche horizontale Ausdehnung des Amazonas präsentiert sich dem Reisenden in einem schmalen Band üppiger grüner Vegetation inmitten eines weiten Himmels und seiner Spiegelung in Wasseradern, die den Dschungel durchziehen. Die Fotografien von Demetri Dimas Efthyvoulos[107] machen die für gewöhnlich unsichtbare Dimension der Geisterwelt sichtbar, welche sich dem durch die »Liane der Geister« berauschten Bewusstsein so eindrücklich zeigt – und zwar durch Drehung des Fotos einer Flusslandschaft um neunzig

---

106 Siehe www.alexgrey.com
107 Der in Zypern geborene Fotograf gelangte 1979 im Rahmen einer Expedition zur Erforschung des Schamanismus und Heilpflanzengebrauchs erstmals in den peruanischen Regenwald, wo er zehn Jahre lang lebte. Siehe www.geocities.com/raineye.geo/

Grad und parallele Spiegelung. Die Symmetrie des in die Senkrechte verlagerten Horizontes macht plötzlich in Masken und Gesichtern die Geister des Regenwaldes sichtbar. Efthyvoulos' »Entdecker« Luis Eduardo Luna schrieb über ihn:»Ich kündigte an, dass jemand Dias aus der Welt der Geister zeigen werde. Die Zuhörer im überfüllten Auditorium [eines von Luna organisierten Symposiums in Bogotá] konnten ihre Heiterkeit kaum unterdrücken. Minuten später hatten Demetris Bilder das Publikum jedoch in ihren Bann gezogen und in verblüfftes Staunen versetzt«.[108] Der niederländische Künstler Nisvan[109] schließlich setzt typische DMT-Muster in seiner computergenerierten Kunst um (siehe Farbteil Bild 29 und 30).

All dies sind nur einige wenige Beispiele von Kunstzeugnissen, die aus der Tiefe der Amazonasströme auftauchen und durch Ayahuasca inspiriert wurden; unzählige weitere wären der Erwähnung würdig. Denn die »Liane der Seelen« hat der Welt auffällig viele künstlerische Zeugnisse gegeben – und hört nicht auf, es weiterhin zu tun.

·

108 Demetri Dimas Efthyvoulos: *Geister des Regenwalds. Die Pforten der Wahrnehmung öffnen*, Baden/München: AT 2004: 8.
109 Siehe www.nisvan.ne

Arno Adelaars

Rituale

»Was daher notwendig ist, ist eine Durchdringung unserer
modernen Massenmedien mit den intellektuellen und
geistigen Leistungen der Indianer. Wir müssen versuchen,
die Öffentlichkeit mit den geistigen Dimensionen der
indianischen Kulturen vertraut zu machen. (…) Was wir
zeigen müssen, ist die Lebensphilosophie der Indianer (…),
ihre Wahl eines anderen Lebensstils, der sie von uns unterscheidet; den Mut und den Genius, ihre eigene Gesellschaft
aufgebaut zu haben, ihre Kulturen, die auf einer erstaun-
lichen Mischung von Realismus und Metaphorik beruhen.«
(REICHEL-DOLMATOFF 1989: 86; zit. in REICHEL-DOLMATOFF
1996: 24.)

Unendliche Vielfalt

Niemand weiß, wann das erste Ayahuasca-Ritual stattgefunden hat. Es muss irgendwann vor einigen hundert oder sogar tausend Jahren gewesen sein. Einige Experten vermuten, der rituelle Gebrauch von Ayahuasca sei mindestens dreitausend Jahre alt, doch gibt es dafür wissenschaftlich keine Belege.[110] Aus der Tatsache, dass die rituelle Einnahme der Ayahuasca traditionell in einem riesigen geografischen Gebiet verbreitet ist, kann man nur schließen, dass dies zumindest seit einigen hundert Jahren der Fall sein muss.

Es ist nicht mehr rekonstruierbar, wie das ursprüngliche Ritual mit der bitteren Brühe ausgesehen haben mag: Ob ein Schamane die Zeremonie leitete, ob diese Person ein Mann oder eine Frau war, ob er oder sie sang, tanzte und Instrumente spielte – wie dies heutzutage in den letzten verbliebenen, vergleichsweise unberührten Gesellschaften im Amazonasgebiet der Fall ist –, können wir nur vermuten.

Um sich den Ritualen anzunähern, ist man daher auf die Beobachtung der verschiedenen Ritualformen angewiesen. Sie lassen sich in zwei Gruppen einteilen: Rituale, die sozialen Zwecken dienen, und Heilrituale.

Heutzutage gibt es eine große Vielzahl von Ritualformen,[111] denn die verbliebenen indigenen Völker des Amazonas führen keine uniformen Rituale durch: Jeder Stamm hat seine eigene Technik, aber auch innerhalb einer Ethnie kann es große stilistische Unterschiede bei der Durchführung der Zeremonien geben. Letztlich entwickelt jeder Schamane seinen eigenen Stil. Ein gutes Beispiel dafür sind die Zeremonien zweier Schamanen der Kofán, einer Ethnie aus der Putumayo-Region im Grenzgebiet zwischen Kolumbien und Ecuador.

Das Ritual von Taita Diomedes Dias unterscheidet sich grundlegend von dem seines Onkels und Lehrers Taita Querobín Queta. Diomedes Dias und seine drei Söhne führten im April 2004 in der Nähe der kolumbianischen Hauptstadt Bogotá eine Zeremonie durch, die strengen Regeln folgte. Vor Beginn erklärte ein Assistent, dass menstruierende und schwangere Frauen das Haus, in welchem die nächtliche Runde stattfand, nicht betreten dürften. Sie wurden aufgefordert, den Ort unverzüglich zu verlassen. Die Frauen, die daran teilnehmen durften, wurden in den ersten Stock des Gebäudes gebeten. In den zentralen Raum zum Schamanen und seinen Söhnen durften sie nur kommen, um ihre Tasse Ayahuasca entgegenzunehmen oder eine individuel-

---

110 Plutarco Naranjo: »La ayahuasca en la arqueología Ecuatoriana«, in: *America Indígena* 46 (1986), S. 117–127.
111 Laurent Rivier: «Problems in ethnomedicine: evaluating traditional knowledge and transferring it outside its native context«. *Presentation at the Psychoactivity III Ayahuasca Conference* 2002.

Gemälde eines einfachen Unterstandes, an dem Ayahuasca-Rituale stattfinden (Quistacocha bei Iquitos). (Foto: C. Rätsch)

le Heilung zu erfahren. Männer und Frauen durften sich im Garten treffen, der das Gebäude umgab. In der Mitte der Nacht kamen die anwesenden Männer und Frauen in dem zentralen Raum zusammen. Sie saßen sich während des Reinigungsrituals des Schamanen in zwei Reihen gegenüber. Der Schamane begann das Ritual mit einem katholischen Gebet. Der Stil seines berühmten Lehrers und traditionellen Führers der Kofán, Querobin Queta, war vollständig anders. In der Nabi Nunhue Maloca in Chachaguï, einer Zermonialhütte, begannen der Schamane und sein Sohn Taita Osvaldo die Zeremonie mit den schlichten Worten: »Die Männer zuerst. Dann die Frauen.« Keinerlei Hinweis, dass Frauen aufgrund von Menstruation oder Schwangerschaft ausgeschlossen seien. Die Geschlechter waren in der Nacht nicht voneinander getrennt. Bei der Zeremonie des berühmten *taita* gab es keinerlei Regeln und kein gemeinschaftliches Reinigungsritual aller Beteiligten. Auch seine Ayahuasca war sehr verschieden von der seines Neffen Diomedes. Dieser hatte ein ziemlich starkes Gebräu kredenzt, sodass weniger als die Hälfte der Beteiligten nach einem zweiten Glas verlangte. Die zweite Portion war keine Flüssigkeit, sondern eine klebrige Substanz, die man sich mit einem Löffel einverleiben musste.

Im Gegensatz dazu war Taita Querobins Ayahuasca ein dünner, hellgelber Tee, der frisch und nach Fruchtsaft schmeckte. Nahezu alle tranken ein zweites Glas, manche sogar drei. Einer oder zwei Mutige nahmen sogar einen vierten »Nachschlag«.

Die übereinstimmenden Elemente der Zeremonien beider Schamanen, die derselben Ethnie angehören und sogar miteinander verwandt sind, waren die typischen hellblauen Hemden im Kofánstil, die die Schamanen und ihre Söhne trugen, die mehrreihigen Halsketten, der Gebrauch langer roter Arafedern, einer Mundharmonika und der Blattfächer *huairi sacha*, das Spucken und Reiben von *aguardiente* (Weinbrand) über die Patienten und das Singen von Liedern, die sich trotz ihrer Unterschiedlichkeit ähnelten. Die Unterschiede beider Zeremonien waren umso erstaunlicher, als Diomedes Querobíns Schüler gewesen war.

Dieser Teil des Buches beschreibt daher zunächst einige der fast zahllosen Unterschiede in der Durchführung von Ritualen. Die meisten wurden bei Feldforschungen beobachtet, die in den letzten zehn Jahren (1995–2005) in Europa, Süd- und Nordamerika durchgeführt wurden. Das erste Kapitel widmet sich Ritualen von Schamanen indigener ethnischer Gruppen von Kolumbien. Das zweite behandelt Zeremonien von *vegetalistas* aus der Umgebung von Iquitos, Peru. Das dritte führt uns zu den brasilianischen Santo-Daime-Kirchen und anderen religiösen Gruppierungen, die die bittere Brühe als Sakrament betrachten, z.b. die União do Vegetal (UDV) und die Barquinha. Im vierten Kapitel geht es um moderne Adaptionen von Zeremonien westlicher Leiter, die von diversen südamerikanischen Heilern und Lehrern lernten.

Die Kunst der *taitas:* Rituale indigener Völker Kolumbiens

Kolumbien blickt auf eine lange Ayahuasca-Tradition zurück. Ayahuasca wird dort traditionell von Indianern getrunken, daneben aber auch von der modernen städtischen Mittelschicht. Indianische Schamanen, die in Kolumbien *taita* (»Großvater«) genannt werden, leiten Zeremonien in Großstädten wie Bogotá, Cali und Medellin. Manche Städter suchen die Schamanen auch im Urwald auf, um dort Ayahuasca zu trinken. Reisen ist in Kolumbien kein Vergnügen. Der Bürgerkrieg, der seit vierzig Jahren das Land fest im Griff hat, hat sich seit Ende der 1990er-Jahre zu einem internationalen Konflikt ausgeweitet. Er ist zu einem *war on drugs* geworden.

Die amerikanische Regierung gibt seit der zweiten Amtsperiode von Bill Clinton mehr als eine halbe Milliarde Dollar pro Jahr aus, um – nach eigenen Aussagen – die illegale Cocaproduktion zu stoppen. Diese amerikanische Einmischung in den Krieg nennt man *Plan Colombia.* 2005 drohte das südliche Nachbarland Ecuador in den Konflikt mit hineingezogen zu werden. Opfer ist die Bevölkerung, vor allem die Indianer im Dschungel im Grenzgebiet zu Ecuador. Prophezeiungen indianischer Oberhäupter aus dem Jahre 2004 besagen, dass viele ethnische Gruppen innerhalb der kommenden zehn Jahre verschwunden sein werden.[112]

---

112 William SPINDLER: «Indígenas se ven afectados por el conflicto armado«, in: *Diario Del Sur,* Pasto, Colombia, 29. März 2004, S. 3B.

Im Hochlandsee La Cocha (Kolumbien) an der Wasserscheide der Anden. Auf der Insel gibt es eine große *maloca* für Ayahuasca-Rituale. Sie gehört dem Maler Javier Lasso. Auf der einen Seite lagern die Rebellen, auf der anderen die Paramilitärs und dazwischen die Regierungstruppen – ein geradezu »ideales« Setting für entheogene Rituale. Auf jeden Fall eine Reise in eine andere Welt.

Bis zur Invasion im Irak 2003 galt Kolumbien mit der höchsten Anzahl an Morden und Entführungen als das gefährlichste Land der Welt. Dies hält die meisten Ayahuasca-Touristen davon ab, Kolumbien zu besuchen. Christian Rätsch, Claudia Müller-Ebeling und ich recherchierten dennoch im April 2004 für dieses Buch fast einen Monat lang in den südlichen Provinzen Nariño und Putumayo sowie in der Hauptstadt Bogotá. Ein halbes Jahr später, im September 2004, kehrte ich noch einmal zurück, um an einer viertägigen Friedenszeremonie teilzunehmen.

Der Trans-Sibundoy-Express
Der Trans-Sibundoy-Express kam an, als gerade eine Party im Gange war; 15 Erwachsene und einige Kinder tanzten nach den schnellen und heißen Klängen der kolumbianischen Musik. Man legte sich die Hände auf die Schultern und begann eine Polonaise im Kreis. Zwei sechsjährige Jungen tanzten in der Mitte. Ein verführerischer Gesang setzte ein ...
Ich hörte das Hupen eines Autos und lief nach draußen. Vor dem Haus stand ein Taxi. Ich begrüßte den Mann am Steuer und die anderen im Taxi, eine junge Frau und einen jungen Mann. Der Taxifahrer fragte nach Kajuyali Tsamani, und ich holte ihn.
Der Mann, den ich für den Taxifahrer hielt, war Juan Bautista Agreda, ein Kamsá-Schamane aus dem Sibundoy-Tal und Sohn des weithin bekannten Schamanen Taita Martín – einer der Ayahuasca-Lehrmeister von Kajuyali

Tsamani. Der Kofferraum des Taxis, eines dunkelroten japanischen Wagens mit der Aufschrift »Transsibundoy«, war randvoll mit frischen Ayahuasca-Lianenstücken und *chagropanga*-Blättern – genug für gut zweihundert Portionen des Dschungeltrankes.

Die Ayahuasca-Zubereitung

Am nächsten Morgen begann der erste Teil der Präparation. Catalina, ein Lehrling von Kajuyali, und die anwesenden Frauen wuschen die Blätter und säuberten die holzigen Lianenstücke von Moos und Flechten. Anschließend wurde alles in die *maloca* gebracht, wo Juan Martín, ein Freund und Nachbar, der als Adept am Nabi-Nunhue-Projekt teilnahm, mit Hilfe anderer die gereinigten, teils finger-, teils armdicken Holzstücke mit schweren Hämmern breit klopfte. Währenddessen zerkleinerte Catalina die gewaschenen Blätter in einem Mixer.

Abends endlich waren alle Blätter zerkleinert und wurden als Erste in den hundert Liter fassenden, mit Wasser gefüllten Aluminiumtopf geschüttet. Dieser Blättersud brodelte dreieinhalb Tage nonstop auf einem großen Gaskocher in der *maloca*. Dabei wurde der Sud bei geschlossenem Deckel auf einen Drittel des Volumens eingekocht. Dann füllte man den Topf erneut mit Wasser, kochte das Ganze abermals auf einen Drittel herunter und füllte den *chagropanga*-Blätterextrakt in einen Kanister ab.

Anschließend verfuhr man ebenso mit der ersten Portion der Lianenstücke, indem man den Topf damit knapp füllte und mit Wasser aufgoss. Auch dieses Gemisch wurde zweimal zu einem Drittel eingekocht, und der Extrakt wurde anschließend jeweils in einen Behälter abgegossen. Dieselbe Prozedur wiederholte sich mit zwei weiteren Lianenportionen desselben Volumens. Die ausgekochten Lianenstücke wurden entsorgt. Den ganzen Vorgang koordinierte José Fernando, der seit fünf Jahren bei Kajuyali in die Lehre geht.

In der zweiten Nacht wurden Topf und Kocher in ein Tipi verfrachtet, da in der *maloca* eine Ayahuasca-Zeremonie stattfand. José Fernando nahm an der Zeremonie teil und überwachte gleichzeitig die Zubereitung der neuen Ayahuasca. Um den gewünschten sehr dicken, hochkonzentrierten Sirup – eine Art »Honig« oder »Honig-Ayahuasca« – zu erhalten, goss man nach und nach den Extrakt des Lianensuds erneut in den Topf und köchelte ihn sorgsam zu einer reduzierten Flüssigkeit, während man Tropfen für Tropfen den Blätterextrakt hinzufügte. Als diese Mischung zum halben Topfvolumen heruntergekocht war, wurde die Restflüssigkeit von der Flamme genommen, um die zermörserten Blätter mit den vereinten Kräften der drei maßgeblichen Personen abzufiltern.

Körbe mit frischen Ayahuascalianen-stücken.
(Foto: C. Müller-Ebeling)

Chagropanga-Blätter werden als Zusatz zum Ayahuasca-Trank gereinigt.

Ayahuasca-Lianen werden mit einem Hammer weich geklopft.
(Foto: A. Adelaars)

74 Stunden waren José Fernando Catalina und Juan Martín – mit kurzen abwechselnden Schlafunterbrechungen – auf den Beinen gewesen und hatten alles überwacht.

Dann brach die dritte Nacht an – die Nacht nach der Ayahuasca-Zeremonie. Um die Beteiligten wach zu halten, servierte uns Catalina eine Tasse mit potentem San-Pedro-Tee. Wir alle warteten auf den entscheidenden Augenblick, einen alchemistischen Moment, in dem die Zutaten des Gebräus die perfekte Balance und die gewünschte Konsistenz erreichten. Doch bis zu diesem magischen Moment sollte es noch mehrere Stunden dauern.

Immer wieder waren wir vor die *maloca* getreten, hinaus in die frische Luft, die nicht vom Geruch der köchelnden bitteren Brühe erfüllt war. In der Nacht zuvor war der Himmel voller Wolken gewesen, die sich über dem palmgedeckten Runddach abgeregnet hatten. Nun verzogen sich die letzten Wolken in der mondhellen Nacht über den östlichen Ausläufern der Kordilleren. Plötzlich wurden wir Zeugen eines ungewöhnlichen Naturschauspiels. Zwanzig Minuten lang durchzuckte ein Blitz in rhythmischen Abständen mit blutroten Lichtreflexen eine Wolke, die unmittelbar vor uns am Himmel hing.

Die Helfer machten Musik. José Fernando besang das brodelnde Gebräu und befächelte es mit seiner *huaira sacha* oder *chacapa*. Inzwischen brodelte der Sud in einem kleineren Fünfzig-Liter-Topf und wurde auf einen Viertel oder Fünftel des Volumens reduziert, kontinuierlich gerührt von Catalina. Weil sich die Flüssigkeit nun sichtbar verdickte, wäre sie ohne kontinuierliches Rühren am Boden angebrannt. Die Farbe der Flüssigkeit wechselte von einem hellen Braun mit einer sanften gelben und ockerfarbenen Schattierung des Schaums zu einem dunklen Braun und einem bräunlichen Dunst.

Von Zeit zu Zeit überprüften José Fernando und Catalina die Konsistenz, indem sie die Flüssigkeit mit einem Löffel abschöpften, am Deckel kondensieren ließen und beobachteten, wie sie davon abtropfte. Allmählich verdickte sich der Sud, wurde immer zäher und brauchte merklich länger, um vom Holzlöffel abzutropfen. Schließlich nickten sich beide zu. Der Kochprozess war abgeschlossen. José Fernando hatte vier Jahre Erfahrung hinter sich, um diesen Moment zu erkennen. Kajuyalis Gegenwart war nicht mehr nötig, um diesen Prozess zu überwachen; er konnte sich auf die Expertise seiner beiden Lehrlinge verlassen.

Rasch nahmen sie den Topf vom Feuer und examinierten das Ergebnis. Catalina prüfte die Konsistenz mit Daumen und Zeigefinger. Die Flüssigkeit produzierte einen klebrigen Faden von zwei Zentimetern Dicke. Das Resultat waren acht Liter bittersüßer Ayahuasca-Sirup, genug für 180 bis 200 Einzeldosierungen.

»Der Jaguar ist mein Neffe«

Taita Querobín Queta ist der Stammeshäuptling und wichtigste Schamane der Kofán – eines Volkes, das am Putumayo lebt, dem Grenzfluss zwischen Kolumbien und Ecuador. 1950 gab es noch etwa 50 000 Kofán, 2005 waren es noch rund 1500. Ihren Reihen entstammen von jeher viele bedeutende Schamanen.

Das folgende Gespräch mit Taita Querobín wurde im September 2004 geführt, zwei Tage nach der großen Heilungszeremonie für Mutter Erde, die an anderer Stelle in diesem Buch beschrieben ist. Zur Zeit des Interviews ist Taita Querobín bereits seit rund fünfzig Jahren Schamane. Er leitet an sieben Abenden pro Woche Ayahuasca-Zeremonien, und das 51 Wochen im Jahr. Der Termin für unser Gespräch ist für halb elf Uhr vormittags angesetzt. Obwohl der Taita noch bis fünf Uhr morgens eine Zeremonie durchgeführt hat, macht er nicht den Eindruck, müde zu sein.

Arno Adelaars: Ihr Ayahuasca schmeckt sehr frisch, so als wäre es gar nicht gekocht. Ist es eine Zubereitung mit kaltem Wasser?

Taita Querobín: Nein, es ist gekocht, aber nicht länger als 24 Stunden. Der Tee wird aus frischen Pflanzen zubereitet. Sie werden gepflückt und gleich danach in den Kochtopf gegeben. Ich koche Ayahuasca mit der Liane und mit *chagropanga*. Es gibt zwei verschiedene Sorten *chagropanga*. Die eine Sorte kommt von den Inga, die hoch in den Bergen leben, und die zweite Sorte ist die der Kofán, die im Urwald wohnen. Das Verhältnis zwischen der Liane und den Blättern muss gleich sein. Nimmt man zu viele Blätter, ist das nicht gut. Es ist eine Frage des Gleichgewichts.

A.A.: Wie alt ist die Liane, die Sie für die Zubereitung nehmen?

TQ: Die Pflanze muss mindestens drei Jahre alt sein. Wenn man jüngere Pflanzen erntet, wachsen sie nicht mehr richtig weiter.

A.A.: Und Sie benutzen für Ihre Mischung nur diese zwei Pflanzenarten?

TQ: Die Liane und die zwei Sorten *chagropanga*.

A.A.: Kochen Sie allein?

TQ: Man hilft mir, indem man für mich das Wasser schleppt und das Brennholz und derlei Dinge. Aber das Kochen mache ich selbst. Ich möchte das Gemisch nicht zu stark machen. Darum schmeckt es auch so frisch. Ich koche nur montags, dienstags und mittwochs, denn dann kommt die Energie von Merkur in die Mischung. Kocht man donnerstags, freitags und samstags, wird der Trank zu stark, weil dann die Energie von Saturn darin steckt.

A.A.: In Iquitos habe ich Ayahuasca von frischen Pflanzen getrunken, die auch direkt nach der Ernte in den Kochtopf gegeben worden waren. Aber dort besteht der Tee hauptsächlich aus der Liane, es sind verhältnismäßig wenige Blätter darin enthalten. Das Erbrechen spielt dort eine wichtige Rolle.

TQ: Nach meiner Überzeugung trinkt man Ayahuasca, um Visionen zu bekommen. Wie weit kannst du dein mentales Bewusstsein bringen? Wenn du dich übergeben musst, dann kriegst du keine ausreichenden Visionen. Die Kraft verlässt deinen Körper, und du bekommst keine Visionen. Aber wenn du von meinem Yagé mehr nimmst, übergibst du dich auch.

A.A.: Also ist das Erbrechen nicht so wichtig?

TQ: Wenn du dich übergibst, verlierst du die Kraft des Getränks.

A.A.: Singen Sie während der Zubereitung?

TQ: Die Lieder, die ich singe, rufen die Hoheit an und die Geister der Erde. Sie geben ihre Kraft an den Trank. Alle Geister kommunizieren über meinen Gesang. Sie sprechen während des Singens zu mir, durch meine Sinne.

A.A.: Sie kochen 24 Stunden am Stück. Singen Sie die ganze Zeit?

TQ: Natürlich. Ich mache ab und zu mal Pause, aber ich singe, und ich lausche, wie eine Art Funkkontakt. Ich bin verbunden mit einer Stimme. Während des Kochens bekämpfe ich meine Gegner.

A.A.: Haben Sie Feinde?

TQ: Die Armee der kolumbianischen Regierung, die Paramilitärs und die Rebellen sind meine Feinde. Aber ich lebe immer noch. Ich halte meine Gegner mit meinem Herzen und mit meinem Geist unter Kontrolle. Ich sorge dafür, dass sie neben ihren Waffen einschlafen ...

Zwischen der Pflanze und dem Schamanen besteht eine starke Verbindung. Dieses Geheimnis ist fundamental. Ich spucke *floripondio* und *chunduro* über meine Feinde. Ich habe ein Bündnis mit dem Blitz. Die Rebellen hatten einmal mein Auto gestohlen, und ich wollte es mir zurückholen. Als ich bei ihnen ankam, gab es drei Blitzeinschläge. Die Rebellen konnten gar nicht schnell genug weglaufen! Hahaha.

Seit meinem achten Lebensjahr trinke ich Ayahuasca. Ich habe es bei den Siona getrunken und bei den Secoya. Mit 15 war ich mir aller spirituellen Möglichkeiten bewusst. Durch meine Visionen und meine Träume habe ich gelernt, wie ich mein Volk schützen muss. Das ist das Ziel meines Lebens. Als Oberhaupt habe ich meinem Volk gegenüber eine große Verpflichtung. Mein Volk soll dort leben, wo es immer gelebt hat.

Ich möchte, dass du weißt, was mit unserem Land in den vergangenen Jahren passiert ist. Die Regierung hat unser Land mit Gift besprüht. Alle Pflanzen sterben, auch die Pflanzen, aus denen wir Medizin herstellen. Wir haben immer in Harmonie mit der Natur gelebt – bis der weiße Mann kam. Jetzt ist mein Volk vom Aussterben bedroht durch dieses Giftversprühen. Der weiße Mann stört unsere Art zu leben. Die Kofán wollen ihre alte Lebensweise wiederhaben.

Ich weiß, dass viele Menschen betroffen sind vom Los der Kofán und auch Hilfe leisten. Es ist entsetzlich, was passiert. Das Land ist krank, die Pflanzen sind tot, die Tiere sind tot. Seit das Gift versprüht wird, müssen die Kofán Nahrung kaufen. Das haben wir noch nie getan. Aber wir können nichts mehr anbauen, und es gibt nichts mehr zum Jagen. Wir werden so gezwungen, in dem kommerziellen System mitzumachen.

A.A.: Der offizielle Grund für das Giftversprühen in Ihrem Land ist die Vernichtung illegaler Cocaplantagen. Werden nur diese Plantagen besprüht, oder ...

TQ: Die Cocaplantagen werden nicht besprüht! Sie töten den Wald! Es besteht kein Grund für das Versprühen, sie besprühen die Häuser und das Land, auf dem wir unsere Nahrung anbauen. Aber die illegale Coca wird nicht besprüht, die bleibt unberührt stehen. Wegen all dieser Probleme habe ich mein geliebtes Putumayo verlassen müssen. Um mein Volk zu schützen und es über seine Menschenrechte aufzuklären. Um mein Volk seine Lebensweise zu lehren, sodass es zurückkehren wird. Du musst unsere Situation richtig verstehen. Wir haben immer im Urwald gelebt, aber seit einigen Jahren sind wir gezwungen, höher in den Bergen zu wohnen, wegen des Krieges. Wir sind nach Ukumari Kanki gegangen, in die Cordillera de Orsa, die Berge des Bären. Hier leben viele Tiere. Bären, Jaguare, Tapire.

Nachts läuft manchmal ein Jaguar durch mein neues Haus in den Bergen. Ich schlafe im ersten Stock, so stört es mich nicht.

A.A.: Er ist Ihr Freund.

TQ: Er ist mein Neffe! Hahaha. Die Pflanzen haben meinen Geist, darum besucht der Jaguar mich nachts. Der Geist der Pflanze ist mein Meister. Wenn ich *tigre yagé* mache (Jaguar-Ayahuasca), hat es den Geist des Jaguars. Du kannst von dem Geist lernen, und wenn du dich mit dem Jaguargeist verbindest, dann kann er dich beschützen.

A.A.: Sind Sie ein Jaguar-Schamane?

TQ: Ja, lange Zeit war ich das, aber jetzt nicht mehr. Kugeln können töten. Ich habe den Geist des Jaguars abgelegt, er verursacht Chaos. Er ist gefährlich, und viele Menschen missbrauchen ihn für falsche Ziele.

A.A.: Mit welchem Geist haben Sie sich dann verbunden?

TQ: Der Geist des Yagé, den ich nun gebrauche, ist aus der Zeit vor der spanischen Eroberung. Er ist älter als fünfhundert Jahre und hat seinen Ursprung bei den Ahnen der Kofán.

A.A.: Wie sind Sie Schamane geworden?

TQ: Mein Vater war Schamane. Als ich zwölf Jahre alt war, ging ich flussabwärts zu einem Siona-Schamanen, um bei ihm zu lernen, einem großen Meister, der Taita Patricio Yujuro hieß. Vier Jahre habe ich bei ihm gelernt. Danach ging ich zu einem anderen *taita* aus dem Volk der Secoya. Ein großer Schamane, ein großer Jaguar! Die Secoya leben auf der anderen Seite des Flusses in Ecuador und benutzen die Jaguarpflanze. Sie sind dafür bekannt, dass sie große Becher trinken. Von dieser Zeit an bin ich viel gereist. Ich bin viel gereist mit den Pflanzen. Ich habe viele Orte auf Erden besucht, von dort, wo die Sonne aufgeht, bis dahin, wo sie untergeht. Ich kenne die vier Ecken des Universums.

A.A.: Wie alt waren Sie, als Sie Schamane wurden?

TQ: Ich war zwanzig Jahre alt. Nun bin ich 74.

A.A.: Es hat mich erstaunt zu sehen, wie Sie arbeiten. Ich bin daran gewöhnt, dass es bei einer Zeremonie feste Regeln gibt. Alle Schamanen, bei denen ich schon getrunken habe, haben solche Regeln. Sie sind der erste ohne Regeln.

TQ: Nein, ich habe keine Regeln. Mein Wissen kommt aus der Vergangenheit. Ich habe alle Wege beschritten, um ein Schamane zu werden, und man hat mich als einen solchen erkannt. Ich bin ein echter Anführer, ein echter Schamane. Die anderen folgen mir nach. Ich betrachte mich selbst als die traditionelle Autorität.

A.A.: Ich komme aus Europa, und dort gibt es ein wachsendes Interesse an Ayahuasca, genau wie in Nordamerika und in Australien. Ich arbeite selbst mit der Medizin, aber ich bin kein Schamane. Wo ich herkomme, gibt es kein traditionelles, überliefertes Wissen über Ayahuasca. Bisweilen reagieren Menschen sehr seltsam auf das Getränk. Ich möchte eine Frage stellen, die ich an jeden richte, der sich mit Ayahuasca sehr gut auskennt: Ist Ayahuasca für jeden gut?

TQ: *Claro*, es ist für jeden geeignet. Jeder soll von dieser Pflanze lernen. Es ist ein Geschenk an die gesamte Menschheit und für jeden gut. Manche aus meinem Volk denken nur an sich und wollen ihre Weisheit nicht mit anderen teilen. Ich schon. Ich teile mein Wissen über Pflanzen und andere Geschenke der Natur, wie z.B. Pilze, mit jedem.

A.A.: Ayahuasca macht verschiedene Dinge mit Menschen. Manche bekommen ein großes Herz, manche ein großes Ego. Können Sie dazu etwas sagen?

TQ: Das hast du gut beobachtet. Es passiert, weil Menschen keine Verbindung mit ihrer spirituellen Seite haben. Sie haben Hass in ihrem Herzen, und das kann die Pflanze nicht ändern. Die Pflanze hilft den Menschen nicht, die Hass in ihrem Herzen haben. Das gilt für die Kofán, und das gilt auch für alle anderen. Das ist für jeden gleich.

A.A.: Wie sehen Sie die Zukunft von Ayahuasca?

TQ: Ich denke, dass es gut ist, wenn jeder Ayahuasca trinkt. Aber es wird nicht jeder Nutzen davon haben.

A.A.: Wie kann man da eine Auswahl treffen?

TQ: Es hängt von den Menschen ab, von ihrem Innern. Was sind es für Menschen? Wie gut sind ihre Gefühle?

A.A.: Der Shuar-Schamane Hilario Chiriap erzählte in einem Interview von der Prophezeiung von Quauthémoc, von dem Kondor und dem Adler. Wie sehen Sie das?

TQ: Der Kondor ist ein großer Geist, genau wie der Adler. Beide symbolisieren Größe.

A.A.: Wann wird es geschehen?

TQ: Es ist schon jetzt im Gange. Die Kräfte der Natur spielen dabei mit. Die Kriege und Genozide finden wegen dieser Naturkräfte statt.

Einige Monate nach diesem Interview wurde auch das neue Land von Taita Querobín Queta in der Cordillera de Orso mit Gift besprüht. Wieder musste der Häuptling alles zurücklassen, drei Jahre, nachdem er zum ersten Mal während des Cocakrieges vor dem Gift flüchten musste.

Eine Friedenszeremonie in Kolumbien

Während der Tagundnachtgleiche im September 2004 fand im Süden Kolumbiens eine einzigartige Zeremonie statt. In der Nähe von Pasto, der Hauptstadt der Provinz Nariño, kamen Schamanen aus ganz Kolumbien, Ecuador und Peru für eine große Aufgabe zusammen. Sie wollten mit einer Zeremonie dazu beitragen, die Welt von der Krankheit des Krieges zu heilen. Das schamanische Ritual fand in einer *maloca* statt, einem traditionellen Zeremonialhaus namens Nabi Nunhue:»Haus des Jaguars«.

Während der Ayahuasca-Konferenz im November 2002 in Amsterdam hatte einer der Vortragenden, der kolumbianische Schamane Kajuyali Tsamani, bei einem Ritual eine Vision. Er sah, wie sehr Mutter Erde danach lechzte, von den Verheerungen fortdauernder Kriege geheilt zu werden. Daher schrieb er in der Einladung zu einer Heilzeremonie:

Nicht nur die Menschheit, sondern das ganze Leben auf der Erde ist gefährdet; Pflanzen, Wälder, Tiere, Flüsse, die Luft (...) Ich sah, wie sich Mutter Erde voller Gram für eine Schockwelle rüstet, um die Menschen hinwegzuraffen, die fortwährend das Leben zerstören. Ich sah aber auch einen

Die Nabi-Nunhue-Maloca. Davor eine Schwitzhütte nach der nordamerikanischen Lakota-Tradition. (Foto: A. Adelaars)

Hoffnungsschimmer. Ich sah eine Zeremonialversammlung von weisen Schamanen, Männern und Frauen, Alten und Jungen aller Kontinente, die im Kosmos einer *maloca*, welche einem Kristalldom ähnelte, zusammenkamen. Zur Genesung der Erde von der Geißel des Krieges führten die Schamanen eine Heilzeremonie mit Gebeten, Opfergaben, Gesängen und Tänzen durch. Diese Zeremonie wurde Wirklichkeit (wenn auch nur mit Beteiligten aus drei Kontinenten: Südamerika, Nordamerika und Europa). Sie begann mit einer Friedenspfeifenzeremonie der nordamerikanischen Lakota-Tradition. Achtzig Teilnehmer und Teilnehmerinnen aus zehn Nationen nahmen am rituellen Tabakgebet teil, das fast fünf Stunden dauerte.

Anschließend äußerten viele ihre Wünsche und Hoffnungen. Ein Beteiligter hoffte, die Zeremonie könne die Erde mit explodierender Liebe überziehen. Ein anderer erinnerte daran, dass wir alle in unser Inneres blicken sollten, um die Mechanismen von Krieg und Aggression in uns selbst zu erkennen. Er mahnte, dass wahre Liebe darauf basiere, uns selbst und anderen zu vergeben. Kajuyali Tsamani, der Initiator des Ereignisses, sprach von den Gesetzen der Natur und von der Notwendigkeit, unser Handeln verantwortungsvoll nach den natürlichen Gegebenheiten und den Bedürfnissen von Mutter Erde auszurichten.

Am Morgen des zweiten Tages wurde die Lakota-Tradition mit einem Opferritual von heiligem Tabak fortgesetzt, um Geist und Materie sowie die Beteiligten und deren Familien mit heilenden Kräften zu erfüllen. Dafür fertigten alle Teilnehmer sieben kleine Tabakbeutel in sieben verschiedenen Farben an. Die sieben Farben repräsentierten die sieben Richtungen[113]: Rot für den Osten, Gelb für den Süden, Schwarz für den Westen, Weiß für den Norden, Blau für den Himmel, Grün für die Erde und Orange für die *maloca*. Während eines langen Rituals, das die Frauen der Nabi-Nunhue-Maloca leiteten, wurden die vielen Beutelchen im Innern der *maloca* ans Gebälk geknüpft. Währenddessen sammelten ein Mädchen vor der Geschlechtsreife und eine schwangere Frau Blüten in den sieben Farben.

»Blau symbolisiert den Westen. Rot den Norden. Gelb den Osten. Weiß den Süden. Schwarz ist Nacht, Dunkelheit und Geheimnis, die untergegangene Sonne. Rot ist die Erde, der Stein unserer heiligen Pfeife, das Blut der Menschen. Gelb ist die Sonne, die im Osten aufgeht, um die Welt zu erleuchten. Weiß ist der Schnee und das gleißende Licht der Sonne, die im Zenit steht.«
(Lame Deer und Erdoes 1972: 105)

---

113 Indianische und schamanische Kulturen teilen traditionelle Zuordnungen von Farben, Himmelsrichtungen, kosmischen Kräften, Tieren und spirituellen Qualitäten. Allerdings sind diese nicht absolut, sondern je nach Informant und Kultur verschieden.

Die Teilnehmer der Friedenszeremonie verabschieden die untergehende Sonne.
(Foto: A. Adelaars)

Am Nachmittag führte der kolumbianische Tänzer und Körperkünstler Victor Viento einen Friedenstanz an, der von den Maya inspiriert war. Auf Maya sagt man zur Begrüßung *in lak'eex*, was bedeutet »Ich bin mit dir verwandt/ Du bist meine andere Hälfte.«[114] Wir sind alle gleich. Niemand ist mehr oder weniger wichtig als andere. Dieses Konzept verwirklichten Victor Viento und seine Truppe. Alle Teilnehmerinnen und Teilnehmer tanzten anschließend miteinander, wechselten ihre Tanzpartner, umarmten Fremde und gingen schließlich gemeinsam vor die *maloca*, um die untergehende Sonne zu verabschieden.

Am Morgen des dritten Tages reinigte Mama Luz María Otavalo, eine Schamanin der Imbaya aus Ecuador, mit Unterstützung ihres Mannes die Nabi-Nunhue-Maloca. Als traditionelle Heilerin arbeitet sie vor allem mit Gebeten und mit *aguardiente*, dem lokalen hochprozentigen Schnaps. Mit langen belaubten Zweigen fegte die kleine Frau den Boden und ging dann

---

114 *In lak'eex* spricht man – mit einem hörbaren Verschlusslaut vor dem Apostroph – »in lak' eesch«. Dazu Christian Rätsch, der zwei Mayasprachen fließend spricht: »Eine derartige Begrüßung käme nur unter Maya-Indianern vor, die miteinander verwandt sind. Ansonsten grüßen sich Personen, die sich nicht oder weniger gut kennen, üblicherweise mit der Beschreibung des aktuellen Wetters.«

mit einer Flasche *aguardiente* in der einen und einer Kerze in der anderen Hand gegen den Uhrzeigersinn durch den Raum. Immer wieder nahm sie einen Schluck aus der Flasche und versprühte ihn über dem Kerzenlicht, was imposante Funkenschweife erzeugte. Zum Schluss reinigte sie Kajuyali, seine Frau und den Sohn, wobei sie einen Singsang katholischer Lieder anstimmte. Die Intensität ihres Tuns und ihrer Präsenz erfüllte die *maloca*. Dann erläuterte ein geachteter Weiser der Imbaya den Sinn der Arbeit gemäß den Zyklen der Natur.

Am Nachmittag erzählte ein Schamane der Guambiano aus der kolumbianischen Provinz Cauca von diversen gewaltsamen Übergriffen auf sein Volk. Dessen überlieferte Lebensart wird nicht allein durch Waffen und die Biopiraterie pharmazeutischer Konzerne bedroht; die überkommenen Wertvorstellungen der Guambiano werden auch von dem dämonisierenden Einfluss christlicher Missionare ausgehöhlt. Und auch insbesondere der Drogenhandel zerstört ihr tägliches Leben. Junge Männer des Stammes verdienen als Kokaindealer viel Geld, verlassen Frauen und Kinder und geben sich stattdessen mit Huren ab. So werden die Traditionen mehr und mehr vernachlässigt und durch einen westlichen Lebensstil ersetzt.

Nach diesen sorgfältigen Vorbereitungen folgte am Abend schließlich der zentrale Höhepunkt: die große Heilzeremonie zur Genesung von kriegerischen Gewaltausbrüchen durch Schamanen verschiedener kultureller Traditionen. Beteiligt waren die Kamsá-Indianer des Sibundoy-Tals Taita Juan Bautista Agreda und sein Bruder Taita Floro Agreda; ferner Taita Luis Enrique von den Siona aus Putumayo, Uwishin Quatro Viento, ein Shuar aus Ecuador, sowie der Gastgeber Kajuyali Tsamani. Sie kredenzten den Teilnehmern ihre eigene Ayahuasca-Rezeptur. Kajuyali lud auch mich ein, am Tisch der Schamanen Platz zu nehmen. Er stellte mich als Ritualleiter aus Europa vor, der in der Killa-Huasi-Maloca Zeremonien organisiere, dem »Haus des Mondes« und ersten Gebäude für Ayahuasca-Zeremonien in Europa.

Einleitend betonten die Schamanen, dass diese Nacht der Heilung von Mutter Erde gewidmet sei und nicht der individuellen Heilung Einzelner. Sie baten die Anwesenden, sich darauf zu konzentrieren. Seiner Tradition folgend bat der Kamsá-Schamane Taita Floro Agreda die Frauen, die ihre Menstruation hatten, die *maloca* zu verlassen.

Die achtzig Teilnehmer trafen unter den angebotenen Gebräuen ihre Wahl. Als Erste tranken die Schamanen – und zwar jeweils von der Mixtur eines Kollegen. Dabei machte zuerst Juan Bautistas Getränk die Runde. Als alle, die dafür anstanden, ihre Portion erhalten hatten, kamen nacheinander die Rezepturen der anderen Schamanen an die Reihe. Es dauerte lange, bis schließlich alle versorgt waren. Währenddessen sang Taita Juan Bautista seine Lieder, begleitet vom rauschenden Klang seiner *huaira sacha* und dem Rasseln der Samen seiner Kette.

Als Juan Bautista dem Ersten in der Reihe zu trinken gab, wandte er sich an seinen Bruder Floro und sagte:»Ha – der erste Patient!« –»Nein, das erste Opfer«, antwortete dieser. Darauf lachten beide laut und herzhaft.

Dann folgte eine wunderbare Nacht, in der jeder Schamane auf unverwechselbar eigene Weise seine traditionellen Lieder sang. Trotz einer zuweilen knisternden Atmosphäre verlor sich keiner der Anwesenden in der persönlichen Geschichte. Zur Unterstützung der kolumbianischen Initiative fanden zur gleichen Zeit in Belgien, Kanada, England, Australien, der Schweiz sowie in den Niederlanden und auf den Kanarischen Inseln La Palma und Teneriffa ähnliche Rituale statt.

Das Ritual konnte die Kriege zwar leider nicht beenden, hatte aber eine Signalwirkung auf das Zusammengehörigkeitsgefühl zwischen Schamanen verschiedener Ethnien, die sich sonst auch gern untereinander anfeinden.

Zeremonie ohne Regeln: Taita Querobín Queta

Da ein Schamane zu spät zur großen gemeinsamen Ayahuasca-Nacht erschienen war, wurde noch eine weitere Nacht getrunken.

Genau wie in der Nacht zuvor ist die *maloca* voll. Es sind sicher achtzig Teilnehmer, die überall Matratzen und Decken verteilt haben. Zwischen den Matratzenreihen wurden kleine Durchgänge freigelassen, damit man zu den Ausgängen kommen kann. Es herrscht sehr viel Betrieb in der großen *maloca*. Die Teilnehmer rücken auf, um für andere Platz zu machen. Viele Menschen unterhalten sich miteinander.

Taita Querubín Queta, Stammeshäuptling der Kofán aus dem Grenzgebiet von Kolumbien und Ecuador, sein Sohn Taita Osvaldo und ein Assistent sitzen am Schamanentisch an der Ostseite der *maloca*. Links von Taita Querobín sitzen seine Schwiegertochter und seine Enkelin an der Wand.

Die Schamanen tragen das traditionelle blaue Hemd der Kofán. Das Oberhaupt ist behangen mit Ketten – je mehr, desto besser, so scheint es. Um den Kopf trägt er ein Band aus farbigen Perlen mit einem christlichen Kreuz in der Mitte. Wie viele andere einheimische Schamanen ist der Taita römisch-katholisch. Sein Sohn Osvaldo trägt ähnlichen Schmuck, aber etwas weniger üppig. Sergio, ein Kolumbianer mittleren Alters, der den zwei Kofán während dieser Nacht assistiert, ist ganz schmucklos. Sergio ist ein Heiler, der in verschiedenen großen Städten im Zentrum und im Süden Kolumbiens Praxen unterhält. Einige Tage zuvor sagte er, dass Taita Querobín der beste

Ayahuasca-Schamane sei, den er kenne. Sergio wird während der Nacht einen monotonen Rhythmus auf der Trommel schlagen, während der stillen Phasen immer wieder bedächtig den Trommelstock abwischen und den nicht sichtbaren energetischen Schmutz in der Flamme einer Kerze verbrennen. Auf dem Tisch stehen ein großer Kürbis mit Ayahuasca und ein Kürbisbecher, um die Ayahuasca auszuschenken. Außerdem liegen eine *huaira sacha (chacapa)*, ein paar lange blaurote Papageienfedern mit einem hölzernen Griff und eine Mundharmonika auf dem Tisch. Auch steht dort eine Flasche *aguardiente*.

Die Zeremonie beginnt ziemlich unerwartet. Viele Teilnehmer reden miteinander oder sind noch damit beschäftigt, einen Platz in der übervollen *maloca* zu finden. Auch Kajuyali Tsamani, der Gastgeber, ist nicht anwesend, als Taita Querobín plötzlich ruft:»Erst die Männer, dann die Frauen!« Es gibt keine einleitenden Worte und keine Erklärung der bei der Zeremonie geltenden Regeln.

Ich stehe als Erster vor dem Tisch. Ohne Umschweife schenkt der *taita* den Becher halb voll, wirft einen Blick darauf, schaut mich kurz und regungslos an und reicht mir daraufhin – nachdem er noch kurz etwas gezischt hat – den Becher. Die Mischung schmeckt säuerlich und frisch.

Im Gegensatz zu vielen anderen Schamanen betet er nicht bei jedem Becher. Er zieht den kleinen Kürbis durch den mit Ayahuasca gefüllten großen Kürbis, zischt kurz in den Becher und reicht ihn dann weiter. Die Schlange von etwa achtzig Wartenden ist auf diese Weise relativ schnell versorgt.

Es wird eine ungezwungene Zeremonie. Es gibt keine Regeln. Alles ist erlaubt, und jeder kann teilnehmen. Bei Taita Querobín ist an diesem Abend alles möglich. Frauen dürfen ohne Probleme teilnehmen. Einige Teilnehmer tun so, als ob sie selbst Schamanen wären. Vor allem einige Männer führen in der nördlichen Ecke der *maloca* schamanische Heilungen durch. Die auffallendste Person, die sich damit beschäftigt, ist ein kolumbianischer Transsexueller, der – mehr oder weniger wie ein indischer *saddhu* inklusive eines Turbans gekleidet – mit einer langen Kondorfeder Menschen heilt. Er schlägt und wischt mit seiner langen Feder, singt Lieder und läuft in Trance um seine Patienten herum. Manche werden behandelt, ohne darum gebeten zu haben.

Die ganze Nacht hindurch machen die Teilnehmer Musik. Nicht jeder Mensch ist begabt dafür, ein Musikinstrument zu spielen, und das ist auch in dieser Nacht der Fall. Oft werden die Leute während Ayahuasca-Zeremonien gebeten, mit dem Spielen aufzuhören, wenn die Musik nicht gut klingt, aber das ist in dieser Nacht nicht der Fall. Jeder darf spielen, ob er es nun kann oder nicht. Für manche Teilnehmer ist diese Nacht deshalb besonders strapaziös … Für manche ist es sogar zu viel Freiheit. Ein ehemaliger amerikanischer

Soldat bezeichnet den Abend missbilligend als »Ego-Fest«. Er verlässt die *maloca*. Auch der Gastgeber Kajuyali hat Schwierigkeiten mit dem Verlauf der Nacht; er liegt draußen im Gras und schaut sich den Sternenhimmel an, anstatt in der *maloca* zu bleiben. Der junge Kamsá-Schamane Taita Juan Bautista Agreda bleibt hingegen in der Hütte. Ihm ist anzusehen, dass er seinen Augen nicht traut. So ein Chaos hat er offenbar noch nicht erlebt. Taita Querobín macht all das überhaupt nichts aus, er ist es so gewohnt. Solange nur Geräusche da sind, etwas passiert! Einer der Teilnehmer hatte bereits erzählt, dass die Zeremonien der Kofán in Putumayo das pure Chaos sind, mit Männern, Frauen und Kindern, die alle durcheinander rufen, tanzen und singen.

Taita Querobín tut während der Zeremonie hauptsächlich eines: heilen. Er erzählt im Laufe des Abends, dass er in der Woche zuvor in Bogotá hundertzwanzig Menschen in einer Nacht behandelt habe. »Um halb fünf am Morgen hatte ich alle behandelt und war fertig«, erzählt er stolz. Der *taita* sitzt die meiste Zeit auf seinem Stuhl, den Patienten auf einem niedrigen Holzhocker vor sich. Manchmal steht er auch auf, um eine Behandlung durchzuführen. Eine typische Behandlung von Taita Querobín besteht aus dem rhythmischen Singen unverständlicher Laute. Dabei hält er seine linke Hand an sein linkes Ohr, was den Eindruck erweckt, als hätte der *taita* direkten Kontakt zum Jenseits.

Mit seiner rechten Hand behandelt er den Patienten mit einer *huaira sacha*, mit langen Papageienfedern oder *aguardiente*. Wenn der *taita* aguardiente benutzt, muss der Patient sich teilweise entkleiden, sodass der *taita* den Alkohol mit zusammengepressten Lippen über den halb nackten Körper spucken kann. Die *chacapa* und die Papageienfedern werden unter anderem angewendet, um die Aura des Patienten zu reinigen. Manchmal stellt sich der *taita* hin und massiert den Körper des Patienten. All diese Handlungen werden vorgenommen, während der *taita* gleichzeitig monoton singt.

Zuschauer sehen wenig, bis auf das Wechselspiel zwischen den Handlungen des Schamanen und dem Gesicht des Patienten. Bei der Behandlung einer jungen Frau, die an der Organisation der Friedenszeremonie beteiligt ist, wird diese Interaktion in manchen Augenblicken sehr deutlich. Der *taita* steht auf, während sie auf dem Hocker sitzt, und drückt mit voller Wucht auf ihre Schultern. Es scheint, als würde ihr Körper neu zusammengesetzt werden, und sie seufzt dabei tief auf. Später, während der *taita* gleichmäßig und monoton singt, bewegt er seine Hände scheinbar willkürlich über den Körper der Frau. Immer wieder gleiten seine Hände über ihren Körper und ihren Kopf. Als er mit seiner rechten Hand eine diagonale Schneidebewegung über ihrem Kopf macht, verzieht sie ihr Gesicht zu einer schmerzerfüllten Grimasse. Als Außenstehender kann man nur raten, was hier gerade im Erleben der Patientin und des *taita* geschieht.

Meine Beobachtungen entgehen dem *taita* nicht. Ich sitze ganz in seiner Nähe. Während er seine Patientin behandelt, sehe ich, wie seine tief liegenden Schlitzaugen ab und zu aufblitzen und mich ansehen. Es fühlt sich an, als ob der alte Schamane direkt durch mich hindurch sieht. Nach einiger Zeit fange ich an, mich unbehaglich zu fühlen, und wende meinen Blick so oft es geht ab. Ich bleibe in der Nähe des *taita* sitzen, sodass ich seinen Gesang hören kann, und die Kakophonie an Geräuschen aus der Mitte der *maloca* im Hintergrund bleibt. Es ist angenehm, nah bei dem alten Schamanen zu sein. Seine Anwesenheit ist bis auf einige Meter Abstand zu fühlen. Ich sitze auf einem Hocker gegen einen der Pfeiler der *maloca* gelehnt und merke auf einmal, dass ich auch etwas habe, was einer Heilung bedarf. Eigentlich will ich vor allem eine Heilung und suche deshalb dafür ein Leiden. Also frage ich den *taita* nach einer Behandlung. Er sieht mich an, sieht die lange Schlange der Wartenden hinter mir und sagt: »Ich mache wohl eine Gruppenbehandlung.« Hat er gesehen, dass bei mir eigentlich alles in Ordnung ist? Bis zu jenem Punkt hatte er nur individuelle Heilungen gegeben.

Ich bin als Erster an der Reihe. Der *taita* singt seinen monotonen Gesang, mit seiner linken Hand immer am linken Ohr und in seiner rechten Hand die *huaira sacha*. Was jetzt geschieht, habe ich noch nie erlebt, und ich wurde im Laufe der Jahre schon von verschiedenen Schamanen behandelt. Es ist sehr wichtig, an der Behandlung mitzuarbeiten, den Schamanen in der anderen Welt zu treffen und so gemeinsam an einer Heilung zu arbeiten. Darauf stelle ich mich also ein, aber es passiert dennoch etwas Seltsames. Es ist, als ob der Raum direkt um mich herum voll von Menschen ist. Als ob ich mit dreißig anderen Personen in einem zu engen Fahrstuhl stecke. Es ist warm und von allen Seiten drücken Leute gegen mich. Jemand gibt mir einen flüchtigen Kuss, wie im Vorbeigehen. Ich sehe einen roten Mund und einen schwarzen Schatten. Ich sehe viele Schatten und Menschen, zunächst mit geschlossenen Augen. Aber auch als ich meine Augen öffne, sehe ich sie noch. Es sind Geister, die mit dem *taita* zusammenarbeiten. Sie laufen um ihn herum und durch ihn hindurch. Sie bewegen sich etwas oberhalb des Bodens, ohne ihn zu berühren.

Später, als der *taita* den anderen Teilnehmern hilft, bekomme ich noch eine Art »Nachbehandlung« von seinem Sohn. Taita Osvaldo, der auch Atahualpa genannt wird, ist ungefähr vierzig Jahre alt. Während seiner Behandlung spüre ich mehrere Geister, die für ihn arbeiten, aber nicht mehr als sechs oder sieben. Taita Osvaldo ähnelt diesbezüglich anderen Schamanen, die ich kenne, und die jeder für sich auch gute Heiler sind. Aber Taita Querobín ist unvergleichlich. Als ich am nächsten Morgen zu Kajuyali Tsamani sage, dass Taita Querobín der beste Ayahuasca-Schamane sei, den ich bislang erlebt hätte, antwortet er:»Ja, er ist von einer anderen Kategorie.«

Ein Kofán-Ritual mit strengen Regeln: Taita Diomedes Dias

Im April 2004 bringt mich Jimmy Weiskopf, der amerikanisch-kolumbianische Autor des Buches *Yajé: El nuevo Purgatorio* (Yagé: das neue Fegefeuer) zu einer Zeremonie des Kofán-Schamanen Taita Diomedes Dias einem Neffen und Schüler von Taita Querobín.

Die Zeremonie findet in einem großen Haus statt, das etwa eine halbe Stunde Fahrt von Bogotá entfernt liegt. Im Wohnzimmer im Erdgeschoss des Hauses findet sich eine offene Feuerstelle. Dies ist die einzige Wärmequelle im Haus, und der *taita* und seine Söhne sitzen die ganze Nacht hindurch am Feuer. Sie stammen aus dem Dschungel und sind die kalten Nächte des hoch gelegenen Bogotá (2600 Meter ü.d.M.) offenbar nicht gewohnt.

Taita Diomedes Dias ist ungefähr sechzig Jahre alt. Sein ältester Sohn Nelson ist um die dreißig und bereit, seinem Vater nachzufolgen. Der mittlere Sohn hat eine Verletzung im Gesicht und nimmt an der Zeremonie nicht aktiv teil. Auf Nachfrage stellt sich heraus, dass er seit seiner Jugend aufgrund eines Unfalls behindert ist. Der jüngste Sohn ist noch Teenager.

Taita Diomedes stellt bei seinen Zeremonien strenge Regeln auf, deren Einhaltung seine Söhne und vier Assistenten beaufsichtigen. Die Teilnehmer der Zeremonien kommen aus der unteren und gehobenen kolumbianischen Mittelschicht.[115]

Vor Beginn der Zeremonie werden die Regeln von einem der Assistenten erklärt:

* Schwangere oder menstruierende Frauen dürfen nicht an der Zeremonie teilnehmen und auch nicht anwesend sein. Sie dürfen nicht in die Nähe des Hauses kommen und müssen das Gelände sofort verlassen (niemand geht, aber einige Frauen sehen nicht sehr glücklich aus).
* Männer und Frauen sind während der Zeremonie voneinander getrennt. Das große Wohnzimmer im Erdgeschoss ist der Bereich der Männer, die erste Etage der Bereich der Frauen.
* In dem Garten um das Haus befindet sich eine große Feuerstelle. Dort sind Frauen und Männer nicht voneinander getrennt. Einige Teilnehmer haben Zelte mitgenommen, die sie im Garten aufstellen.

---

115 Seit den 1980er-Jahren kommen Schamanen aus dem Urwald in die großen kolumbianischen Städte, um ihre Rituale durchzuführen, vgl. TORO et al.: «El Yagé en la Ciudad. Aspectos del ritual del Yagé en Medellin«, in: *Cultura y Droga*, Bd. 6, Nr. 6–7, Manizales, Kolumbien.

- Frauen dürfen ins Wohnzimmer kommen, wo sich die *taita*s und die Männer beim Ayahuasca-Trinken aufhalten, um ein persönliches Gespräch mit dem *taita* zu führen oder um eine Heilung zu bitten.
- Mitten in der Nacht soll eine gemeinsame Heilung im Wohnzimmer stattfinden, bei der alle anwesend sein sollen.
- Im Erdgeschoss gibt es einen separaten Raum, in dem die Ayahuasca steht. Dieser Raum darf nur vom *taita*, seinen Söhnen und seinen Assistenten betreten werden.
- Die Toiletten sind im Haus. Muss man sich übergeben, soll dies draußen im Garten geschehen, vorzugsweise bei einem Baum oder Strauch und nicht auf den Gartenwegen.

Nach dieser Einführung bezahlen die Teilnehmer ihren Beitrag. Gegen zehn Uhr abends beginnt der *taita*, Ayahuasca auszuschenken. Zuerst sind die Männer an der Reihe, dann die Frauen. Die Ayahuasca ist wässrig und für meinen Geschmack nicht allzu stark. Als jeder getrunken hat, gehe ich nach draußen. Einige Teilnehmer, vor allem jüngere Leute, sitzen um das Feuer herum. Sie bleiben die ganze Nacht draußen. Es scheint, dass sie sich mit der Trennung von Männern und Frauen nicht wohl fühlen.

Ich merke nicht allzu viel von der Wirkung des Getränks. Nach einiger Zeit gehe ich wieder hinein, um zu sehen, ob dort etwas Besonderes passiert. Das große Wohnzimmer ist nahezu leer, bis auf den *taita*, seine drei Söhne und zwei Teilnehmer, die regungslos in ihren Schlafsäcken auf dem Boden liegen. Ab und an läuft einer der Assistenten durch das Haus. Auf den ersten Blick würde man nicht denken, dass hier eine Zeremonie im Gange ist. Der *taita* und seine Söhne unterhalten sich und hören im Radio die in Kolumbien beliebte *vallenato*-Musik.

Eine Frau kommt die Treppe herunter und spricht mit dem *taita*. Sie kennt ihn offensichtlich, die beiden reden ganz entspannt miteinander. Der Frau ist anzumerken, dass sie große Achtung vor dem alten Indianer hat. Sie bittet um eine Heilung und bekommt sie auch. Die Frau muss ihren Pullover ausziehen, sodass ihr Oberkörper – bis auf den BH – entblößt ist. Der *taita* benutzt eine *huaira sacha* und lange blaurote Papageienfedern. Er singt in unverständlichen dunklen Kehllauten. Wenn er einatmet, singt er weiter, was zu einem besonderen Rhythmus in seinem Gesang führt. Er trinkt *aguardiente* mit Anisgeschmack und spuckt es dann über die Patientin. Nach ihr kommen noch mehr Patienten. Manchmal wird der *taita* von seinem ältesten Sohn – der gleichzeitig sein designierter Nachfolger ist – unterstützt.

Gegen Mitternacht bittet eine weibliche Teilnehmerin um ein zweites Glas. Einige andere Teilnehmer und Assistenten reihen sich an der Tür zum

Zimmer, in dem die Ayahuasca steht, in die Schlange ein. Die Ayahuasca, die jetzt ausgeteilt wird, kann nicht mit dem Becher ausgeschenkt werden, weil sie nicht flüssig ist: Sie ist so stark eingekocht, dass sie die Konsistenz von eingetrocknetem Honig hat. Ich bekomme einen großen Löffel davon. Der dunkle »Honig« hängt über den Löffelrand, ohne dass die Schwerkraft Einfluss auf ihn zu haben scheint.

Bekomme ich nur deshalb einen so großen Löffel, weil Jimmy Weiskopf mich als einen europäischen Zeremonienleiter vorgestellt hat? Oder ist dies die Standarddosierung? Ich stecke den Löffel in den Mund und schlecke so viel wie möglich von dem »Honig« davon ab. Mein Mund ist proppenvoll. Ich gebe dem *taita* den Löffel zurück, aber er sagt, der Löffel müsse völlig sauber sein. Ich kann diesen erst sauber lecken, als ich einen Brocken »Honig« heruntergeschluckt habe. Ich fühle mich wie der bravste Junge der Klasse, als ich dem Schamanen den sauberen Löffel zurückgebe.

Ich setze mich wieder draußen ans Feuer. Es liegen ein paar große Baumstämme als Sitzgelegenheit um das Feuer herum, zudem gibt es einen Stuhl. Seit Beginn des Rituals hat ein junger Mann mit langem Haar und einem verzierten Poncho auf diesem Stuhl gesessen. Als der Mann aufsteht und ins Haus geht, nehme ich seinen Platz ein. Nach einigen Minuten werde ich durch einen der Assistenten mit erhobener Stimme zurechtgewiesen. Ich darf nicht auf dem Stuhl sitzen, denn dieser ist für den Mann mit dem Poncho gedacht, weil er krank ist. Seine Frau ist schwanger, und deshalb ist auch er ein bisschen schwanger. Und wer schwanger ist, ist krank. Das geht alles über meinen Horizont, aber Schwangerschaft ist offensichtlich eine große Sache für diese Menschen.

Derselbe Assistent, der mich so unfreundlich zurechtgewiesen hat, kommt kurz darauf wieder zum Feuer, um anzukündigen, dass es Zeit ist für die gemeinsame Reinigung. Alle Anwesenden setzen sich in zwei Reihen gegenüber, die Gesichter einander zugewandt. In der einen Reihe sitzen die Frauen, in der anderen die Männer. Die Oberkörper der Männer sind entblößt, die Frauen tragen nur BH. Unter Nelsons Leitung werden die zwei Reihen in den richtigen Abstand gebracht. Zwischen den Reihen muss so viel Platz sein, dass Taita Diomedes dazwischen laufen und tanzen kann. Dahinter muss genug Platz sein für Nelson und seinen Bruder.

Bevor der *taita* mit der gemeinsamen Reinigung beginnt, betet er das Vaterunser und dankt auch *madre tierra*, Mutter Erde. Dann fängt er an, zwischen den Anwesenden hindurchzulaufen. In einem atemberaubenden Rhythmus singt er seine dunklen Kehllaute, ausatmend drei Laute und einatmend einen Laut: »Hey-Hey-Hey-Hoéi! Hey-Hey-Hey-Hoéi! Hey-Hey-Hey-Hoéi!«

Er hat lange Papageienfedern in der einen Hand und eine Flasche *aguardiente* in der anderen. Er behandelt einen nach dem anderen, erst die Männer, dann die Frauen. Während Taita Diomedes in der Mitte läuft und tanzt, mit seinen Federn schlägt und die Teilnehmer mit *aguardiente* bespuckt, stampft sein ältester Sohn Nelson hinter der Frauenreihe mit den Füßen, mit einer Mundharmonika in der einen und Papageienfedern in der anderen Hand. Der jüngste Sohn, der noch keine zwanzig ist, steht in einer Ecke und singt mit, eine *huaira sacha* in der Hand.

Die halbe Nacht ist bereits vergangen, und die Wirkung auf einige Teilnehmer während der gemeinsamen Reinigung ist sehr stark. Eine Frau zittert während der Behandlung, die etwa eine Stunde dauert, am ganzen Körper. Eine andere junge Frau neben ihr schreit manchmal und klatscht in die Hände.

Nicht weit von mir sitzt der kolumbianische *gringo* Jimmy Weiskopf. Er singt laut mit dem *taita* mit und übertönt ihn ab und zu, bis der *taita* ihn schroff zurechtweist. Kurz danach bin ich an der Reihe. Die Reinigung ist alles andere als sanft. Erst werde ich unsanft mit den langen Papageienfedern geschlagen. Es fühlt sich an, als ob Nadeln an den Federn säßen, ich spüre die Kratzer auf meinem Rücken. Danach wird mir mit großer Wucht *aguardiente* ins Gesicht gespuckt, es ist fast wie ein Klaps auf die Wange.

Mein ganzer Körper wird bespuckt, und dann reibt der *taita* mit seinen Händen meinen gesamten Körper ab. Als er meinen Arm ergreift, hält er diesen schräg hoch. Er wischt das *aguardiente* in Richtung meiner Hand, und in diesem Augenblick schlägt der Effekt des Löffels Ayahuasca ein wie eine Bombe. Während ich mich zunächst noch umsehen konnte, um diese gemeinsame Reinigung zu beobachten, kann ich mich von diesem Moment an, als der *taita* über meinen Arm wischt, nur noch um meinen eigenen Zustand kümmern. Ich fliege in die Luft, das große Wohnzimmer fängt an, sich zu bewegen, und alles wird von einem Moment zum anderen anders. Es gelingt mir gerade noch, in der Reihe sitzen zu bleiben, bis die Reinigung vollzogen ist. Als schließlich jeder behandelt worden und das Reinigungsritual beendet ist, stehe ich langsam auf und schlurfe zu meiner Schlafmatte in der Ecke des Zimmers. Ich lege mich hin und kann mich in den nächsten drei Stunden nicht bewegen. Ich liege auf der linken Seite. Ich kann mich nicht umdrehen, ich kann mich nicht anders hinlegen. Ich kann meinen Kopf nicht heben. Das Einzige, was mir noch gelingt, ist, die Augen zu schließen und zu öffnen.

Mit geöffneten Augen habe ich die Bank an der offenen Feuerstelle im Blick, auf der sich der *taita* verschanzt hat. Aus meiner Position kann ich sehen, was er mit den Teilnehmern macht, die zu ihm kommen. Aber oft fallen mir die Augen zu, und ich reise durch meine innere Landschaft. Eine Vision bleibt mir in Erinnerung. Es ist, als ob ein Keller halb unter dem Fußboden liege, in etwa vergleichbar mit der Zwischenetage, die in dem Film *Being John Malkovich* vorkommt. Im Erdgeschoss sehe ich die Bank bei der Feuerstelle und den *taita* und seine Söhne; unter dem Boden sitzen und stehen kleine halb nackte Geister. Sie haben einen dunklen Teint. Sie feiern. Sie schauen mich erstaunt an. Ich kann mich des Eindrucks nicht erwehren, dass es Geister der Kofán sind.

Der *taita* und zwei seiner Söhne führen gerade eine Heilung durch, die ich aus meiner unbeweglichen Position gut beobachten kann. Ein Patient mit entblößtem Oberkörper sitzt vor dem *taita*. Taita Diomedes singt kehlig, seine Stimme hat einen tiefen und dunklen Klang. Der Rhythmus, in dem er singt, wird durch seine Atmung hervorgerufen. Er singt, als ob er auf einer Mundharmonika spielen würde. Er spuckt *aguardiente* über den halb nackten Patienten und säubert ihn dann mit einem Bergkristall.

Nelson spielt Mundharmonika und stampft und tanzt durch den Raum. Der Rhythmus des Sohnes ist völlig losgelöst vom Rhythmus des Vaters. Der junge Schamane erinnert an einen Drillsergeanten, sein Tanz hat einen stark martialischen Charakter. Er stampft, als hinge sein Leben davon ab. Er geht völlig in seinem Tanz auf, stoppt aber in einer Rückwärtsbewegung – ohne sich umgedreht zu haben – einen halben Meter vor dem Kopf eines Teilnehmers, der auf dem Boden liegt. Nelson weiß ganz genau, was er tut.

Der jüngste Sohn spielt auch mit – mit der *huaira sacha* – und singt ab und zu. Auch er hat seinen eigenen Rhythmus, unabhängig von dem seines Vaters und dem seines älteren Bruders. Dann wird der Patient mit *aguardiente* eingerieben und anschließend mit einem Büschel langer, roter Papageienfedern gesäubert. Zum Schluss haben alle drei Kofán-Schamanen in ihrer linken Hand Papageienfedern und in der rechten Hand Macheten und machen Schneidebewegungen um den Kopf und den Körper des Patienten.

Die drei Männer geben flötende Geräusche von sich. Es klingt wie ein Schwarm Vögel im Dschungel. Alle fünf Anwesenden im Wohnzimmer (darunter auch ich) werden ebenfalls mit der Machete gesäubert, sodass die schlechte Energie der Patienten anderen nichts anhaben kann. Am Ende schlägt und schiebt Nelson die von den Patienten losgeschnittene Energie in Richtung Außentür.

Die Behandlungen wirken zunächst chaotisch: Sind hier Menschen am Werk, die wissen, was sie tun, oder tun sie einfach irgendetwas? Das Singen des *taita*, die Mundharmonika von Nelson, die *huaira sacha* des jüngsten Sohnes – das alles ist nicht miteinander verbunden. Es liegt dem kein gemeinsamer Rhythmus zugrunde. Eine wahre Kakophonie, auch ohne das Geräusch des wiederholten Bespuckens der Patienten mit *aguardiente*.

Taita Diomedes hat – ohne dass es auffällt – stets alles unter Kontrolle. Während des Singens, zwischen den dunklen Kehllauten, während er rhythmisch mit den Papageienfedern schlägt, gibt er eine Anweisung an einen Teilnehmer: »Du musst dich mit dem Kopf zur Mauer hin legen. So ist das gefährlich. Jemand könnte über dich stolpern.« Diese Anweisung hat höchstens einen Atemzug gedauert. Sein Gesang wurde kaum unterbrochen. Der *taita* erweckt den Eindruck, alles zu sehen und auch Augen in seinem Rücken zu haben. Er ist ein Schamane mit sehr viel Erfahrung.

Als ich mich nach einigen Stunden wieder bewegen kann, laufe ich in den Garten, um mich zu übergeben. Das wird im Laufe der Nacht noch ein paar Mal geschehen. Der Effekt des Löffels Ayahuasca hält bis zum Morgen an.

Das Vermischen typisch indianischer Sitten, wie die Regeln bezüglich schwangerer und menstruierender Frauen, mit dem christlichen Charakter der Zusammenkunft ist in meinen säkularen, europäischen Augen erstaunlich. Zu Beginn der Zeremonie wird das Vaterunser gebetet. Am Anfang und am Ende der gemeinsamen Reinigung betet der *taita*. Während der Nacht wird der »Herr« verschiedene Male angerufen. Ich höre mehrere Male *disculpame* (»vergib mir«) und andere Ausdrücke, die das Wort *culpa* (Schuld) enthalten.

Der Kamsá-Schamane Taita Martín Agreda

Taita Martín Agreda, im Jahre 2004 84 Jahre alt, ist ein bedeutender Schamane der Kamsá aus dem Sibundoy-Tal und war sieben Jahre lang einer der Lehrer von Kajuyali Tsamani. Seine Augen verraten sein Alter. Er hat zwei goldene Eckzähne in einem ansonsten makellosen Gebiss, eine ziemlich dunkle Hautfarbe und große Ohren mit ebenfalls großen Löchern in den Ohrläppchen.

> »Bis vor dreißig Jahren lag die Stelle, an der jetzt das Haus steht, auf dem Grund eines Sees. Ringsherum war alles dicht bewaldet. Davon ist nun nichts mehr übrig. Alles wurde zu Grasweiden für das Vieh. Man kann sich heute nicht mehr vorstellen, dass Taita Martín seinen Söhnen noch das Jagen mit dem Blasrohr beigebracht hat. Jetzt gibt es keine Affen mehr zum Jagen, denn der Wald ist verschwunden.« (Kajuyaki Tsamani)

Die Zeremonien im Haus des *taita* finden in einem schlichten länglichen Raum statt. Die Stirnseite des einfachen Bretterverschlags grenzt an das Zimmer des Sohnes Juan Bautista, der dort mit Frau und Kindern schläft. Nach einigen Stunden des Wartens beginnt die Zeremonie. Der *taita* hat sich für diese Nacht nicht besonders gekleidet und auch nicht seine große eindrucksvolle Federkrone aufgesetzt. Die Kette mit den vierzig Jaguar-Eckzähnen fehlt ebenfalls. Über seinem traditionellen dunklen Kamsá-Poncho mit weiß umrandeten blauen und roten Streifen trägt er nur eine lange Schnur mit großen, hohlen Samenkapseln um den Hals.

Der *taita* sitzt hinter seinem Holzschreibtisch. Auf der Tischplatte steht ein großer mit *yajé* gefüllter Kanister, daneben liegen eine *huaira sacha*, ein paar Kerzen und eine Packung Tabak. Schräg hinter dem *taita* steht eine Flasche *aguardiente*. Der *taita* besingt jedes Glas *yajé* und segnet es mit Tabakrauch, bevor er es weiterreicht. Er wünscht den Teilnehmern *una buena pinta*, »schöne Visionen«. Während er singt, hält er mit seiner rechten Hand die *huaira sacha* und die lange Schnur mit den hohlen Samenkapseln fest. Die Kombination aus flatternden Blättern und den klappernden Samen klingt wie eine Brise an einem Gebirgsbach. Später in der Nacht wiederholt sich dies jedes Mal, wenn der *taita* anfängt zu singen: Er schüttelt zugleich die *huaira sacha* und die lange Halskette, und jedes Mal singt er dasselbe Lied.

Ambecito curihuasca
Ambecito indihuasca
Chuma y pinta, pinta y pinta
Ambecito curihuasca
Ambecito indihuasca
Cura gente, buena gente
Mucha gente, buena suerte
Cura y pinta, pinta y pinta ...[116]

Im Laufe der Nacht fragt der *taita* mehrere Male, ob die *yajé* nach Wunsch sei und ob jemand noch etwas trinken möchte. Schließlich fragt er spät in der Nacht noch ein letztes Mal. Kurz darauf kündigt er an, dass er zu Bett gehe. Seine Arbeit ist getan.

Einige Teilnehmer haben große Probleme mit der Kälte und spüren deshalb nur wenig von der Wirkung des *yajé*. Für manche indes ist es eine besondere Nacht, die ihr Leben verändert. Ein Engländer, der nach Südamerika gekommen ist, um *ayahuasquero* zu werden, erkennt, dass dies nicht sein Weg ist. Ein deutscher Buddhist hat einen kristallenen *phurba* vom Schamanen segnen lassen und reist mit dem rituellen Dolch in andere Dimensionen.

Für mich ist die Ayahuasca nicht besonders stark, aber nach zwei Gläsern ist die Wirkung ausreichend für eine tiefe Erfahrung. In dieser Nacht mit Taita Martín kann ich mich auf mich selbst konzentrieren, anstatt mich um andere zu kümmern. Wegen der Kälte und der sanften Wirkung des *yajé* ist einige Konzentration notwendig, um nach innen zu gehen. Es ist mucksmäuschen-

116 Das Kamsalied beschwört die Heilkraft und die Visionen durch Ayahuasca. Tsamani: 2003, S. 44.

still im Raum. Ab und an singt der *taita* sein Lied, manchmal sind Geräusche aus der Umgebung zu hören, mehr nicht.

Mein Nachbar – keinen Meter von mir entfernt – beginnt mit seiner Nachbarin ein angeregtes Gespräch im Flüsterton, und ich reagiere sehr schnell auf diese Störung:»Wenn ihr euch unterhalten möchtet, warum geht ihr dann nicht nach draußen?« Diese Bemerkung wird nicht gerade positiv aufgenommen, aber ich selbst bin ganz froh darüber. Es ist der Anfang einer langen Reihe von Gedanken.

Kajuyali Tsamani: Der »neue« Schamane

Der Kolumbianer Kajuyali Tsamani ist ein südamerikanischer Schamane der »neuen Generation«. Im Gegensatz zu den in diesem Buch erwähnten einheimischen Schamanen – Querobín Queta, Diomedes Dias, Martín Agreda, Guillermo Arévalo oder Hilario Chiriap – ist er nicht rein indianischer Abstammung. Wie viele Südamerikaner hat Kajuyali Tsamani europäische und indianische Vorfahren. Seine Großmutter stammt vom inzwischen ausgestorbenen zentralkolumbianischen Stamm der Panche ab. Sein Großvater reiste viel durch den Dschungel im Süden des Landes und hatte darüber immer viel zu erzählen.

>»Mein Opa lebte, bevor er heiratete, einige Zeit bei Indianern in Putumayo.
> Er trank Ayahuasca und lernte, wie die verschiedenen Heilpflanzen angewendet werden. (...) Er erzählte von Jaguaren, Anakondas, Kaimanen, Geistern
> und Schamanen. Er versicherte mir, dass ich später den Urwald kennen
> lernen und von den Indianern lernen würde.«[117]

Während seines Anthropologiestudiums erhielt Kajuyali Tsamani die Chance, bei indianischen Schamanen in die Lehre zu gehen. Ende der 1970er-Jahre, im ersten Jahr seines Studiums, nahm er an einem abenteuerlichen Forschungsprojekt im Urwald im Süden des Landes teil:

>»Wir waren bereits drei Tage und Nächte auf dem Fluss Igará-Paraná unterwegs, ohne ein einziges Dorf gesehen zu haben. Wir waren erschöpft. Gegen
> Abend des dritten Tages erreichten wir eine *maloca* vom Stamm der Bora.
> Nach einem herrlichen Essen nahmen meine erschöpften Reisegefährten gern
> die Einladung an, ihre Hängematten dort aufzuhängen, um auszuruhen.
> In der *maloca* sah ich zwei *abuelos* am Feuer sitzen. Sie kauten Cocablätter und
> unterhielten sich in ihrer Sprache. Drei junge Indianer saßen bei ihnen,
> und die *abuelos* boten ihnen Coca und Ambíl an. Ich fragte die *abuelos*, ob ich

---

117 Tsamani: *De Weg van mijn Initiatie*, unveröffentlichtes Manuskript, Übersetzung Jan-Frank Gerards (2002).

mich zu ihnen setzen dürfe. Auf Spanisch sagten sie mir, dass ich ihnen gern Gesellschaft leisten könne. Sehr zufrieden setzte ich mich auf den mir zugewiesenen Platz, und dann boten sie mir Coca und Ambíl an. Ihren Blicken und Gesten konnte ich entnehmen, dass sie über mich sprachen. Dann nahmen sie ihr Gespräch wieder auf. Während der eine der *abuelos* – den Mund voller Cocablätter – einen langen Monolog hielt, murmelte der andere ab und an zustimmend, und die jungen Indianer hörten still zu. Ich war verzaubert von seinen Worten in dieser fremden Sprache, die ich nicht verstand. Gegen Mitternacht zogen sich die jungen Indianer in ihre Hängematten zurück. Die *abuelos* blieben sitzen und fragten mich, ob ich nicht müde sei. Aber ich fühlte mich ganz und gar nicht schläfrig! Ich war fasziniert von ihren unverständlichen mythologischen Worten.

Es war sehr kalt in dieser Nacht, aber das kleine Feuer wärmte uns. Einer der *abuelos* warf Samen der *umarí*-Frucht *(Poraqueiba sericea)* ins Feuer. Schon wenige Samen füllten den Raum mit Rauch. Als der Rauch meinen Körper erreichte, konnte ich auf einmal die Sprache der *abuelos* verstehen. Ich sah, dass der Arm des einen sich in einen Zweig verwandelt hatte, der sich zur Melodie der Worte bewegte. Am Ende des Zweigs, wo seine Hand saß, baumelten die Worte. Der *abuelo* sagte in seiner Sprache, dass ich jetzt seine Worte verstehen könne, und dass dies die Sprache der Coca sei, die Sprache des Wissens, und dass sie nicht einfach nur so redeten, sondern über das sprachen, was sie von *abuelos* gelernt haben, die vor langer Zeit gelebt hatten. Sie hatten mein Kommen erwartet, und auf diese Weise öffneten sie mir die Pforten zu meinem Pfad des Wissens. Die Worte, das Ambíl, die Coca und der Rauch der *umarí*-Samen hatten mich berauscht und mich eingeladen zu lernen.«[118]

Die Kogi

Im darauffolgenden Jahr arbeitete Kajuyali Tsamani an einem Forschungsprojekt bei den Kogi im Norden des Landes mit. Die Kogi sind bekannt für ihre spirituelle Lebensweise. Sie waren das erste südamerikanische Volk, das mit den spanischen *conquistadores* in Berührung kam. Die Lehre, die die Kogi daraus zogen, war die Abkehr von den europäischen Immigranten, die sie »jüngere Brüder« nannten. Sie zogen sich zurück in die Sierra Nevada de Santa Marta, eine Bergkette an der karibischen Küste im Norden Kolumbiens mit Gipfeln von bis zu knapp 6000 Metern Höhe. Die Kogi leben dort noch immer auf ihre eigene traditionelle Art und Weise, unabhängig und

118 TSAMANI 2002.

kaum beeinflusst von der Außenwelt. Regiert von der Priesterkaste der *mama*, folgen sie ihren eigenen Regeln und mündlichen Überlieferungen. Rad und Schrift spielen in der Kultur der Kogi keine Rolle. Sie decken ihren Bedarf an Nahrung, Kleidung und Unterkünften selbst. Alles, was sie brauchen, beziehen die Kogi aus ihrem eigenen Lebensraum. Die Liebe zu Mutter Erde und deren Verehrung ist Mittelpunkt ihres Glaubens. Die Kogi sehen sich selbst als die »älteren Brüder«, deren Aufgabe es ist, die Welt in Balance zu halten. Als sie Ende der 1980er-Jahre erkannten, dass die Veränderungen in der Welt durch das Tun der »jüngeren Brüder«, also durch uns, aus dem Ruder zu laufen drohten, suchten sie Kontakt zur Außenwelt. Sie luden ein Team der BBC ein, um ihre Botschaft der Welt zu vermitteln. In der Fernsehdokumentation *From the Heart of the World* des britischen Filmemachers Alan Ereira warnen die Kogi vor drohenden Klimaveränderungen. Laut der Botschaft der »älteren Brüder« ist Mutter Erde todkrank.

The Mother is suffering
They have broken her teeth
And taken out her eyes and ears.
She vomits,
She has diarrhoea,
She is ill.[119]

Während seines Aufenthalts bei den Kogi als Student der Anthropologie begleitet Kajuyali Tsamani eines Tages einige Frauen und Kinder bei der Coca-Ernte. Coca ist die wichtigste Schamanenpflanze für die Kogi.

> »Die Frauen stellten ihre Taschen auf den Boden und sagten, dass wir nun mit dem Ernten beginnen könnten. Ich sagte zu ihnen, ich wolle keine Cocablätter pflücken, da meines Wissens Männer die heilige Pflanze nicht berühren dürfen. Sie fingen an zu lachen. Ich nahm eine Hacke und begann, das Unkraut, das zwischen den Cocasträuchern wuchs, zu jäten. Nach einiger Zeit setzte ich mich hin, um ein wenig auszuruhen. Auf einmal sah ich eine Gottesanbeterin auf einem Zweig eines Strauchs sitzen. Ich rief die jüngste Frau und fragte sie nach dem Namen, den die Kogi diesem Tier in ihrer Sprache geben. Sie wandte sich an die anderen Frauen, wobei sie ein paarmal die Worte *mama dengo* betonte. Ich dachte, dies müsse der Name des Insekts

---

119 Alan EREIRA: *The Elder Brothers*, New York: Random House 1990, S. 229. »Die Mutter leidet. Sie brachen ihr die Zähne aus, stießen ihr die Augen aus und schnitten ihre Ohren ab. Sie übergibt sich. Sie hat Durchfall. Sie ist krank.«

sein, aber wegen des Wortes *mama* nahm ich an, es handle sich um eine heilige schamanische Person. Während sie miteinander sprachen, sahen sie mich mit einem gewissen Erstaunen an. Als ich mich nach einiger Zeit des Unkrautjätens wieder ausruhte, betrachtete ich erneut den Cocastrauch und sah dort nun eine Grille auf dem Zweig sitzen. Wieder fragte ich nach dem Namen des Tieres, und die Frauen reagierten mit noch größerem Erstaunen und sahen mich unruhig an. Sie sagten, der Name des Tieres sei *haba ajuashkala*. Ich erkannte, dass sie wieder einen heiligen Ausdruck benutzten, um die Grille zu benennen. *Haba* ist das Wort für Mutter. Sie hörten mit dem Pflücken auf, und wir kehrten zur Siedlung namens Luaka zurück. Die Tatsache, dass beide Tiere einen Namen mit heiliger Bedeutung hatten, beschäftigte mich die ganze Mittagszeit über.

Zu meiner Überraschung wurde mir nachmittags ein Beutel mit gerösteten Cocablättern überbracht, mit der Bitte, in der Nacht zur Hütte eines der Schamanen zu kommen, um mit ihm Coca zu kauen. Als ich bei dem Schamanen ankam, bot er mir *ambíl* an und bat mich, ihm gegenüber Platz zu nehmen. Er erzählte mir, ihm sei mitgeteilt worden, dass ich die Ahnen der Coca kennen gelernt hätte. Nachdem die Coca von einem Kolibri den Menschen geschenkt worden war, nahmen *mama dengo* und *haba ajuashkala* die Gestalt der Gottesanbeterin und der Grille an. Sie waren verantwortlich für den Schutz der Cocafelder auf den alten Terrassen, aber man sah sie selten, und es war recht seltsam, dass ein ›jüngerer Bruder‹, also jemand, der nicht zum Stamm der Kogi gehörte, sie sah. Der Schamane sagte mir, es sei ein Zeichen, dass ich den *poporo* haben dürfe und dass ich die Erlaubnis hätte, die Pflanze rituell zu gebrauchen. Ein *poporo* ist ein Kürbisgefäß, in dem sich das kalkhaltige Pulver befindet, das Cocablättern hinzugefügt wird damit sich die anregende Wirkung entfaltet. Der Kogi-Schamane führte ein kurzes Ritual durch, bevor er mir den geweihten *poporo* überreichte. Er sagte mir, ich müsse zurückkommen, um den Gebrauch der Pflanze kennen zu lernen.«[120]

Über einen Zeitraum von 15 Jahren wurde Kajuyali Tsamani von sechs Schamanen verschiedener indianischer Völker unterrichtet, die ihm ihre Geheimnisse im Umgang mit Coca, Tabak, Yopo und Ayahuasca anvertrauten. Zudem hat er einen Universitätsabschluss in Anthropologie. Seinen Namen Kajuyali Tsamani erhielt er von einem seiner Lehrer, einem Yopo-Schamanen vom Volk der Sikuani aus dem Orinoko-Gebiet.

---

120 Tsamani: 2002.

Der Name Kajuyali Tsamani stammt von den Urschamanen der Sikuani, die im Sternensystem der Plejaden wohnen. *Kajuyali* bedeutet »das Beschützen und »Ausbalancieren der Welt« und *tsamani* »Meister Urschamane«.

Im Oktober 2000 kam Kajuyali Tsamani zum ersten Mal nach Europa, um an der großen Schamanenkonferenz »Wanderer zwischen den Welten« in Garmisch-Partenkirchen teilzunehmen. Dies war der Beginn einer jahrelangen Freundschaft und Zusammenarbeit.

»Auf der Bühne stand ein ziemlich kleiner, breiter Mann in traditioneller indianischer Kleidung. Er sah aus wie ein großes Kind, mit großen kindlichen Augen. In seiner rechten Hand hielt er eine *maraca*, mit der er einen Rhythmus spielte; seine linke Hand hatte er erhoben, als wolle er die Teilnehmer der Konferenz begrüßen. Er sang ein altes Lied. Ich war tief berührt. Obwohl ich ziemlich weit von der Bühne entfernt stand, war es, als ob Kajuyali Tsamani nur Liebe und Frieden ausstrahlte – ein wenig ungewöhnlich für jemanden, der in einem Land aufgewachsen ist, das seit vierzig Jahren im Bürgerkrieg lebt.«

Seitdem besucht er Europa jedes Jahr. Er wird unterstützt von einer niederländischen Stiftung, die kleinere Entwicklungshilfeprojekte finanziert. Mit Hilfe der Stiftung wurde 2002 in der Nähe der südamerikanischen Stadt Pasto eine *maloca* gebaut. Diese *maloca* heißt Nabi Nunhue, »Haus des Jaguars«.

Die pyramidenförmige Zeremonienhütte Nabi Nunhue ist eine Kogi-*maloca* und repräsentiert das Universum. Nur die obere Hälfte ist sichtbar, die obere Welt. Die untere Hälfte liegt unter der Oberfläche. Die Schnittfläche ist die mittlere Welt.

In der *maloca* gibt Kajuyali Tsamani sein Wissen an junge Kolumbianer weiter. Um die *maloca* herum ist ein botanischer Garten angelegt. Inzwischen steht auch ein Gästehaus für ausländische Besucher zur Verfügung. Der Schamane arbeitet als Heiler in einem alternativen medizinischen Zentrum in Pasto und ist Vorsitzender der *Fundacíon de Investigaciones Chamanistas*, der Stiftung für schamanische Forschung.

Kajuyali ist ein Schamane der »neuen Generation«, weil er sein Wissen aus verschiedenen Quellen bezieht. Er ist weit gereist und sehr belesen. Er lehrt traditionelle Gesänge und Mythen am Lagerfeuer, ist aber auch von Carlos Castaneda beeinflusst. Er ist ein Jaguar-Schamane und hat in diversen Publikationen eindringlich darüber geschrieben. Zugleich ist Friedrich Nietzsche sein favorisierter Philosoph. Während einer Einführung in den Schamanismus für eine Meisterklasse junger internationaler Theatermacher in Amsterdam hielt er einen ausführlichen Vortrag über den französischen Erneuerer des Theaters, Antonin Artaud. Später an jenem Abend – nachdem die Ayahuasca ausgeschenkt worden war und bereits ihre Wirkung tat – wälzte er sich auf seinem Stuhl wie ein Jaguar, der eine kleine Eule reißt.

Kajuyali Tsamanis Hintergrund ist eklektisch und kommt von den Völkern, bei denen er gelebt hat und in deren Geheimnisse er eingeweiht wurde. Aber er wurde auch von seinen Kontakten zu anderen, weiter entfernten Kulturen beeinflussen: beispielsweise von der nordamerikanischen Lakota-Tradition mit ihren Schwitzhütten *(inipi)*, der Friedenspfeife *(chanupa)* und den *vision quests* (Visionssuche).

Für Kajuyali ist es selbstverständlich, dass er seine Arbeit auf seine Weise macht und nicht seine Lehrer kopiert:

»Jeder muss seinen Weg gehen, das ist es, was mir alle meine Lehrer beigebracht haben. Mein Ayahuasca-Lehrer Taita Martín, ein Kamsá-Schamane aus dem Sibundoy-Tal, ist z.B. strenger Katholik. Bei ihm dürfen Frauen, die gerade menstruieren, auf keinen Fall an einer Zeremonie teilnehmen. Für mich ist das anders. Ich bin der Meinung, dass Frauen während ihrer Menstruation auf dem Höhepunkt ihrer schamanischen Kraft sind. Sie dürfen also bei mir teilnehmen, gern sogar. Aber das bedeutet nicht, dass zwischen mir und meinem Lehrer Uneinigkeit besteht. Wenn wir miteinander reden, geht es nicht um den katholischen Glauben oder das Menstruieren. Ich respektiere ihn, und er respektiert mich. Das ist seine Art und Weise, und das ist meine Art und Weise. Ich gehe meinen Weg, und er geht seinen Weg.«

Auf seine Qualitäten als Heiler angesprochen, erwiderte er:»Ich kann Menschen heilen, und das ist meine Heilung. Natürlich ist es letztendlich so, dass nicht ich die Menschen heile, genauso wenig wie ich derjenige bin, der singt. Ich bin offen, und es passiert.«

Zeremonie in der Nabi-Nunhue-Maloca

Die Zeremonie beginnt nach Sonnenuntergang gegen sieben Uhr. Siebzehn Erwachsene und einige Kinder sind anwesend. Die Kleinen tollen herum, und die Mütter lachen. Das gibt dem Ganzen eine typisch weibliche Atmosphäre.

Die Mehrheit der Leute gehört zum inneren Kreis der Nabi-Nunhue-Maloca; es sind meist Intellektuelle aus Pasto, Kolumbianer zwischen zwanzig und fünfzig Jahren. Vier Beteiligte trinken zum ersten Mal, einfache Bauern aus der ländlichen Nachbarschaft.

Kajuyali erklärt uns:»Heute werden wir eine spezielle Ayahuasca trinken, Tama Ayahuasca oder Tamahuasca. Sie wird aus wild wachsenden Pflanzen hergestellt, die die Kofán-Indianer im Dschungel der Baja-Putumayo-Region sammeln.« Dann steht er von seinem Platz bei der Feuerstelle in der Mitte der *maloca* auf und setzt sich an den Tisch an der Ostseite. Nach und nach begeben sich alle zu ihm, um ihre Tasse der Dschungelmedizin entgegenzunehmen – nicht der Reihe nach oder auf Aufforderung, sondern dann, wenn man sich danach fühlt, und ohne jede Hierarchie. Manche kehren zurück zu ihrem Platz am Feuer. Andere legen sich auf ihre Matte an der *maloca*-Wand. Die schwangere Frau des Lehrlings und das Paar mit dem einjährigen Sohn trinken nicht.

Die Tamahuasca der Kofán hat einen geringen Gehalt an β-Carbolinen und enthält viel DMT. Manche verspüren die Wirkung schnell. Bei anderen dauert es länger, z.b. bei mir. Zunächst merke ich gar nichts. Ich bin frustriert. Bin ich deshalb den weiten Weg nach Kolumbien gekommen? Meine eigene Ayahuasca ist sehr viel stärker. Ich fühle mich durch einige Anwesende irritiert. Besonders von meinen beiden Kollegen Christian und Claudia. Sie reden und wispern, wie sonst auch. Christian lacht viel. Das stört mich sehr, und ich gehe deshalb auf die andere Seite, so weit weg wie möglich. Ich stimme mit meiner *maraca* in Kajuyalis Rhythmus ein. Dann lege ich mich lange nieder. Ich schlafe nicht, obwohl mir manche später berichten, sie hätten mein Schnarchen gehört. Ich hebe meinen Kopf und suche nach der Frau mit den kurzen, blonden Haaren, mit der ich soeben ein langes vertrauliches Gespräch hatte. Hat sie nicht neben Christian gesessen? Wo ist sie nun? Ich mustere alle Teilnehmer, wie zu Beginn der Zeremonie, und realisiere, dass es eine solche Frau nie gegeben hat. Die Ayahuasca ist also stark. Ich fühle mich nicht gut, weder geistig noch körperlich. Meine Irritationen gegenüber meinen Freunden und dem laxen Stil der Zeremonie hängen mit meinem Unwohlsein zusammen.

Jedem ist zum Erbrechen übel. Mitten in der Nacht stolpert einer der *campesinos* aus der *maloca*. Zwei Helfer springen ihm rasch zur Seite. Der junge Mann schafft es gerade noch nach draußen. Wenige Meter vor dem Gebäude bricht er bewusstlos zusammen. Zunächst kümmern sich nur die zwei Assistenten um ihn. Kajuyali weist sie an, Copal zu räuchern. Dann geht auch er hinaus. Offensichtlich ist die Lage ernster, als er ursprünglich dachte. Über eine Stunde verbringt er mit Heilzeremonien. Catalina, José Fernando (ein anderer Lehrling) und ich assistieren ihm mit unseren *huaira sachas*. Später gesellen sich weitere mit ihren *maracas* hinzu. Schließlich bittet Kajuyali einen der beiden Lehrlinge, ihm ein Buch zu holen. Er braucht einen Spruch der Sikuani gegen *brujeria*. Er kennt ihn nicht auswendig, sondern liest ihn ab. Mit einer viermaligen Rezitation der heiligen Worte seines Sikuani-Lehrers begegnet er der Verhexung. Später erzählt er, der junge Mann sei von sämtlichen Giftschlangen, die in der Gegend vorkommen, attackiert worden. Eine *bruja* habe den Vater des jungen Mannes mit schwarzer Magie verwünscht. Da das aus irgendwelchen Gründen nicht gelang, verfluchte sie den Sohn, um dessen Vater zu treffen und zu schädigen. »Eine typische südamerikanische Krankheit« bemerkt Kajuyali später. Nach dieser langen Heilung kommt der *campesino* wieder zu Bewusstsein. Doch er bleibt bis zum Ende der Zeremonie im frühen Morgengrauen an derselben Stelle liegen.

Während des Rituals gehen die Teilnehmer ständig in der *maloca* aus und ein. Der Vollmond scheint auf die Hügel und Andenausläufer. Schäfchenwolken überziehen den Himmel wie ein Stickmuster. Das Panorama ist atemberaubend. La Galera, der 4200 Meter hohe Vulkan, der sich in mehr als 30 Kilometer Entfernung über Pasto erhebt, scheint zum Greifen nahe. In etwa 150 Kilometern sieht man im Norden silbern schimmernde Bergrücken. Einige stehen lange in diesen Anblick versunken da.

Ich habe mich zwar eine Stunde nach dem Trinken übergeben, doch mir ist noch immer übel. Während der Heilung des jungen Mannes habe ich mein Unwohlsein unterdrückt. Doch nun ist es an der Zeit, meine Eingeweide porentief zu reinigen. All der Schmerz, die Wut und das Elend der Trennung von meiner Partnerin brechen sich Bahn. Es dauert lange, bis alles in großen Fontänen nach draußen bricht, von tief innen. Dann ist es vorbei. Ich bin froh, es los zu sein. Ich blicke in den Himmel, auf die Schäfchenwolken, durch die der Mond funkelt. Die Schönheit ist überwältigend. Feine Muster scheinen in den Wolken auf. Wo der Mond hindurchscheint, taucht ein Gesicht auf. Es erinnert mich an meine Ex-Partnerin. Ich fühle meine Liebe zu ihr und unser Unvermögen, zusammen zu sein. Ich wünsche ihr alles Beste für ihr eigenes Leben, das nun von meinem getrennt ist. Der Schmerz ist weg. Ein Gefühl von Frieden kehrt ein.

Ich setze mich in der *maloca* ans Feuer. Eine junge Frau bittet mich zu singen. Ich rassle und singe. Meine Stimme ist voller Trauer, klingt aber in meinen Ohren schön. Andere stimmen ein. Wir rasseln und trommeln lange Zeit.

Die zweite Hälfte der Nacht wird von einer ausgelassenen Konversation zwischen Kajuyali und Christian bestimmt, an der sich Claudia und ich gelegentlich beteiligen. Eine Mischung aus Scherzen, lustigen Geschichten, anthropologischen und ethnobotanischen Informationen.

Gemeinsames Lachen ist die beste Form der Heilung. Und wir lachten so sehr und so lange, dass ich noch am nächsten Tag meine Bauchmuskeln spürte. Nach unserem kosmischen Ausbruch von Gelächter fielen die meisten in tiefen Schlaf. Nur Kajuyali blieb wach und bedankte sich bei Sonnenaufgang mit einer tiefen und ehrfürchtigen Verneigung beim freigiebigen Geist von Mutter Natur, den die Lakota Wakantanka nennen.

Als die meisten am frühen Morgen erwachen, sind die drei *campesinos* schon wieder unterwegs zur Arbeit auf ihren Feldern. Der junge verhexte Mann war eingeschlafen, wo er zusammengebrochen war. Als er schließlich aufwacht, fühlt er sich wie neu geboren.

Ein Arzt wird zum Schamanen

Der kolumbianische Arzt Fabio Ramirez ist ein initiierter Ayahuasca-Schamane. Er hat ungefähr tausend Patienten mit Ayahuasca behandelt:»Mit Hilfe von Yagé befinde ich mich auf demselben Niveau wie die Patienten. Ich kann ihnen Dinge erläutern, die ich sehe, und kann ihnen damit helfen, die Symptome und Hintergründe ihrer Krankheit zu erkennen.« Außer Ayahuasca verwendet er auch zwei andere traditionelle kolumbianische Heilpflanzen: Coca und Tabak. Hier sein Werdegang:

»1990 trank ich das erste Mal Ayahuasca. Mein Psychoanalytiker sagte mir damals, dass meine Therapie und berufliche Ausbildung abgeschlossen sei. Ich verspürte aber das Bedürfnis, mich weiterzubilden und nach neuen ganzheitlichen Behandlungsmethoden für meine Patienten zu suchen.

Zu dieser Zeit lernte ich Lucho Flores kennen, einen Ayahuasca-Schamanen aus dem Putumayo im Süden Kolumbiens. Beim ersten Ritual mit ihm wurden meine Fragen beantwortet: ›Was ist das Leben auf symbolischer Ebene? Welche Dimensionen gibt es, die man erfahren kann? Was ist Vaterschaft, Mutterschaft oder was bedeutet die Rolle als Sohn, Bruder und Ehemann für mich?‹ Die Antworten, die ich erhielt, waren erstaunlich. Ich erkannte, dass Ayahuasca mein Thema war. Mit den persönlichen Auswirkungen dieser ersten Sitzung verbrachte ich ein Jahr. Ich habe ein Jahr lang keine Ayahuasca getrunken und entdeckte dabei im Alltag, wie zutreffend und richtig es auf vielen Ebenen war, was mir die Pflanzen gezeigt hatten.

Zwei Jahre später habe ich angefangen, regelmäßig zu trinken, alle zwei, drei oder sechs Monate. Nach meinen Reisen in das Gebiet des Putumayo, wo Ayahuasca die Hauptpflanze ist, die so gut wie alle als Medizin zu sich nehmen, konnte ich medizinische Resultate aus diesen Ritualen beobachten.

Ich erinnere mich an eine kranke Frau, mit der ich gesprochen habe. Ihr Sohn war Soldat, und sie war sehr traurig, weil sie das Leben ihres Sohnes dadurch in Gefahr sah. Lucho gab ihr Ayahuasca gegen ihre Angst, und als ich anschließend mit ihr sprach, sah ich ihre energetischen Veränderungen. Sie zeigten mir, dass Ayahuasca auch für meine Patienten von therapeutischem Nutzen sein könnte.

Dr. Fabio Ramirez in seinem Büro mit einer Flasche »Medizin« (Ayahuasca) in der Hand; hinter ihm sein Arztdiplom (Bogotá, Kolumbien, 4/2004).

Heilrituale mit Ayahuasca

Deshalb begann ich anschließend unter der Leitung von Don Lucho, Ayahuasca zunächst im Kreis meiner Familie anzuwenden; gemeinsam mit meiner Schwester, meiner Mutter und meinem inzwischen verstorbenen Vater. Danach nahm ich Ayahuasca mit Freunden, und später begann ich mit Studien im Kreise meiner Patienten.

Bis heute habe ich etwa tausend Patienten während und nach ihrer Erfahrung mit dieser Medizin begleitet. Sie litten unter diffusen Ängsten, Hautproblemen, Krebs und auch AIDS. Die Resultate waren sehr interessant und viel versprechend.

Ich dokumentierte beispielsweise den Fall einer Zahnärztin, die mit Magenkrebs zu mir kam und in einer sehr kritischen Phase war. Die erste Sitzung mit ihr war schwierig für sie und sehr heftig. Anschließend nahm sie auch mit anderen *ayahuasqueros* diese Medizin ein. Später habe ich sie im Putumayo-Gebiet wieder getroffen, es ging ihr sehr viel besser. Die klinischen Daten zeigten, dass ihr Krebs unter Kontrolle war.

Mit diesem Beispiel will ich sagen, dass Ayahuasca Krebs nicht notwendigerweise heilt und dass man die Vorgänge dieser Heilung nicht unbedingt versteht. Aber dass es gewisse Möglichkeiten gibt, damit eine wirkliche Heilung zu erzielen.

Bei der Behandlung meiner Patienten wähle ich einige aus und empfehle ihnen die Anwendung von Ayahuasca. Dabei orientierte ich mich daran, dass die Erfahrung für sie produktiv sein könnte. Konkret heißt das: Es gibt Patienten, die sich als Opfer ihrer Krankheit fühlen. Solche Patienten zeigen kein wirkliches Engagement bei der Heilung ihrer Krankheit. Eine Behandlung mit Ayahuasca ist folglich für sie nicht unbedingt produktiv.

Die Indianer im Amazonas betrachten jede Krankheit als Symbol, das erklärt werden will. Aus den Symptomen und der individuellen Situation und Bereitschaft des Patienten folgern die traditionellen indianischen *curanderos* und *ayahuasqueros*, ob die Patienten wirklich geheilt werden wollen und welche Methode für ihre Heilung ratsam ist. Wer wirklich geheilt werden will, wird zu den traditionellen Ritualen mit dem bitteren Trank zugelassen.

Auch ich orientiere mich an diesen Vorgaben und bediene mich als praktischer Arzt einer Kombination von schulmedizinischen, alternativen und schamanischen Heilmethoden aus einer humanistischen Sicht. Das stellt einen anderen Kontakt zwischen Arzt und Patient her und ermöglicht den Patienten eine neue Sichtweise. Sie interpretieren die Symbole, die während des Ayahuasca-Rituals auftauchen. Was ich als Arzt dabei entdeckte, ist, dass der Gebrauch dieser traditionellen Zubereitungen den Patienten hilft, die Symptome der entsprechenden Krankheiten im eigenen Körper zu erleben und zu entdecken. Das erlaubt ihnen, sich der Krankheit und ihrer Symptome unmittelbar nähern zu können und sie nicht länger als entfremdet von sich selbst zu betrachten. Dieser Prozess ermöglicht es ihnen, Verantwortung für die Krankheit und ihre Symptome zu übernehmen.

Ritualablauf

Bei einer Sitzung trinke ich Yagé mit meinen Patienten – meist allein oder unterstützt durch meine Frau, die auch mit Ayahuasca erfahren ist. Dabei benutze ich gern zusätzlich Coca und Ambíl, um meinen Blick für die Krankheit und die Symptome der Patienten zu schärfen und ihnen zu helfen, die Perspektive auf ihr Leben zu verändern.

In der kolumbianischen Gesellschaft ist es sehr wichtig, als Arzt auch den Kontext des Lebensstils und der Umstände im Blick zu behalten und ihn entsprechend zu bearbeiten. Das indianische Umfeld des Dschungels integriert die Menschen. Aber in einer Großstadt wie Bogotá mit acht Millionen Einwohnern ist dies nicht der Fall. Um die Wirklichkeit sehen zu können, ist Yagé, Coca und Ambíl notwendig. Als Arzt muss ich mich anschließend der Herausforderung stellen, meinen Patienten dabei zu helfen, die erlebten Visionen in den Alltag zu integrieren. Dafür biete ich ihnen die Möglichkeit des individuellen Gesprächs, um persönliche, philosophische und kognitive Erkenntnisse integrieren zu können.

Als Arzt bin ich in Bogotá mit dem Problem konfrontiert, dass es überaus schwierig ist, den Werdegang und Heilungsprozess meiner Patienten langfristig zu dokumentieren. Wer in einer Ayahuasca-Sitzung geheilt wurde, kommt in der Regel nicht mehr in meine Praxis. Trotzdem bemühe ich mich darum, alle Patienten 14 Tage und einen Monat später noch einmal zu sehen.

Dabei stelle ich oft fest, dass die Heilerfolge wirklich gut sind. Selbst chronische Krankheiten können mit einer einzigen Ayahuasca-Sitzung geheilt werden.

Ich nutze als Arzt sowohl konventionelle schulmedizinische als auch schamanische Methoden. Vor sechs Jahren nahm ich in Caquetá im Putumayo als Zuhörer an der Gründungssitzung der UMIYAC teil, der *Union de medicos indígenas yageceros de Amazonia columbiana*. Dort lernte ich einen *taita* der Inga-Indianer kennen, der mir die Autorität verlieh, Ayahuasca bei meinen Patienten anzuwenden – weil er erkannte, dass ich diese Kräfte und Kenntnisse nicht für mich, sondern nur zum Wohl meiner Patienten anwenden wollte. Das ist ein außerordentlicher Vorgang, denn normalerweise initiieren Inga-Schamanen keine Mestizen oder Weiße.

Meine Yagé-Initiation

Wir nahmen Yagé, und der betreffende *taita* gab mir eine *huaira sacha (chacapa)* als Geschenk. Das allein hätte nichts zu bedeuten, denn oft schenken *taitas* Beteiligten eine *chacapa*, ohne sie damit zugleich als Schamanen zu initiieren. Doch während der Sitzung hatte ich eine Vision, bei der eine Wolke von grünen Papageien in dem Augenblick auftauchte, als er mir einen Quarzkristall in die Hände legte. Im selben Moment wurden diese Vögel vom Stein verschluckt, und als er die Hand wegnahm, war der Stein so leicht, als ob er fliegen könne und die luftige Energie der Vögel in sich absorbiert hätte. Er erklärte mir, wie ich künftig den Stein anwenden könne[121].

Seither hat dieser Quarz die luftige Energie der Vögel behalten, und ich habe ihn immer bei meinen Heilsitzungen dabei. Wann immer ich heile, fühle ich, dass dieser Stein ein wichtiges Instrument ist.

Ich habe gelernt, dass es wichtig ist, zunächst die Mütter zu behandeln, wenn Kinder krank sind. So litt beispielsweise ein Kind unter Asthma, und ich stellte fest, dass die Mutter sehr nervös und überprotektiv war. Daher widmete ich mich vorwiegend der Mutter und ihren Ängsten, weil ich intuitiv erkannte, dass das Kind unter den Ängsten der Mutter litt. Als ich die Mutter behandelte und sie ihre Ängste erkannte, besserte sich sofort die Situation des Kindes. Doch als die Angst der Mutter nach der Behandlung wieder überhand nahm, weil sie Probleme bei der Arbeit und keinen Lebenspartner hatte, mit dem sie ein befriedigendes Sexualleben aufbauen konnte, wurde das Kind

---

121 Der *taita* teilte diese Vision mit dem kolumbianischen Arzt und wusste so, dass die Pflanzengeister ihn darin bestätigten, Fabio Ramirez als *ayahuasquero* zu initiieren. Dies ist ein sehr bedeutender Umstand, denn viele mit solchen entheogenen Pflanzen ungeübte Weiße interpretieren ihre Visionen oft falsch. So fühlen sie sich selbst nach einigen wenigen eigenen Ayahuasca-Erfahrungen bereits zum Heiler initiiert, ohne sich um den indianischen Kontext zu kümmern oder sich um den Austausch ihrer Visionen mit wirklichen *taitas* zu bemühen.

wieder krank und hatte erneut Asthmaschübe. Daraufhin widmete ich mich erneut den Angstsymptomen der Mutter. Als ich sie auf ihre Problematik aufmerksam machte, die sie dadurch nicht weiter unterdrücken konnte, reduzierten sich augenblicklich die Asthmaattacken ihres Kindes. Mit Hilfe von Ayahuasca und Ambíl konnte die Mutter einen neuen Zugang zu ihren Gefühlen bekommen.

Yagé hilft mir, als Arzt zu erkennen, wo die Probleme liegen, und Zugang zu den Gefühlen der Patienten zu bekommen. Dieser emotionale Zugang wird durch den Einsatz von Coca und Ambíl verstärkt.

Integriertes Krankenhaus

Bis vor einiger Zeit unterhielt ich ein Krankenhaus, das diverse alternative Heilmethoden unter einem Dach vereinte – Massagen, Psychotherapie, Colontherapie etc. Damals verabreichte ich meinen Patienten kleinste Dosierungen von Yagé und befragte sie anschließend zu ihren Erlebnissen. Dann wählte ich eine Gruppe von Patienten für die Ayahuasca-Sitzungen aus und stellte fest, dass diese Form der Therapie sehr viel wirksamer als alle anderen Methoden war.

Seither konzentriere ich mich ausschließlich auf schamanische Methoden, weil ich feststellte, dass sie am wirksamsten waren und die Patienten am besten auf die Ayahuasca-Therapie ansprachen.

An den Behandlungen meiner Patienten beteiligte ich auch *ayahuasqueros* aus indianischen Traditionen. So arbeitete ich beispielsweise mit dem Inga-Schamanen Don Lucho in der Yagé-Richtung und mit dem Huitoto-Schamanen Don Oscar Román in der Coca- und Ambíl-Richtung. Auch mit diesen beiden traditionellen Heilmitteln haben wir mittlerweile fast tausend Patienten behandelt.

Cocapulver und Ambíl

Vor sechs Jahren habe ich angefangen, mit Coca und Tabak zu arbeiten – mit traditionellen indianischen Zubereitungen von gerösteten und mit Pflanzenasche versetzten Cocablättern und einer Ambíl genannten Tabakpaste.

Ich begegnete diesen beiden Pflanzenzubereitungen auf meiner Suche nach anderen Pflanzen, weil ich gehört hatte, dass bei der Erfahrung mit Coca und Ambíl das Wort im Mittelpunkt steht. Es geht dabei also um einen therapeutischen Einsatz der Sprache und um die Auseinandersetzung mit verborgenen symbolischen Bedeutungsebenen von Worten.

Dabei lernte ich Romualdo, den Sohn von Don Oscar kennen. Er sagte mir, dass sein Vater im kommenden Monat käme, und wir vereinbarten eine gemeinsame Sitzung auf dem Land in der Nähe von Bogotá. Bei dieser Sitzung waren auch Mitglieder unserer ethnomedizinischen Gesellschaft von Kolumbien dabei. Diese Begegnung war für mich überaus bemerkenswert. Ich sah, wie groß die Macht der Kommunikation von Don Oscar war. Wenn er sprach und auch wenn er schwieg. Das war sehr viel kraftvoller als bei anderen Huitoto-Indianern, denen ich vorher begegnet war und die perfekter spanisch sprachen als er.

Don Oscar verteilte Ambíl und Coca an die Patienten. Viele hatten zunächst davor Angst. Doch er klärte sie über die lange indianische Tradition der Nutzung auf und sagte: ›Das beschert keine Probleme! Es sind rein pflanzliche Zubereitungen, die das Leben sind.‹

Jeder machte seine eigene Erfahrung, wie sehr Ambíl die Fähigkeit des Verstehens schärft. Es ist wirklich unglaublich zu bemerken, dass ein Wort mehrere Bedeutungen haben und eine solche Kommunikation die Menschen transformieren kann. Deshalb habe ich diese Möglichkeit der Erfahrung in meine Heilbehandlungen und vertieften Gespräche mit den Patienten integriert.

Die Huitoto betrachten Coca und Ambíl als Geschenke ihres Schöpfergottes Husiñamo. Als er die Welt geschaffen hatte, verschwand er. Doch vorher fragten die Menschen ihn, wie sie ohne ihn wissen sollten, wie sie sich in schwierigen Situationen verhalten könnten. Da sagte Husiñamo: ›Ich lasse euch zwei Geschenke zurück: Tabak und Coca. Wenn ihr sie anwendet, erfahrt ihr, was zu tun richtig ist.‹

Bei der rituellen Zubereitung von Ambíl kochen zwei Personen die Tabakblätter auf und wachen darüber, dass der Prozess richtig abläuft. Dafür braucht man zwei oder drei Tage. Entwickelt sich beispielsweise bei der Zubereitung zu viel Qualm und Rauch, wissen die Huitoto, dass ungeklärte Probleme sozusagen in der Luft liegen. Dann beginnen sie damit, sie zu bearbeiten; sobald die Probleme geklärt sind, löst sich dann der Rauch auf. Diese Art von ›dicker Luft‹ kann durch Angst oder mangelnde Kommunikation entstehen.

Seit etwa vier Jahren führe ich abendliche Runden mit einer ausgewählten Gruppe interessierter Patienten durch, die einmal pro Woche stattfinden und je nach Situation zwei bis drei Stunden dauern. Die Beteiligung und Bezahlung bleibt jedem selbst überlassen. Die Personen, die daraus Nutzen ziehen könnten, wähle ich selbst aus. Bei konfessionell gebundenen Menschen – die überwiegende Mehrheit in Kolumbien ist streng katholisch oder anderweitig christlich orientiert – überwiegt die Tendenz, solche entheogenen Pflanzen grundsätzlich als teuflisch zu verdammen. Es würde daher wenig Sinn machen, solche Menschen zu diesen Runden einzuladen. Voraussetzung für die Teilnahme ist eine prinzipielle Offenheit und die Bereitschaft, sich aktiv mit den eigenen Problemen und der Krankheit auseinander setzen zu wollen. Diese Bereitschaft ist erstaunlicherweise auch bei aufgeschlossenen

Christen vorhanden. So nehmen beispielsweise regelmäßig auch einige Nonnen an diesen Runden teil, die deutlich davon profitieren.

Am Anfang informiere ich über den indigenen Gebrauch und den medizinisch unbedenklichen Einsatz von Coca und Ambíl. Dann kreisen die zwei Pflanzenzubereitungen, und wer will, nimmt sich von beiden die gewünschte Menge. Ich natürlich auch.

Währenddessen gehe ich auf verschiedene Probleme und Fragen des Alltags ein, erzähle von Vorstellungen und Mythen der Huitoto über Krankheit, Gesundheit und den Gebrauch von Coca und Ambíl oder wende mich in allgemeiner Form bestimmten Themen zu, die bei einzelnen Personen gerade aktuell sind.

Im weiteren Verlauf der Sitzung wechseln Phasen des Schweigens mit solchen ab, in denen ich singe oder in unterschiedlichen Tonlagen summe. Ich fordere dann die Teilnehmer dazu auf, sich auf die momentanen eigenen Gefühle zu konzentrieren und sich dazu zu äußern.

Zum Abschluss biete ich der Runde einen symbolischen Korb an, in den sie ihre Sorgen, Nöte, Hoffnungen, Wünsche und Gefühle legen können. Wer will, kann sich dadurch von drängenden Problemen entlasten; die meisten nutzen diese Gelegenheit auch. Diese Form der ungezwungenen emotionalen Mitteilung im Kreise anderer, die ähnliche Probleme haben, wirkt sich sehr positiv auf den individuellen Heilungsprozess und meine Arbeit mit den Patienten aus.«

Peru: Traditionen von Indianern und Mestizen

Peru gehört zu den Ländern, in denen Ayahuasca seit Urzeiten getrunken wird. Viele Ureinwohner nutzen das Getränk nach wie vor auf traditionelle Weise. Das Regenwaldgebiet von Peru ist relativ sicher und von der Hauptstadt Lima mit dem Flugzeug aus leicht zu erreichen. Das ließ Peru zum erklärten Ziel für den Ayahuasca-Tourismus werden.[122] Davon profitieren Städte wie Pucallpa, Tarapoto und Puerto Maldonado und in besonderem Maße Iquitos.

Iquitos: Zentrum des Ayahuasca-Tourismus

Die romantische Siedlung an der Mündung des Ucayali in den gewaltigen Amazonas ist die Hauptstadt von Loreto, der Provinz im Nordwesten des peruanischen Amazonasgebiets. Per Flugzeug und Schiff (aber nicht auf dem

---

122 Mit dem Ayahuasca-Tourismus setzte sich unter anderen die US-amerikanische Ethnologin Marlene DOBKIN DE RIOS auseinander.

Jaguarfell in Iquitos.
(Foto: A. Adelaars)

Ein typischer Marktstand mit Heilmitteln
aus dem Amazonasbecken.
(Foto: A. Adelaars)

Landweg) gut erreichbar, gilt sie als *das* erklärte südamerikanische Ziel des
Ayahuasca-Tourismus.

Iquitos profitierte im 19. Jahrhundert vom Kautschukboom, weil sein direk-
ter Zugang zum größten Strom Lateinamerikas den internationalen Handel
mit dem begehrten Naturprodukt ermöglichte; der Amazonas mündet viertausend Kilometer weiter östlich im Atlantik. Die reich geschmückten Kolo-
nialbauten und die große Kathedrale zeugen bis heute vom einstigen Wohl-
stand dieser Stadt.

Iquitos ist ein ökonomisches und kulturelles Zentrum inmitten weitläufiger
Regenwaldgebiete. Die Provinz Loreto grenzt an Kolumbien, Ecuador und
Brasilien. Daher kommen Menschen aus allen Richtungen hierher, um ihre
Produkte zu verkaufen. Sie landen mit dem Boot und stranden in der Regel
im Slum von Belem, das sich am nahe gelegenen Ufer erstreckt. Belem ist *der*
Marktplatz, nicht nur von Iquitos, sondern in der gesamten Region. Hier
wird alles gehandelt, was der Regenwald hervorbringt: vom Jaguarfell bis zum
Anakondakopf, von Ayahuasca in Flaschen bis zu *mapacho*-Zigarren; von *uña
de gato (Uncaria tomentosa)* bis zu grillfertigen Gürteltieren oder daumen-
dicken Palmherzen.

Das städtische Leben ist von der Kultur der Menschen geprägt, die im Regenwald ringsum siedeln. Die meisten Einwohner haben indianische Vorfahren und teilen seit langem bewährte traditionelle Heilmethoden, indem sie Pflanzen des größten Regenwaldgebietes der Erde nutzen. In diesem Schmelztiegel entwickelten sich die Ayahuasca-Rituale der *vegetalistas*. Sie speisen sich aus indigenen Traditionen von Regenwaldvölkern wie den Shipibo, Bora oder Yagua, aus der synkretistischen Mixtur der Mestizen, die ihre indianischen Wurzeln verloren und das Arsenal ihres Wissens mit europäischen Einflüssen bereicherten. Im strengen Wortsinn meint *vegetalista* das Heilen mit Hilfe traditioneller Heilpflanzen. Im Kontext des folgenden Kapitels beschränkt er sich auf die Heilung mit Hilfe von Ayahuasca.

>Die Erfahrung, geheilt worden zu sein (im Sinne von >wiederhergestellt< und >ganz werden<) trägt zu einem Erfahrungsschatz bei, der wesentlich auf Selbstheilungskräften basiert. Wer Techniken beherrscht, um diese Selbstheilungskräfte so zu stimulieren, dass die betreffende Person das Gefühl hat, mit sich wieder im Einklang zu sein, erhält als Ayayhuasca-Erfahrener die Autorität, andere heilen zu können.«
(Lumby 2000, www.maps.org/research/lumbyreports1.html))

Elemente von *vegetalista*-Ritualen
Mapacho wird in Form von gerollten Zigarren oder Pfeifentabak gebraucht. Vor dem Kochen des Ayahuasca-Gebräus werden die pflanzlichen Ingredienzien mit dem Rauch von *mapacho* gesegnet. Patienten werden mit *mapacho* beräuchert.

Chacapas werden als Instrument und zur Reinigung des Astralleibs eingesetzt.

Ein als *agua florida* bezeichnetes Parfüm wird bei den Zeremonien benutzt.

Icaros werden rezitiert. Zunächst wird ihre Melodie mehrmals gewispert, dann gesungen. Die Lieder sind eine Mischung aus Spanisch und indigenen Sprachen (vor allem Quechua), gemischt mit undefinierbaren Lauten. Die meisten *vegetalistas* singen dieselben *icaros*. Manche geben an, ihre individuellen Tonfolgen von Pflanzengeistern empfangen zu haben.

Vegetalistas bedienen sich einer Reihe von Heilpflanzen und verschiedener therapeutischer Praktiken.

Einige *vegetalistas* integrieren christliche Gebete in ihre Zeremonien.

Die meisten *vegetalistas* halten ihre Zeremonien zweimal wöchentlich an bestimmten Tagen ab, vor allem an Dienstagen und Freitagen.

»Mein Schamane ist besser als deiner«
Der Dschungel zieht Touristen an. Die meisten lockt das exotische Erlebnis und der Wunsch, mit einem »richtigen« Schamanen in dessen *maloca* mitten

im Wald Ayahuasca zu trinken. Jede Reiseagentur in Iquitos hat ihren eigenen *ayahuasquero* und ihre eigene Dschungellodge. Die Konkurrenz ist gewaltig. Man bekommt den Eindruck, dass zehn Prozent der Einwohner Schamanen sind. Ayahuasca ist ein großes Geschäft in Peru. Der Preis für eine nächtliche Zeremonie kann siebzig US-Dollar und mehr betragen – eine Menge Geld, wenn man bedenkt, dass mehr als die Hälfe der peruanischen Bevölkerung unter der Armutsgrenze lebt. In der Stadt wimmelt es von *ayahuasqueros*, *vegetalistas* und *curanderos*, sodass es schwer fällt, die richtige Wahl zu treffen. Von den geschätzten viertausend *curanderos* (LUMBY 2000) sind nach Auskunft gut unterrichteter Kreise[123] nur vier- bis achthundert wirklich fähig. Auch unter den *ayahuasqueros* gibt es eine starke Konkurrenz. Die meisten betrachten sich gegenseitig als Konkurrenten und nicht als Kollegen. So hört man nur selten, dass sich Schamanen positiv über andere äußern. Während meines Aufenthaltes in Iquitos wurde ich mehrmals von Schamanen gewarnt, diesen oder jenen zu konsultieren, da er wenig vertrauenswürdig oder meiner Gesundheit sogar abträglich sei.

Unter den zahlreichen *curanderos* und *curanderas* gibt es auch viele *brujos* und *brujas*. Das ist nicht verwunderlich, da nur die individuelle Intention darüber entscheidet, magische Kräfte auf positive und hilfreiche Weise als weiße oder in schädlicher Form als schwarze Magie einzusetzen. Wer heilen kann, kann auch schaden. Die ausgefeilten Schutztechniken, die *vegetalistas*, *ayahuasqueros* und *curanderos* vor Beginn des Rituals durchführen, wenden sich hauptsächlich gegen angenommene Attacken rivalisierender Gegner. Dies ist ein harter Brocken für viele naive Westler. Sie glauben nur allzu gern an den »edlen Wilden« Rousseaus.[124] Wer derlei romantischen, positiv diskriminierenden Vorstellungen anhängt, wird bei längeren Aufenthalten in Südamerika auf eine harte Probe gestellt.

Typischer Ablauf einer *vegetalista*-Zeremonie

* Die Vorbereitung beginnt einige Stunden oder Tage vor der Zeremonie mit der Einhaltung einer *dieta* (Diät), die das Verbot von Gewürzen, Stimulanzien und bestimmten Speisen (wie Fleisch und Fett) sowie sexuelle Abstinenz einschließt.
* Die Zeremonie beginnt meist zwischen 19 und 20 Uhr.

123 Persönliche Mitteilung des in Iquitos lebenden Alan Shoemaker, Februar 2001.
124 Jean-Jacques Rousseau (1712–1778) wurde vor allem durch seine 1750 entstandene Schrift berühmt, in der er einen glücklichen naturverbundenen Urzustand der Menschheit konstruierte, den diese durch Einflüsse der Gesellschaft verloren habe. Seine schwärmerischen, kulturpessimistischen Schriften hatten großen Einfluss auf die Aufklärung und Romantik und prägten romantisierende Vorstellungen vom »guten« oder »edlen Wilden« – einem Begriff, der nicht von ihm selbst, sondern von späteren Autoren stammt.

- Zunächst wird der Ort mit Tabakrauch geschützt und gereinigt.
- Die Ayahuasca wird mit *mapacho*-Rauch und einem *icaro* gesegnet.
- Man trinkt gemeinsam die Ayahuasca.
- Alle Lichter werden gelöscht. Die Zeremonie findet in völliger Dunkelheit statt.
- *Icaros* werden gesungen, und *chacapas*, *maracas* und andere Instrumente kommen bis zum Ende der Zeremonie zum Einsatz.
- Individuelle Heilungen finden während der Zeremonie statt.
- Die Zeremonie wird gegen Mitternacht oder 3 Uhr morgens zeremoniell abgeschlossen.
- Nach dem Ausschlafen am folgenden Morgen wird gemeinsam gefrühstückt.

Die alte Frau im Wald: Doña Adéla Navas de Garcia

In Peru gibt es nur wenige *ayahuasqueras*, also weibliche Ayahuasca-Schamanen. Nach den Regeln der *vegetalista*-Tradition darf eine Frau erst nach ihrer Menopause Schamanin werden.[125] Doña Adéla Navas de Garcia wurde mit fünfzig Jahren *ayahuasquera*, nachdem sie zehn Jahre lang bei einem Schamanen in die Lehre gegangen war. Als ich sie 2001 traf, war sie über

Julio Americo beim Ernten von chagropanga. (Foto: A. Adelaars)

Doña Adéla segnet vor dem Kochen die Ayahuasca mit dem Rauch von mapacho. (Foto: A. Adelaars)

125 Persönliche Mitteilung von Alan Shoemaker in einer E-Mail vom 20. August 2005: »Man glaubt, dass sie zu offen für Energien sind, solange sie menstruieren; deshalb wollen die *curanderos* sie nicht bei ihren Zeremonien dabeihaben: Sie können die Energien nicht kontrollieren, die von den Frauen mehr angezogen werden.«

sechzig. Inzwischen hat sie selbst etwa zehn Lehrlinge, darunter auch einige vor Ort sehr bekannte *curanderos.*

Doña Adéla ist eine gut gekleidete Frau mit dichtem grauem Haar, die eine *mapacho*-Zigarette nach der anderen raucht. Sie ist klein und hat vom vielen Rauchen eine tiefe, raue Stimme bekommen. Sie selbst nennt sich *abuelita bruja*, was so viel heißt wie »Großmütterchen Hexe«.

Ein niederländischer Radio-Berichterstatter, der an einer neurologischen Erkrankung leidet, und ich gehen mit Doña Adéla in den Dschungel, um Ayahuasca zu trinken und individuelle Behandlungen zu erhalten. Beladen mit Proviant für einige Tage fahren wir mit einem Taxi stadtauswärts. Der Weg aus der Stadt führt zum Dorf Nauta. Auf halbem Wege steigen wir aus und laufen ein paar Kilometer durch den Urwald zum Haus eines der Lehrlinge von Doña Adéla. Das Haus von Julio Americo ist auf Pfählen erbaut, wie die meisten Häuser im Dschungel. Julio Americo wohnt dort mit seiner Frau und seinen drei Kindern. Draußen laufen Hühner, Enten und auch Hunde herum. Es gibt keinen Strom und kein fließendes Wasser.

Nach der Begrüßung wird zunächst Ayahuasca und *chagropanga (Diplopterys cabrerana)* geerntet. Julio Americo zerhackt mit einer Machete eine Ayahuasca-Liane. Nach fünf Minuten hat er zwei Kilo zusammen. Ein Stückchen weiter entfernt pflückt er noch *chagropanga*-Blätter.

Bevor die frischen Stücke der Liane im Haus weiterverarbeitet werden, singt Doña Adéla ein Lied und pustet *mapacho*-Rauch über sie. Sie erklärt, sie tue dies, weil es sich um eine jungfräuliche Liane handle, eine Liane, die bislang noch nicht für die Zubereitung der Ayahuasca benutzt worden sei.

Danach wird die Liane von Americo mit einem Hammer klein geschlagen und weich geklopft. Er raucht währenddessen *mapacho* und singt ab und zu einen *icaro*. Bei der Zubereitung kommen auf ein Kilo Liane vierzig Blätter *chagropanga*. Heute wird die doppelte Menge, also zwei Kilo Liane mit achtzig Blättern *chagropanga*, in einem großen Topf aufs Feuer gesetzt. Über eine Zeitspanne von vielen Stunden werden die Pflanzen zwei Mal auf hoher Flamme eingekocht. Das Ergebnis am nächsten Morgen ist eine ziemlich dicke, undurchsichtige, rotbraune Flüssigkeit.

Abends bekommt Gerrit, der niederländische Radio-Journalist, eine Behandlung von Doña Adéla. Alle Kerzen werden gelöscht. Das Feuer unter dem Ayahuasca-Topf wird reduziert; es ist nur noch die Glut zu sehen. In absoluter Dunkelheit singt Doña Adéla einige *icaros*, immer eine lange *mapacho* in der Hand. Plötzlich erzeugt ihr Magen merkwürdige Geräusche. Es ist wie ein Würgen wobei die Geräusche aber viel tiefer aus ihrem Körper kommen. Dann ist ein fremdartiger, schlürfender Laut zu hören, als sauge sie etwas mit ihrem Mund auf. Sie macht ihre Taschenlampe an: In ihrer Handfläche liegt ein schwarzes, torpedoförmiges Etwas unbekannten Ursprungs. Es sieht organisch aus und ist einige Zentimeter lang. Gerrit erzählt später, dass Doña Adéla ihre Hand wie eine Art Trichter auf seine Brust gelegt hatte, um etwas aus seinem Herzen zu saugen.

Doña Adélas Ritual

Am nächsten Tag halten wir ab Mittag Diät. Wir essen das Fruchtfleisch der meterlangen *guaba*-Schote. Für den Rest des Tages wird nichts mehr gegessen. Vor Beginn der Zeremonie – es ist gegen sieben Uhr abends, kurz nachdem es dunkel geworden ist – bittet uns Adéla, uns darauf zu konzentrieren, warum wir Ayahuasca trinken.

Einige Minuten später klatscht sie dreimal in die Hände zum Zeichen für das Ende dieser Meditation. Sie verteilt *mapacho*-Zigaretten, und dann wird die Ayahuasca ausgeschenkt. Julio Americo pustet zunächst Rauch über den Becher, bevor er seine Ayahuasca trinkt. Ich bekomme ein ziemlich volles Glas. Der Geschmack ist außerordentlich ekelhaft. Ich trinke es in einem Zug auf. Gerrit bereitet es große Mühe, die Ayahuasca bei sich zu behalten. Er würgt während des Trinkens. Nach einigen Minuten muss ich mich übergeben.

Doña Adéla singt und flötet zusammen mit Julio Americo, der bereits seit vielen Jahren ihr Lehrling ist. Ihr Sohn Gustavo stimmt auch mit ein. Für die rhythmische Begleitung werden eine kleine Trommel, eine kleine *maraca* und eine *chacapa* benutzt. Doña Adéla hat ganz offensichtlich das Heft in der Hand.

Ihre ungeschliffene Stimme klingt für eine so kleine Frau auffallend tief und rau. Auch die Singstimmen ihrer beiden Lehrlinge sind alles andere als schön. Während der Zeremonie merkt man, dass Doña Adéla gerade dabei ist, den beiden Männern *icaros* beizubringen. So klingt dann auch das Ganze, als ob neue Lieder einstudiert würden. Nach ungefähr zwei Stunden beginnt Doña Adéla mit der Behandlung von Gerrit. Sie hat eine *chacapa* in der Hand und fährt damit über seinen Kopf, seinen Körper und lange über seine Hände. Als das Heilungslied zu Ende ist, spricht sie ein langes Gebet – so schnell, dass nur die Worte »Jesus Christus« zu verstehen sind.

Gerrit hat nur eine winzige Menge Ayahuasca zu trinken bekommen und merkt nur wenig davon. Lediglich während der Behandlung ist der Effekt stärker. Er sieht durcheinander wirbelnde Farben, während er mit der *chacapa* »bearbeitet« wird. Ich bin unterdessen in meiner eigenen Welt. Als Doña Adéla mich zu wecken versucht, glaube ich, in Amsterdam zu sein.

»Obwohl die Ayahuasca keine visuellen Wirkungen hatte, war sie dennoch stark. Ungefähr nach der ersten Hälfte der Zeremonie war ich vollständig abwesend. Adéla tickte mein Knie an. Ich war in Amsterdam, in dem Raum in der Looiersgracht, in dem ich meistens meine Ayahuasca-Sitzungen abhalte. Ich war absolut entspannt und merkte plötzlich, dass ich nicht in Amsterdam war, sondern in einem Haus mitten im Urwald. In dem Moment wurde mir schlecht.«

Bei meiner Behandlung benutzt Adéla ihre *maraca*. Sie schlägt abwechselnd an die linke und die rechte Seite meines Kopfes. Es ist ein merkwürdiges Gefühl, als ob meine beiden Hirnhälften dadurch aktiviert würden. Die Übelkeit, die bereits die ganze Zeit latent vorhanden ist, wird während meiner Behandlung richtig stark. Ich drehe mich zum Ausgang des Hauses um und übergebe mich. Am nächsten Morgen wird davon nichts mehr zu sehen sein, dafür werden die Enten und Hühner gesorgt haben. Doña Adéla singt währenddessen weiter. Ich wende mich wieder zu ihr und lasse die Behandlung weiter geschehen. Sie gibt ein Geräusch von sich, als ob sie etwas aus ihrem Magen nach oben holen wollte. Es ist das gleiche Geräusch, das sie am Abend zuvor gemacht hatte, als sie das schwarze Etwas aus Gerrits Brust sog. Sie sagt mir, ich müsse meinen Mund öffnen. Ich weiß nicht, was nun passieren wird. Wird sie mir etwas von ihrem magischen Schleim in meinen Mund spucken? Bloß nicht! Ich vertraue darauf, dass nichts Unangenehmes passieren wird, öffne den Mund und schließe die Augen. Sie nimmt einen Zug von ihrer *mapacho*-Zigarette und bläst den Rauch in meinen Mund und über mein Gesicht. Das ist alles. Sie hat nicht gespuckt. Später erklärt sie, der

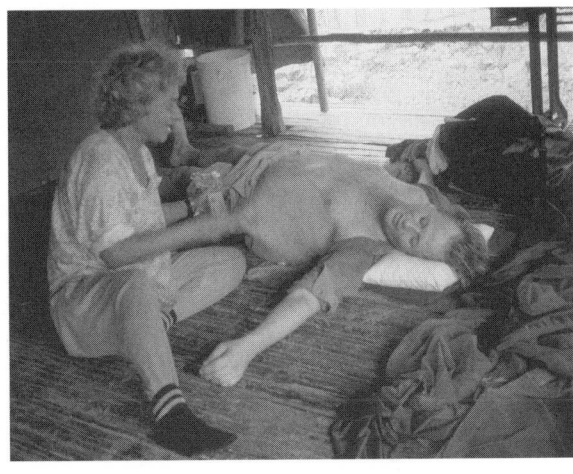

Heilbehandlung
durch Doña Adéla.
(Foto: A. Adelaars)

Schutz bestehe darin, dass sie den Rauch über den magischen Schleim hinweg in meinen Mund geblasen habe. Sie schiebt nun mein Kinn nach oben, ich gebe bereitwillig nach und lasse meinen Kopf nach hinten fallen, während ich den Mund geöffnet lasse. Aber das ist nicht gewollt. Ich soll meinen Mund wieder schließen. Doña Adéla gibt mir ihre *mapacho*-Zigarette und sagt mir, ich müsse mich zum Schutz mit dem Rauch waschen. Die Zigarette schmeckt wie eine Zigarre, an der zu stark gezogen wurde. Kurz darauf schließt sie das Ritual ab. Es ist halb elf Uhr abends, höchstens drei Stunden, nachdem wir die Ayahuasca getrunken haben.

»Kannst du den Regen nicht aufhören lassen?« Adéla nickt und bittet um ein Stück Papier. Sie reißt ein bisschen von einer Zeitung ab, rollt das Papier zu einem Röhrchen, nimmt einen Zug *mapacho* und pustet den Rauch in verschiedene Richtungen. Sie singt einen *icaro* und sagt dem Sohn von Americo, dass er vor dem Haus mit einer Machete eine Sonne in den Boden ritzen soll. Dann schaut sie auf ihre Uhr und sagt: ›Si. 7:29‹. Zwanzig Minuten später geht der Regen in einen Nieselregen über, und wir verlassen das Haus in Richtung Straße, wo ein Taxi auf uns warten wird.«

Ritual mit dem Shipibo-Schamanen Quetsembétsa

Einer der bekanntesten Schamanen indianischer Herkunft ist der Shipibo Quetsembétsa. Er gründete ein Zentrum bei Iquitos, kommt ursprünglich aber aus der Gegend um Pucallpa, wo einige Shipibo-Gruppen leben.

Seine Ayahuasca-Rituale unterscheiden sich von denen der *vegetalistas*. Wie in Peru üblich finden auch seine Zeremonien in völliger Dunkelheit statt. Die erste Stunde verläuft schweigend. Dann bläst und summt er längere Zeit über den offenen Hals der Ayahuasca-Flasche, was einen magischen Sound erzeugt. Unmerklich geht dieser Ton über in Shipibo-Gesänge, die viele Stunden anhalten. Mit seinem Gesang dirigiert er auf unwiderstehliche Weise die Erfahrungen der Teilnehmer, ohne unmittelbar in ihre inneren Prozesse einzugreifen. Durchläuft jemand schwierige Phasen, so lässt er es schlicht geschehen.

»Die Visionen sind tatsächlich dreidimensional. Vor meinem inneren Auge bilden sich Shipibo-Muster. Ich folge einer gewaltigen irisierenden Krümmung, die sich vor dem dunklen Himmel von meinem Hinterkopf über den Rücken erstreckt. Diese Vision breitet sich ringsum aus: über mir, unter mir, in alle Richtungen. Ich bin lediglich ein winziger Teil davon. Plötzlich taucht irgendwo links ein Kind auf. Nein. Kein Kind, sondern Quetsembétsa, der meine Vision lenkt.«

Auch Christian Rätsch fiel die ungewohnte Gelassenheit des Shipibo-Schamanen auf. Er begegnete ihm erstmals anlässlich eines Ayahuasca-Rituals, das auf dem Programm einer Studienreise zur Erkundung indigener Heiltraditionen Südamerikas stand. Zwanzig (von insgesamt 23 betuchten Teilnehmern der hochpreisigen Luxusreise) hatten sich freiwillig auf das Abenteuer einer Reise nach innen mit Hilfe der Dschungelmedizin eingelassen. Von den Zahn-, Tier- und Fachärzten, Studienräten, Therapeuten und Rechtsanwälten beiderlei Geschlechts verfügte kein einziger über Erfahrungen mit veränderten Bewusstseinszuständen. Entsprechend gewaltig und für viele verstörend war ihr erster Ausflug in ungeahnte innere Räume. Eine Teilnehmerin rief stundenlang mit gellender Stimme nach einem Notarzt. Ein anderer jammerte ununterbrochen: »Ich sterbe. Ich sterbe!« Verunsichert robbten manche zum ethnopharmakologischen Experten Rätsch, der die Reise begleitete, und erkundigten sich, ob der Schamane wirklich alles im Griff habe. Hatte er! Er saß ungerührt an seinem Platz und dirigierte die individuellen Prozesse allein mit den Tönen seiner Gesänge. Nach stundenlanger Panik fielen die Betroffenen erschöpft in einen tiefen Schlaf und meldeten sich schließlich mit glänzenden Augen wie neugeboren zurück.

Mehrere Jahre später begegneten wir zufällig der Frau, die so verzweifelt nach einem Notarzt verlangt hatte. Strahlend erklärte sie, damals durch die Hölle gegangen zu sein. Doch Ayahuasca habe sie dauerhaft von hartnäckigen Ängsten befreit.

Ecuador: Im Land der heiligen Wasserfälle

Shuar-Rituale in Ecuador

Die Shuar (oder Jívaro, wie sie von den spanischen Eroberern genannt wurden) gehören zu den bekanntesten indianischen Ureinwohnern Ecuadors. Sie gelten als Kopfjäger und furchteinflößende Krieger und sind aufgrund ihrer Tradition, Köpfe enthaupteter Gegner zu mumifizieren und zu verkleinern, um sich deren Schutzgeister *(tsentsak)* zu bemächtigen, vor allem als »Schrumpfkopfmacher« berühmt-berüchtigt. Dieses Verfahren war vor allem zwischen 1850 und 1950 sehr populär, und weltweit rühmen sich viele ethnografische Museen des Besitzes solch schauerlicher Schrumpfköpfe. Die Schrumpfkopfpräparation gehörte zu den wichtigsten Ritualen der Shuar. Die Anfertigung dauerte ein Jahr. Seit dem offiziellen Verbot dieser Praxis in den 1950er-Jahren traten Ayahuasca-Rituale an ihre Stelle.

Die Shuar-Tradition kennt drei Formen von Ayahuasca-Ritualen:

- Kreisrituale für Heilungen und Hochzeiten, an denen alle teilnehmen können – vom Neugeborenen bis zum Greis. Bereits drei Tage alte Säuglinge kosten die »Bittere Brühe«.

- Die Natemamo-Zeremonie, an der schon Dreijährige teilnehmen können: Eingeweihte Älteste, das heißt in der Regel der Älteste der Gemeinschaft, trinkt als Einziger nicht, sondern erfüllt die Funktion eines Vermittlers. Im Verlauf dieser Zeremonie trinken die Teilnehmer zehn bis zwanzig Liter einer verhältnismäßig schwachen Ayahuasca. Natemamo gilt als Reinigungszeremonie. Uwishin (Schamane) Hilario Chiriap beschreibt sie als »Traum in den Armen des Großen Geistes«, als »Sterben mit Ayahuasca« oder als »rituelle Initiation ins Leben«. Man sagt, dass alles Unwichtige im Ritual sterbe.

- Schließlich das Initiationsritual der heiligen Wasserfälle: Es kann bis zu zehn Tage dauern. Es ist kein Ayahuasca-Ritual im eigentlichen Sinne, sondern eher ein Ritual, welches das Trinken der Dschungelmedizin einschließt. Die Teilnehmer nehmen ein rituelles Bad im Wasserfall, ziehen den Saft von Tabak durch die Nase ein und trinken Ayahuasca. Der Genuss einer großen Dosis von *Brugmansia* ist entsprechend gut Vorbereiteten vorbehalten. Die anschließenden Visionen können fünf Tage dauern.

Seit Ende der 1990er-Jahre muss man nicht mehr nach Ecuador reisen, um an Shuar-Ritualen teilnehmen zu können. Die *uwishin* – so der Shuar-Name für Schamanen – reisen seitdem nach Europa, Nordamerika und Australien, um ihre Zeremonien auch dort durchzuführen.

Einer von ihnen ist Uwishin Hilario Chiriap. Er folgt dem *Camino Rojo*, dem »Roten Pfad«, einer internationalen spirituellen Bewegung, die Traditionen indigener Völker aus Süd-, Nord und Mittelamerika vereint und in alle Welt vermittelt. Hilario Chiriap lehrt in Europa zwei Formen der Ayahuasca-Rituale seines Volkes. Eine entspricht dem Kreisritual zur Heilung. Die andere ist eine Mischung aus der Ayahuasca-Zeremonie der Shuar und dem Peyote-Ritual aus Mittel- und Nordamerika. Um diese geht es im Folgenden.

Der Kondor trifft den Adler

Das Ritual findet in einem Tipi statt und vereint Elemente eines Ayahuasca- und eines Peyote-Rituals.

Der Eingang des Tipis weist gen Osten; es ist ein neun Meter hohes Tipi für bis zu 25 Personen. In der Mitte wurde ein Kreis von zwei Metern Durchmessern hergerichtet, wie man ihn von den Peyote-Ritualen der Native American Church (NAC) kennt. Der Feuerplatz befindet sich östlich vom Altar, an der Seite des Eingangs. Die Holzscheite sind in V-Form arrangiert und werden wie ein Pfeil, der zur Mitte des Altars hin zeigt, verbrannt. Auch das entspricht dem Ritual der NAC. Die v-förmigen Holzscheite liegen auf drei großen Holzklötzen, die für die Shuar typisch sind und den Kreis (im 120-Grad-Winkel) in drei Abschnitte teilen.

Im Kreis in der Mitte des Altars werden im Laufe der Nacht vier verschiedene Muster aus der Asche ausgelegt. Bei Peyote-Zeremonien gibt es das Zeichen eines Vogels, der dem Phönix entspricht; hier aber folgen die Muster dem typischen Shuar-Stil. Das erste Muster ist ein Kreis, denn er ist der Beginn von allem, wie Hilario erklärt: »Wenn das weibliche Ei vom männlichen Samen befruchtet wird, entsteht eine runde Eizelle, die der Beginn neuen Lebens ist. Daher ist der Kreis das erste Muster.« Ein siebenzackiger Stern folgt, wenn die Ayahuasca-Wirkung ihren Höhepunkt erreicht. Gemäß der Shuar-Überlieferung kommen die Menschen von den Sternen, und jeder Mensch entspricht »mit Kopf, Herz, Bauch, zwei Armen und zwei Beinen den sieben Zacken des Sterns«. Tief in der Nacht wird ein großes Herz aus der Asche geformt, da man sich bewusst sein soll, dass das Herz laut Hilario von zentraler Wichtigkeit ist. »Der Große Geist schlägt im Herzen aller. Wir sollten daher nicht vergessen, nach dem Herzen zu handeln.« Die aufgehende Sonne mit sieben Strahlen entsteht dann am frühen Morgen als viertes und letztes Zeichen.

Auf der westlichen Seite des Altars erhebt sich ein typischer Shuar-Berg, der aus Erde geformt wurde (bei einer Peyote-Zeremonie fände sich hier ein Halbmond). Der Berg heißt auf Shuar Ayamt'ei (Awantei). Er besteht aus sieben Ausläufern, und sieben Pfade führen zur Spitze. Inmitten des Gipfels steckt eine verholzte Ayahuasca-Liane, die den Großen Geist verkörpert. Die sieben Pfade symbolisieren Vater, Mutter, Wasser, Wind, alle Lebewesen, die Ahnen und das Kontinuum der Generationen, also unsere Kinder, Enkel usw. Der etwa einen Meter hohe Berg ist geschmückt mit frisch gepflückten Blumen von den Wiesen und Wäldern rund um das Tipi. Im Morgengrauen brechen die ersten Sonnenstrahlen durch den Eingang und bescheinen den Ayamt'ei-Berg und seine Blüten.

Wie bei Peyote-Zeremonien kümmert sich ein Feuerwächter um die Feuerstelle. Er bewacht den Eingang und entsorgt die Plastiktüten mit Erbrochenem. Sie werden alle am folgenden Morgen, am Ende des Rituals, unter einem Baum beim Tipi vergraben, wodurch die Übelkeit den allheilenden Kräften von Mutter Erde überantwortet wird.

Hilario sitzt an der Westseite des Tipis. Hinter ihm hängt das Bild eines Jaguars. Zu seinen Füßen liegen Flaschen mit der bitteren Brühe an den Hängen des symbolischen Berges, Stücke von Ayahuasca-Lianen, Bündel mit Blättern von Yagé *(Diplopterys cabrerana)*, Cocablätter *(Erythroxylum coca)*,

Uwishin Hilario Chiriap beim rituellen Bau am mythischen Berg Awantei. Auf der Spitze steht ein Ayahuasca-Lianenstab, der den Großen Geist repräsentiert (5/2003).

Hilario Chiriap formt den mythischen Berg Awantei.

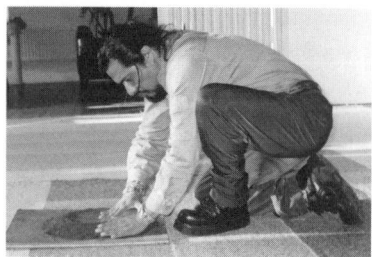

Er demonstriert im Kleinen, wie man den rituellen Berg Awantei aufschichtet.

Bei Sonnenaufgang wird die Asche zum Symbol der aus der Unterwelt aufsteigenden Sonne.
(Alle Fotos: A. Adelaars)

eine getrocknete Tabakpflanze *(Nicotiana rustica)* und Rasseln *(maracas)*, ein Bambusbogen, der als Mundharfe genutzt wird (ein traditionelles Shuar-Instrument namens *tunank)*, eine traditionelle Wassertrommel, die auch bei Peyote-Zeremonien zum Einsatz kommt, und eine traditionelle Peyote-Rassel.

Nach Sonnenaufgang rollt Hilario heiligen Tabak in ein Lieschblatt (getrocknetes Deckblatt) eines Maiskolbens. Er raucht die so entstandene dicke Zigarre und spricht in Richtung Feuer das Tabakgebet. Um sein Tabakopfer vom gewöhnlichen Rauchen zu unterscheiden, hält er die Zigarre zwischen Daumen und Zeigefinger. Beim Sprechen richtet er das Mundstück zum Feuer, damit der Große Geist selbst rauchen und so besser zuhören kann. Dann reicht er die Zigarre seinem Assistenten zur Linken. Der Shuar-Schamane liebt es zu sprechen und nimmt sich Zeit für sein Gebet. So kann diese Runde des rituellen Tabakrauchens lange dauern.

Schließlich wird das rituelle Essen ins Tipi gebracht: eine Gabe der Frauen, die es auch zubereitet haben. Es besteht aus Wasser, Mais, Früchten und Fleisch (oder Soja für die europäischen Vegetarier). An Hilarios Zeremonien und dem Tabakopfer können Frauen übrigens auch während ihrer Regel teilnehmen.

Interview mit einem Shuar-Schamanen

Hilario Chiriap ist ein traditioneller Schamane aus Ecuador vom Stamm der Shuar-Indianer. Diese selbstbewussten Ureinwohner sind im Westen besser unter dem Namen Jívaro bekannt und werden stereotyp als »grimmiges Volk« *(fierce people)* bezeichnet. Sie haben es als Kopfjäger und Schrumpfkopfmacher zu einiger Berühmtheit gebracht.[126]
In ihrer Sprache heißen Schamanen *uwishin*. Ihr Schamanismus ist traditionell von Wettbewerb und kämpferischen Auseinandersetzungen geprägt. Hilario aber erachtet es als notwendig, mit möglichst vielen Schamanen verschiedener Regionen Südamerikas zusammenzuarbeiten. Seine westliche Erziehung und seine Einweihung in das überlieferte Wissen seiner Ahnen prädestinieren ihn auf idealtypische Weise zur Überbrückung der Kluft zwischen dem Amazonas und dem Westen.

Hilario Chiriap: Mein Shuar-Name ist Tsunki Shiashia Churuwia. *Tsunki* bedeutet »Götter des Wassers«, *shiashia* verweist auf die Kraft der Natur und des Waldes in Gestalt des Jaguars als Hüter des Wissens, *churuwia* ist der

---

126 Diese Charakterisierung der Jívaro als *fierce people* leitet sich von der kontrovers diskutierten Publikation von Napoleon CHAGNON (1977) über die Yanomamö ab. Seine Analyse des menschlichen Aggressivitätspotenzials wird von seinem Schüler Kenneth GOOD (GOOD und CHANOFF 2002) relativiert.

Name des Harpyienadlers, der hoch über den Felsen der Wasserfälle lebt und den übergeordneten Geist verkörpert. Viele Wasserfälle sind den Shuar heilig. Ich bin Shuar. Heutzutage besiedeln wir Gebiete von Peru und Ecuador. Unser Volk besteht aus sieben Clans: Shuar, Achuar, Awagun, Kantuash, Patukmai, Wampi und Shiwiar, die im Amazonasgebiet von Ecuador entlang den Kordilleren bzw. Anden und dem Río Maranon leben. Ich wurde 1964 in der Cordillera del Cóndor geboren, die heute im Grenzgebiet zwischen Peru und Ecuador liegt. Damals war dies ein entlegenes Gebiet in einem weitgehend unberührten Dschungel. Ich bin ein Nachfahre der Patukmai- und Awagun-Clans, gehöre einer Familie von *uwishin* an und wurde als Schamane initiiert. Meine Vorfahren waren Krieger. Meine Großväter und Onkel waren als *tsantsa* (Kopfjäger) der *uwishin*-Tradition verbunden. Jeder Clan hatte besondere Fähigkeiten und hütete spezielle Geheimnisse. Als Uwishin kennt man nicht notwendigerweise auch die Geheimnisse anderer Clans.

Arno Adelaars: Du kennst also nur die geheimen Überlieferungen deiner eigenen beiden Clans?

HC: Zuerst lernte ich von meinen beiden eigenen Clans, doch später knüpfte ich auch Kontakte zu anderen. In den 1930er- und 1940er-Jahren waren im Volk der Shuar Konflikte ausgebrochen, die sich ausweiteten. Diesen Stammeskriegen fielen viele maßgebliche Persönlichkeiten unserer *uwishin*-Tradition zum Opfer. So überlebte beispielsweise in meiner eigenen Familie nur mein Vater. Bei diesen Machtkämpfen unter Schamanen ging viel überliefertes Wissen verloren. Viele flüchteten in andere Gebiete, und die kulturellen Bande lösten sich auf. Mein Vater flüchtete von dort, wo wir ursprünglich gelebt hatten, nach Südosten. Er war einer der Hüter der Traditionen. Damals gab er sein Wissen an verschiedene Shuar-Gemeinschaften in der ganzen Region weiter.

Als ich fünf oder sechs Jahre alt war, wurden mein Bruder und ich in Tabak- und *Brugmansia*-Rituale eingeweiht. Es handelt sich dabei um eine spezielle *Brugmansia*-Art, die nur in diesem Gebiet vorkommt[127]. Mein Vater war ein wirklicher Krieger – sehr streng und anspruchsvoll. Er verlangte von seinen Söhnen, dass sie sich den anstehenden Prüfungen diszipliniert unterzogen.

A.A.: Dein Vater war auch ein *uwishin*?

HC: Ja – und ein Krieger. Deshalb lehrte er mich, wie man überlebt. Er lehrte mich all seine Kniffe und die Kunst, im Urwald zu überleben. Seine Unter-

---

127 Vermutlich handelt es sich um eine für dieses Gebiet charakteristische Varietät der *Brugmansia suaveolens*.

weisungen dauerten zwei Jahre. 1970, als ich sechs Jahre alt war, kamen die Missionare. Sie brachten mich, meine Brüder und alle Kinder der Umgebung in Schulen, die zwei Tagesmärsche von dem Ort, wo wir lebten, entfernt waren. Mein Vater hatte Visionen und dachte: »Das ist gut für meine Söhne.« Bis dahin kannten wir keine Schulen. Bevor die Missionare kamen, lernten Söhne von ihren Vätern. Ich sprach nur Shuar. In den folgenden sechs Jahren lernte ich in der Schule Spanisch und erfuhr etwas vom Denken der Weißen. Ich musste in der Missionsschule bleiben, wo wir Indianerkinder auf unmenschliche Weise behandelt wurden. Wir durften unsere Sprache nicht sprechen und unseren Traditionen nicht folgen. Wir mussten auf dem Feld, im Dschungel und in den Bergen harte körperliche Arbeit verrichten und wurden mehr oder weniger wie Sklaven behandelt. Heute würde ich sagen, dass es dort praktisch wie in einem Konzentrationslager zuging. Wir durften nicht nach Hause gehen. Gelang es manchen Kindern zu fliehen, so schickten die Missionare Leute aus, um sie wieder einzufangen, und dann wurden sie hart bestraft. Ich sann die ganze Zeit nach Möglichkeiten, um dieser Hölle zu entfliehen. Deshalb erzählte ich den Missionaren, dass ich Priester werden wolle. Sie wählten zwei Kinder – mich und einen anderen Jungen – für das Studium in Cuenca aus, einer Stadt in den Anden. Dort gab es ein Internat, dessen Atmosphäre der Missionsschule ähnelte. Dennoch war es dort erträglicher, denn immerhin ist Cuenca eine Stadt.

Nach meinem Abschluss in Cuenca wurde ich für eine zweijährige höhere Schulbildung in Quito, der Hauptstadt von Ecuador, zugelassen. Danach studierte ich einige Jahre an der katholischen Universität von Quito Philosophie und Psychologie. Inzwischen war ich 19 Jahre alt, und mir wurde klar, dass ich weder der katholischen Kirche noch der Universität oder der Gesellschaft von Ecuador angehörte. Ich hatte das Bedürfnis nach einem anderen Weg in meinem Leben.

Seit ich meine Familie verlassen hatte und die Missionsschule besuchen musste, verspürte ich eine Sehnsucht und Neugierde nach den Ritualen und Zeremonien meines Volkes. Daher suchte ich in verschiedenen indianischen Gemeinschaften nach wissenden Älteren und Schamanen. Viele der weisen alten Männer, die meinen Vater unterwiesen hatten, waren inzwischen gestorben. So suchte ich Gebiete auf, in denen andere Clanmitglieder lebten und die ich zuvor nie betreten hatte. In vielen Gemeinschaften, die ich besuchte, begegnete ich vielen Konflikten, Schwierigkeiten, Neid und Eifersucht. Manche Clans wollten mir nichts beibringen. Es kam sogar so weit, dass sie mir nach dem Leben trachteten. Ich musste mich dieser Bedrohung stellen, und wir – ich und meine Begleiter – bewaffneten uns zur Verteidigung. Schließlich konnte ich den Gefahren trotzen und den Traditionen auf konstruktive Weise folgen.

Viele Shuar assoziieren Schamanismus mit Techniken, die anderen schaden; mit negativen Aspekten, die normalerweise als *brujeria*, Hexerei, verstanden werden. Ich verstehe Schamanismus aber als Akt des Heilens, als etwas Positives und als Weg des Lichts. Daraus schöpfe ich die Kraft, überleben und die guten Aspekte dieser schamanischen Tradition fortsetzen zu können. Ich hatte das Glück, gute Lehrer zu finden, die mir diese positive Kraft vermittelten.

Meine Lehrer sagten voraus, dass ich für meine Lehre bei ihnen vier Jahre benötigen würde. Dann entließen sie mich. Ich empfing ihren Segen und verpflichtete mich, ihre Tradition fortzusetzen. Nach Hause zurückgekehrt, praktizierte ich vier Jahre lang, was ich von ihnen gelernt hatte.

In den frühen 1990er-Jahren besuchte ich andere Gebiete und fand dort traditionelle Überlieferungen vor. Ich traf einige meiner Onkel und manche, die meinen Großvater gekannt hatten und durch die Stammesfehden der 1930er- und 1940er-Jahre in alle Winde verstreut worden waren. Sie halfen mir, manche traditionellen Aspekte in die moderne Zeit zu integrieren. Sie waren sich bewusst, dass es wichtig ist, sie zu retten, zu rekonstruieren und den gegenwärtigen Bedingungen anzupassen.

Es gelang mir, einen positiven Umgang mit traditionellen Methoden und Heilformen zu etablieren. Rückblickend verstehe ich, warum ich mit sechs Jahren in die Missionsschule verschleppt wurde. Nur so wurde ich mit beiden Welten vertraut. Nun kann ich die Traditionen meiner indianischen Kultur den Städten und Universitäten vermitteln, fühle mich in beiden Welten zu Hause und muss unterschiedliche Denkweisen nicht fürchten.

Der Kondor und der Adler

A.A.: Du beschäftigst dich mit der Verbindung unterschiedlicher indigener Völker. Dabei kommt der Begegnung zwischen dem Kondor und dem Adler eine wesentliche Bedeutung zu. Wir befinden uns in einer Zeit des Umbruchs, wenn man beispielsweise dem Mayakalender folgt ...

HC: Der Prophezeiung von Cuauhtémoc[128] zufolge treffen Kondor und Adler nach fünfhundert Jahren zusammen.

A.A.: Kannst du das näher erläutern?

HC: Diese Prophezeiung stammt von den Azteken. Ihr Herrscher Cuauhtémoc prophezeite, dass diese Welt, in der wir leben, das eigentliche Paradies sei, das wir mit Hilfe von Ritualen und überliefertem Wissen bewahren müss-

---

128 Cuauhtémoc (1495–1525) war der letzte Herrscher der Azteken, der 1521 von Cortés besiegt wurde und in Gefangenschaft starb.

ten. Diese Prophezeiung kommt aus dem Norden, aus Mexiko. Demzufolge müssen sich die Brüder des Nordens (die Adler) mit ihren Brüdern aus dem Süden (den Kondoren) verbünden.

In Quito, der Hauptstadt von Ecuador, gab es im Dezember 1993 ein Treffen indianischer Völker. Ureinwohner von Nord- und Mittelamerika trafen sich mit ihren indianischen Brüdern aus Südamerika. Bei diesem Treffen tauschten sie ihre verschiedenen Traditionen aus. Mehr als sechzig weise Alte aus verschiedenen Regionen von Ecuador waren anwesend, und mehr als 350 Menschen nahmen an Ayahuasca- und Peyote-Ritualen teil.

Seither verbindet mich ein Schwur und eine familiär-verwandtschaftliche, kulturelle und spirituelle Beziehung mit den indianischen Traditionen des Nordens; vor allem mit meinem Bruder Aurelio Diaz Tekpankalli. Aurelio war ein Leiter der Native American Church von Arizona, der später nach Mexiko ausgewandert ist. Er ist der Begründer des »Roten Pfades« *(Camino rojo)*.[129] In den letzten vier Jahren nahm ich sechs Mal an den Sonnentanzzeremonien und auch an einer Visionssuche teil. 1996 wurde ich zum südamerikanischen Repräsentanten des Rates der Native American Church gewählt.

»Die Polizei versuchte, diesen neuen Peyote-Kult auszurotten, wie sie es auch mit dem Geistertanz getan hatten. Nicht weil Peyote eine Droge ist – dieses Konzept von Drogen gab es damals noch nicht –, sondern weil es indianisch war und als solches eine Konkurrenz zu den Missionaren darstellte.«
(Lame Deer und Erdoes 1972: 52)

Es gab einen Prozess des kulturellen und rituellen Austausches. Ich kann Peyote-Rituale der Native American Church (NAC) durchführen, die ich von meinem Bruder Aurelio lernte. Er führte den Gebrauch von Peyote und *aguakulla*[130] in die Rituale ein. Zur selben Zeit vermittelten ich und andere Shuar einigen Mitgliedern der NAC unser Wissen und unsere Rituale. Somit gibt es ein beidseitiges Einverständnis, dass wir unsere Rituale in verschiedenen Regionen der Welt durchführen.
1993 war die Zeit für die Verwirklichung der Prophezeiung reif. Damals etablierten wir diese Räte vor dem Hintergrund, indianische Traditionen aus Süd- und Nordamerika zusammenzuführen, um Rituale und Überlieferungen zu bewahren. Wir strebten nach Bündnissen mit anderen Volksgruppen;

---

129 Aurelio Diaz Tekpankalli ist ein Purepecha-Indianer aus Michoacan, Mexiko. Er ist der spirituelle Leiter der Native Church of Itzachilatlan und Präsident der Kondor-und-Adler-Vereinigung. Im Lakota-Reservat der Rosebud Sioux ist er das ordinierte Oberhaupt des Sonnentanzes.
130 *Aguakulla* bezeichnet den als San Pedro bekannten Kaktus *Trichocereus pachanoi* oder *T. peruvianus* aus dem peruanischen Hochland.

nicht nur zum Wohle indigener Völker, sondern zum Wohle aller Kinder dieser Erde. Diese Botschaft wollten wir in die Welt tragen. Zuerst ging es darum, die Ureinwohner in Nord- und Südamerika mit den verschiedenen Ritualen vertraut zu machen und diese dann in anderen Gebieten der Welt zu verbreiten. Mit dieser Aufgabe betrauten uns unsere weisen alten Männer, die nicht mehr in der Lage sind, zu reisen oder andere Sprachen zu lernen. 1997 wurde ich nach Südfrankreich eingeladen, wo ein Treffen sämtlicher Repräsentanten schamanischer Traditionen aus allen Himmelsrichtungen stattfand. 500 Delegierte und der Dalai Lama reisten an. Ich traf dort viele Schamanen aus Afrika, Asien, Australien und Europa.

Seither komme ich jedes Jahr nach Europa. Ich wurde nach Deutschland, Spanien, Frankreich, England, Italien, Österreich, Slowenien, Belgien, Holland und in die Schweiz eingeladen. Daraus entstanden Beziehungen. Durch diese grundlegende Arbeit wurden Menschen mit unserer Dschungelmedizin bekannt. Sie gewannen erste Einblicke, vertieften sie und wollten schließlich immer mehr darüber wissen.

A.A.: Du kommst nun schon seit mehreren Jahren nach Europa und triffst manche Menschen immer wieder. Konntest du bei ihnen eine gewisse Entwicklung feststellen?

HC: Ich sehe, dass sich die Menschen mehr und mehr dafür interessieren und dass der Kreis der Interessierten ständig wächst. Manche haben inzwischen eine gewisse Erfahrung mit Ayahuasca, und ich merke, dass sie ernsthafter an einem vertieften Wissen interessiert sind und genauer wissen wollen, wie man mit dieser Medizin wirklich arbeiten kann. Sie haben mehr Vertrauen und Zuversicht. Ein Funke wurde in ihnen entzündet, und das motiviert mich wiederzukommen. Sie erkannten den Wert unserer Dschungelmedizin, gehen ernsthafter an die Sache heran und wurden durch diese Erfahrung gesünder.

A.A.: Was ist dein Ziel? Was treibt dich an?

HC: Zuallererst möchte ich unsere traditionellen Lehren des Gebrauchs der Heilpflanzen und Pflanzenlehrer vermitteln; speziell von Ayahuasca. Wie diese Pflanzen ursprünglich im Amazonas verwendet wurden und wie man sie gebrauchen sollte. Das ist mein wichtigstes Anliegen. Außerdem möchte ich den Menschen zeigen, wie sie ihre eigenen Heilkräfte mobilisieren und eine Balance in ihrem Leben finden können. Wie sie die wohltuende Wirkung dieser Medizin erfahren und wie sie lernen können, sie in der richtigen, traditionellen Weise anzuwenden. Dabei geht es mir vor allem darum, die Heilkraft der Pflanzen und der Medizin zu vermitteln und sicherzustellen, dass sie richtig angewandt wird.

Das ist derzeit meine Mission: den Gebrauch gemäß der Weisungen meiner Lehrer weiterzugeben, die mir diese Aufgabe übertrugen. Das ist es, was den Menschen hier zurzeit in ihrem Leben fehlt, und dieses Wissen muss ich ihnen zur Verfügung stellen, solange sie es brauchen. Ob dafür zehn, zwanzig oder dreißig Jahre nötig sind, weiß ich nicht.

A.A.: Du bist ein *uwishin* und du arbeitest hier in Europa. Inwiefern kommt deine Arbeit hier auch deinem eigenen Volk zugute?

HC: Hier bemühe ich mich darum, den Menschen zu helfen, ihr Leben ins Gleichgewicht zu bringen. In Ecuador sind wir damit beschäftigt, die traditionellen Überlieferungen zu erhalten. Bis jetzt wurde dieses Wissen vom Vater auf den Sohn vererbt. Somit war jede Familie eine Art Lebensschule. Durch die Einflüsse der Schulen, des modernen Lebensstils und der Migration vom Land in die Städte ist diese Form der traditionellen Wissensvermittlung vom Untergang bedroht. In meiner Heimat besteht unsere Arbeit darin, das überlieferte Wissen wieder zugänglich zu machen, neu zu beleben und zu etablieren. Zur Herstellung des ursprünglichen traditionellen Gefüges ist die Kultivierung von Heilpflanzen nötig und der Bau von Bildungseinrichtungen, in denen unser traditionelles Wissen vermittelt werden kann.

Die sich daraus ergebenden positiven Resultate – ob in Europa oder in Ecuador – sind jedoch relativ ähnlich. Ich möchte Kontakte zwischen Europäern und meinen Landsleuten herstellen und den gegenseitigen Austausch fördern. Es wäre schön, wenn in Europa Reisen nach Ecuador organisiert würden, um emotionale und spirituelle Kontakte anzuknüpfen, welche ein vertieftes Verständnis für die Bedürfnisse und Probleme in Ecuador fördern. Die kapitalistischen Übergriffe und das wirtschaftliche Interesse am Abbau von Bodenschätzen und der Förderung von Erdöl stellt ein reales und ernstes Problem dar. Mein Volk ist zwar zahlreich, letztlich aber in der Minderheit. Wir sind einer ständigen Bedrohung ausgeliefert, und daher ist es gut für uns, im Westen Fürsprecher und Verbündete zu haben.

A.A.: Welche Ideen hast du diesbezüglich für die Zukunft?

HC: Das ist für uns ein sehr wichtiges Thema. 2002 kamen vier Abgeordnete der Shuar, die sich vehement den Interessen der Bergwerks- und Erdölgesellschaften widersetzten, bei einem bislang ungeklärten Flugzeugabsturz ums Leben.[131]

---

131 Im Juni 2005 schrieb Hilario in einer E-Mail: »In den letzten vier Jahren wurden mehr als zehn politische Führer der Shuar im Kampf, das Land ihrer Vorfahren vor den Verheerungen der Erdölgewinnung zu schützen, getötet. Die Täter waren spanische und US-amerikanische Erdölfirmen. Die meisten Opfer waren meine Blutsverwandten.«

Das Ausmaß dieser Probleme ist mir bekannt. Doch die Dinge ereignen sich sowohl auf materieller als auch auf spiritueller Ebene. Zwischen beiden besteht ein fragiles Gleichgewicht; gerät dieses aus den Fugen, ergeben sich daraus möglicherweise schreckliche Konsequenzen. Vielleicht manifestiert sich aber die geistige Ebene auf diese Weise ... Wir verstehen die Prinzipien der Realpolitik. Die Machtpolitik bedient sich dieser Kräfte, um ihre Ziele zu erreichen. Wir sind uns dessen wohl bewusst. Unsere Kultur basiert auf kriegerischen Prinzipien. Aber wir sind heute keine Krieger mehr. Wir setzen unsere kriegerischen Erfahrungen heute vielmehr ein, um die Ziele unserer Gegner scharfsinnig zu ergründen und unseren Geist dafür zu öffnen, wie sich dies auf spiritueller Ebene manifestieren wird. Schlägt das fehl, so akzeptieren wir, was immer geschehen wird – auch wenn es bedeuten sollte, unser Land den anstehenden Entwicklungen ausliefern zu müssen.

Wir befinden uns in diesem Jahrzehnt inmitten einer Phase des Aufruhrs. Der Krieg ist allgegenwärtig. Wir müssen den Geist der Zeit akzeptieren. Gegenwärtig überwiegen die materiellen Kräfte. Aber wir erleben auch eine Kulmination dieses Prozesses. Man könnte es mit einem kranken Körper vergleichen. Mutter Erde ist krank. Sie leidet unter Fieber und muss sich reinigen und erbrechen. Ihr ganzer Körper ist von Fieber geschüttelt und muss sich zur gegebenen Zeit übergeben und reinigen. Ich spreche dabei von einem umfassenden Reinigungs- und Läuterungsprozess, den wir gegenwärtig alle durchlaufen. Der Geist erkennt, wo sich Menschen befinden, die die Erde respektieren und sie als ihre Mutter akzeptieren. Von diesen Orten wird eine neue Kraft ausgehen. Jeder Einzelne von uns wird sich der Pflicht stellen müssen, zu versuchen, das Gleichgewicht der Kräfte wiederherzustellen und Mutter Erde zu respektieren.

Zurzeit sind vehemente Bemühungen zur Wiederherstellung der Traditionen und ihrer Integration in unser Leben im Gange. Sonst wäre es wirkungslos. Die Wiederherstellung der *wirklichen* Arbeit ist wichtig. In Kolumbien gibt es Schamanen, die mit der Guerilla kooperieren, und andere, die in die Armee eingetreten sind. In Ecuador wurden Führer indigener Stämme als Vertreter verschiedener Bergwerks- und Erdölgesellschaften angeworben und für deren Interessen eingesetzt.

Wer aber dem wahren schamanischen Weg folgt, wer mit anderen die überlieferten Gesänge zu Ehren des Mysteriums der Erde singt, kann nicht angeworben werden. Es ist wichtig, diese Genesung schnellstmöglich mit Hilfe möglichst vieler Schamanen umzusetzen, die dem traditionellen Weg und nicht seiner Pervertierung folgen. Es ist sehr wichtig, die Traditionen wiederzubeleben, denn diesbezüglich herrscht einige Verwirrung.

Uwishin Hilario Chiriap »hört die Geschichte« der Steine eines Hünengrabes (Drenthe, Niederlande, 5/2003). (Foto: A. Adelaars)

Diese Arbeit ist sehr komplex, weil es viele verschiedene Traditionen gibt. Wer sich einmal auf Gelübte einlässt, wird ihnen lebenslang folgen. Das bezieht sich auf viele verschiedene Aspekte, nicht nur auf Ayahuasca und Heiltraditionen. Es ist wesentlich komplexer. Man muss sich dem Ganzen Stück für Stück annähern.

Werdegang eines Shuar-Schamanen

A.A.: Wie wird man *uwishin*? Du sagtest, dass du dich vier Jahre lang in den Bergen aufgehalten hast. In Europa gibt es keine lebendigen schamanischen Traditionen mehr. Dennoch fühlen sich viele davon angezogen. Bei uns gibt es viele, die sich selbst als Schamanen bezeichnen. Kannst du uns einen Einblick in deine Initiation geben?

HC: Traditionell ging man zu einem *uwishin*, von dem man lernen wollte, und bat ihn um seine Instruktionen. Akzeptierte er den Schüler, so arbeitete er für ihn ein spezielles Trainingsprogramm aus. Er stellte ihm bestimmte Aufgaben, die er bedingungslos zu erfüllen hatte. Früher, als diese Ausbildung allgemein verbindlichen Regeln folgte, fand die Initiation an speziellen Orten statt, in traditionellen *malocas*. Man errichtete für die Lehrzeit eigens drei abgeschiedene Räume: einen für Heilungen, einen für die Ausbildung und einen spirituellen Ort, der dem Rückzug eines Schamanenlehrlings vorbehalten war. Heutzutage gibt es nicht mehr viele davon, denn alles dreht sich um Wettbewerb, Geld und Individualität. Deshalb lebt man als Schamanenlehrling einfach im Haushalt des *uwishin*.

Die erste Phase der Ausbildung gilt der Schärfung der Sinne an einem abgeschiedenen Ort, an dem man sieben, neun oder sogar 13 Tage schweigend verbringt. In dieser Zeit fastet man, ohne Essen und ohne Wasser. In den folgenden drei Monaten ist die Kommunikation mit anderen auf das absolut Wesentliche beschränkt. In dieser Phase des Schweigens schärft man vornehmlich die Fähigkeit des Hörens und (untergeordnet) auch die des Sehens. Während der Lehrzeit ist sexuelle Abstinenz sehr wichtig. Sie fördert die innere Wahrnehmung, was in unmittelbarer Nähe zu den Lehrern leichter fällt. Ich verbrachte vier Jahre in dieser Abgeschiedenheit, aber zwölf bis fünfzehn Monate ist üblicher. Heutzutage halten manche sogar einen Zeitraum von 14 Tagen für ausreichend ... Drei Monate ist besser und sechs Monate üblich. In meinem Fall waren es eben vier Jahre. Es geht dabei um eine ganzheitliche Kräftigung des Geistes, des Körpers und der spirituellen Energie, die sich körperlich manifestiert.

Je nach Lehrer gibt es auch bestimmte diätetische Vorschriften in Bezug auf Nahrungsmittel, die man währenddessen zu sich nehmen darf oder nicht. Bei manchen ist jede Art Fleisch verboten, bei anderen der Verzehr gewisser tierischer Nahrung. Etwa kein Schweine- und kein Affenfleisch, oder nur Vögel oder nur Fische und Muscheln. Was man essen darf und was nicht, hängt vom jeweiligen Lehrer ab. Andere gängige Diäten schließen Salz, Zucker, Kaffee, Tee und Käse aus. Die Dauer solcher Restriktionen variiert ziemlich. Einige gelten einen, zwei oder drei Monate; andere einige Wochen oder ein ganzes Jahr – auch das entscheidet jeder Lehrer individuell.

Bei dieser spirituellen Ausbildung geht es auch um das Erlernen gewisser Verhaltensweisen und Fähigkeiten: etwa, Geduld zu üben und ruhig zu bleiben. Während meiner vierjährigen Grundausbildung dachte ich häufig:»Was tue ich hier eigentlich?« Immer wieder stellten sich Zweifel ein. Doch dann hörte ich eine innere Stimme, die mir zuflüsterte:»Du bist am richtigen Ort. Mach einfach weiter, setze deinen Weg fort, mach einfach weiter.« Zwei Monate lang wurde ich von heftigen Zweifeln geplagt. Dann dachte ich:»Wenn Hunderte und Tausende von Menschen diesen Weg gegangen sind und ihn durchgestanden haben, muss in diesem Weg des Wissens etwas Wahres verborgen sein, und ich muss ihn fortsetzen und zu dieser Wahrheit durchdringen.« Bei den meisten Mitschülern war diese innere Kraft nicht stark genug, und sie erlagen dem Bedürfnis nach sexueller Lust oder anderen Ablenkungen. Sie sagten sich:»Womit verbringe ich hier eigentlich meine Zeit? Ich sollte lieber Geld verdienen oder zur Schule gehen.«

Das Ziel dieses Lernprozesses ist der Umgang mit subtilen Energien. Aber man lernt dies auf eine sehr praktische und empirische, also auf konkrete Erfahrungen begründete Weise. Man erlernt die Gesänge und die Kraft, die in ihnen liegt. Man übt sich darin, wie man Kontakt mit der geistigen Welt aufnehmen kann, und bekommt in der unsichtbaren Welt Zugang zu den Tieren. Man lernt, wie man sie jagen und wie man sie auffinden kann. Man lernt auch, Häuser zu bauen, was sehr praktisch ist. Aber das wichtigste Ziel besteht darin, in Kontakt mit den subtilen Energien des Wahren Wissens zu kommen. Ein Schamane genießt ein gewisses Sozialprestige. Deshalb sind einige darauf erpicht, sich als Schamane zu bezeichnen. Sie sehen, wie ich meine Zeremonien leite, Lieder singe und meine Instrumente spiele. Das alles sieht für sie sehr leicht aus. Sie sehen die schwierigen Seiten dieses Weges nicht. Aber man kann von diesem Weg keinen »Urlaub« nehmen, wenn es mal schwierig wird. Man muss ihm stetig folgen. Dieser Weg hört nicht auf. Er geht ständig weiter.

A.A.: Hilario, ich danke dir sehr für deinen anschaulichen Einblick in das Leben und den Werdegang eines *uwishin*.

Brasilien: Wo Rituale zu Religionen werden

Das brasilianische Amazonasgebiet war bis in die 1970er-Jahre ein nahezu unzugängliches Gebiet, in dem außer den Indios nur wenige Menschen lebten. Diese Abwesenheit der sogenannten zivilisierten Welt führte dazu, dass einige einzigartige und in unseren Augen exotische Kirchen entstanden. Der brasilianische Schmelztiegel mit seinen europäischen, afrikanischen und indianischen Einflüssen findet sich in den verschiedenen Ayahuasca-Kirchen wieder.

Santo Daime: Die bekannteste brasilianische Ayahuasca-Kirche
Zu Beginn des 20. Jahrhunderts entsteht eine Kirchengemeinde, die Ayahuasca als Sakrament nimmt. Ihr Gründer ist der schwarze brasilianische Kautschuksammler Raimundo Irineu Serra (1892–1971). Während seiner Arbeit im Urwald im Grenzgebiet von Brasilien und Peru trifft er Crescencio Pizango, einen *vegetalista* aus Peru, der ihm den Ayahuasca-Trank gibt.[132] Irineu erhält eine Vision von einem weiblichen Wesen namens Clara, das ihm den Auftrag gibt, sich zu isolieren und einer strengen Diät zu folgen. Diese Erscheinung wird von Irineu als »Unsere Frau der Empfängnis« und als »Die Königin des Waldes« angesehen. In den folgenden Visionen sieht Irineu die Jungfrau Maria zusammen mit einem Halbmond und einem Adler. In seinen

---

132 Edward MACRAE: The Ritual and Religious Use of Ayahuasca in Contemporary Brazil, www.santodaime.org/archives/edward.htm

Visionen lehrt Maria ihn Lieder und trägt ihm auf, eine Religion zu begründen und auszuüben, bei der das Trinken der Ayahuasca und das Singen von Hymnen im Zentrum steht.

Die Lehre von Santo Daime, die hieraus entsteht, ist ein typischer brasilianischer Mix aus verschiedenen Glaubenssystemen. Sie beinhaltet römisch-katholische Elemente, wie die Verehrung von Jesus Christus als Gottes Sohn und die Verehrung der Jungfrau Maria. Der Glaube an die Kraft der Natur und die Existenz von Pflanzengeistern ist auf indianische Vorstellungen zurückzuführen. Auch Elemente afrikanischer Kulte und des westeuropäischen Spiritismus des 19. Jahrhunderts finden sich darin wieder. Serra tauft Ayahuasca um in *daime*, was auf Portugiesisch so viel heißt wie »gib mir«.[133]

Von 1930 an leitet Raimundo Irineu Serra sein eigenes Zentrum Doutrina de Santo Daime in Rio Branco, der Hauptstadt der Provinz Acre im brasilianischen Amazonasgebiet. Sein Ruf als Heiler sorgt für einen konstanten Zulauf von Anhängern aus allen Bevölkerungsschichten. In den 1940er-Jahren wird Mestre Irineu, wie der Kautschukzapfer inzwischen genannt wird, vom Gouverneur der Provinz ein Stück Land angeboten. Dort errichtet er mit seinen Anhängern eine Kirche. Der charismatische Begründer von Santo Daime stirbt 1971.

Nach seinem Tod spaltet sich die Bewegung in mehrere Gruppen auf. Die Gruppe von Sebastião Mota de Melo wird letztendlich die größte. Er ist bereits als Heiler bekannt, als er sich Santo Daime anschließt. 1965 kommt er zu Mestre Irineu, um sich von einer schweren Lebererkrankung heilen zu lassen. Nach seiner Genesung tritt er der Kirche bei.

Sebastião Mota de Melo, unter seinen Anhängern besser bekannt als Padrinho Sebastião, gründet nach dem Tod Irineus eine Kommune im Urwald, die *Colonia 5000* getauft wird. Sebastião nennt das Zentrum *Centro Ecléctico de Fluente Luz Universal, Raimundo Irineu Serra*.[134] In der zweiten Hälfte der 1970er-Jahre schließen sich immer mehr junge Leute der Kommune an. Diese jungen Leute haben einen anderen Hintergrund als die Kautschuksammler und ihre Familien. Sie gehören zur städtischen Mittelschicht und wollen der Unterdrückung durch die Militärdiktatur entfliehen, die das Land zwischen 1964 und 1985 beherrscht. Nach einiger Zeit gibt es zu viele Menschen auf zu wenig Land, und Mota de Melo macht sich auf die Suche nach einem Stück unberührter Natur im Urwald. Dort errichtet er 1980 das neue Zentrum der Santo-Daime-Lehre, das er *Céu do Mapiá*, »Himmel von Mapiá«, nennt.

---

133 »Daime luz, daime amor, daime força«: »Gib mir Licht, gib mir Liebe, gib mir Kraft.«
134 Eklektisches Zentrum des Fließenden Universellen Lichts, Raimundo Irineu Serra.

Mit diesem Zentrum im Urwald als Ausgangsbasis wächst die Bewegung Santo Daime beträchtlich, zunächst in Brasilien, später auch in anderen südamerikanischen Ländern. Nach dem Tod von Padrinho Sebastião im Jahre 1991 wagt die Santo-Daime-Kirche unter der Leitung seines Sohnes Alfredo den Sprung über den Atlantik. Zunächst verbreitet sich die Kirche in Spanien, danach auch in anderen europäischen Ländern. Auch in Nordamerika und in Japan entstehen Kirchen.

1993 beginnt Santo Daime in den Niederlanden aktiv zu werden. Die ersten Anhänger finden sich in den Kreisen der Osho-Bewegung. Innerhalb kurzer Zeit entstehen zwei Gemeinschaften, eine in Amsterdam und eine in Den Haag. Alfredo Mota de Melo tritt in die Fußstapfen seines Vaters, indem er ein neues spirituelles Zentrum noch tiefer im Amazonasgebiet errichtet, am Fluss Jurua.

Trabalhos

Rituale werden in der Santo-Daime-Kirche *trabalhos* genannt. *Trabalho* ist das portugiesische Wort für »Arbeit«. Das Befolgen der strengen Regeln der Rituale kann als Arbeit angesehen werden, ebenso wie als Reinigung. Die Kirchenmitglieder, die *fardado*s genannt werden, tragen unterschiedliche Uniformen *(farda)* bei den verschiedenen Ritualen. Sie sehen sich selbst als Jesu Soldaten, und zu Soldaten gehören Uniformen.

Die *farda branca* besteht für die Männer aus einer weißen Hose, einem weißen Hemd, einer schwarzen Krawatte und einer weißen Jacke. Die Frauen sind mit einem knöchellangen weißen Faltenrock und einer weißen Bluse bekleidet. Von den Schultern bis zur Hüfte tragen sie zwei grüne Schärpen und auf dem Kopf ein Diadem mit fünf Zacken. Die *farda branca* wird bei den meisten Ritualen getragen.

Die *farda azul* besteht für die Männer aus einer blauen Hose, einem weißen Hemd und einer blauen Krawatte. Die Frauen kleiden sich in einen knöchellangen blauen Faltenrock und eine weiße Bluse. Auf der rechten Brust tragen die Kirchenmitglieder einen Stern mit sechs Zacken.

Die Kirche steht jedem offen. Nach einem Aufnahmegespräch und – in manchen Fällen – einem Übungsabend können Nichtmitglieder teilnehmen. Das Tragen weißer Kleidung ist verpflichtend.

Die Vorbereitungen für ein Ritual beinhalten eine tagelange Diät und sexuelle Enthaltsamkeit. Am Tag des *trabalho* wird leichte Nahrung empfohlen, möglichst ohne Fleisch, Kräuter und Gewürze.

Nicht nur Ayahuasca ist das Sakrament der Santo-Daime-Kirche. Auch das Rauchen von Cannabis, das in der Kirche *Santa María* genannt wird, ist essenzieller Bestandteil des Gottesdienstes. Der rituelle Gebrauch von

Cannabis kann auf den Zustrom junger Leute aus der städtischen Mittel-schicht seit den 1970er-Jahren zurückgeführt werden. Man sagt, ein brasilia-nischer Hippie habe Padrinho Sebastião Mota de Melo von den himmlischen Qualitäten des Hanfs zu überzeugen gewusst.[135]

Cannabis oder Santa María wird in der Kirche mit einem speziellen Lieder-buch verehrt, dem *Hinos de Santa María*. Das Singen von Hymnen ist in Santo Daime von sehr großer Bedeutung. Die Hymnen-Sammlung wird als das Dritte Testament betrachtet. Viele der Gesänge stammen vom Gründer Mestre Irineu, von Padrinho Sebastião oder von anderen prominenten Mitgliedern der Kirche. Diese Lieder sind nicht selbst erdacht oder selbst geschrieben worden, sondern sind – so heißt es – während des Ayahuasca-Rausches aus der Astralebene »empfangen« worden.

Feitio

Die Ayahuasca der Santo-Daime-Kirche, Daime, wird ausschließlich aus der Ayahuasca-Liane *(Banisteriopsis caapi)* und *chakruna (Psychotria viridis)* berei-tet. Dieser Vorgang ist ein wichtiges Ritual in der Kirche und wird *feitio* genannt. Ein *feitio* dauert einige Tage bis zu einer Woche. Die Männer ern-ten die Lianen, die sie *jagube* nennen, im Urwald oder in den Gärten, wo die Schlingpflanzen angebaut werden. Die *jagube* wird mit dicken hölzernen Hämmern klein geschlagen, und zwar stundenlang in einem gemeinsamen Rhythmus. Die Frauen pflücken die Blätter der *Psychotria viridis*, die sie *rainha* – »Königin« – nennen, und machen sie gebrauchsfertig. Sowohl die Männer als auch die Frauen stehen während der Arbeit unter dem Einfluss der Ayahuasca. *Feitio* ist ein Ritual, bei dem die Teilnehmer so viel Daime trinken dürfen, wie sie möchten. Bei dieser Zeremonie werden drei verschie-dene Qualitäten Ayahuasca gekocht.

Der Gottesdienst

Die Santo-Daime-Kirche hat eine Anzahl von Regeln, an denen sie strikt festhält. In der Mitte der Kirche befindet sich ein zentraler Tisch, der mit einem weißen Tuch bedeckt ist. Der Leiter oder die Leiterin sitzt am Kopf-ende. Weiter nehmen Musiker und einige wichtige Kirchenmitglieder an die-sem Tisch Platz.

Auf dem Tisch befinden sich ein großes Doppelkreuz mit einem Fuß in Sternform und einer Mondsichel auf der Spitze, ein Bildnis vom leidenden Christus mit der Dornenkrone und ein Bildnis von Maria mit dem Kinde. Es stehen auch Fotos der Urväter der Kirche auf dem Tisch. In der niederländi-

135 HUTTNER 1998: 77.

schen Kirche findet sich dort auch oft ein Foto vom indischen Guru Osho. Um das Kreuz herum werden eine schöne Ayahuasca-Liane, Weihrauch, eine Vase mit Blumen und manchmal auch Samen der *rainha* drapiert. Um den Tisch herum sind die Stühle so in Reihen aufgestellt, dass das Ganze von oben wie ein Mandala aussieht. Die Männer sitzen auf der einen Seite des Tisches, die Frauen auf der anderen Seite. Die Teilnehmer werden nach Körpergröße und nach der Dauer ihrer Zugehörigkeit eingeteilt. Es ist nicht erlaubt, das Ritual zu verlassen.

Bei einem Tanzritual werden die Stühle weggeräumt, aber das Ganze bietet von oben gesehen immer noch denselben Anblick. Hinten in einer Ecke steht ein weiterer Tisch mit einem weißen Tuch. Darauf stehen die Flaschen mit Ayahuasca. In den großen Kirchen in Brasilien steht dafür ein eigenes Zimmer zur Verfügung. Die Kirche ist hell erleuchtet. Es wird dafür gesorgt, dass nirgends eine Stelle dunkel bleibt. In einer der vielen Geschichten, die in der Kirche erzählt werden, wird beschrieben, dass einst der Teufel versuchte, sich in einer solchen dunklen Ecke zu verstecken.[136] Seitdem darf es während eines Rituals nirgends mehr dunkel sein. So brennt selbst unter dem zentralen Tisch eine Kerze.

Der Gottesdienst beginnt mit katholischen Gebeten. Dann wird das erste Glas Ayahuasca ausgeschenkt. Männer und Frauen stehen in getrennten Reihen. Nachdem die Teilnehmer getrunken haben, begeben sie sich wieder an ihren Platz zurück. Es werden Lieder aus einem der Liederbücher gesungen. Nach ungefähr einer Stunde ist es Zeit für das zweite Glas. Wieder stellen sich die Teilnehmer in Reihen auf, während *daime e o daime* gesungen wird.

Nach dem zweiten Glas wird Santa María geraucht. Das Rauchen ist ein kleines Ritual für sich. Die Teilnehmer teilen sich zu zweit oder zu dritt einen puren Joint. Jeder Teilnehmer zieht dreimal daran, bevor er den Joint nach links weiterreicht. Beim ersten Zug wird dabei der Sonne gedacht, beim zweiten des Mondes und beim dritten der Sterne.

Es gibt *trabalhos*, die zwei Stunden dauern, andere dauern vier, sechs oder zwölf Stunden. Durchschnittlich wird alle zwei Stunden ein Glas Daime getrunken und Santa María geraucht.

Wenn man überwältigt wird von den Effekten des Getränks, kann man sich an spezielle Helfer wenden, die sogenannten *fiscals*. Es gibt jeweils eine besondere Ecke für Frauen und für Männer, die Hilfe brauchen. Stühle und Matratzen stehen dort zur Verfügung. An strategischen Punkten stehen Eimer, für den Fall, dass jemand die Toilette nicht rechtzeitig erreicht.

136 Persönliche Mitteilung von Yatra da Silveira Barbosa, 1995.

Die *fiscals* sorgen für den reibungslosen Ablauf der Zeremonie. Der Zweck des Rituals besteht nicht darin, dass die Teilnehmer auf eine individuelle Reise gehen. In einem Santo-Daime-Ritual wird eine Gruppenenergie geschaffen, die eine Spirale zum Himmel entstehen lassen soll. Teilnehmer, die nicht kerzengerade auf ihrem Stuhl sitzen, die mit gekreuzten Armen oder Beinen dasitzen oder während eines Tanzrituals aus dem Takt oder aus der Schrittfolge geraten, werden durch die *fiscals* korrigiert.

Der Doktrin der Kirche zufolge hat Mestre Irineu von der Heiligen Jungfrau Maria selbst die Anweisungen für die Durchführung eines Gottesdienstes erhalten. Darum hält man strikt an diesen Regeln fest. Dieser typisch orthodoxe Ansatz hält manchen davon ab, an einem *trabalho* teilzunehmen. Die strikte Handhabung der Regeln ist eine der Ursachen dafür, dass sich moderne Splittergruppen von Santo Daime gebildet haben.

Cura

Die *cura* ist ein Heilritual mit 31 Hymnen, mit dem göttliche und spirituelle Kräfte um Hilfe und Heilung angerufen werden. Die heilende und reinigende Kraft der Ayahuasca ist in der Kirche hoch angesehen. Sebastião Mota de Melo, der das spirituelle Zentrum Céu do Mapiá gründete, wandte sich dieser Kirche zu, nachdem er durch Ayahuasca von einer schweren Lebererkrankung geheilt wurde. Geraldine Fijneman gehört zu den Personen, die die Kirche in den Niederlanden eingeführt haben, nachdem sie von einem Hirntumor genesen war.

Ich selbst habe in der zweiten Hälfte der 1990er-Jahre mehrere Male in der Amsterdamer Kirche an einem *cura*-Ritual teilgenommen. Nicht nur Menschen, die selbst der Heilung bedurften, machten mit. Heilung kann auch erbeten werden für Personen, die nicht anwesend sind. In so einem Fall kann der Name des Kranken auf einen Zettel geschrieben werden. Die Zettel werden eingesammelt und beim Doppelkreuz auf dem zentralen Tisch niedergelegt.

Hinario

An wichtigen christlichen Feiertagen, an den Geburtstagen oder Todestagen von Mestre Irineu und Padrinho Sebastião und an anderen für die Kirche wichtigen Daten werden *hinarios* organisiert, Tanzrituale, bei denen »Hymnenkreise« gesungen werden. Dabei wird meistens die *farda branca* – die weiße Uniform – getragen. Es gibt drei verschiedene Tanzbewegungen. Bei der *marcha* werden zwei Schritte nach links und dann wieder zwei Schritte nach rechts gemacht. Die Füße müssen in die Tanzrichtung weisen, während der Oberkörper auf den zentralen Tisch ausgerichtet ist. Die *marcha* ist der weitaus verbreitetste Tanz.

Bei der *mazurca* wird der ganze Körper auf der Stelle nach rechts gedreht, wonach der rechte Fuß nach rechts gesetzt wird, gefolgt von der gleichen Bewegung nach links. Manchmal wird auch gesungen, während die Teilnehmer sich rhythmisch von einem Fuß auf den anderen wiegen. Dieser Tanz wird *valsa* genannt. Nach der Lehre der Kirche ist es wichtig, die Tänze in Harmonie auszuführen. Alle Anwesenden müssen sich idealerweise gleichzeitig bewegen, wie ein organisches Ganzes.

Concentraçáo

Der *concentraçáo* ist eine Zeremonie, die in einem Rhythmus von zwei Wochen stattfindet und bei der in absoluter Stille meditiert wird. Von den verschiedenen Ritualen, die ich bei der Amsterdamer Kirche kennen gelernt habe, ist dies mein Favorit. Die Stille zwingt einen, nach innen zu gehen. Nach dieser Phase der Stille werden zwölf Hymnen a cappella gesungen. Der *concentraçáo* dauert zwei bis vier Stunden. Meistens wird dabei ein Glas Ayahuasca getrunken. Die *fardados* tragen bei diesem Ritual die blaue Uniform.

Santa Missa

Die monatliche *Santa Missa* hat noch am meisten zu tun mit einem »echten« Gottesdienst. Es wird eine Messe gehalten, um der Toten zu gedenken. Das kann am Todestag selbst sein oder am Tag des Begräbnisses, aber auch am siebten oder dreißigsten Tag danach. Nach dem Trinken der Ayahuasca wird der Rosenkranz gebetet. Die *fardados* tragen hierbei die blaue Uniform.

Eine private Zeremonie an der brasilianischen Atlantikküste

Im August 2004 nahm ich mit meiner Schweizer Assistentin Babs Matter in Brasilien an einer kleinen Zeremonie von drei Personen teil, die von José Zerivan de Oliveira, Mitglied der Santo-Daime-Kirche von Fortaleza und Autor des preisgekrönten Gedichtbandes *O Evangelho em Cordel* (»Psalm der Liane«), geleitet wurde. Ich hatte von der Santo-Daime-Kirche von Fortaleza einige Liter ihres Daime-Tees erhalten und wollte seine Wirkung testen, bevor ich das Gebräu an die amerikanischen, europäischen und australischen Teilnehmer verteilte, die sich für sechs Zeremonien in den folgenden zwei Wochen angemeldet hatten.

Nach einigen Gebeten gab uns José Zerivan unsere Portionen. Die dunkelgelbliche Daime schmeckte frisch. Nach kurzer Zeit legte sich Babs aufs Bett, von dem sie bis zum Ende des Rituals nicht mehr aufstand.

Nur ich und José Zerivan blieben am Tisch sitzen. Es war mir wichtig, ihm den größtmöglichen Respekt und die erforderliche Aufmerksamkeit zu zollen. Schließlich war ich im Begriff, Ayahuasca-Zeremonien in seinem Land und seiner Kultur durchzuführen. Unsere Zusammenkunft war durch Familienbande und freundschaftliche Beziehungen zustande gekommen. Daher war ich darauf bedacht, den mir bekannten Regeln der Santo-Daime-

Tradition zu entsprechen: Ich saß aufrecht und ohne gekreuzte Arme oder Beine da. Ich kannte zwar nicht die Worte der *hinarios*, aber die meisten Melodien. Ich begleitete seine Gesänge und unterstützte ihn mit meiner *maraca*. José hatte zwar keine angenehme Stimme, sang aber mit einer so ernsten Hingabe und Energie, wie ich es seit langem nicht erlebt hatte. Etwa eine Stunde später offerierte er ein zweites Glas. Babs verzichtete, und so tranken nur wir beide – ohne Santa María, das in der Daime-Kirche in Amsterdam normalerweise nach der zweiten Portion herumgereicht wird. Eine Stunde später intensivierte sich die Wirkung. José sang seine *hinarios*, und ich begleitete ihn, so gut ich konnte. Schließlich stand er auf und begann zu tanzen. Ich tanzte neben ihm und folgte dem einfachen Rhythmus der *hinarios* nach dem Schema: einen Schritt nach rechts, einen nach links usw. Nach einer Weile setzten wir uns wieder.

Kurze Zeit später stand José auf, und ich dachte, er würde das dritte Mal einschenken. Ich war mir nicht sicher, ob ich es annehmen würde. Die Daime war wirklich stark, und vor mir lagen noch viele Rituale in den kommenden Wochen. Doch er sagte, die Zeremonie sei zu Ende. Wir weckten Babs auf, die von der starken Wirkung des Gebräus ziemlich überrascht war. Nachdem er den zeremoniellen Teil mit einem Gebet abgeschlossen hatte, sagte José: »Lasst uns nun reden, wie es in unserer Tradition üblich ist.« Wir reichten uns die Hände und umarmten uns. Obgleich sein Spanisch, wie meines, alles andere als fließend war, hatten wir vor unserem kleinen Bungalow an der Atlantikküste stundenlang eine erstaunliche Konversation. Es war eines der besten Santo-Daime-Rituale, die ich jemals erlebt habe.

Barquinha: Die Doktrin des blauen Buches

Neben den verschiedenen Santo-Daime-Kirchen, die nach dem Tod des Begründers Raimundo Irineu Serra im Jahre 1971 gegründet wurden, gibt es eine exotische Splittergruppe, die Barquinha heißt. Die *barquinha* – das Wort bedeutet auf Portugiesisch »Boot, Schiff« – wurde 1945 von Daniel Pereira de Mato begründet. Dieser ehemalige Matrose und Alkoholiker hatte in seiner Jugend eine Vision von einem *livro azul*, einem blauen Buch. Nachdem er mit Hilfe von Irineu und Daime, also Ayahuasca, seine Alkoholabhängigkeit beendet hatte, konnte er mit seinem Lebenswerk beginnen. Während seiner Ayahuasca-Erfahrungen und in seinen Träumen sah Daniel Pereira de Mato, was in dem blauen Buch geschrieben stand, und empfing die Hymnen, die in der Tradition der Barquinha-Psalmen genannt werden.[137]

137 Carsten BALZER: *Wege zum Heil: Die Barquinha. Eine ethnologische Studie zu Transformation und Heilung in den Ayahuasca-Ritualen einer brasilianischen Religion.* Institut für Brasilienkunde, Bd. 26, 2003·

»Das Ritual der Barquinha hat mehr afrikanische Einflüsse als die Gottes-dienste von Santo Daime. Der englische Autor Nicholas Saunders nahm 1996 an einer Barquinha-Zeremonie in Rio Branco teil:
Barquinha-Anhänger kleiden sich für ihre rituellen Zusammenkünfte in so etwas wie weiße Matrosenanzüge mit blauen Besätzen und goldenen Schulter-klappen. Sie haben Kopfbedeckungen, die mit Sternen und Herzen verziert sind, und manche haben ein Bootmotiv auf dem Ärmel. Wie Kostüme der Oper *The Pirates of Penzance* von Gilbert und Sullivan. Sie wirkten alle etwas süßlich, puppenhaft und hatten eine kindlich-unschuldige Aura. Dann be-traten sie einen rundum kitschig dekorierten Raum und begannen zu singen. Dabei kann man sitzen bleiben, was in strengeren Ausrichtungen der Santo-Daime-Kirche nicht gestattet ist. Die Messe fand vor einem Altar statt, auf dem über zwanzig dekorierte Statuen standen. Dahinter befanden sich viele Kruzifixe und religiöse Bilder in vergoldeten Rahmen.
Zuerst wurde allen der Trank ausgeschenkt, dann gingen wir nach draußen und gliederten uns in eine Prozession ein, die von Würdenträgern angeführt wurde, welche die Statue einer schwarzen, verhüllten Madonna trugen. Dann wurde ein Vorhang mit dem Bild eines von Blumen umgebenen Kreuzes vorgezogen, der Führer und Anhänger voneinander trennte. Anschließend entspannte sich die Versammlung, und man holte Trommeln hervor, um für den Rest der Messe außerhalb des Gebäudes gemeinsam zu trommeln und zu tanzen. Mich erinnerte das Ganze an das afrikanische Candomblé-Zeremoniell, bei dem man sich in Trance tanzt. (Persönliche Mitteilung von Nicholas Saunders, E-Mail vom 6.6.1996)

União do Vegetal: Das Bündnis mit den Pflanzen

Die dritte brasilianische Ayahuasca-Kirche heißt *União do Vegetal*, was frei übersetzt so viel bedeutet wie »Bündnis mit den Pflanzen«. Sie wurde 1961 von dem ehemaligen Kautschukzapfer José Gabriël da Costa in Porto Velho, der Hauptstadt der Provinz Rondonia, gegründet. Die União do Vegetal (UDV) unterscheidet sich fundamental von der Santo-Daime-Kirche, wie wir sie außerhalb Brasiliens kennen. Sie wendet eine strenge Selektion an: Es kann bisweilen Jahre dauern, bis man eingeladen wird.
Es gibt in Brasilien mehr als sechzig *nucleos* (Kerngruppen) der UDV mit rund sechstausend Mitgliedern (SAUNDERS et al. 2000). Die Gottesdienste der UDV sind nicht mit denen der Santo-Daime-Kirche oder denen der Bar-quinha vergleichbar. Bei der UDV werden keine Uniformen getragen, und es wird auch nicht getanzt.
Eine Gemeinsamkeit mit den anderen Kirchen zeigt sich darin, dass die UDV genauso streng hierarchisch aufgebaut ist. Jeder *nucleo* wird geleitet durch

einen *mestre*. Eine wichtige Funktion des *mestre* bei der Zeremonie ist das Singen der *chamadas*. In der Tradition der UDV ist es von größter Bedeutung, dass die *chamadas* auf richtige Art und Weise gesungen werden.

Auch hält die UDV genau wie die anderen Ayahuasca-Kirchen ihre Zeremonien in einem jährlichen Zyklus ab, basierend auf christlichen Feiertagen und wichtigen Daten der Kirche selbst. An jedem ersten und dritten Samstag eines Monats wird ein Gottesdienst abgehalten. Die Teilnehmer sitzen in einer Kirche ohne jeglichen Schmuck.

Der Ablauf des Abends hat stets eine feste Struktur:
* Gemeinsames Trinken des *vegetal* (20 Uhr).
* Konzentration auf die Wirkung des Tees (bis ca. 21 Uhr).
* Der Leiter singt *chamadas*.
* Die Wirkung des Tees wird erfahren; man kann zur Gruppe sprechen und Fragen stellen; man hört sich populäre Musik an, deren Texte eine Botschaft enthalten; es werden *chamadas* gesungen (bis 23.30 Uhr).
* Der Leiter singt einige Schluss- und Abschieds-*chamadas* (etwa um 24 Uhr).[138]

Hier die persönlich gefärbte Beschreibung des typischen Ablaufs eines UDV-Rituals von Nicholas Saunders (dem leider zu früh verstorbenen englischen Privatforscher und Autor von Büchern über Entheogene):

»Sie haben eine schöne, aber gänzlich schmucklose Kirche: ein Gebäude mit einem konisch zulaufenden palmengedeckten Dach und weiß getünchten Wänden, in dem es weder Bilder noch Verzierungen gibt. Im Zentrum steht ein länglicher Tisch, ganz aus Holz, auf dem Wasser und Gläser stehen und ein großer Glaskrug, aus dem das Sakrament portionsweise ausgeschenkt wird. Darum herum sitzt die Gemeinde auf Sesseln, die alle zum Zentrum ausgerichtet sind.

Zu Beginn des Rituals holen sich die Beteiligten ihre Portion Ayahuasca ab und kehren mit den Gläsern auf ihre Plätze zurück. Dann trinken wir gemeinsam und lehnen uns zurück. Es gibt keine Anweisungen, aber wir werden gut umsorgt. Ein Mann hinter uns bietet uns im Bedarfsfall Übersetzungen an, und als es mich nach einer Weile fröstelt, legt mir eine Helferin fürsorglich einen Schal um die Schultern. Die Kirche ist Teil eines gepflegten Gebäudekomplexes, mitsamt guter Toiletten, einer Kinderkrippe und einer Halle mit einer Küche, die ein Architekt, ein Mitglied der Gemeinde, ziemlich unkonventionell und aus edlen Materialen gestaltet hatte.

138 Govert DERIX: *Ayahuasca, eine Kritik der psychedelischen Vernunft*. Solothurn: Nachtschatten 2004, S. 34–35.

Wir verbringen die ganze Zeit über sitzend. Nach einiger Zeit ertönen wunderschöne Violinenklänge, und nacheinander stehen einige Gemeindemitglieder auf und sprechen, wie beim Treffen der Quäker. Wir verstehen zwar nicht, was sie sagen, bekommen aber ihre Emotionen mit. Ich mag die Menschen. Sie sind offen, ehrlich und lachen oder kichern unbeschwert. Anders als bei einer typischen Santo-Daime-Zeremonie halten sich die Helfer zurück und werden nur aktiv, wenn ihre Hilfe wirklich benötigt wird. Man sitzt nicht steif und aufrecht da, sondern relaxt, mit leger gekreuzten Beinen. Das Ganze dauert etwa drei Stunden. Nach der Messe gibt es ein Treffen der Gemeindemitglieder. Manche melden sich freiwillig, um bestimmte Aufgaben zu übernehmen, und dann gehen wir alle in ein anderes Gebäude, wo wir die nächsten Stunden mit Essen und Gesprächen verbringen. Vor allem die Frauen sind quicklebendig, haben funkelnde Augen, und alle scheinen sich offensichtlich gut zu amüsieren. Die Beteiligten sind zwischen zwanzig und sechzig Jahre alt, und manche, die etwas Englisch sprechen – darunter ein Pilot, mehrere Doktoren und ein Popsänger und Eigentümer einer kleinen Ingenieurfirma –, gesellen sich zu uns.« (Persönliche Mitteilung von Nicholas Saunders, E-Mail vom 6.6.1996)

Santo-Daime-Nachwuchs

Ayahuasca scheint immer wieder zu Abspaltungen zu führen. Wir können dies bei der Santo-Daime-Kirche beobachten, aus der – als der Gründer starb – mehrere Kirchen entstanden. Auch bei der UDV, der anderen großen brasilianischen Ayahuasca-Kirche, gibt es diese Abspaltungen.

Richard Wolfe, amerikanischer Filmemacher und ehemaliges Mitglied der Santo-Daime-Kirche, sagte in einer Podiumsdiskussion während der Ayahuasca-Konferenz im Jahre 2002 in Amsterdam, dass es eine Überlebensstrategie der Pflanze zu sein scheine, diese Abspaltungen herbeizuführen. Je mehr solcher Teilungen auftreten, desto mehr Ayahuasca würde getrunken.

Die Santo-Daime-Kirche ist besonders anfällig für solche Prozesse, da ihre Doktrin sehr strikt und orthodox ist. Die Rituale sind in strenge Regeln eingebettet. Sie dürfen nicht verändert werden, da die Gestaltung dieser Rituale dem Gründer der Kirche in einer Vision von der Jungfrau Maria übermittelt wurde. Viele westliche Kirchenmitglieder haben einen alternativen und unkonventionellen Lebenslauf. Ihnen fällt es deshalb oft schwer, sich dieser Doktrin zu fügen.

Mittlerweile gibt es einige moderne Gruppen, die sich von der ursprünglichen Santo-Daime-Kirche abgespalten haben. Sie zeichnen sich dadurch aus, dass sie international ausgerichtet sind und junge wie alte Hippies mit einem Hang zur Spiritualiät ansprechen.

Friends of the Forest

Eine dieser neuen Gruppierungen ist die 1996 in Amsterdam gegründete Stiftung *Friends of the Forest*. Die Begründerin, die Brasilianerin Yatra da Silveira Barbosa, gehört zu den Menschen, die den Santo-Daime-Glauben nach Europa gebracht haben. In den Niederlanden gab es eine große Gruppe vor allem jüngerer Menschen, die sich sehr für Ayahuasca interessierte, aber sich nicht von der Santo-Daime-Kirche mit ihren strengen Regeln angezogen fühlte. Yatra entschied sich, eine moderne Adaption der Santo-Daime-Rituale zu entwickeln. 1995 hatte sie bei einem Besuch eines peruanischen *vegetalista* in Amsterdam erkannt, wie viel Interesse für andersartige Rituale vorhanden war. Sie entwickelte eine rituelle Form, die Elemente der Santo-Daime-Kirche aufgriff, aber nicht deren strengen Regeln folgte. Anstelle von Ayahuasca, das aus den traditionellen Pflanzen aus dem Amazonasgebiet zubereitet wird, verwendete sie zwei andere Pflanzen. Statt der Liane nahm sie die Samen der Steppenraute *(Peganum harmala)*, die nahezu identische Wirkstoffe wie die Ayahuasca-Liane enthalten, und statt der Blätter der *rainha (Psychotria viridis) jurema (Mimosa hostilis)*, einen dornigen Strauch aus dem trockenen Nordosten Brasiliens.

Zudem entwickelte Yatra einige verschiedene Rituale: ein Stille-Ritual, ein Ritual mit östlichen Mantra-Gesängen, eines mit Musik aus dem Urwald und eines mit meditativer elektronischer Trancemusik. Ein fester Bestandteil nach Beendigung einer Zeremonie war das *sharing* am nächsten Tag, bei dem Yatra mit den Teilnehmern über ihre Erfahrungen und Erlebnisse sprach.

Die Teilnehmerzahl der Zeremonien lag in der Anfangszeit bei zehn bis dreißig Personen. Yatra leitete die Zeremonien, des Weiteren waren immer einige Assistenten anwesend.

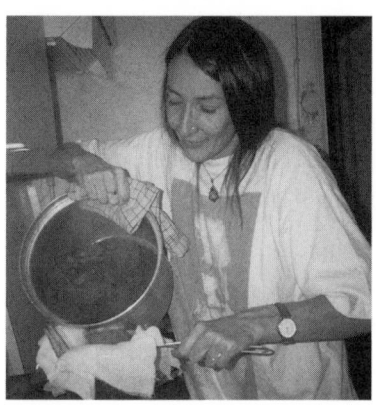

Yatra, die brasilianische Gründerin von Friends of the Forest, gießt vinho do jurema bei der Zubereitung von Mimohuasca ab. Das Bild stammt aus der Versuchsphase mit diesem Trank. (Foto: A. Adelaars)

»Letztes Wochenende hatte ich meine erste wirkliche Reise mit Ayahuasca. Ein Ritual in einer schönen neogotischen Kirche. Es war das beste und beeindruckendste spirituelle Erlebnis seit langem. (...) Es war genau, was ich brauchte, entlastete mich von einer Menge unnötiger oder ungelöster Probleme und Konditionierungen und entließ mich voller Energie. Ich strahle noch immer, und alles um mich herum scheint irgendwie zu leuchten. Ich bin sehr dankbar für diese Erfahrung, die mein Leben positiv veränderte und Körper und Seele reinigte. Ich fühle mich nun gestärkt für anstehende Ereignisse in meinem Leben. Ich musste mich nicht erbrechen, und mir war nicht übel. Stattdessen durchliefen unglaubliche Energieströme meinen Körper und durchzuckten meine Muskeln. Ein Zug Marihuana (Santa María genannt) vorher und einige Züge danach hatten einen sehr guten synergistischen Effekt. Es wirkte auf mich sehr visuell und intensiv. Ich empfand, dass jedes Detail der Umgebung – die Musik, die liebenswerten Teilnehmer und Organisatoren – und meine eigene Vorbereitung (Fasten, Reinigung, Motivation und Aufmerksamkeit) letztlich genauso wichtig waren wie das Gebräu selbst. In meinen eigenen vier Wänden hätte ich sicherlich keine vergleichbar konzentrierte Erfahrung gemacht.

Das Gebräu war eine Mischung aus *jurema* und *haoma*-Steppenraute *(Peganum harmala)*. Alle stimmten überein, dass es sehr stark war. Eine einzige Dosis war genug für mich, obgleich die meisten zwei oder drei Mal nachnahmen. Mama Jurema, deine Stimme ist so freundlich und deine Botschaft so einfach und rein! Ich fühle mich neu geboren.« (E-Mail von Andy, 18.1.1999)

Nach einigen Jahren boten Friends of the Forest einen Kurs in Amsterdam an, bei dem die Teilnehmer an sich selbst arbeiten konnten. Es wurde über eine Zeitspanne von einigen Wochen mehrere Male pro Woche getrunken. Yatra hatte sich selbst in der Vergangenheit mit Hilfe der Ayahuasca von einer langjährigen Drogenabhängigkeit geheilt. Mit Friends of the Forest versuchte sie nun, auch anderen Drogen- und Alkoholabhängigen dazu zu verhelfen, sich von der Sucht zu befreien. Ungeachtet vielversprechender Geschichten ließen sich diesbezüglich nur wenige Erfolge verbuchen. Es scheint, dass die Heilung von einer Abhängigkeit, genau wie die Heilung von schweren Erkrankungen, eher eine sehr individuelle Angelegenheit ist.

Ende der 1990er-Jahre verließ Yatra Europa und kehrte nach Brasilien zurück. Dort leitet sie nun ein Ayahuasca-Zentrum. Einige Male im Jahr kommt sie nach Europa, um hier Zeremonien zu leiten.

»Das Tragen weißer Gewänder ist ein essenzieller Teil des Rituals. Es gehört zur originalen brasilianischen Tradition und steht im Zusammenhang mit dem schamanischen Aspekt des Rituals und der Grundidee eines Rituals. Die Einhaltung dieser Regel wird sehr strikt beim Überschreiten der Schwelle einer Kirche überwacht. Wir schreiben dafür keinen bestimmten Schnitt oder Stoff vor. Solange das Gewand weiß (oder weißlich) ist, ist es in Ordnung.« (*Guidelines for the Rituals*, Flyer der Friends of the Forest, 2001)

Friends of the Forest blieben auch nach ihrer Rückkehr nach Brasilien bestehen. Die Zeremonien haben sich zu ziemlich straff organisierten Nächten entwickelt, in denen meditiert und zu festen Zeiten der *vinho do jurema* getrunken wird. Manchmal gibt es dazu Live-Musik, aber oft werden auch CDs abgespielt. Cannabis wird während der Zeremonien nicht geraucht.

Moderne brasilianische Musikzeremonien

Ze Bontinho, ein international bekannter brasilianischer Musiker, widmet sich ebenfalls der Durchführung von Ayahuasca-Zeremonien. Zusammen mit seinen Bandmitgliedern organisiert er Zeremonien in Brasilien, Spanien, Israel, Indien, Australien, Costa Rica und Kanada. Die Zeremonien zeichnen sich unter anderem durch die Größe der Gruppen aus: Hundertfünfzig Teilnehmer und zwanzig Assistenten sind keine Seltenheit.

Die feste Gruppe der Musiker besteht aus einem Cellospieler, einem Musiker für die Percussion an der Tabla und einem an der Kalimba. Einige Frauen singen. Wie bei Friends of the Forest tragen die Teilnehmer weiße Kleidung. Frauen und Männer sind während des Rituals wie in der Santo-Daime-Kirche voneinander getrennt. Während der Zeremonie wird – außer bei einer Heilung – kein Cannabis geraucht. Bevor die Ayahuasca ausgeschenkt wird, werden die Teilnehmer mit Weihrauch gereinigt. Ze Botinho spricht und betet vor dem Ausschenken. Die Gebete sind eklektisch und basieren nicht auf einer bestimmten Religion. Während er die Ayahuasca ausschenkt, wird Musik gespielt.

Im Laufe eines Rituals wird mehrere Male Ayahuasca ausgeschenkt. Die Musiker und Sängerinnen begleiten das Ganze. Nach dem dritten Glas beginnt eine gemeinsame Meditation. Wer möchte, kann anschließend noch ein weiteres Glas trinken. Die Zeremonien beginnen in der Regel um zehn Uhr abends und gehen bis zum nächsten Morgen um acht. Zum Abschluss wird gemeinsam gesungen.

Neben den üblichen Zeremonien gibt es ein spezielles Ritual mit einer Diät, bei dem zehn Tage am Stück viel Ayahuasca getrunken wird. Das *manioca*-Ritual findet auf dem Landgut des Musikers in Brasilien statt.

»Die Maniokdiät, eine Art Fasten, war unglaublich. Maniok ist eine dicke, weiße Wurzel. Offensichtlich isst man im Amazonas während der monatelangen Fastenkur nur einen entsprechend zubereiteten Maniokbrei und trinkt Ayahuasca. Dreimal täglich kamen wir zu einer Ayahuascazeremonie zusammen. Die ersten sieben Tage aßen wir keine Früchte, sondern nur diese Manioksuppe und tranken Ayahuasca; wieder und wieder. Das war ziemlich erstaunlich, da sich der Körper, durch das Trinken der bitteren Brühe von jeglicher Nahrung reinigt und somit immer weniger zu tun hat. Dadurch kann sich der Organismus wesentlich schneller und intensiver mit dem Gebräu verbinden und die innere Erfahrung wird sehr viel intensiver und deutlicher. Das war für mich der beste Aspekt des Retreats mit all dem Trinken, weil ich so klar war. Alles war miteinander verbunden. Alles war Eins. Ich konnte sehen und fühlen, wie alles mit allem in inniger Beziehung war. Alles war offensichtlich und alles machte Sinn.« (Julie, Assistentin von Ze Botinho)

Neben Yatra, Friends of the Forest und Ze Botinho gibt es überall auf der Welt Menschen, die ausgehend vom Santo-Daime-Ritual eigene Formen entwickelt haben.

Moderne Rituale im Westen

Seit den 1990er-Jahren kennen wir auch im Westen Ayahuasca-Rituale. Sie sind Teil der Entwicklung, die wir als Globalisierung bezeichnen. Ayahuasca ist eine der zahlreichen Pflanzen, die von Südamerika aus die ganze Welt eroberten, vergleichbar mit Kartoffel, Tomate, Paprika und Tabak.

Aber Ayahuasca allein ist unzureichend, denn die Wirkung des Getränks ist nicht vorhersehbar. Die Ayahuasca-Erfahrung bedarf der Begleitung. Es gibt nicht genug Schamanen, um den Bedarf an Ayahuasca-Zeremonien in Europa, Australien und Nordamerika zu decken. Die Nachfrage ist um ein Vielfaches größer als das Angebot.

Durch das Internet ist es möglich geworden, sich die Pflanzen direkt ins Haus zu holen, mit denen Ayahuasca oder Ayahuasca-Analoge zubereitet werden können. Die große Nachfrage nach begleiteten Zeremonien und die Verfügbarkeit der Ayahuasca-Grundstoffe hat zu einer neuen Form von Zeremonien geführt: den Do-it-yourself-Ritualen (DIY-Rituale).[139]

---

139 Arno ADELAARS: »Psychedelic Rituals in the Netherlands«, in: *Jahrbuch für Ethnomedizin und Bewusstseinsforschung*, Nummer 6–7, hrsg. v. Christian Rätsch, John R. Baker und Claudia Müller-Ebeling, Berlin: VWB 1997/1998, S. 335–340.

Einem DIY-Ritual fehlt der Kontext der Tradition. Ein erfahrener Ayahu-asca-Trinker leitet das Ritual. Im Allgemeinen bestehen keine Vorschriften zur Bekleidung oder zu sexueller Enthaltsamkeit. In vielen DIY-Ritualen werden CDs gespielt; erfahrene Zeremonienleiter machen auch selbst Musik, singen und spielen Flöte.

Die Diversität der DIY-Rituale ist sehr groß – genau wie in den traditionellen Ayahuasca-Gebieten, wo auch eine große Vielfalt an Stilen zu finden ist. Die modernen Zeremonienleiter lassen sich inspirieren durch ihre eigenen Ayahuasca-Erfahrungen mit Schamanen, mit Santo-Daime-Gottesdiensten und mit modernen Zeremonien. DIY-Zeremonien sind damit auch stets eklektisch. Ihre Qualität kann sehr unterschiedlich sein; auch hierin haben sie viel gemein mit den Ritualen in den traditionellen Ayahuasca-Gebieten. Manche Leiter der DIY-Zeremonien nennen sich selbst Schamane, andere sind bescheidener und nennen sich *facilitator* oder einfach Zeremonienleiter.

Jeder darf sich als Schamane bezeichnen, der Titel ist nicht geschützt. Es gibt viele verschiedene Ausbildungen zum Schamanen. Manche dauern Jahre, die meisten jedoch sind viel kürzer. Üblich ist eine Dauer von einigen Wochen bis zu einigen Monaten. Es gibt aber auch Kurse, die nicht länger als ein Wochenende dauern.

Zwischen einer Person, die lediglich einen Kurs von einer Woche absolviert hat, und jemandem, der die anstrengenden Herausforderungen einer traditionellen Initiation erfüllt hat, besteht ein unbeschreiblich großer Unterschied. Während einer visualisierten Reise dem eigenen Totemtier zu begegnen, ist nicht damit zu vergleichen, noch ein Glas kräftigen Ayahuascas zu nehmen. Die Ausbildung des Shuar-Schamanen Hilario Chiriap aus Ecuador dauerte vier Jahre. Er begann seine Initiation kurz nach seiner Heirat und musste vier Jahre lang zölibatär leben. Der Shipibo-Schamane Quetsembétsa aus Peru verbrachte ein halbes Jahr im Urwald: ohne mit anderen sprechen zu dürfen, ohne Fleisch zu essen, ohne Kleidung und ohne Messer.[140]

Im traditionellen Kontext wird ein Schamane von seinem Umfeld anerkannt, weil er seine Arbeit gut macht. Wenn Patienten nicht geheilt werden, dann ist der gute Ruf des Schamanen schnell dahin. Im modernen Kontext hat ein Zeremonienleiter eine feste Gruppe mit Teilnehmern, die jedes Mal wieder mittrinken. Nur in Einzelfällen können erfahrene Leiter von DIY-Zeremonien Teilnehmer auch heilen.

Eine Niederländerin fragte den kolumbianischen Schamanen Kajuyali Tsamani einmal, wie sie Schamanin werden könne. Seine Antwort ließ an Deutlichkeit nichts zu wünschen übrig. Er erzählte, wie er selbst Schamane geworden war, und was ihm seine verschiedenen Lehrer erzählt hatten. Die Entscheidung, Schamane zu werden,

---

140 Persönliche Information, 1999.

lag nicht bei ihm, auch nicht bei seinen Lehrern. Es ist die Pflanze, die entscheidet, ob jemand Schamane werden kann oder nicht. Wenn die Pflanze nicht zu einem spricht, kann man kein Schamane werden.

»Ein guter Zeremonienleiter muss einen intensiven Erfahrungshintergrund mit Ayahuasca haben. Idealerweise ist er mit sich selbst bis ans Äußerste gegangen, sei es mit oder ohne Begleitung durch einen Schamanen oder erfahrenen Ayahuasca-Trinker. Er kann sich selbst und anderen helfen, wenn die Kraft der Ayahuasca überwältigend wird.«

Angst vor Ayahuasca

Das Leiten einer Zeremonie ist nicht einfach. Es lauern viele Gefahren. Traditionell trinkt der Leiter selbst Ayahuasca während der Zeremonie, denn es schärft seine Intuition. Ein Leiter, der selbst nicht trinkt, muss mit größtem Argwohn betrachtet werden. Treffen gute Ayahuasca und ein schlechter Zeremonienleiter aufeinander, führt dies unweigerlich zu Schwierigkeiten. Ich nahm an einem DIY-Ritual teil, um es zu beschreiben.

Dieses moderne Ritual findet im Zentrum einer europäischen Metropole, in der Nähe einer Polizeidienststelle statt. Der Ort ist nicht wirklich für Rituale geeignet. Er ist voller Bücher, und hinter einem Vorhang verbirgt sich ein unordentliches Büro. Zumindest sorgen einige wunderschöne Buddhastatuen für eine gewisse spirituelle Atmosphäre. Im Zentrum des Raumes wurde ein Altar hergerichtet. Auf einem Rehfell liegen ein dickes Stück Ayahuasca-Liane, eine Schamanentrommel, eine *maraca* und einige Ritualobjekte. Auf der einen Seite stehen einige Flaschen mit einer dunklen Flüssigkeit hinter einem Schutzschild mit aztekischen Mustern.

Die Zeremonie beginnt gegen 22 Uhr, kurz nach dem Eintreffen des letzten Teilnehmers. An der Runde nehmen außer den Organisatoren 25 Leute teil. Die Struktur orientiert sich am Stil nordamerikanischer Indianer. Der Leiter der Zeremonie raucht zunächst heiligen Tabak aus einer hölzernen Pfeife, deren Kopf in Form eines südamerikanischen Indianerkopfes geschnitzt ist. Einer seiner Assistenten wendet sich mit einem indianischen Vers an die sieben Himmelsrichtungen. Der Leiter bläst den Rauch zum Osten, Süden, Westen und Norden, in Richtung des Himmels, der Erde und des Altars. Er geht um den Altar herum und sagt etwas zum Vollmond, der uns diese Nacht begleiten wird. Er hoffe, die Beteiligten können mit Hilfe der Pflanzen ihrem wahren Selbst begegnen. Diese werden dann aufgerufen, sich mit der Tabakpfeife dem Feuer zuzuwenden, das in einer Schale auf der Mitte des Altars glüht. »Das Feuer verkörpert den Großen Geist, also Gott«, fügt er erklärend hinzu.

»Der Große Geist ist keinem menschlichen Wesen ähnlich, wie man sich den
Gott der Weißen vorstellt. Er ist eine Kraft. Diese Kraft kann selbst in einer
Tasse Kaffee anwesend sein. Der Große Geist ist kein alter Mann mit Bart.«
(LAME DEER und ERDOES 1972: 29)

Während alle sich dem Feuer zuwenden, singt der Leiter Lieder der Lakota-
Indianer, was von Atemübungen eines seiner Assistenten begleitet wird. Es
folgen seine Erläuterungen zum Problem der Verfügbarkeit einiger Ingredienzien der Dschungelmedizin. Das Gebräu enthalte neben den üblichen
gestampften und gekochten Rindenstücken der Ayahuasca-Liane statt *chagro-
panga-* oder *chakruna*-Blättern Wurzelrinde von *jurema (Mimosa hostilis)*. Bevor wir unser erstes Glas zu uns nehmen, bittet der Zeremonialleiter in einem
Gebet um mehr Gerechtigkeit und weniger Armut und Hunger in der Welt.
Jeder kann sich die entsprechende Dosierung wünschen. Der Leiter sitzt
beim Altar und händigt allen Plastikbecher mit der entsprechenden Menge
aus. Er selbst aber trinkt nicht. Die Wirkung sei zu stark für ihn, um die
Zeremonie leiten zu können, wie er anschließend erklärt. Außerdem sei er so
sehr mit dem Geist der Pflanzen verbunden, dass er nichts zu trinken brauche. Niemals habe ich einen Schamanen so reden hören!
Dann beginnt eine Frau zu weinen und bittet um Hilfe. Sie ruft:»Vergib mir!
Vergib mir«, und gesteht dem Leiter, dass sie ihn liebe. Als er sie mit Tabak
behandelt, ruft sie aus:»Jesus, vergib mir« und dann»Jesus, ich liebe dich«.
Manche lachen. In diesem Moment setzt die Wirkung des Getränks ein.
Manche kotzen. Andere stolpern zur Toilette. Die Atmosphäre wird chao-
tisch. Irgendwoher aus dem Innern des Gebäudes kommen seltsame Ge-
räusche. Der kleine Hund eines Assistenten wird nervös und bellt laut.
Manche versuchen, ihn zu beruhigen. Nun wäre eigentlich der richtige
Augenblick für Live-Musik. Doch der dafür zuständige Musiker ist leider
gerade draußen, um wieder mal zu rauchen. Die meisten stört das nicht. Das
Gebräu ist stark, und das ist schließlich der Grund, warum sie gekommen
sind.
Später in der Nacht hält der Leiter zwei Teilnehmer mitten in ihrem Spiel
davon ab, seine Schamanentrommel zu bearbeiten. Er meint, es störe, und
legt stattdessen eine CD auf. Er wirkt sichtlich nervös und scheint Angst zu
haben, den nächtlichen Ablauf der Zeremonie nicht im Griff zu haben.
Wie man sich denken kann, war ich zutiefst enttäuscht von dieser Nacht: ein
Zeremonialleiter, der die Wirkung der Pflanzen fürchtet, ein Assistent mit
einem Hund, der alle mehrmals empfindlich störte, und ein Musiker, der
keine Musik machte, sondern stattdessen ständig draußen war, um eine nach
der anderen zu rauchen! Zudem war der Ort des Geschehens inmitten eines

Vergnügungsviertels mit dem dafür typischen Lärm: Sirenen von Polizeifahrzeugen, hupenden Autos und dem Gegröle von Betrunkenen.

Da ich keinen negativen Bericht über eine vereinzelte nächtliche Erfahrung niederschreiben wollte, nahm ich einen zweiten Anlauf. Doch vieles lief ähnlich ab: Wieder trank der Leiter selbst nichts, und sowohl der Assistent mit dem Hund als auch der kettenrauchende Musiker waren da. Diesmal allerdings wurden wir nicht von seltsamen Geräuschen im Gebäude, sondern von einer Hochzeitsparty im Parterre gestört, weshalb das Ritual nicht vor Mitternacht beginnen konnte.

Die einsetzende Wirkung löst bei einer Frau einen schwierigen Prozess aus. Sie gähnt übertrieben und sperrt ihren Mund von Mal zu Mal weiter auf. Die Töne, die sie dabei macht, vermitteln den Eindruck, als ob sie etwas ausspucken wolle. Dann strampelt sie mit den Beinen und wirft sich mit den Armen unkontrolliert von einer Seite zur anderen. Ringsum weichen alle aus. Der Leiter der Zeremonie versucht, sie mit Worten zu beruhigen und ihre Beine und Arme im Zaum zu halten. Doch er erreicht sie nicht. Sie ist in einer anderen Welt. Je mehr er versucht, sie zu beruhigen, umso mehr versucht sie, sich seinen Griffen zu entziehen. Offensichtlich kann er die Situation nicht meistern. Der Leiter ist nüchtern und hat nicht den Funken einer Idee, was er tun soll.

Ein erfahrener Teilnehmer stellt die Frau binnen einer Stunde ruhig, indem er *icaros* singt und seine *chacapa* immer wieder über die schreiende Frau streicht. Er berührt sie nicht mit den Händen, sondern lediglich mit seiner *chacapa*. Als die Frau schließlich still daliegt, keine Gefahr mehr für sich und die anderen darstellt, aber noch immer in einer anderen Welt weilt, kehrt der Leiter zu ihr zurück. Er möchte wieder die alleinige Kontrolle über das Geschehen haben, nimmt die Frau in seine Arme und versucht, sie zu trösten. Doch das Gegenteil geschieht. Die Frau wirkt erneut sichtlich beunruhigt und beginnt innerhalb von Minuten wieder zu schreien, zu strampeln und um sich zu schlagen.

Der erfahrene Kollege sagt: »Du siehst, was passiert. Du solltest sie nicht anfassen. Bitte lass mich versuchen, sie zu beruhigen.« Er wispert erneut denselben *icaro* wie zuvor und streicht wieder mit seiner *chacapa* über ihren Körper. Die Frau reagiert augenblicklich. Sie schreit zwar noch immer und wälzt sich hin und her, scheint sich aber langsam zu beruhigen. Währenddessen geht der Leiter zur Musikanlage und legt eine CD mit dem Gesang eines *vegetalista* aus der Umgebung von Iquitos auf. Dadurch wird die Frau vollends verrückt. Der *icaro* des Ritualteilnehmers hatte sie beruhigt. Nun aber hört sie einen anderen *icaro* mit einem anderen *chacapa*-Rhythmus. Von da ab ist sie unkontrollierbar.

Einige Helfer und Teilnehmer ziehen die schreiende, tretende und um sich schlagende Frau aus dem Kreis weg und bringen sie in einen kleinen Raum, wo jemand bei ihr bleibt, um sie zu bewachen. Fünf Stunden später klingt die Wirkung ab, und sie wird wieder normal.

Es war erschreckend zu sehen, dass der für die Zeremonie Verantwortliche der Situation so hilflos ausgeliefert war. Er bereitet allerdings eine gute Ayahuasca zu, die die meisten Teilnehmer zufrieden stellt, und glaubte aufgrund der guten Rückmeldung der meisten Teilnehmer, eine Zeremonie leiten zu können. Es ist leicht, mit einer Runde glücklicher Menschen klarzukommen. Manche aber hoffen auf Heilung und leiden unter verborgenen Traumata, die durch Ayahuasca ans Licht kommen. Dafür war die schreiende Frau ein deutliches Beispiel. Sie erklärte später, dass sie eine lange Geschichte des sexuellen Missbrauchs hinter sich habe. Die Wirkung der bitteren Brühe konfrontierte sie mit diesem Trauma.

Es ist absolut unerlässlich, dass der Leiter einer solchen Zeremonialrunde selbst trinkt. Die Pflanzen machen ihn wachsam und offen. Sie vermitteln ihm, was zu tun ist. Der betreffende Leiter hörte nach diesem Vorfall auf, solche Rituale zu organisieren, und ging für einige Zeit zu seinem Lehrer in den Dschungel von Südamerika. Als er wieder nach Europa zurückkehrte, wagte er mit weitaus kleineren Runden einen Neuanfang.

Glücklicherweise gibt es auch gute Leiter von DIY-Zeremonien: erfahrene Ayahuasca-Trinker, die sich selbst mit Hilfe von Ayahuasca intensiv kennen gelernt haben, sei es nun mit oder ohne Begleitung eines Schamanen, *vegetalista*, Kirchenleiters oder Kollegen. Ein guter Zeremonienleiter muss seine Ängste unter dem Einfluss von Ayahuasca lange Zeit »studiert« und schließlich überwunden haben. Im Idealfall ist er in der Hölle gewesen, denn dort können auch die Teilnehmer seiner Zeremonien landen. Und er darf nicht dem irrigen Glauben anhängen, Herr über die Pflanzen zu sein.

Es gibt viele Fallstricke auf dem Weg zur Leitung von Zeremonien – die gleichen Fallstricke, die auch Schamanen zum Straucheln bringen können. Wenn die eigene Angst überwunden ist, ist es nicht immer einfach, bescheiden zu bleiben. Wenn begeisterte Teilnehmer immer wieder Loblieder anstimmen, sind einige geneigt, die Komplimente für bare Münze zu nehmen. Meine eigene Erfahrung hat mich gelehrt, dass mich Menschen nach einer guten Nacht sehr schätzen, mich nach einer schlechten Nacht aber oft für unfähig halten. Und manchmal hassen sie mich auch, wenn sie ein Autoritätsproblem haben. Die Meinungen der Teilnehmer über den Leiter einer Zeremonie sind oft Projektionen der Teilnehmer selbst.

Interview mit einem Begleiter moderner Rituale

Jan Frank ist 47 Jahre alt und Entwicklungshelfer. Sein letztes Projekt war das Fundraising für eine kolumbianische Stiftung. Seit einigen Jahren organisiert und begleitet er Zeremonien für den kolumbianischen Schamanen Kajuyali Tsamani. Er ist fester Begleiter meiner Zeremonien – und nicht zuletzt ist er ein begnadeter Musiker.

Arno Adelaars: Du bist nun schon seit einigen Jahren Begleiter meiner Zeremonien. Du hast viele Menschen gesehen, die Ayahuasca nehmen. Ist es für jeden gut?

Jan Frank: Wenn du Menschen drängst, wenn du ihnen sagst, dass es gut für sie ist, funktioniert das nicht. Das ist ein Fehler, den ich zu Anfang gemacht habe.

A.A.: Was sind die Gefahren der Ayahuasca?

JF: Die Gefahr ist, dass die Menschen zu gern mit den Pflanzen arbeiten wollen und sich hinter einer bestimmten Funktion verstecken. Es kann ein Vorwand sein, um nicht mit sich selbst zu arbeiten. Das funktioniert nicht mit der Pflanze. Diese Menschen fallen damit auf die Nase. Das ist letztendlich keine echte Gefahr, es macht es nur schwieriger für manche.

A.A.: Hast du das schon selbst erlebt?

JF: Ja, meine besten Erfahrungen waren auch zugleich meine schwersten. Ich habe schon mal Menschen eingeladen, ihnen gesagt, es sei gut, zu tun, und dass ich ihnen Schutz bieten könne. Jedenfalls dachte ich, ihn bieten zu können.

Aber dann ist Ayahuasca gnadenlos. Das habe ich einige Male durchgemacht. Dann lande ich in der Hölle, oder ich denke, dass ich Jesus bin, oder ich denke, dass ich sterben soll. In diesen Momenten bin ich absolut am Ende mit meinem Vertrauen, dann denke ich in so einem Augenblick: Das ist zu heftig, das ist nicht mein Ding. Wenn ich dann darauf zurückblicke, ist es eine Warnung: Pass auf, verbrenn dir daran nicht die Finger! Vor kurzem habe ich meine Hand an einer Kerze verbrannt. Ich habe es absichtlich getan. Ich wollte den Tod, aber ich saß in einer Zeremonie. Die einzige Möglichkeit, dies zu erreichen, war, mich an einer Kerze zu verbrennen. Das dauerte natürlich viel zu lange, also funktionierte das nicht. Mein Todesdrang wurde verursacht durch die schwarzen Energien, die ich damals erfuhr ... Alles, worauf ich vertraute, brach zusammen, bis ich selbst nichts mehr war. Ich dachte, wenn ich diesen Weg gehen will, muss ich bereit sein, hier wirklich zu sterben, sonst muss ich mich zurückziehen, keine Ayahuasca mehr trinken, einen Job suchen und kräftig saufen, um das hier alles zu vergessen.

A.A.: Aber es ist gut ausgegangen?

JF: Es ist gut ausgegangen, die Wunde ist gut geheilt. Rückblickend betrachtet ist es eine fantastische Erfahrung gewesen. Ich habe gelernt, mich bescheidener zu verhalten. Es gibt mir auch ein enormes Vertrauen, dass die Pflanze mich in diesen Dingen korrigiert.

A.A.: Aber so siehst du das auch, dass das die Weisheit der Pflanze ist?

JF: Ja, absolut. Es ist ein *trickster*, es spielt mit dir, es drängt dich manchmal, es vergrößert deine Schwäche oder dein Ego, sodass du danach über dich selbst lachen kannst. Das ist dann meine Lektion. Derzeit habe ich das ungefähr jedes Jahr einmal, und das sind eigentlich meine wichtigsten Erfahrungen. Das sorgt dafür, dass es spielerisch bleibt: auf eine spielerische Art mit dem Feuer spielen.

Letztendlich hat mich das, was ich als meine dunkle Seite bezeichne, geformt und hierher gebracht. Ich sage manchmal: je schlimmer, desto besser. Je näher du an deine dunkle Seite kommst, desto größer ist die Heilung. Da lauert dann wieder eine andere Gefahr der Ayahuasca, und das unvermutet. Manche Menschen meinen, dass sie anders sind. Sie denken, dass sie schon da sind, dass sie nicht mehr an ihrer dunklen Seite zu arbeiten brauchen. Wenn die dann einmal nach oben kommt, geraten sie in Panik.

Sicherheitsaspekte moderner Rituale

In modernen Ritualen wird Ayahuasca ohne die Erfahrung und das Wissen einer langen Tradition im Umgang mit diesem Getränk genommen. Westler haben kaum Zugang zum uralten Wissen der Regenwaldvölker. Nur wenige verbringen viele Jahre als Lehrling eines Schamanen im Dschungel. Die meisten versuchen, die richtige Methode durch entsprechende Lektüre und Selbsterfahrungen herauszufinden und indem sie vor allem Erfahreneren zuhören. Manche gehen für einige Wochen, Monate, ein halbes oder ganzes Jahr in den Dschungel, um so viel wie möglich zu lernen. Wieder andere haben das Glück, von Schamanen zu lernen, die den Westen regelmäßig bereisen. In modernen Ritualen muss gewissermaßen das Rad neu erfunden werden. Dabei sind Sicherheitsvorkehrungen überaus wichtig, weil Ayahuasca eine sehr mächtige Medizin ist, ein schamanisches Instrument, an dem man sich leicht verbrennen kann.

Dr. Jekyll und Mr. Hyde

In diesem Beispiel geht es um einen intelligenten und erfolgreichen jungen Geschäftsmann, der sich für alternative Heilmethoden interessierte und plötzlich zu einem aggressiven Verrückten mutierte, als er das erste Mal ein Ayahuasca-Analog trank (eine Kombination aus Samen von *Peganum harmala* und der Rindenwurzel von *Mimosa hostilis*).

Es geschah 1996 während meiner Zeit als Assistent eines modernen Ayahuasca-Zirkels in Amsterdam. Ein Mann Ende zwanzig und seine Freundin nahmen daran teil. Er spürte keine Wirkung des Ayahuasca-Analogs und bat deshalb immer wieder um ein weiteres Glas. Letztlich trank er dreimal so viel wie die anderen Teilnehmer.

Mitten in der Nacht, kurz bevor das Ritual zu Ende ging, mutierte er plötzlich zu einer anderen Person. Er attackierte seinen Nachbarn, den er gar nicht kannte. Er trat ihn und begann dann, seine Freundin zu würgen, wobei er hysterisch lachte. Mit einem weiteren Assistenten und einem Teilnehmer, der in der Nähe saß, konnte ich ihn schließlich überwältigen und auf den Boden drücken. Er blieb weiterhin aggressiv und beleidigte fortwährend seine Freundin. Dann schien er sich zu beruhigen und versuchte, mich mit sanfter Stimme davon zu überzeugen, ihn loszulassen, als ob ihm bewusst geworden wäre, wie seltsam er sich benommen hatte. Sobald ich meinen Griff lockerte, veränderte sich sein sanfter und verständnisvoller Gesichtsausdruck in den eines blutrünstigen Mörders, und er versuchte, mich zu würgen. Wieder überwältigten wir ihn und hielten ihn dann für mehr als drei Stunden mit vereinten Kräften auf dem Boden.

Am nächsten Morgen erzählte er, er habe, als er wieder zur Normalität zurückkehrte, geglaubt, in einem Raumschiff gewesen zu sein, das mit der Mission unterwegs war, die Kriegstreiber auf dem Planeten Erde zu eliminieren. Seine Visionen bestanden in einer scheinbar endlosen Abfolge von Kriegen in der Menschheitsgeschichte. Die Menschen, die er angriff, habe er als bösartige Wesen wahrgenommen, die Kriege anzettelten, und als astraler Friedenshüter sei es seine Pflicht gewesen, sie zu vernichten.

Niemals zuvor und niemals nachher habe ich eine derartig aggressive Resonanz darauf erlebt. Eines ist klar: Er hätte nicht so viele Gläser Ayahuasca trinken dürfen. Jace Callaway zufolge ist solch eine unvorhersehbare Reaktion eines Anfängers der Grund, warum Schamanen in Südamerika dazu neigen, Unerfahrenen nur schwache Dosierungen zu verabreichen.[141]

Doch die Menge kann nicht der einzige Grund für diese extrem ungewöhnliche Reaktion sein. Ich habe auch Anfänger erlebt, die sich trotz hoher Dosierungen keineswegs ähnlich verhielten.

Es gibt verschiedene mögliche Erklärungen:

Konnte seine Leber die Abbauprodukte der Ayahuasca nicht verarbeiten? Er berichtete, dass er als Dreijähriger an einer ernsthaften Leberinfektion gelitten habe.

---

141 Persönliche Information. Jace Callaway nahm als Pharmakologe der Universität von Kuopio, Finnland, an einer breit angelegten Studie mit Mitgliedern einer UDV-Kirche in Brasilien teil.

Aufgrund seines Leberschadens habe er damit aufgehört, Alkohol zu trinken, da er im betrunkenen Zustand schnell aggressiv werde.

Lag es an seiner genetischen Veranlagung? Man hat herausgefunden, dass etwa 10 Prozent der kaukasischen[142] Männer genetisch bedingt nur über einen geringen Spiegel von MAO verfügen. Dies ergab sich zufällig im Rahmen der Untersuchung einer holländischen Familie, deren männliche Angehörige durch extreme Aggressivität aufgefallen waren.[143] Eine Langzeitstudie in einer kleinen Gemeinschaft in Neuseeland bestätigte 2002 den Zusammenhang zwischen genetischem Defizit und hoher Aggressivität.[144]

Ein weiterer Grund könnte in einem langsamen Metabolismus liegen. In diesem Falle dauert es lange, bis sich die Wirkung von Ayahuasca zeigt. Das führt dazu, dass man nach mehr Gläsern verlangt. Stellt sich der Effekt dann ein, kann er nach der hohen Dosierung ziemlich explosiv sein.

Was ich als Assistent und als DIY-Leiter moderner Rituale begriffen habe, ist die Unberechenbarkeit des Gebräus. Es ist schwierig vorherzusehen, wie sich der Trank auf die Beteiligten auswirken wird. Ich habe schon sehr viele ruhige, aber auch sehr turbulente Nächte erlebt, und was auch immer passierte, es war letztlich überraschend.

Diese Unvorhersehbarkeit ist das Einzige, dessen man sich bei Ayahuasca sicher sein kann.[145] Das heißt, dass alles passieren kann, auch das Gegenteil von dem, was man erwartet hat. Ritualleiter müssen jederzeit für alles gewappnet sein. Im Laufe der Jahre lernte ich, dass man nur dann allzeit wachsam sein kann, wenn man seiner eigenen Intuition vertraut. Das althergebrachte Dschungelwissen lehrt uns, dass die Ritualleiter selbst üblicherweise trinken. Ayahuasca schärft die Wahrnehmung und verstärkt die Intuition. Nur unter ihrem Einfluss ist es möglich, entspannt und aufmerksam zugleich zu sein.

Es ist vor allem schwierig, Anfängern die Unvorhersehbarkeit der Wirkung des Trankes zu erklären, da sie davon ausgehen, dass sie der von Entheogenen wie psilocybinhaltigen Pilzen, meskalinhaltigen Kakteen und LSD mehr oder weniger ähnelt. Diejenigen, die es zum ersten Mal trinken, müssen vor dem totalen Verlust der Selbstkontrolle gewarnt werden, obwohl es auch möglich ist, dass überhaupt nichts Besonderes geschieht. Der traumartige Zustand,

142 Europäer gehören der kaukasischen Rasse an.
143 *NRC Handelsblad*, Rotterdam, 3. Juni 2002, S. 30.
144 Avshalom Caspi, Joseph McClay, Terrie E. Moffitt, Jonathan Mill, Judy Martin, Ian W. Craig, Alan Taylor und Richie Poulton: »Role of Genotype in the Cycle of Violence in Maltreated Children«, in: *Science*, 2. August 2002, S. 851–854.
145 Shanon 2002: 56.

den sie erleben können, ist ihrer vertrauten Traumrealität zu ähnlich, um als
veränderter Bewusstseinszustand wahrgenommen zu werden.

Es ist nicht leicht, bestimmt auftretenden Westlern den Sinn geringer
Dosierungen zu erklären, vor allem dann nicht, wenn sie über mannigfaltige
Erfahrungen mit dem »Highwerden« verfügen und der Wirkung des
»Königs des Trankes« mit einer entsprechenden Erwartungshaltung entge-
gensehen. Um den Erwartungen der Teilnehmer gerecht zu werden, ist es
deshalb für moderne Ritualleiter verführerisch, höhere Dosierungen zu verabreichen. Als goldene Regel sollte man indes grundsätzlich der Erfahrung
ohne Erwartungen begegnen.

Ayahuasca an sich ist sehr sicher. Das Gebräu wird seit beträchtlicher Zeit
von einer großen Anzahl von Menschen genutzt[146], und es hat keinerlei Lang-
zeitwirkungen. Da es sich bei den Wirkstoffen der *Banisteriopsis-caapi*-Liane
und der *Peganum-harmala*-Samen um Monoaminooxidase-Hemmer oder
– Inhibitoren (MAOI) handelt, sollte man mit bestimmten Speisen und
Drogen vorsichtig sein, die nur dann bekömmlich sind, wenn bestimmte
darin enthaltene Inhaltsstoffe durch das Enzym – also die Monoaminooxidase
– abgebaut werden.

Dazu sollte man aber wissen, dass die meisten Informationen nicht korrekt
sind, die im Internet über Lebensmittel und Medikamente kursieren, welche
man beim Genuss von MAOIs besser meiden sollte. Es gibt verschiedene
Arten von MAO sowie reversible und irreversible MAOIs. Die meisten Listen
im Internet basieren auf irreversiblen MAOIs, während es sich bei Ayahuasca
um einen reversiblen MAOI handelt.

Man sollte die persönliche Krankheitsgeschichte der Teilnehmer kennen und
überprüfen, welche verschreibungspflichtigen Medikamente sie einnehmen,
da manche bezüglich Ayahuasca kontraindiziert sind. Gut bekannte Beispiele
dafür sind verschiedene Antidepressiva und andere Medikamente, die auf das
Gehirn als so genannte Selektive Serotonin-Inhibitoren (SSRI) wirken. Dazu
zählt auch Ecstasy. Die Kombination eines MAOI mit einem SSRI kann ein
potenziell tödliches Serotonin-Syndrom auslösen.[147] Ritualleiter müssen mit
allem Nachdruck auf diese Gefahr hinweisen, und es sollte allen Beteiligten
eines Rituals klar sein, dass sie daran letztlich auf eigene Verantwortung teilnehmen.

146 Luis Eduardo LUNA verweist in seinem Buch *Vegetalismo* (1986) darauf, dass mehr als siebzig
Stämme aus dem Amazonasgebiet Ayahuasca verwenden. Bevor der Kautschukboom die indigene
Population dezimierte, waren es sogar mindestens 160. Über den gegenwärtigen Gebrauch bei der
Mestizo-Bevölkerung dieser Region sind keine entsprechenden Schätzungen bekannt, ebenso wenig
über den Gebrauch bei Bevölkerungsschichten im urbanen Südamerika, Nordamerika und in Europa.
147 H. STERNBACH: »The serotonin syndrome«, in: *American Journal of Psychiatry* 148 (1991),
S. 705–713.

Wir leben im Westen in einer Gesellschaft, die an den Gebrauch potenter Pflanzen als Instrumente zur Heilung und persönlichen Transformation nicht gewöhnt ist. Derartige Pflanzen werden lediglich als illegale Drogen betrachtet, und ihr Gebrauch wird von der Mehrheit und von Politikern und Gesetzgebern als Form des Drogenmissbrauchs wahrgenommen. Das Konzept eines Ayahuasca-Rituals als Heilweg (wohlgemerkt nicht als *Heilsweg*) entwickelt sich nur sehr langsam und nur deshalb, weil Schamanismus von mehr und mehr Menschen als Alternative zur traditionell allopathischen Schulmedizin akzeptiert wird. Deshalb müssen solche Rituale insbesondere vor unwissenden und unerfahrenen Bevölkerungskreisen geschützt werden.

Kritische Bemerkungen zum Schamanismus-Kulturtransfer
Von Claudia Müller-Ebeling

Die Entdeckung des komplizierten synergistischen Zusammenspiels zwischen harmalin- und DMT-haltigen Dschungelpflanzen, die bei oraler Einnahme nur in Kombination die visionäre Wirkung von DMT entfalten, ist eine großartige Kulturleistung der Indianer aus dem Amazonasgebiet. Ihnen allein verdanken wir das Wissen um die langwierige Herstellung des Ayahuasca-Tranks und seinen schamanisch-rituellen Gebrauch zu Heilzwecken.

Sehr lange Zeit wurde der zunächst rein wissenschaftlich-ethnografische Zugang zu schamanischen Heilritualen von einer skeptischen, ja sogar diskreditierenden Haltung bestimmt. Erst in den 1970er-Jahren sorgten insbesondere die bahnbrechenden Forschungsberichte des kolumbianischen Ethnologen österreichischer Abstammung Gerardo Reichel-Dolmatoff (1912–1994) für einen von tiefem Wissen und Verständnis getragenen Einblick in das schamanische Universum.

Begegnungen mit Weißen brachten den indianischen Ureinwohnern – und insbesondere ihren Schamanen – nichts als Leid, Elend, Krankheiten, Verfolgung und Zerstörung ihrer Umwelt wie auch kulturellen Identität. Sie werden noch immer ausgebeutet und verfolgt – von der Eroberung ihres angestammten Landes durch goldgierige Freibeuter; ihrer Zwangsbekehrung durch Missionare (die bis heute tätig sind) bis zur Entdeckung und fortgesetzten Ausbeutung wertvoller Rohstoffe (wie Kautschuk, Tropenhölzer oder Mineralöl) unserer Tage ... Nach wie vor wird indianischen Ureinwohnern die Achtung und Wahrung ihrer Menschenwürde versagt – ironischerweise gerade von Staaten, die auf die Verankerung der Menschenrechte in ihren demokratischen Verfassungen größten moralischen Wert legen, diese zur Wahrung wirtschaftlicher Interessen jedoch allzu gern mit Füßen treten.

Indianer Nord- und Südamerikas. Rechts neben dem nackten Mann mit dem imposanten Kopffederschmuck (zweite Reihe, vierter von rechts) und darunter sind Ethnien Südamerikas dargestellt (Farbtafel aus einem illustrierten Lexikon vom Anfang des 20. Jahrhunderts).

»Zwischen dem Río Putumayo und dem Río Caquetá lebten fünfzigtausend Indianer, eine Zahl, die der französische Ethnologe und Fotograf Eugenio Robuchon im Auftrag Aranas ermittelt hatte. Arana[148] errechnete daraus vierzigtausend Zwangsarbeiter, die er in die Schuldknechtschaft pressen würde. [Er] wollte dem Kautschukbaron im Süden die Stirn bieten, um die Nummer eins im internationalen Kautschukhandel zu werden.«
(SEMPER 1999: 137)

Erst seit etwa fünfzig Jahren interessiert man sich im Westen überhaupt für Schamanismus und erst seit rund zwanzig Jahren auch für Ayahuasca. Doch dieses neu erwachte Interesse am Schamanismus und an der Ayahuasca-Erfahrung ist keineswegs repräsentativ für den Mainstream; es resultiert vielmehr aus dem Bemühen Einzelner, in der unsichtbaren Wirklichkeit Sinn-

---

148 Der Peruaner Julio Cesar Arana beutete zu Beginn des 20. Jahrhunderts auf brutalste Weise die Huitoto, Andoke, Muinane, Bora und Miraña aus. Als der Amerikaner Hardenberg 1907 Zeuge ihrer grausamen Misshandlung wurde und dem amerikanischen Konsul in Iquitos davon berichtete, wollte dieser nicht eingreifen, da amerikanische Wirtschaftsinteressen auf dem Spiel standen. Vgl. auch SEMPER 1999, S. 136–144.

zusammenhänge aufzuspüren, die in der eigenen westlich geprägten Kultur von einem rein rational bestimmten, logisch-analytischen wissenschaftlichen Weltbild verdrängt und verschüttet wurden. Im Zuge dessen verkehrte sich die einstige Verachtung zu einer ungewohnten Wertschätzung, die neue Probleme mit sich brachte, wie sich im Folgenden zeigen wird.

»Der rituelle Gebrauch von Coca und Yopo vermittelt den Menschen das Wissen und die Kenntnis der Mysterien der mythischen Welt.«
(Museo del Oro, Bogotá, Kolumbien[149])

So ehrlich und ambitioniert Begegnungen zwischen Ayahuasca-Schamanen und interessierten Menschen der westlichen Hemisphäre auch sein mögen – sie sind doch stets von unterschiedlichen kulturellen Hintergründen und gegenseitigen Missverständnissen bestimmt. Dieser interkulturelle Austausch basiert im Wesentlichen auf der Erfahrung von Mangel: der mangelnden Anerkennung der eigenen kulturellen Leistungen seitens der *ayahuasqueros* und der Ermangelung spiritueller Erfahrungen auf westlicher Seite. Daher streben Vertreter beider Kulturen im Wesentlichen nach dem Ausgleich dieser Mängel. Reisende aus dem Westen suchen in der Ayahuasca-Erfahrung die verlorene Einheit mit der Natur. Schamanen finden im neu erwachten Interesse an ihren Fähigkeiten Genugtuung für die jahrhundertelange Diskriminierung und werden für Sitzungen mit Teilnehmern aus Europa und den USA mit Summen honoriert, die – gemessen an westlichen Standards – gering sind, ihren Jahreslohn aber um ein Mehrfaches übertreffen.

Lauernde Fallen
Wie immer lauern aber auch in der beglückenden Mangelbefriedung Fallen, in die beide Seiten oft und gern Hals über Kopf tappen. Die Verlockung der »Geldfalle«, die den Schamanen indigener Kulturen oft zum Verhängnis wird, erklärt sich aus dem verständlichen Wunsch nach sozialem Aufstieg und kultureller Anerkennung, die führende Kreise im eigenen Land den Indianern noch immer verweigern.
Der mit vergleichsweise geringem Einsatz gewonnene Dollar- oder Eurosegen verschafft den Ayahuasca-Schamanen ungeahnte »Reichtümer«. Im Gegensatz zu Einheimischen bezahlen ausländische Ritualteilnehmer Schamanen nicht für die glücklich erfolgte Heilung von Gebrechen, sondern für die bloße Erfahrung unsichtbarer Wirklichkeiten. Nur die wenigsten *ayahuasqueros* führen diese Verdienste – wie sonst in indianischen Gesellschaften üblich – ihrer Gemeinschaft zu (wie wir oft genug beobachtet haben). Die

---

149 »Durante el ritual, el consumo de la coca y del yopy permitía al hombre conocer y comprender los misterios del mundo mytico« (Museo del Oro, Bogotá, Kolumbien).

Um 1840 entstandene Stiche, die die abenteuerliche Erkundung der »grünen Hölle« mit ihren mannigfaltigen Gefahren – wie Stromschnellen, Kaimanen, Schlangen und Jaguaren – illustrieren.

meisten erliegen der Versuchung und nutzen die Honorare für ihren persönlichen Status und Gewinn. Damit stören sie das soziale Gleichgewicht und rufen zwangsläufig den Neid konkurrierender Schamanen hervor. Um dem kräfteraubenden Sozialneid und den Machtkämpfen mit Kollegen zu entgehen, konzentrieren sie sich meist auf die Zusammenarbeit mit westlichen Auftraggebern. Dadurch fallen die im Westen hoch gehandelten *ayahuasqueros* aus dem Netz ihres tradierten Sozialgefüges heraus. Da sie jedoch der eigenen Gemeinschaft nicht mehr zur Verfügung stehen, büßen sie ihren Ruf als Heilschamanen ein. Denn nach dem Motto »Wer heilt, hat Recht« entscheidet allein die Stammesgemeinschaft, wer ein Heilschamane ist und wer nicht. Individuell-persönliche Einschätzungen sind dabei völlig irrelevant.

Westler hingegen lassen sich gern von der »Geltungsfalle« verführen. Deren Verlockungen liegen in unserer Leistungsgesellschaft begründet. Nur wer sich durch ungewöhnliche Leistungen aus der Masse hervorhebt, kann sich »einen Namen machen«. Zwar folgen auch in spiritueller Hinsicht die Vermarktungsstrategien des Eso- und Buchmarktes den gültigen Wettbewerbsregeln »Schneller, besser, höher, weiter«, der Anspruch an Authentizität ist jedoch erstaunlich gering. So betrachten sich viele schon nach wenigen Exkursionen in »die andere Wirklichkeit« als initiierte Schamanen. Dass ein solcher (in schamanischen Kulturen folgenschwerer) öffentlicher Auftrag keineswegs von der bloßen schamanischen *Erfahrung* abhängig ist, sondern von *bezeugten Heilerfolgen* durch Dritte, wird dabei meist vergessen oder ignoriert. Meines Wissens genügt niemand, der sich in Seminarflyern oder Buchklappentexten als »initiierter Schamane« ausgibt, diesem traditionell geforderten Anspruch.

Zweifellos können schamanische Heiltechniken durchaus sinnvoll in psychotherapeutische Methoden integriert werden. Doch die Berufsbezeichnung »Schamane« ist ohne ein entsprechendes soziales Umfeld (das westlichen Kulturen nun mal fehlt) ebenso sinnlos wie die Berufsbezeichnung »Chirurg« in einem archaischen Umfeld, in dem es an den dafür notwendigen Operationsbedingungen mangelt.

> »Als ihn ein großes Magazin einmal als ›Schamanen aus dem Allgäu‹ bezeichnete, musste er sich sehr ärgern. Er ist nämlich kein Schamane, sondern einer, der sich mit dem Schamanentum quer durch alle Kulturen beschäftigt hat. (...) Wolf-Dieter Storl will nicht als Wunderdoktor, spiritueller Weggefährte oder ›Schamane‹ aufgesucht werden. Er ist kein Heilpraktiker. Seine Aufgabe (...) ist es, Bücher zu schreiben, die Wissen vermitteln.«
> (Zitat von Nicola Förg als Hinweis an die Leserinnen und Leser, STORL 2004)

Die Verlockung der »Geltungsfalle« erklärt sich einerseits aus der schmerzlich vermissten und rational in Frage gestellten spirituellen Erfahrung, mit dem Kreis des Lebendigen verbunden zu sein, und andererseits aus dem von der westlichen Kultur geförderten Bedürfnis nach Selbstverwirklichung und dem Wunsch, die einzigartige Erfahrung marktgerecht zu nutzen, um sich von der Anonymität der Masse abzuheben.

Leider sind westlichen Touristen die Mechanismen der »Geldfalle« ebenso wenig bewusst wie traditionellen Schamanen die der »Geltungsfalle«. Somit führen Begegnungen mit der jeweils fremden Kultur unweigerlich zu einer für beide Seiten problematischen Dynamik. Dazu sei hier in knapper und vereinfachter Form ein idealtypisches Szenario vor dem Hintergrund langjähriger persönlicher Erfahrungen angeführt. Das Beispiel bezieht sich auf *ayahuasqueros* indianischer Herkunft, könnte jedoch ebenso auf Interaktionen mit Mestizo-Schamanen oder *mestres* von Santo Daime oder vergleichbaren Ayahuasca-Kirchen zutreffen.

Wer sich im Westen für Schamanismus und Ayahuasca-Rituale interessiert, ist sich in der Regel der leidvollen Geschichte der sogenannte Dritten Welt bewusst und engagiert sich für die Rechte der Indianer. Für sie sind Schamanen und *ayahuasqueros* keine Menschen dritter Klasse, sondern mächtige Heiler, weise Lehrer und makellose Persönlichkeiten, denen man Respekt und unumschränkte Bewunderung zollt. Wer Ayahuasca-Rituale für Gleichgesinnte organisiert, verzichtet daher aus Idealismus (und um dem Vorwurf der Ausbeutung armer Indianer entgegenzuwirken) zugunsten der Schamanen selbstlos auf jegliche Entlohnung.

Der beträchtliche Gewinn wandert allein in die Tasche des beteiligten Schamanen. Nichtsdestotrotz kursieren unter den Teilnehmern alsbald Gerüchte, der Organisator verdiene sich eine goldene Nase und beute den armen Indianer aus. Der Mann aus dem Regenwald geht gern auf die unzähligen, von allen Seiten offerierten alternativen Angebote ein. Europa ist ein Schlaraffenland, und die Organisatoren der Rituale sind offensichtlich reich genug, problemlos unentgeltlich Zeit und Arbeitskraft zu investieren und obendrein noch für Flüge, Reisekosten, Verpflegung und Logis aufzukommen. So tourt der arme reiche Schamane aufgrund der großen Nachfrage immer häufiger und länger durch Europa und kann sich zu Hause mit dem erzielten Reingewinn (der sogar in Europa übliche Verdienstspannen um ein Vielfaches übersteigt) problemlos ein luxuriöses Leben mit neuem Haus, teurem Auto, Chauffeur, Computer, Homepage und allem Drum und Dran leisten.

Derweil mehren sich in Europa die kritischen Stimmen. Der Schamane, so sagt man, sei geldgierig und selbstsüchtig und weder ein »guter Mensch«

noch ein guter Schamane. Wer sich einst für ihn eingesetzt hat, zieht sich enttäuscht zurück. Ernüchterung macht sich breit, weil der Mann aus dem Dschungel die aufopfernden Mühen nicht loyal honoriert, weil der Schützling aus der Dritten Welt in Saus und Braus lebt, während man selbst kaum die eigene Miete aufbringen kann. Unterdessen dreht sich das Karussell der freiwilligen Selbstausbeuter unablässig, und auch der Kreis idealistischer Jünger, die den wunderbaren »Wilden« aufs Podest stellen, bis die Realität ihr Traumbild beschädigt, scheint unerschöpflich zu sein. Und die Moral von der Geschichte? Achtung, Idealisierungsfalle! Idealisierungen und unrealistische Bedingungen (nach dem Prinzip: Ich gebe dir alles und brauche nichts) haben eine bedenklich kurze Verfallszeit. Bescheren wir Schamanen aus der sogenannten Dritten Welt im eigenen Land unrealistisch paradiesische Bedingungen, dürfen wir uns nicht wundern, dass sie auf unsere Kosten davon profitieren. Erwarten wir von einem gut ausgebildeten Arzt, ein »guter Mensch« zu sein? Warum also sollte ein *ayahuasquero* ein guter Heiler und ein Mensch ohne Fehl und Tadel sein?

Die Einteilung der Wirklichkeit in Gut und Böse entspricht dem Wesen unserer monotheistisch geprägten westlichen Kultur. Wir formen Menschen nach unserer idealtypischen Vorstellung, loben sie in den Himmel und verteufeln sie, sobald die Wirklichkeit mit der Vorstellung kollidiert. Für uns ist Wahrheit ein absoluter Wert. Dass ihr im polytheistisch geprägten indianischen Weltbild eine relative Gültigkeit zukommt, wissen wir ebenso wenig wie unser außereuropäisches Gegenüber. Und eben weil dieser feine und gravierende kulturelle Unterschied beiden Seiten verborgen bleibt, sind kulturelle Missverständnisse vorprogrammiert.

> »Die Pflanze sagte mir, dass ich dem Verführermuster meines vergangenen Lebens nur entgehen könne, wenn ich meinen Patienten gegenüber als Schamane agiere.«
> (PERRY 1998: 56)

Zu guter Letzt ist die »Ego«- oder »Machtfalle« zu erwähnen, der traditionelle *ayahuasqueros* und Schamanen wie auch westliche Heiler im Zusammenhang mit Ayahuasca gleichermaßen überraschend häufig auf den Leim gehen. Im Gegensatz zur traditionellen rituellen Anwendung der heiligen Pilze zu Heilzwecken verleitet die »bittere Brühe« routinierte Trinker offenbar zu Omnipotenzgefühlen. Nicht wenige erliegen der Verlockung der Macht, indem sie auf den »Ruf der Pflanze« verweisen und sich zu Führern unterschiedlicher Ayahuasca-Kirchen und -Sekten bestellt fühlen. Auch im traditionellen ethnischen Kontext ist bei Schamanen der Konkurrenzkampf um Macht und Herrschaft über Hilfsgeister allgegenwärtig. Dieses

Phänomen ist möglicherweise auf den Harmalinanteil der Ayahuasca-Rezepturen zurückzuführen, der ungeübte Trinker körperlich lahm legt und für Suggestionen befähigte Ritualleiter empfänglich macht.

Missverständnisse

Die folgenden Beispiele illustrieren den feinen, aber gewichtigen Unterschied zwischen absoluten und relativen Wertmaßstäben sowie kulturspezifische Auslegungen von Verantwortung.

»Beim Ritual inhalierte der Schamane ständig den Rauch von *mapacho*-Zigarren und erklärte auf Nachfrage, Tabak sei heilig. Wenn ich mir aber eine Zigarette anzündete, erntete ich jedes Mal einen kritischen Seitenblick. Offensichtlich legen sie die Wahrheit so aus, wie es ihnen gerade passt«, erzählte man mir empört.

Insbesondere Therapeutinnen und Therapeuten, die an Ayahuasca-Ritualen mit Schamanen indianischer Herkunft in Peru, Kolumbien oder Brasilien teilnahmen, berichteten irritiert, dass diese sich um ihre Patienten nicht genügend kümmerten:

»Nach dem Ritual ließen sie die Leute, die von den körperlichen Effekten der Wirkung so mitgenommen waren, dass sie kaum gehen und schon gar nicht allein in ihre Hängematten zurückfinden konnten, einfach so liegen. Ich finde das nicht in Ordnung. Immerhin entfesseln die Schamanen starke seelische Prozesse. Um die Auswirkungen und nachträglich notwendige Fürsorge aber kümmern sie sich nicht. Das ist eine sträfliche Vernachlässigung der Verantwortung, die man als Heiler für seine Patienten hat.«

Dazu ein weiteres Beispiel. In einer *maloca* in Kolumbien hatten sich (außer uns drei Autoren) zwei Besucher aus dem Westen, einige jüngere Leute aus der wohlhabenden Mittelschicht der nahen Stadt und Bäuerinnen und Bauern aus der ländlichen Umgebung zur Teilnahme an einer der regelmäßig stattfindenden Heilsitzungen mit Ayahuasca eingefunden. Im Laufe der Nacht wandte sich der *ayahuasquero* nacheinander den Kranken zu, die ihn zu Beginn in einem kurzen persönlichen Gespräch um Heilung gebeten hatten. Sein Gesang und die energetische Behandlung mit Räucherstoffen und der *chacapa* lösten bei einem der Bauern starke psychische und physische Reaktionen aus. Kurz darauf rannte er panikartig nach draußen, übergab sich dort heftig und blieb dann stundenlang mit nacktem Oberkörper wimmernd und stöhnend auf dem nackten Boden an der Schwelle eines *maloca*-Eingangs liegen. Ein Helfer warf ihm eine Decke zum Schutz vor der nächtlichen Kälte über, ansonsten gingen im Innern der *maloca* aber die individuellen Heilbehandlungen des Schamanen und seiner Helfer weiter.

Dass sich niemand um die wimmernde Gestalt kümmerte, beunruhigte die beiden westlichen Besucher sehr. Als auch wir nicht auf ihre Bitte reagierten, den Schamanen zum Eingreifen zu bewegen, nahmen sie sichtlich verstimmt ihre Schlafsäcke und setzten sich an den Eingang, vor dem der Kranke lag. Am nächsten Morgen überschütteten sie den ahnungslosen *ayahuasquero* radebrechend mit Vorwürfen, er sei kein wirklicher Schamane, und machten sich verärgert unverzüglich von dannen.

Erklärungen aus ethnologischer Sicht

»Tabak gilt vielen Schamanen als ›Nahrung‹. Aber nicht für den Körper. Auch der Geist braucht Nahrung. (...) Tabak gibt (...) dem Schamanen ›Kraft‹ oder ›Energie‹, um seine Reisen in die anderen Welten durchzuführen, durchzustehen und erfolgreich zum Abschluss zu bringen. Der Tabak ist ein echtes Entheogen, ein Stoff, aus dem die schamanischen Träume wahr und die jedem Lebewesen eigene, innewohnende Göttlichkeit bewusst wird.«
(RÄTSCH 2002b: 17f.)

Zu dem beklagten Mangel an Verantwortung ist zu sagen, dass die Heiltätigkeit von Schamanen unerfahrenen westlichen Zeugen in der Regel verborgen bleibt. Sie äußert sich nicht in einer (für westliche Therapeuten gewohnten) persönlichen Zuwendung zu den Patienten und der aktiven Beschäftigung mit deren Befindlichkeiten und Nöten. Vielmehr spielt sich der Heilvorgang im unsichtbaren Raum der Kommunikation mit Hilfsgeistern aus der Pflanzen- und Tierwelt ab und in der möglichst erfolgreichen Abwehr übel wollender Kräfte. Dies geschieht vornehmlich mit »den Mitteln des Gesangs, bestimmten gleichförmigen Bewegungen, der Hilfe des Tabaks, der duftenden Pflanzen und ätherischer Öle«, womit der Schamane – wie Bruno Illius bezüglich der Shipibo-Conibo erklärt – »auf den idealen Verlauf der Halluzinationen und somit der Sitzung« hinarbeitet. »In einer erfolgreichen Séance werden die anfangs ungeordneten, chaotisch und gefährlich anmutenden Eindrücke unterschiedlichster Art nach und nach in regelmäßige, harmonische Bilder umgewandelt« (ILLIUS 1991: 179).
Die Verantwortung eines *ayahuasquero* liegt in der Umwandlung chaotischer Kräfte (die als Ursache für Krankheiten gelten) in ein harmonisches Gefüge. Für die Verarbeitung persönlicher seelischer Prozesse, die durch den bitteren Trank ausgelöst wurden, sind jedoch allein die Patienten verantwortlich. Ausländischen Teilnehmern ist die Übernachtung im eigenen Bett respektive in der eigenen Hängematte wichtig. Indianischen Patienten käme dieses Bedürfnis nicht in den Sinn. Sie bleiben einfach an Ort und Stelle liegen.

Fraglos gibt es unter den vielen selbsternannten Schamanen Südamerikas Scharlatane, die ihre erwartungsvollen Kunden schamlos ausbeuten. Doch gemäß der Binsenweisheit, dass es aus dem Wald so herausschallt, wie man hineinruft, wäre es allgemein ratsam, wenn ausländische Besucher Ayahuasca-Rituale nicht als »All-inclusive-Event« betrachteten, sondern sich aktiv um ein Verständnis der vor Ort geltenden Gepflogenheiten bemühten und nicht davon ausgingen, dass die Bedingungen ihren Erwartungen angepasst werden. Vergessen wir eines nicht: *Wir* interessieren uns für die Dschungelmedizin, für die Fähigkeiten und Lehren der *ayahuasqueros*, indigenen Heiler und Schamanen und betreten als unerfahrene Kulturneulinge ihre Welt. Daher müssen nicht sie sich *an unsere* Vorstellungen, Erwartungen, Bedingungen und Wertmaßstäben anpassen, sondern *wir uns an ihre.* Doch die unvoreingenommene Wahrnehmung und wertfreie Akzeptanz unbekannter und ungewohnter Wirklichkeiten gestaltet sich weitaus schwieriger als vermutet. Begegnungen mit unbekannten Kulturen und Werten sind kein versicherungstechnisch abgesicherter Abenteuerurlaub. Vielmehr bergen sie das Risiko bedrohlicher Abstürze in kulturfremde Räume, in denen unser Wissen und unsere Wertmaßstäbe keinerlei Bedeutung haben. Doch Hand aufs Herz: Wer gefällt sich schon in der Rolle des Anfängers? Ist der Expertenstatus nicht weitaus attraktiver – vor allem, wenn es um kurzfristige Begegnungen mit außereuropäischen Kulturen geht, mit denen sich ohnehin kaum jemand auskennt? Offensichtlich ist in diesen Fällen die geheime Lust auf Lorbeeren (siehe »Geltungsfalle) besonders verlockend. Obgleich es in Zeiten globaler Vernetzung mehr denn je auf einen kenntnisreichen (und für das gesellschaftliche Gleichgewicht statisch sensiblen) Brückenbau zwischen den Kulturen ankommt, ist die Expertise ethnologischer Fachleute bei interkulturellen Verständigungsproblemen kaum gefragt. Merkwürdig genug, denn: Bei technischen Problemen hingegen konsultiert man entsprechende Fachleute. Ohne zu zögern.

Zum Wohl: Gespräche mit Ayahuasca-Trinkern

Das Blut des Jaguars und der Geist des toten Kindes

Jolie Pierce ist eine englische Theaterschauspielerin. Sie absolvierte zur Zeit des Interviews eine Ausbildung zum Profi-Clown und war 25 Jahre alt. Ihr Fall war ziemlich ungewöhnlich. 2002 trank sie zum ersten Mal Ayahuasca, zwei Nächte hintereinander: in der ersten mit dem Shuar-Schamanen Hilario Chiriap aus Ecuador, in der zweiten mit dem Kolumbianer Kajuyali Tsamani, den sie um eine Heilung bat, bei der ich als Übersetzer fungierte. Der Schamane trug ihr eine Reihe komplizierter Aufgaben auf.

Ich war neugierig, ob sie diese auch befolgt hatte. Als sie mich im November 2004 besuchte, trat ein strahlendes Energiebündel durch die Tür. Sie zeigte mir einen kleinen Medizinbeutel, den sie um den Hals trug, und erzählte ohne Umschweife ihre Geschichte.

Jolie Pierce: Hinter dem Medizinbeutel verbirgt sich eine Geschichte, die ich gern niederschreiben möchte. Also – ich lebte in Berlin, und meine Freundin Anna wusste, dass ich zur Ayahuasca-Konferenz in Amsterdam gehen wollte. Sie hatte in Südamerika gelebt und dort den Medizinbeutel gekauft. Ich denke, er stammt aus Venezuela. Als ich mich zur *Psychoactivity*-Konferenz aufmachte, gab sie ihn mir und legte einen wirklich schönen Quarzkristall hinein. Sie sagte, ich solle ihn festhalten, falls ich eine Erfahrung machen würde, die mich ängstige. Der Kristall würde mir Kraft geben. Einer der Gründe, warum ich die Konferenz besuchen wollte, war eine Abtreibung, die sich auf meinen körperlichen Zustand sehr negativ ausgewirkt hatte.

Arno Adelaars: Was war vorgefallen?

JP:»Die Abtreibung hatte ich mit 22. Damals war meine körperliche Entwicklung noch nicht wirklich abgeschlossen. Ich blühte gerade richtig auf. Die Abtreibung setzte diesem Prozess ein abruptes Ende. Es war, als ob ich innerlich verrotten würde. Ich habe es immer geliebt, auf Partys zu gehen und viel zu trinken. Doch plötzlich überwogen die sich anschließenden depressiven Gefühle die zuvor erlebten Hochgefühle. Ich hatte die Operation nach einer vierjährigen Beziehung. Als diese Beziehung zu Ende war, drehte ich ziemlich durch. Es hat mich zwei Jahre gekostet, darüber hinwegzukommen. Es nahm mich mehr mit, als mir gut tat. Schließlich fand ich meinen Frieden wieder. Ich schloss mein Studium ab, und mein ganzes Leben lag vor mir. Ich schlief mit einigen Jungs – und wurde schwanger, obwohl ich immer sehr vorsichtig gewesen war. Es war keine Frage, dass ich dieses Kind keineswegs austragen wollte. Als mir das klar wurde, zweifelte ich nicht eine einzige Sekunde daran.

Dennoch erlebte ich die Abtreibung als sehr unangenehm. Ich hatte zuvor eine Blasenentzündung, die die ganze Zeit über ziemlich heftig anhielt. Erst nach sechs Wochen bemerkte ich, dass ich schwanger war, und bis zum Abtreibungstermin vergingen sechs weitere Wochen.

Der Tag der Abtreibung war furchtbar. Alle Patientinnen befanden sich im selben Raum. Die Frauen, die wie ich auf den Schwangerschaftsabbruch warteten, saßen alle an einer Wand. Niemand stand uns mit Rat und Tat beiseite. Es gab nur männliche Ärzte. Ich musste sie davon überzeugen, dass ich das Kind auf keinen Fall wollte. Laut den in England geltenden Gesetzen konnte man nicht einfach sagen, dass man kein Kind haben wollte, sondern man musste die Ärzte davon überzeugen, der Mutterrolle nicht gewachsen zu sein.

Ich wurde wie eine Hure behandelt, ohne jedes Verständnis für meine Lage. Als ich aus dem Eingriff erwachte und zur Toilette ging, bemerkte ich, dass ich schon wieder eine Blasenentzündung hatte. Die Ärzte hatten einfach vergessen, mir Antibiotika zu geben. Als ich in Tränen ausbrach, steckten sie mich in ein Bett und zogen ringsum den Vorhang zu, damit ich die anderen Frauen nicht beunruhigte. Dann gaben sie mir etwas Toastbrot und schickten mich weg.

Nach der Abtreibung war ich physisch in einem Schockzustand. Offensichtlich war mein Körper von dem, was geschehen war, traumatisiert. Von diesem Moment an änderte sich alles, obgleich ich es nicht sofort bemerkte, da ich zu drei guten Freundinnen zog und wir eine gute Zeit zusammen hatten. Unser Haus war ein Partyhaus. Ständig gingen Leute und vor allem Männer ein und aus, und wir hatten alle viel Spaß! Ich hatte ein feministisches Magazin ins Leben gerufen, und wir alle schrieben dafür. Die Zeit mit meinen Freundinnen war wirklich schön und gab mir Kraft. Aber weil wir im Zustand einer Dauerfete lebten, befand ich mich in einem Teufelskreis der Selbstzerstörung. Ich nahm Unmengen von Drogen und trank unglaublich viel Alkohol. Heute denke ich, dass ich dadurch versuchte, dem, was geschehen war, aus dem Weg zu gehen.

Bei der kleinsten Berührung bekam ich blaue Flecke, als ob ich geschlagen worden wäre. Ich sah furchtbar aus, weil ich mir nicht die Mühe machte, sie mit entsprechender Kleidung zu verdecken. Zu allem Überfluss zeigten gynäkologische Abstriche abnorme Veränderungen, die sich potenziell zu Krebszellen entwickeln konnten. Und kurz bevor ich nach Berlin ziehen wollte, hatte ich einen Unfall, der mich wochenlang ans Bett fesselte. In dieser Zeit begann ich ernsthaft über meine Lage und die zurückliegenden Ereignisse nachzudenken.

Schließlich kam ich dann voller Schuldgefühle, die mich ärgerlich machten, zur Konferenz. Als Kajuyali bei der Eröffnung das Sandmandala vorbereitete, mit Symbolen der Sonne, der Erde und des Jaguars, gab es kleine rote Steine, die das Jaguarblut repräsentierten. Ich half ihm dabei, das Mandala auszulegen. Nachdem die Eröffnungszeremonie vorbei war und alle den Raum verlassen hatten, nahm ich einige der roten Steine des Mandalas und steckte sie in meinen Medizinbeutel (ich habe sie noch immer).

Als ich mich später zu meiner ersten Zeremonie aufmachte, sagte mir ein erfahrener Freund: »Es kann sein, dass du nichts spüren wirst. Erwarte nicht, dass irgendetwas geschieht.« Davor hatte ich einige Erfahrungen mit psychoaktiven Pilzen gemacht, die ich sehr schätzte. Ich ging deshalb davon aus, dass es mir bei meiner ersten Erfahrung mit dem bitteren Trank gut ergehen würde.

Bei dieser ersten Zeremonie mit dem Shuar-Schamanen war jeder für sich auf seinem eigenen Platz, und wir nahmen kaum Kontakt zueinander auf. Nur am Ende des Rituals standen wir alle auf und sangen und tanzten zusammen. Ich war die ganze Nacht über unzufrieden. Ich ärgerte mich über mich selbst und hatte das Gefühl, nicht wirklich offen für die Erfahrung zu sein. Ich dachte, dass ich nichts vor meinen inneren Augen sah, doch am nächsten Tag wurde mir klar, dass ich tatsächlich Unmengen von Dingen gesehen hatte. Ich denke, dass man von Pilzen und LSD sehr viel mehr überrollt wird. Sie überwältigen dich einfach. Mit Ayahuasca aber konnte ich spüren, dass irgendein Effekt da war. Ich wusste, dass ich nicht schlafen können würde. Ich fühlte mich anders als sonst. Aber ich war nur in meinem eigenen Kopf. Später dann sprach ich mit dem erfahrenen Freund. Er erzählte mir, dass der kognitive Psychologe Benny Shanon, der seine umwälzende Untersuchung »Die Antipoden des Geistes« auf der Konferenz vorgestellt hatte, unter anderem vom »goldenen Samen« geschrieben hatte. Offensichtlich sehen Menschen häufig diesen goldenen Samen, der die eigene Magie symbolisiert. Kranke suchen danach, und auch ich jagte ihm nach, in einem Tunnel voller Schatten von Händen, die im Weg standen. Ich sah die Seele meines Großvaters und fragte: »Wie geht es meinem Großvater?« Ich sah eine Menge rollender Kugeln, und dann zuckte ein weißes Licht darin auf, und ich hörte sein Lachen und konnte ihn riechen – und dann verschwand dieses Bild wieder. All das hatte sich in meinem Kopf abgespielt, ohne dass ich es bemerkt hatte.

A.A.: Und du hattest wirklich das Gefühl, dass gar nichts geschieht?

JP: Ja. Ich traute weder mir noch dem Erlebnis. Ich realisierte es erst anschließend. Am nächsten Tag fühlte ich mich erstaunlich. Ich hatte seit einigen Tagen nichts gegessen und die Nacht über nicht geschlafen und war trotzdem nicht müde. Ich fühlte mich wirklich gut, mit beiden Beinen auf dem Boden und insgesamt sehr viel energetischer. Auf der Straße lächelten mir die Menschen zu.

So ging ich guten Mutes zur zweiten Zeremonie. Wer wolle, könne etwas in die Mitte des Kreises legen, meinte Kajuyali zu Beginn. Da ich seit einiger Zeit das Gefühl hatte, ein Herz aus Glas zu haben, legte ich den Kristall in die Mitte. Die roten Steine, die das Blut des Jaguars repräsentierten, behielt ich bei mir, um meine versiegten kreativen Kräfte anzuregen.

Zunächst war es so wie beim ersten Mal. In meinem Kopf herrschte Stille, und ich bemerkte, dass ich überall hinreisen und alles fragen konnte. Ich bat darum, Gott zu sehen, und was ich anschließend in meiner Vision sah, war das Lustigste, das ich jemals gesehen hatte. Es hatte den Kopf eines chinesischen Drachen mit vielen Augen und einer langen Zunge, und er bewegte sich wie eine Krabbe seitwärts. Er schaute mich an, und alle Augen schlossen

Zeichnung aus Jolies Tagebuch nach der Zeremonie mit Hilario Chiriap. »Während der ersten Zeremonie durchlebte ich den Zustand eines Fötus, der gewaltsam aus dem Mutterleib herausgerissen wird. Ich sah die Seele meines ungeborenen Kindes als stachelige lila Kugel.«

und öffneten sich gleichzeitig. Ich konnte nicht aufhören, zu lachen. »Ich werde dir huldigen« sagte ich.

Ich habe nun ein Göttergefäß zu Haus, mit einem Bild dieses Gottes. Es steht hoch oben auf einem Regalbrett. Wann immer ich von irgendetwas beunruhigt bin, schreibe ich es auf und lege den Zettel in das Gefäß. So wurde dieser seltsame Gott mein Freund.

Dann spürte ich, wie in mir Schuldgefühle wegen des ungeborenen Kindes aufstiegen. Ich hatte eine sehr lebendige und intensive Vision, wie es aus der Gebärmutter schwamm. Die Vorstellung, dass es aus dem sichersten Ort der Welt einfach so beseitigt worden war, war ziemlich beklemmend. Als diese

Vorstellungen in mir aufstiegen, war es, als ob ich vor lauter Emotionen krank würde. Ich musste mich wieder und wieder übergeben. Aber das war für mich in Ordnung. Ich ließ es einfach geschehen. Ich wusste, dass mir letztlich kein Leid geschah und dass es wichtig war, dem allem freien Lauf zu lassen. Das war sehr entlastend.

(Von Kajuyali erfuhr Jolie, dass der Schwangerschaftsabbruch aus schamanischer Warte ein schwerwiegender Fehler gewesen war. Die Seele des ungeborenen Kindes bereitete ihr Qualen und musste besänftigt werden. Er instruierte sie, einen Smaragd in Wasser zu legen und davon jeden Tag zu trinken. Sie solle einen Mondstein bei sich tragen und für die Seele ihres Kindes und für Mutter Erde jeweils ein Opferritual durchführen. Während ihrer Menstruation solle sie einen schönen Ort in der Natur aufsuchen, einen Wald beispielsweise, und der Erde einige Tropfen ihres Blutes geben. Falls sie sich schuldig fühle, solle sie ihren Körper mit Brennnesseln schlagen.)

A.A.: Hast du diese Anweisungen befolgt?

JP: Die Nesseln waren nicht nötig. Nach der Zeremonie nahm ich den Kristall aus meinem Medizinbeutel und begrub ihn im Park beim Hotel. Ich begrub ihn anstelle des Embryos und sprach dabei ein Gebet. Ich bat die Seele meines ungeborenen Kindes um Entschuldigung. Mir erschien seine Seele, die diesen Kugeln ähnelt, die man manchmal auf Flyern von Raves sieht, welche rundum mit langen Tentakeln gespickt sind. Ich hatte sie auch während der Abtreibung gesehen. Es schien mir, als ob die Kugel mit den Tentakeln, was mir bislang gar nicht aufgefallen war, eine fremde Energie verkörpere, deren Auswüchse sich in meinem Inneren festgesetzt hatten. Und nun, da mich dieses Gebilde verlassen hatte, fühlte es sich an wie ein Umschlag, der prall gefüllt gewesen und nun plötzlich leer war. Nun war ich mir dieser Leere bewusst, und die Energie war deutlich anders als vorher, als das Gebilde so langsam in mir heranwuchs, dass ich es gar nicht bemerkt hatte. Nun aber bemerkte ich, dass vorher tatsächlich etwas dagewesen war. Später – nicht in derselben Nacht – begann ich kleine Kugeln um meinen Nacken wahrzunehmen, mit kleinen Auswüchsen, die sich ringsum schlängelten. Kajuyali hatte mir gesagt, dass man auch mit verstorbenen oder ungeborenen Kindern eine sehr gute Beziehung aufbauen könne ...

Als ich nach England zurückkehrte, suchte ich einen wunderschönen Ort auf, der Lewes heißt und wo die letzte Hexenverbrennung stattgefunden hatte. Ich dachte, dies sei der richtige Ort für das Ritual der Opferung meines Menstruationsblutes. Noch immer gibt es in der Nähe dieses Ortes viele verrückte Leute. Als ich mich auf den Weg machte, bemerkte ich, dass mir ein Rabe nachflog. Ich sah ihn einige Mal auf verschiedenen Bäumen, unter denen ich entlangging. Als ich am richtigen Ort angekommen war, vollzog

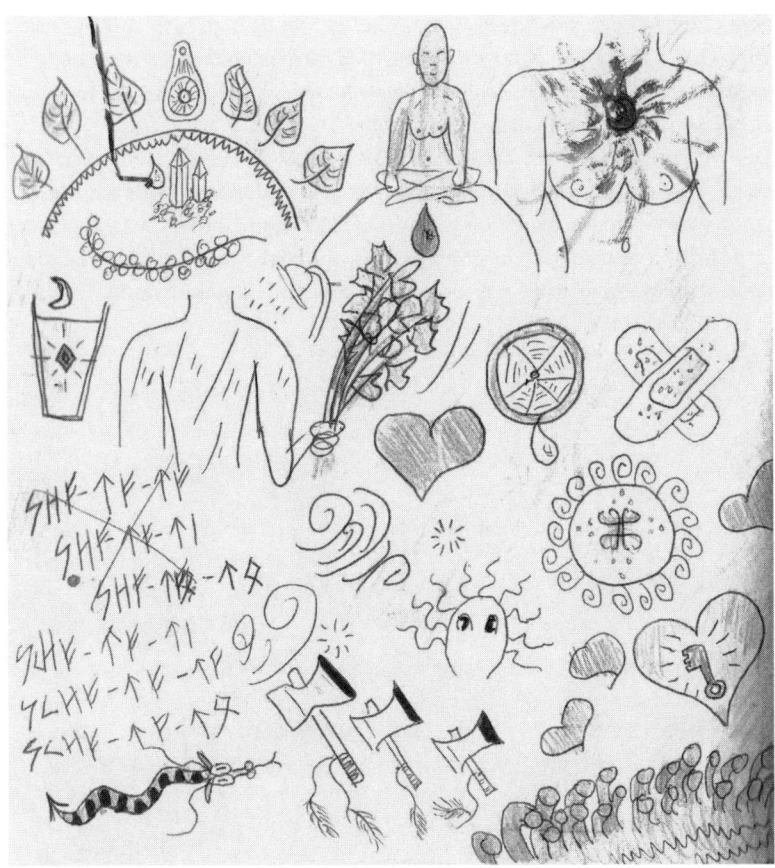

»Ich sah einen Meter über dem Boden eine Masse von Energie, die aus Millionen von Würmern und Schlangen in allen möglichen verschiedenen Farben bestand. Beim Einatmen inhalierte ich sie in meine Nase, wie wenn einem beim Tauchen Wasser in die Luftwege gerät. Dann wanderten sie durch meinen Körper, fraßen alles Übel und besonders die von Krankheitserregern befallenen Zellen in meiner Gebärmutter. Meine Vagina reagierte darauf mit heftigem Ausfluss. Als ich ausatmete, verwandelte sich mein Atem in weiße Federn. Vor mir blitzte die Seele meines Großvaters als Licht vor einer Menge farbiger Kugeln auf. Kajuyali und sein Assistent Jan-Frank konzentrierten ihre Heilung mit Hilfe von Trommeln, Blattfächern, einem Kristall und Räucherwerk auf mich.« Zeichnung aus Jolies Tagebuch)

ich das Blutopfer. Da landete der Rabe direkt vor mir auf dem Boden und verfolgte sehr aufmerksam meine Handlungen.

Ich habe also alles befolgt. Ich habe noch immer den Smaragd in einem Krug bei meinem Bett und trinke nach wie vor täglich das Wasser. Und in meinem Ring ist ein Mondstein.

A.A.: Kajuyali gab dir Anweisungen, die du alle befolgt hast. Alles hat sich zum Guten gewendet, und du fühlst dich wieder vollkommen gesund. Er sagte dir auch, dass die Seele des ungeborenen Kindes zu deinem Schutzgeist werden würde. Hast du davon etwas bemerkt?

JP: Vor einigen Wochen hatte meine Mutter einen Traum. Sie ist Christin, aber sie ist ein spiritueller Mensch, der für alles Mögliche offen ist. Sie war auf dem Sofa eingeschlafen und sah plötzlich meine Großeltern, ihren Vater und ihre Mutter, die schon gestorben sind. Meine Oma hielt ein Baby auf dem Arm. Meine Mutter fragte sie: »Warum hältst du ein Baby?« Und ihre

Zeichnung aus Jolies Tagebuch nach der Zeremonie mit Kajuyali. »Nach der zweiten Zeremonie fühlte ich mich großartig [siehe die rechte Ecke am oberen Bildrand]. Ich hatte den Vogel als mein Totemtier erkannt. Ich dachte an meinen Partner, der mich immer an den Herbst denken lässt, weil seine Augenfarbe eine Mischung aus Grün, Orange und Gelb ist. Ich vermisste ihn sehr.«

Mutter antwortete: »Sag Jolie, dass wir ihr Kind haben, es geht ihm gut.« Und vor einigen Wochen habe ich erfahren, dass die Abstrichtests nun ohne Erreger sind. Es ist also alles in Ordnung mit mir. Ich bekomme auch keine blauen Flecken mehr. Es geht mir fantastisch!

Bericht einer Heilung

Jessica Smith wurde während einer sehr intensiven Ayahuasca-Sitzung mit einem kolumbianischen Schamanen zweimal ohnmächtig. Der Schamane Kajuyali Tsamani half ihr, wieder zu Bewusstsein zu kommen. Den folgenden Bericht schrieb sie einige Tage später nieder.

»Ein Freund fragte mich und meinen Partner Robert, ob wir an einer schamanischen Sitzung mit dem kolumbianischen Schamanen Kajuyali Tsamani in Europa teilnehmen wollen. Der Genuss des Tranks aus einer südamerikanischen Liane würde eine innere spirituelle Reise von mehreren Stunden bewirken. Wir sagten ohne Zögern zu. Im Internet erfuhr ich, dass die Pflanze offensichtlich eine gründliche Reinigung des Körpers bewirkt und dass die inneren Reisen, die dadurch ausgelöst werden, aufregend und wundervoll, aber auch anstrengend und unangenehm sein können. Doch alle, die an solch einer nächtlichen Sitzung teilgenommen hatten, hätten dadurch ein vertieftes Verständnis in das eigene Selbst gewonnen und sich anschließend stärker und besser gefühlt. Diese Möglichkeit, mein Wohlbefinden zu steigern, wollte ich unbedingt nutzen.

Jolie vor (links) und nach dem Ritual (rechts). (Fotos: Akira Nachi)

Hier mein Bericht über die erste und wohl auch letzte Ayahuasca-Sitzung meines Lebens.

Die Sitzung wurde von einem kolumbianischen Schamanen geleitet, der ein- oder zweimal pro Jahr europäische Länder bereist, um Interessierten die Heilkraft der Pflanze zu vermitteln. Er sagte, die Menschheit leide an der Krankheit, ständig kämpfen zu müssen. Fortwährend kämpfe man mit Freunden, mit der eigenen Familie, mit der Natur und so fort. Die Dschungelmedizin brächte inneren Frieden, da sie den Körper nicht nur reinige und von Giftstoffen und Schlacken befreie, sondern auch die Augen öffne für das eigene Verhalten, das Leben und dafür, worum es letztendlich gehe.

Wir fanden uns in einem Raum voller Menschen wieder, die erwartungsvoll auf ihren Matten saßen und dem Moment entgegenfieberten, aufzustehen, zum Schamanen zu gehen und von ihm die Schale mit dem Trank entgegenzunehmen. Er schmeckte bitter. Aber ich dachte an Bier, und dieser Gedanke machte das Gesöff erträglich. Ich kehrte an meinen Platz neben Robert zurück. Bald sollte die Reise beginnen ...

Zuerst bedankte ich mich liebevoll bei der Pflanze, dass sie in mir anwesend war, und wurde dafür mit einem intensiven Gefühl von Liebe belohnt, das meinen Körper durchströmte. Es fühlte sich angenehm und entspannt an, und auf meinem Gesicht machte sich ein Lächeln breit, das nicht weichen wollte. Ich vertraute der Wirkung der Pflanze und war dankbar, dass sie mir diese ekstatischen Gefühle vermittelte. Ich war mir voll bewusst, dass dieses göttliche Gefühl nicht ewig währen würde. Ich hatte zu viele Geschichten gelesen, die das Gegenteil beschrieben. Doch vor diesem Hintergrund genoss ich meinen Zustand umso mehr und rollte mich wie eine schnurrende Katze zusammen, der Prüfung harrend, die mich erwartete.

Dann spürte ich, wie die Pflanze von meinem Körper Besitz ergriff, und mir wurde bewusst, dass der Prozess der Reinigung einsetzte. Mir war übel und seltsam zumute. Ich konnte mich hingeben, weil das »Gift« seine Wirkung tat und ich nicht mehr in der Lage war, mich aufrecht zu halten, zu sprechen oder meine Augen auch nur für wenige Sekunden zu öffnen. Es war der Beginn des Trips, und er würde keineswegs lustig werden ...

Ich sah alle möglichen Bilder vor meinem inneren Auge. Bei geschlossenen wie auch geöffneten Augen erschien alles in einem Muster aus blauen und roten Perlen. Ich sah blaue Himmel, Gestade, Wälder und Seen. Währenddessen hörte ich die Musik und den Gesang des Schamanen im Hintergrund. Es war das, was mich ›hier‹ sein ließ, das Einzige, das mich daran erinnerte, wo sich mein Körper befand.

Als die Musik lauter wurde, stieg ich zu einer anderen Ebene des Bewusstseins auf. Ich erinnere mich daran, dass ich in einem turmartigen Gebäude höher und höher flog. Dann war ich derart berauscht, dass ich nur noch erschöpft und mit geschlossenen Augen auf dem Boden liegen konnte. In mir drehte sich alles: Gedanken, Töne, Bilder, in einem Ansturm und einer Geschwindigkeit, dass ich glaubte, mein Körper würde sich auflösen. In diesem Augenblick wurde mir bewusst, dass ich die Kontrolle über mich aufgeben musste, und ich verstand, dass ich gewisse Grenzen überschritten hatte.

Trotz aller unangenehmen Aspekte dieser Situation – Übelkeit, Kontrollverlust und Verlust der gewohnten Funktionen – flüsterte mir die ganze Zeit eine innere, liebevolle und ruhige Stimme zu, die mich tröstete. Ich würde trotz allem innerlich gereinigt werden. Und alles, das meinem Körper fremd war, würde hinweggefegt werden.

Das gab mir die Kraft, dass ich Robert, wann immer er mich fragte, wie ich mich fühlte, immerhin zulächeln und seine Hand drücken konnte (denn in diesem Stadium war es mir unmöglich zu sprechen). Nach einigen Stunden konnte ich schließlich sitzen, und von da ab wurde alles langsam wieder normal.

Während meiner inneren Reise gab es zwei kritische Momente, die ich aufgrund von Blackouts nicht mehr erinnern kann. Das erste Mal versuchte ich mit Roberts Hilfe, über einer Schüssel zu erbrechen. Er erzählte mir später, dass ich dabei ohnmächtig wurde und dass mein Kopf in die Schüssel fiel. Er war schockiert und wandte sich augenblicklich an den Schamanen, da ich mich wie eine Epileptikerin verhielt und sich mein Körper unkontrolliert schüttelte.

Wiederum von Robert unterstützt, versuchte ich, zur Toilette zu gehen. Aber nach zwei, drei Schritten brach ich zusammen und fiel ohnmächtig zu Boden. Wieder half der Schamane, mich zurückzubringen.

Ich bin davon überzeugt, dass mir der Schamane den ganzen Trip hindurch half, bei Bewusstsein zu bleiben. Ich konnte seine kontinuierlichen Gebete und Gesänge in dem Bereich meines Gehirns wahrnehmen, der die ganze Zeit über im Augenblick verankert blieb.

Die Art und Weise, wie die Pflanze meinen Körper und Geist reinigte, war eine wirkliche Prüfung; zumindest empfand ich es so. Ich erinnere mich deutlich, dass ich dachte: ›Möglicherweise sterbe ich und komme nicht wieder zurück.‹

Gleichzeitig vertraute ich mir selbst und der Pflanze vollständig, und mir ist auch bewusst, dass ich das erleben musste. Im Rückblick kann ich mich glücklich schätzen, dass mir Robert zur Seite stand. Er war die ganze Zeit da und machte den Schamanen auf meinen Zustand aufmerksam. Robert, der Schamane und der Umstand, von Freunden umgeben zu sein, waren meine spirituellen Helfer, die ich gebeten hatte, mir beizustehen.

Ich bedaure nicht, dies erlebt zu haben. Am nächsten Tag fühlte ich mich wie neugeboren, und nun, zwei Tage später, fühle ich mich noch immer gut. Auf die Frage, wie man solch einen Kreis betritt, kann ich nur antworten: mit vollkommener Liebe und Vertrauen.«

Nach einem Jahr bat ich Jessica Smith um einen nachträglichen Rückblick auf ihre Erfahrung.

»Aus meinem Bericht wurde eines nicht deutlich – und zwar, dass ich zu dieser Zeit schon lange krank war. Kurz vor meiner Ayahuasca-Erfahrung attestierten Bluttests, dass ich seit vermutlich acht Jahren an der Lyme-Erkrankung litt – einer Infektion, die durch den Biss von Zecken ausgelöst wird, die von Parasiten befallen sind, was unter anderem zu Lähmungserscheinungen führen kann. Ayahuasca war daher für mich die alternative Medizin – außer Akupunktur und einer Reihe von homöopathischen Medikamenten.

Ich wurde davon geheilt, doch was mich letztlich heilte, ist unklar. Vielleicht war es eine Kombination der erwähnten Heilmethoden. Nach nunmehr einem Jahr fühle ich mich sehr gut. Abgesehen von einer kleineren Erkältung wurde ich seither nicht mehr krank. Früher wurde ich schon krank, wenn ich mich nur in der Nähe von jemandem aufhielt, der nieste. Inzwischen treibe ich wieder Sport und strotze vor Energie. Alles in allem hat sich meine Gesundheit und Widerstandskraft drastisch verbessert.

Die Ayahuasca-Erfahrung war ziemlich intensiv. Ich verspüre keinerlei Bedürfnis, an einer weiteren Sitzung teilzunehmen. Diese eine Sitzung reichte völlig aus und half mir einen großen Schritt weiter! Wer mich fragt, dem sage ich immer, dass es sich lohnt, mit einer bestimmten Intention an einer solchen Sitzung teilzunehmen. Ich wollte mich selbst heilen und meinen Gesundheitszustand verbessern. Und dieses Ziel habe ich erreicht.«

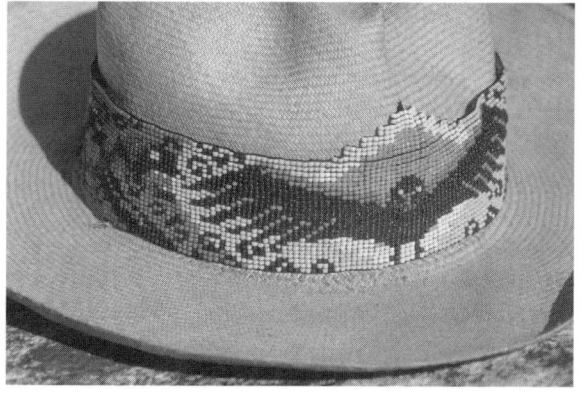

Arno Adelaars' »Reise«-Hut, der mit einer Perlenarbeit verziert ist. Sie beruht auf einer Vision von einem blauen Adler, der aus dem weißen Licht kommt. Der Adler wird von Jaguar und Anakonda eingefasst.

Kirchenmitglied und Austritt

Anna ist 51 Jahre alt, Mutter eines Sohnes und Großmutter. Sie ist in der Rezeption eines Konzerns angestellt. Seit dem Tod einer Freundin kümmert sie sich als Pflegemutter um deren 16-jährige Tochter. Anna war viele Jahre Mitglied der Amsterdamer Santo-Daime-Kirche. Sie trank einige hundert Male Ayahuasca. Nach ihrem Austritt aus der Kirche nahm sie an unterschiedlichen Ayahuasca-Ritualen teil.

Anna: 1993 erzählte mir eine Freundin von Ayahuasca. Man hatte bei ihr einen Gehirntumor diagnostiziert, und sie begab sich auf die Suche nach alternativen Heilmethoden. In Italien nahm sie ein Wochenende lang an einem Santo-Daime-Ritual teil. Damals hatte die brasilianische Santo-Daime-Kirche damit begonnen, in Europa Gottesdienste zu organisieren, zuerst in Spanien und dann auch in Italien. Dort besuchte ich sie. Sie spielte mir eine Kassette mit Santo-Daime-Musik vor und erzählte mir, was sie erlebt hatte. Sie hatte sich sehr übergeben müssen und lag regelrecht in einer Lache aus Erbrochenem. Es war eine heftige Geschichte. Ich weiß noch, dass ich ihr sagte, ich sei froh, keinen Gehirntumor zu haben, da ich mir nicht vorstellen könne, so etwas mitzumachen. Sie aber war sehr begeistert, und ich dachte mir:»Wenn man so krank ist, versucht man sicherlich alles Mögliche.«

Eine Weile später rief sie mich an. Sie erzählte, dass die Brasilianer in die Niederlande kommen würden, um Rituale durchzuführen. Ich wurde neugierig und war außerdem davon überzeugt, selbst Heilung nötig zu haben. Ich hatte zwar keinen Gehirntumor oder eine andere gravierende Krankheit, aber ich fühlte mich nicht wirklich gesund und auch nicht wohl in meiner Haut. Ich suchte nach einem tieferen Sinn in meinem Leben.

In der ersten Nacht bei Santo Daime gab es ein Tanzritual. Zunächst lenkte mich das ab, denn ich musste auf die Schrittfolge achten, im Takt bleiben und so ...

Ich hatte früher schon mal eine Tranceerfahrung gemacht und wusste, dass sich die Wirklichkeit von einem Augenblick zum anderen verändern kann. Auf die vorgeschriebenen Tanzschritte reagierte ich zunächst mit Widerstand und Ermüdung. Doch ich wollte diesen Widerstand überwinden und dabeibleiben, denn durch die gleichförmigen Bewegungen entwickelten wir einen gemeinsamen Energiefluss.

Dies fiel mir anfänglich schwer. Ich war nicht darauf vorbereitet, dass es so ermüdend sein würde. Nach dem dritten Glas musste ich erbrechen. Mir war schon vorher übel gewesen, und ich sagte das auch, bekam aber zu hören, dass ich dieses Glas noch trinken müsse, was ich dann auch tat. Ich fühlte mich wirklich jämmerlich und dachte:»Warum, in Gottes Namen, tue ich das überhaupt?« Kurz darauf fielen mir die Augen zu. Ich konnte sie einfach nicht mehr offen halten. Dann ergriff mich die Wirkung des Getränkes ganz und gar. Mich durchzuckte ein Blitz und die Vision eines Tempels, den ich betreten wollte. Dort gehörte ich hin, als wäre es mein Zuhause. Es war nur ein kurzer, sehr intensiver Moment, der mich trotz meiner Müdigkeit und meines Widerstandes mit Dankbarkeit darüber erfüllte, dass ich zwei Nächte hintereinander an dieser Erfahrung teilhaben konnte. Die folgende Nacht bescherte mir mehrere schöne Visionen. Meine Freundin Geraldine und andere sagten mir, dass Santo Daime ein Pfad der Disziplin sei. Er schien mir dafür geeignet zu sein, endlich »nach Hause« zu kommen.

Arno Adelaars: Kannst du dieses Gefühl näher beschreiben?

Anna: Es war ein Gefühl vollständigen Friedens. Das Gefühl, nach Hause zu kommen, bedeutete auch, bedingungslos geliebt zu werden und sich gänzlich angenommen zu fühlen. Das sind nur Worte, aber es war eine bildhafte Vision von Licht, das durch eine schmale Öffnung drang. Ich war so sehr davon beeindruckt, dass ich mich gleich für drei Nächte am folgenden Wochenende anmeldete, um dem Ritual von Padrinho Alfredo, einem spirituellen Leiter der Santo-Daime-Kirche[150], beizuwohnen.

Die erste Nacht war wunderbar. Ich fühlte mich, als wäre ich im Himmel. Ich hatte wunderschöne Visionen von Adlern und einem ganzen Firmament voller Augen. Es hätte nicht schöner sein können. Da wurde mir klar, dass ich *fardado* werden wollte, und ließ mich gleich am nächsten Abend in die Gemeinschaft einweihen. Ich bekam einen Stern angesteckt. Doch kurz darauf stellten sich gemischte Empfindungen ein. Zu dem Gefühl, nach Hause zu kommen, gesellten sich Zweifel. Nach dem Ritual fragte Padrinho Alfredo, ob jemand etwas sagen wolle; ich meldete mich und sagte, dass ich mich wohl doch nicht zum *fardado* eignen würde.

A.A.: Warum dachtest du das?

Anna: Es fiel mir sehr schwer, mich dem gemeinsamen Rhythmus der Tanzschritte anzupassen. Einerseits war ich der Meinung, dass ich Disziplin benötigte, andererseits aber hatte ich dazu keine Lust. Und diese beiden Stimmungen kämpften die ganze Zeit miteinander. Daraufhin antwortete Alfredo:»Wende dich mit dieser Frage an Gott.« Das war für mich eine wunderschöne und passende Antwort.

A.A.: Man sagt allgemein, dass man einem Weg folgt, wenn man Ayahuasca trinkt. Hast du das auch so erlebt? Stellst du bei den Erlebnissen, die du hat-

150 Die brasilianische Santo-Daime-Kirche hat verschiedene Sektionen und Ausrichtungen. Alfredo Mota de Melo ist Leiter der Cefluris-Sektion, einer Organisation, die auch außerhalb Brasiliens aktiv ist.

test, eine gewisse Entwicklung fest? Oder anders gefragt: Unterscheiden sich deine letzten Erfahrungen wesentlich von denen, die du am Anfang gemacht hast?

Anna: Ja, ich habe immer erlebt, dass ich mit meinen Ayahuasca-Erfahrungen einem Weg folge. Der Wert eines solchen Weges ist mir bewusst. Auch auf spiritueller Ebene bekommt man nichts geschenkt. Es ist ein Geben und Nehmen. Man bekommt nur dann etwas zurück, wenn man sich den Ritualen mit Hingabe und Disziplin widmet. Manchmal fiel mir auf, dass ich zu fanatisch bei der Sache war. Am Anfang setzte ich alles auf eine Karte. Heute falle ich nicht mehr so mit der Tür ins Haus. Ich widmete mich vollständig der Reinigung meines Körpers. Offensichtlich mit Erfolg, denn ich konnte mir das Rauchen und den übermäßigen Konsum von Alkohol abgewöhnen. Weil ich diesem Weg folge, konnte ich mich von diesen Süchten befreien. Es hat mir also viel gebracht.

A.A.: Deine Beschreibung bezieht sich auf die positiven Aspekte von Disziplin. Wenn man bereit ist, auf etwas zu verzichten, wird man dafür belohnt. Kannst du bitte deinen Weg mit Ayahuasca beschreiben? Was ist heute anders als vor sechs Jahren, als du am Anfang dieses Weges gestanden bist?

Anna: Das Gefühl, zu Hause zu sein, das mich anfänglich so faszinierte, erfahre ich inzwischen sehr viel deutlicher. An die Stelle ängstlicher Erwartungen traten mehr und mehr zuversichtliche und hoffnungsvolle Gefühle.

A.A.: Heißt das, dass ängstliche Stimmungen deutlich weniger wurden, oder treten sie inzwischen gar nicht mehr auf?

Anna: Ich gerate gelegentlich noch immer in ängstliche Zustände, aber sie tangieren mich weniger als früher. Ich würde nicht behaupten, davon gänzlich frei zu sein. Inzwischen aber habe ich so viele gute Erfahrungen mit Ayahuasca gemacht, dass ich zuversichtlicher bin, dass sich diese ängstlichen Stimmungen, falls sie wieder auftauchen, letztlich zum Guten wenden werden.

Ich traue mich heute auch, das den Menschen zu sagen, die zum ersten Mal an einem Ayahuasca-Ritual teilnehmen. Aus Erfahrung weiß ich, dass sich sogar schreckliche Todesängste zum Positiven wandeln können. Man gelangt dadurch zu Einsichten und betritt einen Raum, in dem man sich von vielen Lasten befreit fühlt. Heutzutage stelle ich mich mit hoffnungsvoller Gewissheit diesen Erfahrungen. Ich denke immer wieder: »Was kommt dieses Mal auf mich zu?« Denn man weiß letztlich nie, was einen erwartet.

Um für die Energiewellen der Ayahuasca-Wirkung gerüstet zu sein, bedarf es natürlich eines gewissen Trainings. Man muss lernen, sich hinzugeben und sich nicht zu wehren. Nur dann geht man unter dem Ansturm nicht mehr unter. Aber ich würde nicht wagen zu behaupten, dass mir das nach zehn Gläsern nicht mehr passieren könnte.

A.A.: Hat dir Ayahuasca etwas gegeben, das du auf andere Weise nie erfahren hättest?

Anna: Das ist schwer zu sagen. Ich weiß nicht, was ohne meine Begegnung mit Ayahuasca passiert wäre. Es hat mir jedenfalls unbeschreibliche Glücksgefühle vermittelt. Ich denke, dass dies letztlich zu meiner Heilung beigetragen hat. Diese Glücksgefühle vergisst man nie wieder.

A.A.: Vor einigen Jahren hast du die Santo-Daime-Kirche hinter dir gelassen.

Anna: Ja. Ich wusste immer, dass das geschehen wird; schon als ich *fardado* wurde. Geraldine sagte, sie würde bis an ihr Lebensende Ayahuasca trinken. Ich selbst hatte diesbezüglich von Anfang an meine Zweifel. Ich hatte plötzlich keine Lust mehr. Ich hatte immer Probleme mit dem Anspruch der Kirche, alles gemeinsam zu tun, und mit dem Getue, den Leitern der Gemeinde bedingungslos zu folgen. Zuerst hat es mich angesprochen, aber später wurde es mir mehr und mehr zuwider. Auch wenn man nicht verpflichtet war, etwas zu tun oder zu lassen, so gab es doch »Empfehlungen«, die einen gewissen Druck auf die Gemeinschaft ausübten.

A.A.: Fehlt dir die Kirche?

Anna: Nein. Nachdem ich aus der Kirche ausgetreten war, habe ich mindestens ein halbes Jahr, wenn nicht sogar länger, keine Ayahuasca mehr getrunken. Das lag nicht am »bitteren Trank«, sondern an der Struktur des Rituals.

A.A.: Inzwischen trinkst du Ayahuasca wieder, aber in einem freieren Kontext.

Anna: Ja. Ich finde die Idee einer Bruderschaft zwar nach wie vor schön – vor dem Hintergrund, dass die gesamte Menschheit letztlich eine Vereinigung von Brüdern und Schwestern ist. Doch das unterscheidet sich wesentlich von dem Slogan »Wir gegen den Rest der Welt«, der sich in solchen Gruppen zwangsläufig ziemlich schnell einstellt. Manchmal fehlt mir das gemeinsame Singen. Kürzlich nahm ich am Ritual eines Shuar-Schamanen teil, und für meinen Geschmack dauerte es ziemlich lange. Ich hätte lieber mit den anderen gesungen.

A.A.: Du hast nicht nur selbst viel getrunken, sondern auch sehr viele Menschen in diesem Zustand erlebt. Denkst du, dass manche Menschen Ayahuasca lieber nicht trinken sollten?

Anna: Ich würde nicht sagen, dass manche davon die Finger lassen sollten. Aber ich würde es auch niemandem empfehlen. Jeder muss seinen eigenen Weg zu dieser Erfahrung finden und aus eigenem Interesse und Antrieb kommen. Vielleicht kann man mit dieser Dschungelmedizin die Welt heilen – wie manche sagen. Doch ich habe auch ganz seltsame Dinge bei Ayahuasca-

Ritualen erlebt. Manche sind durch die enorme körperliche Reinigung des Gebräus förmlich explodiert. Andere durchlebten psychische Prozesse, durch die sie gänzlich die Kontrolle verloren und andere Mitglieder im Kreis aggressiv attackierten. Was auch immer geschieht – es hängt letztlich vom Einzelnen ab. Doch wenn jemand die bittere Brühe wirklich trinken möchte, sollte man es keinem verwehren.

A.A.: Denkst du, dass es Individuen gibt, die nach dem Ende der Wirkung in der Ayahuasca-Trance hängen bleiben?

Anna: Nein. Meiner Erfahrung nach nicht. Einem solchen Risiko würde ich mich nicht aussetzen. In all den Jahren habe ich niemals erlebt, dass sich jemand nach dem Ritual schlechter fühlte als vorher. Ich habe schon viele verrückte Menschen gesehen, die sich auf diese Erfahrung einließen. Ich habe niemals erwartet, dass sie anschließend völlig andere Menschen sein würden. Aber alle gingen erfrischt und bereichert aus diesen Erfahrungen hervor und profitierten letztlich davon.

Kürzlich hörte ich einen Schamanen sagen:»Ayahuasca ist eine Medizin aus dem Urwald. Dieses heilkräftige Geschenk der Natur gehört keinem Individuum, keinem Stamm, keiner Nation, sondern der gesamten Menschheit.«

Einige Zeit nach diesem Interview hörte Anna vollständig auf, Ayahuasca zu trinken – weil sie es nach eigener Aussage nicht mehr brauchte.

Arno Adelaars: Zum rechtlichen Status von Ayahuasca

Der rechtliche Status von Ayahuasca wird weltweit auf sehr unterschiedliche Weise definiert.

Etliche Regierungen betrachten den Trank als Droge, weil er DMT enthält. DMT zählt nach dem Übereinkommen über psychotrope Stoffe von 1976 zu den Drogen, die per Gesetz strengen Kontrollen unterliegen (und damit verboten sind). Der Internationale Suchtstoffkontrollrat der Vereinten Nationen (INCB = International Narcotic Control Board) in Wien, der über die Einhaltung dieses Abkommens wacht, äußerte jedoch in diesem Zusammenhang, dass Ayahuasca nicht zu den Drogen gehöre, die in die entsprechende Kategorie von Suchtstoffen und Rauschmitteln fallen. Der Trank und die Zutaten, aus denen er hergestellt wird, sind gemäß der Stellungnahme dieses Rates legal. Allerdings können nationale Gesetze die Erklärungen des INCB außer Kraft setzen.

In den Ländern, aus denen die Ayahuasca kommt, sind der Trank und seine pflanzlichen Zutaten legal. 1986 unternahm ein amerikanischer Geschäftsmann den Versuch, ein Patent für die Liane *Banisteriopsis caapi* anzumelden.

Der COICA (Coordinating Body for the Indigenous Organizations of the Amazon Basin, Koordination der Indigenen Organisationen des Amazonasbeckens) gelang es jedoch, erfolgreich gegen die entsprechende Entscheidung des US-amerikanischen Bundespatentamtes vorzugehen.[151] »Unsere Schamanen und Ältesten waren wegen dieses Patentes sehr besorgt. Jetzt haben sie Grund zum Feiern. Für indigene Völker auf der ganzen Welt ist dies ein historischer Tag!«, meinte der Inga-Schamane Taita Antonio Jacanamijoy, der allgemeine Koordinator der COICA aus Kolumbien, in diesem Zusammenhang.

In Peru, Ecuador und Bolivien ist der spirituelle und medizinische Gebrauch der Ayahuasca per Gesetz gestattet.[152] In Brasilien wurde Ayahuasca 1987 legalisiert; das entsprechende Gesetz wurde 1992 ratifiziert. In den Ayahuasca-Kirchen darf während der Gottesdienste Ayahuasca als Sakrament getrunken werden. Ein Regierungsausschuss untersucht unterdessen, wie mit anderen Zeremonien umgegangen werden soll.[153] Auch in Kolumbien ist der traditionelle Gebrauch von Ayahuasca gestattet. Einige Schamanen machen sich jedoch Sorgen darüber, ob dies auch in Zukunft der Fall sein wird, da die kolumbianische Regierung den US-amerikanischen Krieg gegen Drogen unterstützt.[154]

In den USA ist der rechtliche Status des Trankes umstritten. Alan Shoemaker, ein US-Amerikaner, der in Peru lebt, saß ein Jahr lang in Haft, weil er entsprechende Pflanzen in die Vereinigten Staaten eingeführt hatte, kam dann aber frei. Ein Paar in Colorado, dem ein peruanischer Schamane Ayhahuasca geschickt hatte, wurde freigesprochen. Sowohl die Santo-Daime-Kirche als auch die União do Vegetal (UDV) kämpfen in den USA um die freie Ausübung ihrer Religion. Die Regierung argumentiert, dass der Trank in der Liste der streng kontrollierten Drogen geführt werde, weil er DMT enthalte. Die Ayahuasca-Kirchen wiederum bringen vor, das gleiche Recht zu haben, den Trank für sich zu nutzen, wie die Native American Church, die den Meskalin enthaltenden Peyote-Kaktus in ihren Gottesdiensten verwenden darf. Sowohl Meskalin als auch DMT gehören in den USA zu den streng kontrollierten Substanzen.

Der Rechtsstreit zwischen den beiden Ayahuasca-Kirchen und der US-Regierung zieht sich jetzt schon über viele Jahre hin. Jeffrey Bronfman, der Präsident der UDV in den Vereinigten Staaten, stammt aus einer gut situierten Familie, und die ihm dadurch zur Verfügung stehenden Geldmittel erlau-

---

151 Environmental News Service, 5. November 1999.
152 Persönliche Mitteilung von Alan Shoemaker, 2000.
153 Persönliche Mitteilung von Dr. Bia Labate, 2005.
154 Kajuyali Tsamani, in einem persönlichen Gespräch, 2005.

ben es ihm, ein Team guter Rechtsanwälte für seine Sache einzusetzen. Das Verfahren um die UDV wurde mittlerweile an den Supreme Court, das Oberste Bundesgericht in Washington, verwiesen und damit an die höchste gerichtliche Instanz in den USA.

Kanada stuft den Ayahuasca-Trank als illegal ein, weil er Harmalin, eine in diesem Land verbotene Substanz, enthält. Nach dem kanadischen Staatsanwalt Joe Chapman[155] bringt es diese Entscheidung mit sich, dass in Kanada bei spirituellen Zeremonien keine illegalen Substanzen verwendet werden dürfen. Allerdings bleibt die Anwendung der traditionellen Medizin davon unberührt.

In Australien wurde der Leiter einer Zeremonie, der 2005 eine geringe Menge Ayahuasca importiert hatte, freigesprochen.

Im Herbst 1999 drang in verschiedenen Ländern der Europäischen Union die Polizei während laufender Gottesdienste in Santo-Daime-Kirchen ein. In einigen Ländern wurde gegen die Kirchenführer allerdings keine Anklage erhoben, beispielsweise in Deutschland. Die deutschen Behörden machten aber deutlich, dass die Verwendung von Ayahuasca unter keinen Umständen gestattet würde.

In Frankreich saßen die Kirchenführer etliche Monate in Haft, wurden jedoch 2005 freigesprochen. Einige Monate später nahm die französische Regierung den Trank und dessen pflanzliche Bestandteile in die Liste verbotener Substanzen auf. Auch die in Ayahuasca-Analogen verwendeten Pflanzen wie *Peganum harmala* und *Mimosa hostilis* wurden verboten. Die Santo-Daime-Kirche in Frankreich hat gegen diese Entscheidung Einspruch erhoben.

In Italien nahm die Polizei 2005 Mitglieder der Santo-Daime-Kirche fest und klagte sie wegen Besitzes einer verbotenen Substanz und wegen illegalen Handels an.

In anderen europäischen Ländern wie Spanien, Portugal, Österreich, Belgien, der Schweiz, Großbritannen und Irland ist die rechtliche Situation teilweise unklar. In den Niederlanden hat die Santo-Daime-Kirche ein Verfahren gewonnen. Die Argumentation der Verteidigung stützte sich dabei auf internationale Abkommen und nicht auf die nationalen niederländischen Gesetze.

Religionsfreiheit und das Übereinkommen über psychotrope Stoffe
Am Freitag, den 23. März 2001, erschien eine Leiterin der niederländischen Santo-Daime-Kirche in Amsterdam vor Gericht, weil sie des illegalen Be-

155 Michael ERSKINE: »Ecuadorian Healers See Day in Court«, in: *The Manitoulin Expositor*, 30. April 2003.

sitzes und Transportes einer Droge der Kategorie I, die den schärfsten Kontrollen unterliegt, angeklagt war. Geraldine Fijneman leitet den Amsterdamer Zweig der in Brasilien beheimateten Santo-Daime-Kirche und war am 6. Oktober 1999 während eines Gottesdienstes in einer Kapelle in Amsterdam verhaftet worden.

Die von der Polizei beschlagnahmte Ayahuasca wurde in einem Gerichtslabor untersucht. 0,02 Prozent der getesteten Flüssigkeit bestanden aus DMT. DMT zählt nach dem niederländischen Opiumgesetz zur Drogenkategorie I und damit zur gleichen Klasse wie Heroin, Kokain und andere sogenannte »harte Drogen«.

Eine ganze Reihe von Experten erläuterte die verschiedenen wissenschaftlichen Aspekte dieses Falls. Der Toxikologie-Professor de Wolff schrieb in einem Bericht für den Untersuchungsrichter, dass die Verwendung von DMT keine Gefahr für die öffentliche Gesundheit darstelle. Er zitierte von Callaway, McKenna und Grob im Jahre 1996 durchgeführte Forschungen über die UDV in Manaus und verglich den Ayahuasca-Gebrauch mit der rituellen Verwendung psilocybinhaltiger Pilze bei den Mazateken.

Ein Missbrauchspotenzial war für de Wolff bei der Verwendung von Ayahuasca nicht erkennbar. Zwar hielt er es für möglich, dass einige, die Erfahrungen mit Ayahuasca gemacht hatten, ein gewisses Verlangen danach verspürten, meinte jedoch, dass dieser Drang nicht stärker sei als beispielsweise das Verlangen nach Lakritze oder eingelegtem Hering – also typisch niederländischen Delikatessen.

Ferner ließen sich keine wissenschaftlichen Gründe dafür nennen, DMT als harte Droge im Sinne des niederländischen Opiumgesetzes anzusehen. Die Substanz finde sich nur deshalb in dieser Kategorie, weil sie im Übereinkommen über psychotrope Stoffe aufgeführt werde. Das wiederum bedeute jedoch, dass es nur internationale politische Gründe für eine Aufnahme von DMT in diese Liste gebe und Überlegungen zu Gefahren für die öffentliche Gesundheit dabei keine Rolle gespielt hätten. Auch alle anderen befragten Experten kamen zu dem Schluss, dass DMT die öffentliche Gesundheit nicht bedrohe. Einige brachten ihre Überzeugung zum Ausdruck, dass Ayahuasca Heilkräfte besitze und auch von medizinischem Nutzen sei.

Geraldine Fijneman, die Leiterin des Amsterdamer Zweiges der Santo-Daime-Kirche, wurde freigesprochen. Richter Marcus und seine zwei Kollegen kamen zu dem Urteil, dass Frau Fijneman zwar nachweislich eine DMT enthaltende Substanz besessen, transportiert und verteilt hatte, ihr verfassungsmäßig garantiertes Grundrecht auf freie Ausübung ihrer Religion jedoch respektiert werden müsse.

Das Gericht war in Übereinstimmung mit der Verteidigung der Ansicht, dass die Santo-Daime-Kirche eine ernsthafte und echte Religion sei und dass Ayahuasca, obwohl es die verbotene Substanz DMT enthalte, als heiliges Sakrament gelten könne, ohne das es der Beklagten nicht möglich sei, ihre Religion auszuüben.

Das Gericht erklärte daher, dass gemäß Artikel 9 Absatz 2 der Europäischen Konvention zum Schutz der Menschenrechte jede Person das Recht auf Ausübung ihrer Religion besitze, solange dies keine Gefahr für die öffentliche Sicherheit, die öffentliche Ordnung und die öffentliche Gesundheit oder einen Verstoß gegen die guten Sitten darstelle.

Der Staatsanwalt hatte argumentiert, Ayahuasca berge Gefahren für die öffentliche Gesundheit, hatte aber keine Beweise für Gefahren vorlegen können, die mit der Verwendung von Ayahuasca im Rahmen eines Gottesdienstes der Santo-Daime-Gemeinschaft verbunden waren. Richter Marcus erklärte, dass der Toxikologe und Zeuge de Wolff in seinem Gutachten zu dem Schluss gekommen sei, gegenwärtig seien mit der Verwendung von Ayahuasca im Rahmen eines Gottesdienstes der Santo-Daime-Gemeinschaft keine Gefahren für die öffentliche Gesundheit verbunden. Dieses Fehlen von Gefahren für die öffentliche Gesundheit und das Gewicht, das dem verfassungsmäßig garantierten Recht auf Religionsfreiheit zukomme, ließ das Gericht am Ende sein Urteil zu Gunsten der Beklagten fällen.

Glossar

abuel(it)o, -a	span. »Großvater, Großväterchen«; Anrede für kolumbian. Schaman(inn)en.
aguardiente	span. »Schnaps«.
ayahuasquero, -a	männliche oder weibliche Person, die in ihrer Gemeinschaft als Heiler(in) gilt und über die (langjährige) Erfahrung verfügt, um Ayahuasca-Rituale leiten zu können.
Barquinha	bras. Bewegung; Person, die sich von der Santo-Daime-Kirche abgespalten und eine eigene Bewegung gegründet hat.
brujo, -a	span. »Hexer«, »Hexerin«.
brujeria	span. »Hexerei«.
calabaza	span. »Kalebasse«.
campesino	span. »Bauer«.
cantador, -a	span. »Sänger«, »Sängerin«.
chacapa	Fächer aus den Blättern einer kleinen Palmenart, mit dem während der Zeremonie atmosphärische Geräusche und Rhythmen erzeugt werden.
chicha	vergorenes Getränk (Bier) aus Mais, Maniok, Knollen, Palmen oder Früchten (indian. Tradition).
chonta	bedeutet »Pfeil« und im übertragenen Sinne auch Griff (z.b. einer Rassel) aus dem extrem harten Holz bestimmter Palmenarten wie *Astrocarjum sp.*
chumbe	Vier Meter langes gewebtes, farbiges Band (Gürtel), das traditionell zum Schutz des Hauses bzw. einer Person dient.
chunduro	Etymologisch als »Kondorpflanze« zu deuten. Speziell in Kolumbien Bezeichnung für verschiedene Arten des Zypergrases (Cyperus) mit aromatischem Duft.
corona	span. »Krone«; schamanische Federkrone, Stirnband.
curaca	»Heiler« in der Sprache der Inga-Indianer, Sibundoy-Tal, Kolumbien.
curanderismo	span.; volkstümliches Heilsystem mit Spezialistentum.
curandero, -a	span. »Volksheiler«, »Volksheilerin« (Peru).
Daime	bras. Bezeichnung für 1. den Ayahuasca-Trank, 2. eine kirchliche Bewegung, 3. ein Ritual.
daimista	Anhänger der bras. Santo-Daime-Kirche.
fardado, -a	bras.; Mitglied der Santo-Daime-Kirche.

floripondio	span.; der in Lateinamerika gebräuchlichste Name für Engelstrompete (Brugmansia). Manchmal auch Spitzname für Homosexuelle.
Hang	in der Schweiz neu entwickeltes metallenes Percussionsinstrument, das eine Weiterentwicklung der karibischen Steeldrum darstellt.
hinario	Hymne der Santo-Daime-*Kirche*.
huaira sacha	Palmwedel; siehe *chacapa*.
icaro	Melodie, die traditionell unter den *ayahuasqueros* weitergegeben oder persönlich von den Pflanzengeistern empfangen wird.
Indio	genetisch gemischter Indianer ohne linguistische oder ethnische Zugehörigkeit.
jurema	bras. Tee aus *Mimosa-hostilis*-Blättern.
Karma	Sanskrit; hinduist. Schicksalslehre, die im Wesentlichen besagt, dass man sich der Konsequenzen seiner Handlungen bewusst sein solle.
kira	Unterirdischer Ritualraum der Pueblo-Indianer im Südwesten der USA.
lingua geral	bras.»allgemeine Sprache«; Umgangs-, Verkehrssprache.
mal aire	span.»schlechte Luft«,»böser Wind«.
mal de ojo	span.»böser Blick«.
maloca	zeremonielles Rundhaus ethnischer Gemeinschaften im Amazonasgebiet.
maloquero, -a	span.; Eigner(in) der *maloca*.
mambeadero	span. (Sing.); der zentrale Bereich einer *maloca*, der dem Konsum heiliger Pflanzen und somit den Schamanen und»Wissenden« vorbehalten ist.
mambeo	span.»im Mund behalten«; im übertragenen Sinne »zuhören«.
mapacho	span.; traditionell hergestellte Zigarren aus stark nikotinhaltigen Blättern von *Nicotiana tabacum*.
maraca	Rassel aus Baumkürbisfrüchten *(Crescentia cujete L.)*.
medicina poderosa	span.»kostbares Heilmittel«.
meraya	Shipibo; Meisterschamane.
mesa	Tisch mit Ritualgegenständen; temporärer Altar für entheogene Zeremonien in Lateinamerika.
Mestizo	span.; Mestize = Mischling von indian. und europ. Abstammung, der nur Spanisch spricht.

mestre	span.; Ritualleiter und höher gestellte Persönlichkeit brasilianischer Ayahuasca-Kirchen.
milpa	durch partielle und temporäre Rodung angelegtes Maismischfeld.
padrinho	bras.»Väterchen«; respektvoller Titel im Sinne von »Meister«.
payés	in Tukano-Sprachen Name für »Schamane«.
pinta	1. Vision; aus dem span. *pintura* abgeleitet (*una buena pinta* – »schöne Bilder«: Wunsch zu Beginn einer entheogenen Sitzung); 2. DMT-haltige Blätter des Ayahuasca-Tranks.
Psychonaut	Reisender in die inneren Räume des Bewusstseins; von dem dt. Schriftsteller Ernst Jünger (1899–2001) geprägter Begriff.
quené	Shipibo: «Muster».
remedio	span.»Heilmittel« (Einzeldroge),»Hausmittel«.
sacha	Quechua »Wald«,»Geist des Waldes«,»Pflanzengeist«.
Santa María	span.»heilige Maria«: Bezeichnung für Marijuana innerhalb der Santo-Daime-Kirche.
sahumerio	= *zahumerio*; span.»Räucherwerk«.
Set	engl.; die psychoemotionale Befindlichkeit des *Psychonauten* vor und während der entheogenen Erfahrung.
Setting	engl.; die umgebenden Bedingungen (Ort, Atmosphäre, Menschen) während der entheogenen Erfahrung. Die Begriffe *Set* und *Setting* wurden von Timothy Leary (1920–1996) als wesentlich bestimmende Faktoren der psychedelischen Erfahrung definiert.
Taita	Respektvolle Anrede in Kolumbien für einen alten Schamanen, der Schüler hat.
tigre	span.»Tiger«; (irreführende) Bezeichnung für den Jaguar (*Felis onca*) in Lateinamerika.
tsentsak	Shuar; Hilfsgeist/Geisthelfer.
uwishin	Shuar; Schamane.
vegetalista	span.»pflanzenkundiger Heiler«.
Yagé	andere Bezeichnung für Ayahuasca.
yoshinbo	Shipibo; unsichtbare Geister.
Yopo	DMT-haltiges Schnupfpulver.
zahumerio	= *sahumerio*; span.»Räucherwerk«.

Literatur

In dieser Bibliografie sind die von uns zitierten Literaturstellen sowie weiterführende Literatur und Standardwerke aufgeführt. Wer sich in die Fachliteratur zu den einzelnen Pflanzen vertiefen möchte, kann in der *Enzyklopädie der psychoaktiven Pflanzen* (RÄTSCH 1998) unter den entsprechenden Einträgen nachschlagen.

ADELAARS, Arno
2003   *Alles über Psilos. Handbuch der Zauberpilze* (3., überarbeitete Neuaufl.), Solothurn: Nachtschatten.

ADELAARS, Arno, Christian RÄTSCH und Alan SHOEMAKER
1998   *Ayahuasca. Die Reise zum Ursprung der Kultur*, Solothurn: Nachtschatten (ein Teil der Auflage erschien zusammen mit der gleichnamigen CD von BODH GAYA als Paket).

ALARCÓN GALLEGOS, Rocío
1988   *Etnobotanica de los Quichuas de la Amazonia ecuatoriana*, Guayaquil: Museos del Banco Central del Ecuador (Miscelánea Antropológica Ecuatoriana, Serie Monográfica 7).

ALLENDE, Isabel
2002   *Die Stadt der wilden Götter*, Roman, Frankfurt a.M.: Suhrkamp.
2003   *Im Reich des Goldenen Drachen*, Roman, Frankfurt a.M.: Suhrkamp.

ALVORD, Lori Arviso, und Elizabeth Cohen VAN PELT
1999   *The Scalpel and the Silver Bear. The First Navajo Woman Surgeon Combines Western Medicine and Traditional Healing*, New York et al.: Bantam Books.

ANDRITZKY, Walter
1987   »Die Volksheiler in Peru während der spanisch-kolonialen Inquisition«, in: *Anthropos* 82, S. 543–566.
1989 a *Schamanismus und rituelles Heilen im Alten Peru*, 2 Bde, Berlin: Clemens Zerling.
1989 b »Ethnopsychologische Betrachtung des Heilrituals mit Ayahuasca *(Banisteriopsis caapi)* unter besonderer Berücksichtigung der Piros (Ostperu)«, in: *Anthropos* 84, S. 177–201.
1989 c »Sociopsychotherapeutic Functions of Ayahuasca Healing in Amazonia«, in: *Journal of Psychoactive Drugs* 21 (1), S. 77–89.
1994   »Musik, Gesang und Tanz in der traditionellen andinen Medizin«, in: Max Peter BAUMANN (Hg.), *Kosmos der Anden*, München: Diederichs, S. 359–400.
1995   »Sakrale Heilpflanzen, Kreativität und Kultur: indigene Malerei, Gold- und Keramikkunst in Peru und Kolumbien«, in: *Curare* 18 (2), S. 373–393.
1998   »Kultur und Kunst als ›Übergangsobjekte‹: Kulturell integrierter Gebrauch von Ayahuasca und San Pedro in Peru und Kolumbien«, in: Franz-Theo GOTTWALD und Christian RÄTSCH (Hg.), *Schamanische Wissenschaften*, München: Diederichs, S. 205–225.
1999   *Schamanische Heilgeheimnisse. Die Wiederentdeckung der magischen Medizin*, Bergisch Gladbach: Bastei-Lübbe.
2000   »›Dschungeluniversitäten‹ der traditionellen Heilkunst in Peru: Ein Seminarbericht«, in: *Naturheilpraxis* 53 (4), S. 646–650.

ANDRITZKY, Walter, und Stefan TREBES
1996   »Vision, Kreativität, Heilung: Das konstruktive Potential sakraler Heilpflanzen in der Industriegesellschaft«, in: *Jahrbuch für Transkulturelle Medizin und Psychotherapie* 6 (1995), S. 381–408.

ANHALT, Stephan
1999   »Tropische Nutzpflanzen – aus der Schatzkammer unserer Erde«, in: *Der Palmengarten*, Sonderheft 30, S. 7–10.

ANNESTAY, Jean
1991 *Moebius/Jodorowsky. Die Geheimnisse des Incal*, Hamburg: Carlsen.

ANONYM
2002 »Aufzuchttipps für exotische Pflanzen«, in: *Entheogene Blätter*, 2002, S. 36–42.

ARÉVALO VALERA, Guillermo
1989 »Gedanken zur traditionellen Medizin«, in: Christian KOBAU (Hg.), *Amazonas – Mae Mañota*, Graz: Leykam, S. 179–181.
1994 *Medicina indígena Shipibo – Conibo. Las plantas medicinales y su beneficio en la salud*, Lima: Edición Aidesep.

ARTAUD, Antonin
1975 *Die Tarahumaras*, Hamburg: Rogner & Bernhard.

ARVIGO, Rosita und Michael BALICK
1994 *Die Medizin des Regenwaldes. Heilkraft der Maya-Medizin. Die 100 heilenden Kräuter von Belize*, Aitrang: Windpferd.

ATTIMONELLI, Alex
2004 »Die Reise ins Ich«, in: *Cinema* 07/04, S. 56–60.

AYENSU, Edward S. (Hg.)
1981 *Der Dschungel. Die letzten tropischen Urwälder der Erde*, München: Christian.

BAER, Gerhard
1984 *Die Religion der Matsigenka, Ost-Peru*, Basel: Wepf.
1986 »»Der vom Tabak Berauschte‹. Zum Verhältnis von Rausch, Ekstase und Wirklichkeit«, in: *Verhandlungen Naturf. Ges. Basel* 96, S. 41–84.
1987 »Peruanische *ayahuasca*-Sitzungen«, in: Adolf DITTRICH und Christian SCHARFETTER (Hg.), *Ethnopsychotherapie*, Stuttgart: Enke, S. 70–80.

BALDUS, Herbert (Hg.)
1986 *Die Jaguarzwillinge. Mythen und Heilbringergeschichten, Ursprungssagen und Märchen brasilianischer Indianer*, Leipzig/Weimar: Kiepenheuer.

BALLADELLI, Pier Paolo, und J. Miguel COLCHA
1990 *Entre lo magico y lo natural. La Medicina Indigena – Testimonios de Pesillo*, Quito: Ediciones Abya-Yala (2. Aufl.).

BARAJAS, Cristina (= Barajas Sandoval, Luz Cristina)
2000 *Sentir Verano. Significaciones de la enfermedad y su curación en los Andes Columbinos*, Bogotá: CEJA.

BARRADAS, José Perez de
1957 *Plantas magicas americanas*, Madrid: Inst. Bernardino de Sahagún.

BASTIEN, Joseph W.
1987 *Healers of the Andes: Kallawaya Herbalists and Their Medicinal Plants*, Salt Lake City: University of Utah Press.

BAUMANN, Peter und Erwin PATZELT
1981 *Erinnerungen eines Kopfjägers: Moquimbo erzählt von Leben, Traum und Magie im Amazonas-Regenwald*, Frankfurt/M.: Fischer.

BAUMSTARK, Reinhold, und Michael KOCH (Hg.)
1995 *Der Gral. Artusromantik in der Kunst des 19. Jahrhunderts*, Köln: DuMont, Katalog des Bayerischen Nationalmuseums, München.

BEAR, Jaya
2000 *Amazon Magic. The Life Story of Ayahuasquero and Shaman Don Agustín Rivas Vasquez*, Taos, NM: Colibri Publishing.

BERENDT, Joachim-Ernst
1985 *Nada Brahma. Die Welt ist Klang*, Reinbek: Rowohlt.

BERGER, Markus
2002 *Psychoaktive Kakteen. Mehr als 293 entheogene Kakteen-Arten aus 72 Gattungen,* Löhrbach: Edition Rauschkunde.
2003 *Stechapfel und Engelstrompete. Ein halluzinogenes Schwesternpaar,* Solothurn: Nachtschatten.

BERGER, Mik
2001 *Kolumbien – sí o no? Eine Reise in die Rumba,* Norderstedt: Sonrrie.

BLÄTTER, Andrea
1994 »Der erlernte Rausch«, in: *Jahrbuch für Ethnomedizin und Bewusstseinsforschung 2* (1993), S. 119–145, Berlin: VWB.

BOGERS, Hans
1995 *De Santo Daime Leer. Ayahuascagebruik in een religieuze setting,* in: *PAN Forum 1,* S. 2–10.

BOGERS, Hans, Stephen SNELDERS und Hans PLOMP
1994 *De Psychedelische (R)evolutie. Geschiedenis van, en recente ontwikkelingen in het onderzoek naar veranderende bewustzijnsstaten,* Amsterdam: Bres.

BRELET-RUEFF, Claudine
1975 *Medécines traditionnelles sacrées,* Paris: CELT.

BREMER, Georg
1996 *Unter Kannibalen. Die unerhörten Abenteuer der deutschen Konquistadoren Hans Staden und Ulrich Schmidel,* Zürich: Schweizer Verlagshaus Buchverlag.

BRAUNE, Hella, und Frank SEMPER
2001 *Nah Dran – Kolumbien,* Hamburg: SEBRA (2., neu bearbeitete Aufl.).

BRISTOL, Melvin Lee
1965 *Sibundoy Ethnobotany,* Cambridge, MA: Harvard University, Dissertation, unveröffentlichtes Manuskript.
1968 »Sibundoy Agricultural Vegetation«, in: *Actas y Memorias, 37 Congreso Internacional de Americanistas,* Buenos Aires.

BROWN, Michael F.
1928 *Tsewa's Gift. Magic and Meaning in an Amazonian Society,* Washington D.C.: Smithsonian Institution Press.

BURROUGHS, William S.
1953 (= William LEE) *Junkie. Confessions of an Unredeemed Drug Addict,* New York: Ace Books (dt. Ausgabe: *Junkie. Bekenntnisse eines unbekehrten Rauschgiftsüchtigen,* Reinbek: Rowohlt 1999).
1959 *Naked Lunch,* San Francisco: Grove Press/Castle Books.
1962 *Naked Lunch,* Frankfurt a.M./Berlin: Limes.
1963 *Junkie. Bekenntnisse eines unbekehrten Rauschgiftsüchtigen,* Wiesbaden: Limes.
1978 *Werke,* hg. und übers. von Carl Weissner, Frankfurt a.M.: Zweitausendeins.
1989 *Das Buch vom Aaatmen,* Rheinberg: ZERO.
1984 *The Burroughs File,* San Francisco: City Lights Books.
1985 *Queer,* Viking Penguin Inc. (London: Picador 1986).
1986 *Dead Roads,* München: Goldmann.
1991 *Interzone,* hg. von James Grauerholz, Frankfurt a.M./Berlin: Limes (ursprüngliche Fassung von *Naked Lunch*).
1996 *My Education – A Book of Dreams,* New York: Penguin Books.
1998 *Word Virus. The William S. Burroughs Reader,* hg. von James Grauerholz und Ira Silverberg, New York: Grove Press.
1999 *Naked Lunch,* Reinbek: Rowohlt.
2002 »Auf der Suche nach Yage«, in: Ulf MÜLLER und Michael ZÖLLNER (Hg.), *Der Haschisch-Club. Ein literarischer Drogentrip,* o.O.: Tropen, S. 97–111.

BURROUGHS, William, und Allen GINSBERG
1964   *Auf der Suche nach Yage*, Wiesbaden: Limes.
CALVO, Cesar
1995   *The Three Halves of Ino Moxo. Teachings of the Wizard of the Upper Amazon.*
Rochester, VT: Inner Traditions.
CARRASCO (MONTESINOS), Iván
2003   »Miazal, donde la ayahuasca y la brujería corren por las venas«, in: *Cáñamo* 68,
S. 102–105.
2004   »La burundanga que vuelve zombis a las gentes«, in: *Cáñamo* 73, S. 110–111.
CASTRO CAYCEDO, Germán
1996   *La bruja. Coca, política y demonio*, Bogotá: Editorial Planeta.
CAYÓN, Luis
2002   *En las aguas de Yuyuparí. Cosmología y chamanismo Makuna*, Bogotá: Universidad
de los Andes (Estudios Antropológicos No. 5).
CHAGNON, Napoleon
1977   *Yanomamö. The fierce people*, New York et al.: Holt, Rinehart and Winston.
1994   *Die Yanomamö. Leben und Sterben der Indianer am Orinoko*, Berlin: Byblos.
CHARLIER, Jean-Michel, und Jean GIRAUD
2004   *Blueberry – Superstition Mountains. Die vergessene Goldmine. Das Gespenst mit den
goldenen Kugeln*, Köln: Ehapa Comic Collection im Egmont vgs.
CHAUMEIL, Jean-Pierre
1983   *Voir, Savoir, Pouvoir. Le chamanisme chez les Yagua du Nord-Est peruvien*, Paris:
Éditions de l'École des Hautes Études en Sciences Sociales.
CHAVARRÍA, Daniel
1996   *Die Wunderdroge*, Roman, München: Heyne.
CIVRIEUX, Marc de
1980   *Watunna. An Orinoco Creation Cycle*, Berkeley: North Point Press.
CLOTTES, Jean, und David LEWIS-WILLIAMS
1997   *Schamanen. Trance und Magie in der Höhlenkunst der Steinzeit*, Sigmaringen:
Thorbecke (Originalausgabe Paris: Éditions du Seuil 1996).
COELHO, Vera Penteado
1986   *Die Waurá. Mythen und Zeichnungen eines brasilianischen Indianerstammes*,
Leipzig/Weimar: Gustav Kiepenheuer.
CORREDOR, Blanca de
1989   »Yajé: Regalo de los dioses«, in: *Chamanismo. Un arte del saber*, Bogotá: Anaconda
Editores, S. 21–46.
COTTE, Roger
1992   *Kosmische Harmonien. Die Symbolik in der Musik*, München: Diederichs.
COUSTO, Hans
1995   *Vom Urkult zur Kultur: Drogen und Techno*, Solothurn: Nachtschatten Verlag.
COWAN, Eliot
1994   *Pflanzengeist-Medizin. Der schamanistische Weg mit Heilkräutern*, München: Knaur.
DAVIS, Wade
1985   »Hallucinogenic Plants and Their Use in Traditional Societies«, *Cultural Survival
Quarterly* 9(4): 2–5.
1992   »The Traditional Use of Psychoactive Plants Among America's Native Peoples«,
Canadian Journal of Herbalism 13(1): 7–14, 30.
1996   *One River: Explorations and Discoveries in the Amazon Rain Forest*, New York:
Simon & Schuster.

2000 *Schatten auf den Sonnenuhren: Reisen in äußere und innere Welten*, München: Frederking & Thaler Verlag.

DELTGEN, Florian

1993 *Gelenkte Ekstase. Die kulturelle Dimension der halluzinogenen Droge cají der Yebásama-Indianer des mittleren Río Piraparaná (Kolumbien)*, Stuttgart: Franz Steiner (Acta Humboldtiana 14).

DERIX, Govert

2004 *Ayahuasca, eine Kritik der psychedelischen Vernunft. Philosophisches Abenteuer am Amazonas.* Solothurn: Nachtschatten.

DESCOLA, Philippe

1996 *Leben und Sterben in Amazonien. Bei den Jivaro-Indianern*, Stuttgart: Klett-Cotta.

DEVEREUX, Paul

1997 *The Long Trip. A Prehistory of Psychedelia.* Harmondsworth, New York et al.: Penguin (Arkana).

DICK, Philip K.

2005 *Irrgarten des Todes*, Roman, München: Heyne.

DITTRICH, Adolf

1996 *Ätiologie-unabhängige Strukturen veränderter Wachbewusstseinszustände*, Berlin: VWB (Reihe Ethnomedizin und Bewusstseinsforschung).

DOBKIN DE RIOS, Marlene

1969 »La cultura de la pobreza y el amor mágico: Un síndrome urbano de la selva peruana«, in: *América Indígena* 29, S. 3–16.

1992 *Amazon Healer*, Bridport, Dorset: Prism Press.

DOBKIN DE RIOS, Marlene, Charles S. GROB und John R. BAKER

2002 »Hallucinogens and Redemption«, in: *Journal of Psychoactive Drugs* 34 (3), S. 239–248.

DOMVILLE-FIFE, Charles W.

1926 *Unter Wilden am Amazonas. Forschungen und Abenteuer bei Kopfjägern und Menschenfressern*, Leipzig: Brockhaus.

DONNER, Florinda

1985 *Shabono*, München: Knaur.

DUNN, Jancee

1998 »Sting«, Interview, *Rolling Stone*, Februar 5/98, S. 26.

DURÁN RAMÍREZ, Felipe

2003 *Cultivo de Plantas Aromáticas y Medicinales – Recetario*, Bogotá: Grupo Latino Ltda.

EREIRA, Alan

1990 *The Elder Brothers.* New York: Random House.

FARABEE, William C.

1922 »Indian Tribes of Eastern Peru«, in: *Papers of the Peabody Museum of American Archeology and Ethnology* 10, S. 49–114.

FAUST, Franz Xaver und Antonio BIANCHI

1998 »Die mysteriöse Cabalonga«, *Jahrbuch für Ethnomedizin und Bewusstseinsforschung* 5(1996): 247–251, Berlin: VWB.

FERICGLA, Josep Maria

1994 *Los Jíbaros, cazadores de sueños. Diario de un antropólogo entre los Shuar. Experimentos con la ayahuasca*, Barcelona: Integral.

1996 a »Theory and Applications of Ayahuasca-Generated Imagery«, in: *Eleusis* 5, S. 3–18.

1996 b »Ayahuasca Patented!«, in: *Eleusis* 5, S. 19–20.

1997   *Al trasluz de la ayahuasca. Antropología cognitiva, oniromancia y consciensias alternativas*, Barcelona: Los Libros de La Liebre de Marzo. ((B5))

2000   *Los chamaneismos a revisión. De la vía del éxtasis a Internet*, Barcelona: Editorial Kairós.

FISCHER-FACKELMANN, Ruth

1996   *Fliegender Pfeil*, München: Heyne.

FLATTERY, David S., und Martin SCHWARTZ

1989   *Haoma and Harmaline. The Botanical Identity of the Indo-Iranian Sacred Hallucinogen ›Soma‹ and its legacy in Religion, Language and Middle Eastern Folklore*, Berkeley: The University of California Press.

FORTE, Robert (Hg.)

1997   *Entheogens and the Future of Religion*, San Francisco: Council on Spiritual Practices/Promind Services (Sebastopol).

FRANCIA, Luisa

1992   *Warten auf Blaue Wunder*, Löhrbach: Werner Pieper's Medienexperiemente (Der Grüne Zweig 151).

FRANKFURT

2005   GRUNENBERG, Christoph (Hg.): *Summer of Love. Psychedelische Kunst der 60er Jahre*, Ausstellungskatalog Ostfildern: Hatje Cantz.

FRENOPOULO, Christian

2004   *The Mechanics of Religious Synthesis in the Barquinha Religion*, www.pucsp.br/rever/rv1_2004/t_frenopoulo.htm#note1nota (abgerufen am 18.1.2006)

FRERICHS et al. (Hg.)

1938   *Hagers Handbuch der pharmazeutischen Praxis*, Berlin: Springer.

FURST, Peter T.

1974   »Hallucinogens in Precolumbian Art«, in: Mary Elizabeth KING und Idris R. TRAYLOR, jr. (Hg.), *Art and Environment in Native America*, The Museum of Texas Tech, Texas Tech University Press (Lubbock), Special Publication 7.

1976   *Hallucinogens and Culture*, Novato, CA: Chandler & Sharp.

1981   »Pflanzenhalluzinogene in frühen amerikanischen Kulturen – Mesoamerika und die Anden«, in: G. VÖLGER (Hg.), *Rausch und Realität*, Bd. 1, S. 330–339, Köln: Rautenstrauch-Joest Museum.

1986   *Mushrooms. Psychedelic Fungi*, New York: Chelsea House Publishers.

GATES, B.

1986   »La taxonomia de las Malpighiaceas utilizadas en el brebaje del ayahuasca«, *América Indígena*, 46(1982): 49–72.

GAUP, Aílo

2005   *The Shamanic Zone*, Oslo: Three Bear Company.

GEBHART-SAYER, Angelika

1987   *Die Spitze des Bewusstseins. Untersuchungen zu Weltbild und Kunst der Shipibo-Conibo*, Hohenschäftlarn: Renner (Diss. Münchner Beiträge zur Amerikanistik).

GELPKE, Rudolf

1975   *Drogen und Seelenerweiterung*, München: Kindler.

GIESE, Claudius Cristobal

1989 a »Die Diagnosemethode eines nordperuanischen Heilers«, in: *Curare* 12 (2), S. 81–87.

1989 b »*Curanderos«. Traditionelle Heiler in Nord-Peru (Küste und Hochland)*, Hohenschäftlarn: Renner (Münchner Beiträge zur Amerikanistik, Bd.20).

1994   »Gesang zwischen den Welten«, in: Max Peter BAUMANN (Hg.), *Kosmos der Anden*, München: Diederichs, S. 335–358.

GINSBERG, Allen
1982   *Allen Ginsbergs Notizbücher 1952–1962*, hg. von Gordon Ball, Reinbek: Rowohlt.

GIOIA, Walter
1996   »Un incontro con il Daime: viaggio interiore nella foresta amazzonica«, *Eleusis* 6, S. 20–25.

GLENBOSKI, Linda Leigh
1983   *The Ethnobotany of the Tukuna Indians, Amazonas, Colombia*, Bogotá: Universidad Nacional de Colombia.

GOOD, Kenneth, und David CHANOFF
1993   *Yarina*, Bergisch Gladbach: Lübbe.
2002   *Im Urwald des Orinoco. Mein Leben bei den Yanomami-Indianern*, München: Frederking & Thaler (= GOOD und CHANOFF 1993).

GORMAN, Peter
2001   «Marketing the Jungle High«, in: *High Times* 305, S. 30–31.

GOTTSCHALK, Monika
2002   *Engelstrompeten. Die schönsten Sorten – Pflegen, Überwintern, Vermehren*, München: blv (3., durchgesehene Aufl.).

GOTTSCHALK-BATSCHKUS, Christin E., und Dieter REICHERT (Hg.)
2001   *Wanderer zwischen den Welten. Schamanismus im neuen Jahrtausend*, Solothurn: Nachtschatten.

GOTTWALD, Franz-Theo, und Christian RÄTSCH (Hg.)
1998   *Schamanische Wissenschaften. Ökologie, Naturwissenschaft und Kunst*, München: Diederichs.

GRUBE, Nikolai (Hg.)
2000   *Die Maya*, Köln: Könemann.

GRUND, Jean-Paul C.
1993   *Drug Use as a Social Ritual*, Rotterdam: Instituut voor Verslavingsonderzoek.

GRUNWELL, John N.
1998   »Ayahuasca Tourism in South America«, in: *Maps* 8 (3), S. 59–62.

GUERRERO, Eduardo, und William VARGAS
1974   *Plantas del Páramo de Anaime, Cordillera Central, Andes Colombianos*, Kolumbien: Corporación Semillas de Agua.

HAAGA, Eva Maria
1999   *Lapacho. Das Lebenselixier der Inkas*, München: Heyne.

HAGEN, Victor W. von
1959   *Südamerika ruft. Entdeckungsreisen großer Naturforscher*, Berlin/Frankfurt a.M./Wien: Ullstein.

HALE, M. E., jr.
1983   *The Biology of Lichens*, Baltimore, MD: Edward Arnold (3. Aufl.).

HALIFAX, Joan
1983   *Schamanen, Zauberer, Medizinmänner, Heiler*, Frankfurt a.M.: Insel.

HARNER, Michael J.
1973   *Hallucinogens and Shamanism*, Oxford: Oxford University Press.
1983   *The Jívaro. People of the Sacred Waterfalls*, Berkeley/Los Angeles/London: University of California Press.

HARO ALVEAR
1984   *Der Weg des Schamanen*, Freiburg i.Br.: Bauer.

HARRIS, Oliver (Hg.)
1994   *The Letters of William S. Burroughs 1945–1959*, New York: Penguin Books.

HILL, Jonathan D.
1992 »A Musical Aesthetic of Ritual Curing in the Northwest Amazon«, in: E. Jean M. LANGDON und Gerhard BAER (Hg.), *Portals of Power: Shamanism in South America*, Albuquerque: University of New Mexico Press, S. 175–210.

HILL, Leonard
1997 *Muscheln – Schätze des Meeres*, Köln: Könemann.

HOBHOUSE, Henry
1992 *Fünf Pflanzen verändern die Welt*, München: dtv.

HOFMANN, Albert
1979 *LSD – Mein Sorgenkind*, Stuttgart: Ernst Klett.

HUBINGER TOKARNIA, Carlos, Jürgen DÖBEREINER und Marlene FREITAS DA SILVA
1979 *Plantas tóxicas da Amazônia a Bovinos e outros herbívoros*, Manaus: Instituto Nacional de Pesquisas da Amazônia (INPA). ((B14))

HÜBNER, Georg
1892/93 *Meine Reise von Lima nach Iquitos*, Wien: Hartleben's Verlag.

HUMBOLDT, Alexander von
1990 *Die Reise nach Südamerika. Vom Orinoko zum Amazonas*, nach der Übersetzung von Hermann Hauff, bearbeitet und hg. von Jürgen Starbatty, Göttingen: Lamuv.

HUNGER, Herbert
1985 *Lexikon der griechischen und römischen Mythologie*, Reinbek: Rowohlt (zuerst 1974).

HUSSLEIN, Uwe, et al.
1990 *Pop goes Art. Andy Warhol & Velvet Underground*, Box: Katalog, Folder, Leporello, Mini-CD von der deutschen Band Rausch, hg. vom Sekretariat für gemeinsame Kulturarbeit in NRW INPOP – Institut für Popkultur.

HUTTNER, Jacob
1998 *Santo Daime – eine neue Heilsbewegung*, Abschlussarbeit Institut für Ethnologie, Johann Wolfgang Goethe-Universität Frankfurt, unveröffentlichtes Manuskript.

HUXLEY, Aldous
1977 *Die Pforten der Wahrnehmung. Himmel und Hölle*, München: Piper.

ILLIUS, Bruno
1991 *Ani Shinan. Schamanismus bei den Shipibo-Conibo (Ost-Peru)*, Münster/Hamburg: LIT Verlag (Ethnologische Studien Bd. 12).

JÜNGER, Ernst
1980 *Annäherungen – Über Drogen und Rausch*, Frankfurt/M. usw.: Klett-Cotta im Ullstein Taschenbuch.

KALWEIT, Holger
1987 *Traumzeit und innerer Raum*, Bern/München/Wien: Scherz (unter dem Titel *Die Welt der Schamanen*, Darmstadt: Schirner 2004, mit einem Vorwort von Elisabeth Kübler-Ross).

KAMEN-KAYE, Dorothy
1971 »Chimó: an Unusual Form of Tobacco in Venezuela«, *Botanical Museum Leaflets* Harvard University 23(1): 1–59.
1975 »Chimó–why not? A Primitive Form of Tobacco still in Use in Venezuela«, *Economic Botany* 29(1): 47–68.

KAPFHAMMER, Wolfgang
1992 *Der Yurupari-Komplex in Nordwest-Amazonien*, München: Akademischer Verlag, Edition Anacon (Münchener Amerikanistik-Beiträge 28).
1997 *Große Schlange und Fliegender Jaguar. Zur mythologischen Grundlage des rituellen Konsums halluzinogener Drogen in Südamerika*, Bonn: Holos (Völkerkundliche Arbeiten, Bd. 6).

KATZ, Fred und Marlene DOBKIN DE RIOS

1971 »Hallucinogenic Music: An Analysis of the Role of Whistling in Peruvian Ayahuasca Healing Sessions«, *Journal of American Folklore* 84(333): 320–327.

KAUTER, Kurt

1989 *Die Schlange Regenbogen. Märchen, Mythen und Sagen südamerikanischer Indianer*, Berlin: Edition Holz im Kinderbuchverlag (4. Aufl.).

KLARWEIN, Mati

1976 *God Jokes. The Art of Abdul Mati Klarwein*, New York: Harmony Books.

1983 *Inscapes. Real-Estate Paintings by Mati Klarwein*, New York: Harmony Books.

1988 *Gesammelte Werke 1959–1975*, Markt Erlbach: Martin.

1995 *A Thousand Windows*, Deià de Mallorca: Max Publishing.

KOBAU, Christian (Hg.)

1989 *Amazonas – Mae Mañota*, Graz: Leykam.

KOCH-GRÜNBERG, Theodor

1921 *Zwei Jahre bei den Indianern Nordwest-Brasiliens*, Stuttgart: Strecker und Schröder.

1956 *Geister am Roraima*, Eisenach/Kassel: Röth.

KRAEMER, Olaf

1997 *Luzifers Lichtgarten. Expeditionen ins Reich der Halluzinogene*, München: Hugendubel (mit Musik-CD).

KRUMBACH, Helmut

1979 »Das Pfeilgift Curare«, in: *Curare* 2 (4), S. 229–240.

KRUMBIEGEL, Günter, und Brigitte KRUMBIEGEL

1994 *Bernstein. Fossile Harze aus aller Welt*, Weinstadt: Goldschneck.

KURELLA, Doris, und Dietmar NEITZKE (Hg.)

2002 *Amazonas-Indianer. LebensRäume, LebensRituale, LebensRechte*, Ausstellungskatalog Linden-Museum Stuttgart.

KUSEL, Heinz

1965 »Ayahuasca Drinkers Among the Chama Indians«, in: *Psychedelic Review* 6, S. 58–66.

KUTSCHER, Gerdt

1977 *Chimu: Eine altindianische Hochkultur*, Hildesheim: Gerstenberg (Reprint von 1950).

LABATE, Beatriz, und Wladimyr Sena ARAÚJO (Hg.)

2002 *O Uso Ritual da Ayahuasca*, Campinas/São Paulo: Mercado de Letras.

LAMB, F(rank) Bruce

1982 *Der weiße Indio vom Amazonas*, Bern/München: Scherz.

1985 *Rio Tigre and Beyond The Amazon Jungle Medicine of Manuel Córdova*, Berkeley, CA: North Atlantic Books.

LAMB, F. Bruce, und Manuel CÓRDOVA-RIOS

1994 *Kidnapped in the Amazon Jungle*, Berkeley, CA: North Atlantic Books.

LAME DEER, John (Fire), und Richard ERDOES,

1972 *Lame Deer. Seeker of Visions*, New York: Pocket Book.

LA ROTTA, Constanza

o.J. *Especies utilizadas por la Comunidad Miraña. Estudio Etnobotánico*, Bogata: FEN – Colombia/WWF.

LEGINGER, Thomas

1981 *Urwald. Eine Reise zu den Schamanen des Amazonas*, München: Trikont-dianus.

LEGUIZAMO P., Idulfo, und Humberto OLAYA H.

1987 »Etnobotánica de los Indígenas Embrea del Alto Sinú«, in: *Memorias. Primer Simposio Columbiano de Etnobotánica* (1.–4. September 1987, Santa Marta), Cooperación de desarollo Araracuara, S. 115–130.

LEWIN, Louis
1923   Die Pfeilgifte, Leipzig: Barth (Reprint Hildesheim 1984).
LEWIS, Norman
1996   Zendelingen, Amsterdam: De Arbeiderspers.
LINDSAY, Charles
1992   Mentawai-Schamane. Wächter des Regenwalds, Frankfurt a.M.: Zweitausendeins.
LISSNER, Ivar
1979   So lebten die Völker der Urzeit, München: dtv (Erstausgabe 1958).
LIZOT, Jacques
1982   Im Kreis der Feuer. Aus dem Leben der Yanomami-Indianer, Frankfurt a.M.: Syndikat.
LOPEZ VINATEA, Luis Alberto
2000   Plantas usadas por shamanes amazonicos en el brebaje ayahuasca, Iquitos: Selbstverlag in
        Kooperation mit Universidad Nacional de la Amazonia Peruana (UNAP).
LUMBY, Marcus
2000   ›The Realm of Visions‹. Towards an Evaluation of the Role of Near-Death Experience in
        Ayahuasca Therapies, Cambridge: University of Cambridge.
LUNA, Luis Eduardo
1986   Vegetalismo. Shamanism Among the Mestizo Population of the Peruvian Amazon,
        Stockholm: Almqvist & Wiskell Internationl (Acta Universitatis Stockholmiensis,
        Stockholm Studies in Comparative Religion 27).
1992   »Icaros: The Magic Melodies among the Mestizo Shamans of the Peruvian
        Amazon«, in: E. Jean M. LANGDON und Gerhard BAER (Hg.), Portals of Power. Shamanism
        in South America, Albuquerque: University of New Mexico Press, S. 231–253.
LUNA, Luis Eduardo, und Pablo AMARINGO
1991   Ayahuasca Visions. The Religious Iconography of a Peruvian Shaman, Berkeley: North
        Atlantic Books.
LUNA, Luis Eduardo, und Steven F. WHITE (Hg.)
2000   Ayahuasca Reader. Encounters with the Amazon's Sacred Vine, Santa Fe, NM:
        Synergetic Press.
MAGNIN, Juan
1740   »Breve Description de la Provincia de Quito«, in: Jean-Pierre CHAUMEIL, Edición
        Crítica, Iquitos 1988.
MARONI, Pablo
1738   «Noticias auténticas del famoso Río Marañón y misión apostólica de la Compañía
        de Jesús de la Provincia de Quito en los dilatados bosques de dicho río», in: Jean-Pierre
        CHAUMEIL, Edición Crítica, Iquitos:1988.
MARZAHN, Christian
1994   Bene Tibi. Über Genuss und Geist, Bremen: Edition Temmen.
MATTHIESSEN, Peter
1965   At Play in the Fields of the Lord., New York: Random House.
MAUR, Karin v.
1999   Vom Klang der Bilder, München/London/New York: Prestel.
McDOWELL, John Holmes
1989   Sayings of the Ancestors. The Spiritual Life of the Sibundoy Indians, Lexington: The
        University Press of Kentucky.
McKENNA, Terence
1989   Wahre Halluzinationen, Basel: Sphinx.
1996   Die Speisen der Götter. Die Suche nach dem Baum der Erkenntnis, Löhrbach: Edition
        Rauschkunde.

McKenna, Terence, und Dennis McKenna
1975   *The Invisible Landscape. Mind, Hallucinogens and the I Ching*, San Francisco: Harper.
Medina Romero, Sara
1996   »Simbolismo del yajé en sectores intelectuales de Pasto«, in: S. Medina et al.,
Identidades Urbanas, Quito: Ediciones U.P.S. (Abya-Yala), S. 5–46.
Metzmacher, Ingo
2005   *Keine Angst vor neuen Tönen: Eine Reise in die Welt der Musik*, Berlin: Rowohlt.
Metzner, Ralph
1999   *Ayahuasca. Hallucinogens, Consciousness, and the Spirit of Nature*, New York:
Thunder's Mouth Press.
1999   *Green Psychology. Transforming Our Relationship to the Earth*, Rochester, VT:
Park Street Press.
2000   *Das Mystische Grün. Die Wiedervereinigung des Heiligen mit dem Natürlichen*,
Engerda: Arun.
Meyer, Peter
1993   »Apparent communication with Discarnate Entities Induced by
Dimethyltryptamine (DMT)«, in: Thomas Lyttle (Hg.), *Psychedelic Monographs and
Essays*, Bd. 6, Boynton Beach: PM & E Publishing Group.
Meyerratken, Ulrich, und Nathalie Salem
1998   *Daime. Brasiliens Kult der heilenden Kraftpflanzen*, München: Droemer Knaur
Miles, Barry
1994   *William S. Burroughs. Eine Biographie*, Hamburg: Kellner.
Miller-Weisberger, Jonathan S.
2000   »A Huaorani Myth of the First Miiyabu (Ayahuasca Vine)«, in: Luis Eduardo
Luna und Steven F. White (Hg.), *Ayahuasca Reader. Encounters with the Amazon's Sacred
Vine*, Santa Fe, NM: Synergetic Press, S. 41–45.
Moffit Cook, Pat
1997   *Shaman, Jhankri & Néle. Music Healers of Indigenous Cultures*, New York:
Relaxation Co.
Morrison, Tony (Hg.)
1989   *Margaret Mee. In Search of Flowers of the Amazon Forests*, Woodbridge: Nonesuch
Expeditions.
Müller-Ebeling, Claudia, und Christian Rätsch
2000   *Schamanismus und Tantra in Nepal. Heilmethoden, Thankas und Rituale aus dem
Himalaya*, Aarau: AT.
Münzel, Mark
1977   *Schrumpfkopf-Macher? Jibaro-Indianer in Südamerika*, Roter Faden zur Ausstellung 4,
Frankfurt a.M.: Museum für Völkerkunde.
Naranjo, Plutarco
1979   »Hallucinogenic Plant Use and Related Indigenous Belief Systems in the
Ecuadorian Amazon«, *Journal of Ethnopharmacology* 1: 121–145.
1983   *Ayahuasca: Etnomedicina y mitología*. Quito: Ediciones Libri Mundi.
1986   »El ayahuasca en la arqueologia ecuatoriana«, *América Indígena*, 46(1): 117–127.
Narby, Jeremy
2001   *Die kosmische Schlange. Auf den Pfaden der Schamanen zu den Ursprüngen modernen
Wissens*, Stuttgart: Klett-Cotta.
Narby, Jeremy, und Francis Huxley (Hg.)
2001   *Shamans through Time. 500 Years on the Path to Knowledge*, London:
Thames & Hudson.

NAUWALD, Nana
2002 *Bärenkraft und Jaguarmedizin. Die bewusstseinsöffenenden Techniken der Schamanen*, Aarau: AT.
NEUWINGER, Hans Dieter
1998 *Afrikanische Arzneipflanzen und Jagdgifte*, Stuttgart: WVG (2., erw. Aufl.).
O'HANLON, Redmond
1998 *Redmonds Dschungelbuch*, München: dtv.
OLIVEIRA, José Erivan Bezerra de
2003 *O Evangelho em Cordel*, Fortaleza: Ed. Supernova.
ORTIZ DE MONTELLANO, Bernard R.
1981 »Entheogens: The Interaction of Biology and Culture«, in: *Reviews of Anthropology* 8 (4), S. 339–365.
OTERO AIRA, Luis
o.J. *Las plantas alucinógenas*, Barcelona: Editorial Paidotribo (3. Aufl.).
2001 *Las plantas alucinógenas*, Barcelona: Editorial Paidotribo (4. revidierte und erweiterte Aufl.).
OTT, Jonathan
1993 *The Age of Entheogens & The Angels' Dictionary*, Kennewick, WA: Natural Products Co.
1993 *Pharmacotheon. Entheogenic drugs, their plant sources and history*, Kennewick, WA: Natural Products Co.
1994 »La historia de la planta ›Soma‹ después de R. Gordon Wasson«, in: Josep Maria FERICGLA (Hg.), *Plantas, Chamanismo y Estados de Consciencia*, Barcelona: Los Libros de la Liebre de Marzo, S. 117–150.
1994 *Ayahuasca Analoge. Pangäische Entheogene*, Löhrbach: Werner Pieper's MedienXperimente (Edition Rauschkunde).
1995 *The Age of Entheogens & The Angels' Dictionary*, Kennewick, WA: Natural Products Co.
1996 »Entheogens II: On Entheology and Entheobotany«, in: *Journal of Psychoactive Drugs* 28 (2), S. 205–209.
1997 *Pharmacophilia or the Natural Paradises*, Kennewick, WA: Natural Products Co.
1998 a »Entheogens and the Future of Religion«, in: *Jahrbuch für Ethnomedizin und Bewusstseinsforschung* 5 (1996), S. 281–285 (siehe auch FORTE 1997).
1998 b »The Post-Wasson History of the Soma Plant«, in: *Eleusis* N.S. 1, S. 9–37.
2001 *Shamanic Snuffs or Entheogenic Errhines*, Solothurn: Entheobotanica.
2004 »Ayahuasca y vonho da jurema«, in: *Cáñamo* 73, S. 112–113.
PARRO RIZO, Jaime Hernando, und Susan VIRSANO BELLOW
1992 *Medicina tradicional de Pueblo de Altaquer*, Quito: Ediciones Abya-Yala.
PATIÑO, Victor Manuel
1968 »Guayusa, a Neglected Stimulant from the Eastern Andean Foothills«, in: *Economic Botany* 22, S. 311–316.
PATZELT, Erwin
1996 *Flora del Ecuador*, Quito: Banco Central del Ecuador.
PELLERIN, Cheryl
1998 *Trips. How Hallucinogens work in your Brain*, New York: Seven Stories Press (dt. Ausgabe: *Trips. Wie Halluzinogene wirken*, Aarau: AT 2001).
PEREZ-ARBELAEZ, E.
1994 *Plantas utiles de Colombia*, Bogotá: Editorial Victor Hugo (14. Aufl.).

PERROT, E., und Alexandre ROUHIER
1926 »Le yocco, nouvelle drogue simple à caféine«, in: *Comptes Rend. Hebd. Séances Acad. Sci.* 182, S. 1494–1496.

PERRY, Foster
1998 *The Violet Forest. Shamanic Journeys in the Amazon*, Santa Fe, NM: Bear & Company Publishing.

PINEDA, Roberto C.
1994 »Los bancos taumaturgos«, in: *Boletin Museo del Oro* 36, S. 3–41.

PINKLEY, Homer V.
1969 »Plant Admixtures to *Ayahuasca*, the South American Hallucinogenic Drink«, in: *Lloydia* 32 (3), S. 305–314.
1973 *Kofán Ethnobotany*, Cambridge, MA: Harvard University, Dissertation, unveröffentlichtes Manuskript.

PINZON CASTANO, Carlos Ernesto
2002 »El Chaman sus dos anillos«, in: *Ulloa* 2002, S. 57–72.

PIZZOLI, Daniel
1997 *Ein Yankee namens Blueberry. J.-M. Charlier, Jean Giraud*, Stuttgart: Ehapa Comic Collection im Egmont vgs.

PLOTKIN, Mark J.
1994 *Der Schatz der Wayana. Abenteuer bei den Schamanen im Amazonas-Regenwald*, Bern et al.: Scherz.
2000 *Medicine Quest. In Search of Nature's Healing Secrets*, New York: Penguin Books.

PLOWMAN, Timothy
1977 »*Brunfelsia* in Ethnomedicine«, in: *Botanical Museum Leaflets* 25 (10), S. 289–320.

POEPPIG, Eduard
1835/36 *Reise in Chile, Peru und auf dem Amazonasstrome, während der Jahre 1827–1832*, Leipzig.

POHL-APEL, Gunvor
1999 »Die Geschichte der Kulturpflanzen«, in: *Der Palmengarten*, Sonderheft 30, S. 27–34.

POLARI DE ALVERGA, Alex
1999 *Forest of Visions. Ayahuasca, Amazonian Spirituality and the Santo Daime Tradition.* Rochester, VT: Park Street Press.

PRAETORIUS, Johannes
1979 *Hexen-, Zauber- und Spukgeschichten aus dem Blocksberg*, Frankfurt/M.: Insel.

PRINS, Marina
1987 »*Tabernanthe iboga*, die vielseitige Droge Äquatorial-Westafrikas«, in: Adolf DITTRICH und Christian SCHARFETTER (Hg.), *Ethnopsychotherapie*, Stuttgart: Enke, S. 53–69.

QUICENO TORO, Natalia, et al.
2001 «El Yagé en la Ciudad.Aspectos del Ritual del Yagé en Medellin«, in: *Cultura y Drogas* 6 (6&7), Manizales.

RÄTSCH, Christian
1985 *Bilder aus der unsichtbaren Welt. Zaubersprüche und Naturbeschreibung bei den Maya und Lakandonen*, München: Kindler.
1990 *Pflanzen der Liebe*, Bern: Hallwag (ab 2. Aufl. Aarau: AT 1995).
1991 *Indianische Heilkräuter*, München: Diederichs (2., verb. Aufl.).
1994 »*Tsak*. Die Heilpflanzen der Lakandonen von Naha'«, in: *Jahrbuch für Ethnomedizin und Bewusstseinsforschung* 2, S. 43–93.

1994 »Die Pflanzen der blühenden Träume: Trancedrogen mexikanischer Schamanen«, in: *Curare* 17 (2), S. 277–314.

1994 »Ayahuasca: Der Zaubertrank«, in: *Geo Special. Amazonien* 5/94, S. 62–65.

1996 *Räucherstoffe. Der Atem des Drachen*, Aarau: AT.

1998 »Der Schamane als Naturwissenschaftler«, in: Franz-Theo GOTTWALD und Christian RÄTSCH (Hg.), *Schamanische Wissenschaften*, München: Diederichs, S. 123–151.

1998 a *Hanf als Heilmittel. Ethnomedizin, Anwendungen und Rezepte*, Aarau: AT (vollst. überarb. und erg. Neuaufl.).

1998 b *Enzyklopädie der psychoaktiven Pflanzen*, Aarau: AT.

1999 a *Die Regenwaldapotheke. Medizin und Weisheit der Völker des tropischen Urwaldes*, Berlin: Ullstein.

1999 b »Gipfeltreffen der Schamanen«, in: *Esotera* 6/99, S. 10–13.

1999 c »Die Samen der Zivilisation«, in: *Esotera* 9/99, S. 20–24.

1999 d »Der Rauch der Schamanen: Über Rauchen und Räuchern in Nepal«, in: *HanfBlatt* 6 (51), S. 8–11.

2000 »Die Entheiligung der Natur: zur Ethnopharmakologie verbotener Pflanzen«, in: *Universitas, Zeitschrift für interdisziplinäre Wissenschaft* 55 (646), S. 344–356.

2001 a »Schamanenpflanzen am Äquator«, in: Sylvia REINHARDT et al. (Hg.), *Sacha Runa. Menschen im Regenwald von Ecuador*, Frankfurt a.M.: Palmengarten (Sonderheft 34), S. 44–50.

2001 b *Shamanismus, Techno und Cyberspace. Von »natürlichen« und »künstlichen« Paradiesen*, Solothurn: Nachtschatten.

2002 a »Aztekenkakao, Echter Kakao und Jaguarbaum«, in: Hartmut RODER (Hg.), *Schokolade*, Bremen: Edition Temmen/Übersee-Museum, S. 91–99.

2002 b *Schamanenpflanze Tabak*, Bd. 1: *Kultur und Geschichte des Tabaks in der Neuen Welt*, Solothurn: Nachtschatten.

2003 *Schamanenpflanze Tabak*, Bd. 2: *Das Rauchkraut erobert die Alte Welt*, Solothurn: Nachtschatten.

2005 *Der heilige Hain*, Baden/München: AT.

RÄTSCH, Christian, und Claudia MÜLLER-EBELING

2003 *Lexikon der Liebesmittel. Pflanzliche, mineralische, tierische und synthetische Aphrodisiaka*, Aarau: AT.

RÄTSCH, Christian, und Jonathan OTT

2003 *Coca und Kokain. Ethnobotanik, Kunst und Chemie*, Aarau: AT.

RAMIREZ, Fabio

2005 »Die Duga. Ein transkulturelles Konzept der kolumbianischen Ethnomedizin«, in: *gaiamedianews*, 13 (2005), S. 1–2, 8.

REICHEL-DOLMATOFF, Gerardo

1978 *Beyond the Milky Way. Hallucinatory Imagery of the Tukano Indians*, Los Angeles: UCLA Latin American Center Publication.

1989 *Orfévrerie et chamanisme. Une étude iconographique du Musée de L'Or*, Medellín: Editorial Colina.

1996 *Das schamanische Universum. Schamanismus, Bewusstsein und Ökologie in Südamerika*, hg. von Christian Rätsch und Daniela Baumgartner, München: Diederichs.

1998 *Colombia Indígena*, Medellín: Hola Colina.

2001 *Sierra Nevada de Santa Marta. Land of the Elder Brothers*, Medellín: Editorial Colina (2. Aufl.).

RENNER, Hans

1965 *Musik-Geschichte der Büchergilde*, Frankfurt a.M./Wien/Zürich: Büchergilde Gutenberg.

RESTREPO, Luis Carlos
2001 *La fruta prohibida. La droga como espejo de la cultura*, Bogotá: Panamericana Editorial.
RICCIARDI, Mirella
1991 *Vanishing Amazon*, London:Harry N. Abrams.
RIEDLINGER, Thomas J. (Hg.)
1990 *The Sacred Mushroom Seeker. Essays for R. Gordon Wasson*, Portland, OR: Dioscorides
Press.
RIPINSKY-NAXON, Michael
1993 *The Nature of Shamanism. Substance and Function of a Religious Metaphor*, Albany:
State University of New York Press.
RIVIER, Laurent
2002 *Problems in ethnomedicine. Evaluating traditional knowledge and transferring it outside
its native context*, Vortrag auf der III. Psychoactivity-Ayahuasca-Konferenz, Amsterdam.
RIVIER, Laurent, und Jan-Erik LINDGREN
1972 «Ayahuasca, the South American Hallucinogenic Drink: an Ethnobotanical and
Chemical Investigation«, in: *Economic Botany 26*, S. 101–129.
ROBBINS, Tom
2001 *Fierce Invalids Home from Hot Climates*, New York: Bantam Books.
RÖMPP, Hermann
1950 *Chemische Zaubertränke*, Stuttgart: Kosmos/Franckh'sche Verlagshandlung (5. Aufl.).
ROHDE, Silvio Andreas
2004 »Santo Daime: Ein Blick auf die Geschichte und Rituale einer entheogenen
Religion«, in: *Entheogene Blätter 20*, S. 51–55.
RONDEROS, Jorge, und Segundo Tercero IGLESIAS
2002 «La Presencia cultural del Yagé en Eje Cafetero«, in: *Cultura y Drogas 7* (7 & 8),
Manizales.
ROSENBOHM, Alexandra (Hg.)
1997 *Wat bezielt de sjamaan? Genezing, Extase, Kunst*, Amsterdam: Koninklijk Instituut
vor de Tropen.
RUCK, Carl A.P., et al.
1979 »Entheogens«, in: *Journal of Psychedelic Drugs 11* (1–2), S. 145–146.
RUDGLEY, Richard
1993 *The Alchemy of Culture. Intoxicants in Society*, London: British Muesum Press.
RUSSEL, Dan
1998 *Shamanism and the Drug Propaganda. Patriarchy and the Drug War*, Camden, NY:
Kalyx.com. ((B13))
SAMORINI, Giorgio
1998 *Halluzinogene im Mythos. Vom Ursprung psychoaktiver Pflanzen*, mit einem Vorwort
von Christian RÄTSCH, Solothurn: Nachtschatten.
2000 *Animali che si drogano*, Vicenza: Telesterion.
SAUNDERS, Nicholas, Anja SAUNDERS, Michelle PAULI
2000 *In Search of the Ultimate High*, London: Random House.
SCHENK, Gustav
1937 *Aron oder das tropische Feuer*, Hannover: Adolf Sponholtz. (4.–8. Tausend,
Oktober 1947).
1943 a *Das wunderbare Leben*, Roman, Berlin: Die Heimbücherei John Jahr.
1943 b *Traum und Tat. Aufzeichnungen aus zwei Jahrzehnten*, Hannover: Adolf Sponholtz.
1948 *Schatten der Nacht. Die Macht des Giftes in der Welt*, Hannover: Adolf Sponholtz.
1959 *Vor der Schwelle der letzten Dinge. Über die neuesten Forschungen und Erkenntnisse der
Chemie und Physik*, Berlin: Safari (Neuaufl.).

1960   *Die Bärlapp-Dynastie. Eine Pflanze erobert die Erde*, West-
Berlin/Herrenalb/Frankfurt a.M.: Verlag für Internationalen Kulturaustausch.

1964   *Das Unsichtbare Universum. Darstellung und Dokumentation der Nuklearphysik*, Berlin:
Safari.

SCHLEIFFER, Hedwig (Hg.)

1973   *Narcotic Plants of the New World. Indians. An Anthology of Texts from the 16th Century
to Date*, New York: Hafner Press (Macmillan).

SCHNEIDER, Ernst

1993   »Arzneipflanzen der Neuen Welt«, in: *Pharmazie in unserer Zeit* 22 (1), S. 15–24.

SCHNEIDER, Wolfgang

1974   *Lexikon der Arzneimittelgeschichte, Bde V/1–3. Pflanzliche Drogen*, Frankfurt a.M.:
Govi/Pharmazeutischer Verlag.

SCHRÖDINGER, Erwin

1989   *Die Natur und die Griechen*, Zürich: Diogenes.

SCHULTES, Richard Evans

1955   »Plantae Colombianae XIII: De Plantis Principaliter Colombiae Amazonicae
Notae Diversae Significantes«, in: *Botanical Museum Leaflets* 17 (3), S. 65–100.

1957   »A New Method of Coca Preparation in the Colombian Amazon«, in: *Botanical
Museum Leaflets* 17 (9), S. 241–246.

1960   »A Reputedly Toxic *Malouetia* from the Amazon«, in: *Botanical Museum Leaflets* 19
(5), S. 123–124.

1960   »Trapping Our Heritage of Ethnobotanical Lore«, in: *Economic Botany* 14 (4),
S. 257–262.

1963   »Hallucinogenic Plants of the New World«, in: *The Harvard Review* 1 (4),
S. 18–32.

1965   »Ein halbes Jahrhundert Ethnobotanik amerikanischer Halluzinogene«, in: *Planta
Medica* 13, S. 125–157.

1966   »The Search for New Natural Hallucinogens«, in: *Lloydia* 29 (4), S. 293–308.

1967   »The Place of Ethnobotany in the Ethnopharmacologic Search for
Psychotomimetic Drugs«, in: Daniel H. EFRON (Hg.), *Ethnopharmacologic Search for
Psychoactive Drugs*, Washington, D.C.: U.S. Dept. of Health, Education, and Welfare,
S. 33–57.

1969   »Hallucinogens of Plant Origin«, in: *Science* 163, S. 245–254.

1970 a »The Botanical and Chemical Distribution of Hallucinogens«, in: *Annual Review
of Plant Physiology* 21, S. 571–594.

1970 b »The New World Indians and Their Hallucinogenic Plants«, in: *Bulletin of the
Morris Arboretum* 21, S. 3–14.

1970 c »The Plant Kingdom and Hallucinogens«, in: *Bulletin on Narcotics* 22 (1), S. 25–51.

1972   »De Plantis Toxicariis e Mundo Novo Tropicale Commentationes X: New Data on
the Malpighiaceous Narcotics of South America«, in: *Botanical Museum Leafleats* 23 (3),
S. 137–147.

1976   *Hallucinogenic Plants*, Racine, WI: Western.

1977 a »Mexico and Columbia: Two Major Centres of Aboriginal Use of Hallucinogens«,
in: *Journal of Psychedelic Drugs* 9 (2), S. 173–176.

1977 b »De Plantis Toxicariis e Mundo Novo Tropicale Commentationes XVI:
Miscellaneous Notes on Biodynamic Plants of South America«, in: *Botanical Museum
Leafleats* 25 (4), S. 109–130.

1978 a »De Plantis Toxicariis e Mundo Novo Tropicale Commentationes XXIII: Notes on
Biodynamic Plants of Aboriginal Use in the Northwestern Amazonia«, in: *Botanical
Museum Leafleats* 26 (5), S. 177–197.

1978 b »De Plantis Toxicariis e Mundo Novo Tropicale Commentationes XXIII: Ethnopharmacological Notes from Northern South America«, in: *Botanical Museum Leafleats* 26 (6), S. 225–236.

1979 a »Hallucinogenic Plants: Their Earliest Botanical Descriptions«, in: *Journal of Psychedelic Drugs* 11 (1–2), S. 13–24.

1979 b »Solanaceous Hallucinogens and Their Role in the Development of New World Cultures«, in: J. G. HAWKES, R. N. LESTER und A. D. SKELDING (Hg.), *The Biology and Taxonomy of the Solanaceae*, London: Academic Press, S. 137–160.

1979 c »Evolution of the Identification of the Major South American Narcotic Plants«, in: *Journal of Psychedelic Drugs* 11 (1–2), S. 119–134.

1980 »Ruiz as an Ethnopharmacologist in Peru and Chile«, in: *Botanical Museum Leaflets* 28 (1), S. 87–122.

1981 »De Plantis Toxicariis e Mundo Novo Tropicale Commentationes XXVI: Ethnopharmacological Notes on the Flora of Northwestern South America«, in: *Botanical Museum Leafleats* 28 (1), S. 1–45.

1983 a »De Plantis Toxicariis e Mundo Novo Tropicale Commentationes XXXII: Notes, Primarily of Field Tests and Native Nomenclature, on Biodynamic Plants of the Northwest Amazon«, in: *Botanical Museum Leaflets* 29 (3), S. 251–272.

1983 b »De Plantis Toxicariis e Mundo Novo Tropicale Commentationes XXXIII: Ethnobotanical, Floristic and Nomenclatural Notes on Plants of the Northwest Amazon«, in: *Botanical Museum Leaflets* 29 (4), S. 343–365.

1983 c »Richard Spruce: An Early Ethnobotanist and Explorer of the Northwest Amazon and Northern Andes«, in: *Journal of Ethnobiology* 3 (2), S. 139–147.

1987 »The Plantis Toxicariis e Mundo Novo Tropicale Commentationes XXXIX. New Ethnobotanical Data on Curare Plants from the Northwest Amazon«, in: *Memorias. Primer Simposio Columbiano de Etnobotánica* (1.–4. September 1987, Santa Marta), Cooperación de desarollo Araracuara, S. 91–98.

1988 *Where the Gods Reign. Plants and Peoples of the Colombian Amazon*, Oracle, AZ: Synergetic Press.

1993 »Plants in Treating Senile Dementia in the Northwest Amazon«, in: *Journal of Ethnopharmacology* 38, S. 129–135.

1995 »Antiquity of the Use of New World Hallucinogens«, in: *Integration* 5, S. 9–18.

SCHULTES, Richard Evans, und Alec BRIGHT

1979 »Ancient Gold Pectorals from Colombia: Mushroom Effigies?«, in: *Botanical Museum Leaflets* 27 (5–6), S. 113–141.

SCHULTES, Richard E., und Norman R. FARNSWORTH

1982 »Ethnomedical, Botanical and Phytochemical Aspects of Natural Hallucinogens«, in: *Botanical Museum Leaflets* 28 (2), S. 123–214.

SCHULTES, Richard E., und Albert HOFMANN

1973 *The Botany and Chemistry of Hallucinogens*, Springfield, IL: Charles C. Thomas (vgl. Buchbesprechung von Victor SNIECKUS in *Economic Botany* 29/1975, S. 2–3).

1980 *The Botany and Chemistry of Hallucinogens*, Springfield, IL: Charles C. Thomas (überarb. und erw. Ausg.).

1995 *Pflanzen der Götter*, Aarau: AT.

SCHULTES, Richard E., Albert HOFMANN und Christian RÄTSCH

1998 *Pflanzen der Götter. Die magischen Kräfte der bewusstseinserweiternden Gewächse*, Aarau: AT (vollst. überarb. Neuaufl.).

2001 *Plants of the Gods*, Rochester, VT: Inner Traditions (überarb. Ausg.).

SCHULTES, Richard Evans, und María José NEMRY VON THENEN DE JARAMILLO-ARANGO
1998 *The Journals of Hipólito Ruiz. Spanish Botanist in Peru and Chile 1777–1788,* Portland, OR: Timber Press.

SCHULTES, Richard Evans, und Robert F. RAFFAUF
1960 »Prestonia: An Amazon Narcotic or Not?«, in: *Botanical Museum Leaflets* 19 (5), S. 109–122.

1986 »De Plantis Toxicariis e Mundo Novo Tropicale Commentationes XXXVII: Miscellaneous Notes on Medicinal and Toxic Plants of the Northwest Amazon«, in: *Botanical Museum Leaflets* 30 (4), S. 255–285.

1990 *The Healing Forest. Medicinal and Toxic Plants of the Northwest Amazonia,* Portland, OR: Dioscorides Press.

1991 »3. De Plantis Toxicariis e Mundo Novo Tropicale Commentationes XXXVI: Phytochemical and Ethnopharmacological Notes on the Solanaceae of the Northwest Amazon«, in: J. G. HAWKES, R. N. LESTER, M. NEE und N. ESTRADA (Hg.), *Solanaceae III. Taxonomy, Chemistry, Evolution,* London: Royal Botanic Gardens Kew and Linnean Society, S. 25–49.

1992 *Vine of the Soul. Medicine Men, their Plants and Rituals in the Colombian Amazonia,* Oracle, AZ: Synergetic Press.

SCHULTES, Richard E., und Siri VON REIS (Hg.)
1995 *Ethnobotany. Evolution of a Discipline,* Portland, OR: Dioscorides Press.

SCHULTES, Richard Evans, und Michael WINKELMAN
1996 »The Principal American Hallucinogenic Plants and Their Bioactive and Therapeutic Properties«, in: *Jahrbuch für Transkulturelle Medizin und Psychotherapie* 6 (1995), S. 205–239.

SEMPER, Frank
1999 *Tor zum Amazonas,* Hamburg: SEBRA.

SHANON, Benny
1998 *Cognitive psychology and the study of Ayahuasca,* in: *Yearbook of Ethnomedicine and the Study of Consciousness.*

1999 *DMT entheogens – a biblical connection?,* in: *Yearbook of Ethnomedicine and the Study of Consciousness.*

2000 »Ayahuasca visions: A comparative cognitive investigation«, in: *Jahrbuch für Ethnomedizin und Bewusstseinsforschung* 6–7 (1997/1998), S. 227–250, Berlin VWB.

2002 *The Antipodes of the Mind. Charting the Phenomenology of the Ayahuasca Experience,* Oxford: University Press.

SHARON, Douglas
1980 *Magier der vier Winde,* Freiburg i.Br.: Bauer.

SHOEMAKER, Alan
1997 *The Magic of Curanderismo. Lessons in Mestizo Ayahuasca Healing,* in: *Shaman's Drum* 46, S. 28–39.

SHULGIN, Alexander T., und Ann SHULGIN
1997 *TIHKAL. Tryptamines I Have Known And Loved. The Continuation,* Berkeley: Transform Press.

SIEGEL, Ronald K.
1989 *Intoxication. Life in Pursuit of Artificial Paradise,* New York: E. P. Dutton.

1993 *Fire in the Brain. Clinical tales of hallucination,* New York: Plume.

SILVEIRA BARBOSA, Yatra W.M. da
1996 *The Magic of Ayahuasca,* unveröffentlichtes Manuskript.

SMET, Peter A. G. M. de
1985 *Snuiven en lavementen in Indiaanse rituelen,* Utrecht: OPG.

SMITH, Huston
2001 *Cleansing the Doors of Perception. The religious Significance of Entheogenic Plants and Chemicals*, San Francisco: Jeremy P. Tarcher.

SOMBRUN, Corine
2005 *Mein Leben mit den Schamanen*, München: Goldmann.

SPINELLA, Marcello
2001 *The Psychopharmacology of Herbal Medicine. Plants That Alter Mind, Brain and Behaviour*, Cambridge, MA: MIT Press.

STEINBERG, Michael K.
2003 »The Globalization of a Ceremonial Tree: The Case of Cacao *(Theobroma cacao)* Among the Mopan Maya«, in: *Economic Botany* 56 (1), S. 58–65.

STING (= GORDON MATTHEW SUMNER)
2003 *Broken Music. Die Autobiographie*, Frankfurt a.M.: S. Fischer.

STOCKWELL, Christine
1989 *Nature's Pharmacy. A History of Plants and Healing*, London: Arrow Books.

STORL, Wolf-Dieter
1993 *Von Heilkräutern und Pflanzengottheiten*, Braunschweig: Aurum.

1996 *Kräuterkunde*, Braunschweig: Aurum.

1997 *Pflanzendevas. Die Göttin und ihre Pflanzenengel*, Aarau: AT.

2000 a »Die Werkzeuge der Wurzelgräber: Elemente archaischer Pflanzensammelrituale«, in: Franz-Theo GOTTWALD und Christian RÄTSCH (Hg.), *Rituale des Heilens. Ethnomedizin, Naturerkenntnis und Heilkraft*, Aarau: AT, S. 91–100.

2000 b *Pflanzen der Kelten*, Aarau: AT.

2000 c *Götterpflanze Bilsenkraut*, Solothurn: Nachtschatten.

2003 a »Gibt es vegetarisch lebende Naturvölker?«, in: *Natürlich* 23 (8), S. 36–38.

2003 b *Bom Shiva. Der ekstatische Gott des Ganjas*, Solothurn: Nachtschatten.

2005 *Naturrituale: Mit schamanischen Ritualen zu den eigenen Wurzeln finden* (2. Aufl.), Baden und München: AT Verlag.

STRASSMAN, Rick
2001 *DMT. The Spirit Molecule*, Rochester, VT: Park Street Press.

2004 *DMT. Das Molekül des Bewusstseins*, Baden/München: AT (dt. Ausg. von STRASSMAN 2001).

STRATEN, Michael van
1996 *Guarana. Energiespendende und heilkräftige Samen aus dem Amazonas-Regenwald*, Aarau: AT.

STUART, R.
2002 »Tchai«, in: *Entheogene Blätter* 2 (7/2002), S. 10–13 (Übersetzung: Juliana Tatcheva aus: *T.E.R.* XI/2)

SWIMME, Brian
1991 *Das Universum ist ein grüner Drache*, München: Claudius.

TAUSSIG, Michael
1987 *Shamanism, Colonialim, and the Wild Man. A Study in Terror and Healing*, Chicago: University of Chicago Press.

TESSMANN, Günter
1929 *Menschen ohne Gott. Ein Besuch bei den Indianern des Ucayali*, Stuttgart: Strecker und Schröder.

TSAMANI, Kajuyali (= William TORRES)
1989 »Chamanismo y diferenciación cultural«, in: *Chamanismo. Un arte del saber*, Bogotá: Anaconda Editores, S. 49–90.

1993 »Aun no ha bebido del agua la libelula«, in: *Gaceta* 18, S. 51–58 (Colcultura Columbia).

1994 »Waji: ›rezo‹ chamanístico sikuani«, in: *Boletín Museo del Oro* 37, S. 35–51.

1994 *Yubuji. Del picante al habla*, Vortrag beim VII Congreso de Antropología en Colombia, Universidad de Antioquia, unveröffentlichtes Manuskript.

1995 »Liana del ver: Codón del universo«, in: *Número 6*, S. 30–33.

1999 »Antes la Cocha no existía«, in: *Expresión Universitaria – San Juan de Pasto*, Separata No. 3.

2003 *Ayahuasca-Yagé. Der Schamanische Weg zu neuen Erkenntnissen*, Solothurn: Nachtschatten.

2004 »Artaud embrujado«, Chachagui: MS, veröffentlicht in *Mopa-Mopa* (15), S. 50ff..

ULLOA, Astrid (Hg.)

2002 *Rostros culturales de la Fauna. Las Relaciones entre los humanos y los animales en el contexto colombiano*, Bogotá (Kolumbien): Instituto Colombiano de Antropologia e Historia.

USÓ, Juan Carlos

2001 *Spanish Trip. La aventura psiquedélica en España*, Barcelona: La Liebre de Marzo.

VALENZUELA CABRERA, Carmen Regina, und María Flor RAMÍREZ GÓMEZ

1996 *Medicina Popular en la Región Andina y la Tradición Oral Nariñense*, Pasto (Kolumbien): Religiosas de la Compañía de María Centro Cultural Jubanguana.

VANNINI, Claudio, und Maurizio VENTURINI

1999 *Halluzinogene. Entwicklung der Forschung, 1938 bis in die Gegenwar. Schwerpunkt Schweiz*, Berlin: VWB.

VARESCHI, Volkmar

1974 *Signos. Semántica del Dibujo Primitivo*, Caracas: Selbstverlag.

VÁSQUEZ, Cayo

2000 *Voces de la Ayahuasca*, Lima: Edición Independiente.

VESGA NÚÑEZ, Omar

2003 *Yurupary, el hijo de las Pleyades, que fundó una nación en el Vaupés*, Bogotá: Alberto Borrero y Asociados EU.

VILLEGAS, Benjamín

2001 *Carlos Jacanamijoy*, Texte von Eduardo Serrano, Bogotá: Villegas Asociados.

VILMORIN, P. P., A. SIEBERT und A. VOSS

1896 *Vilmorin's Blumengärtnerei. Beschreibung, Kultur und Verwendung des gesamten Pflanzenmaterials für deutsche Gärten*, Berlin: Parey.

VOGT, Walter

1996 *Vergessen und Erinnern*, Zürich: Nagel & Kimche.

WAGNER, Günter

1932 »Entwicklung und Verbreitung des Peyote-Kultes«, in: *Baessler-Archiv* 15, S. 59–144.

WALKER, Alice

2004 *Now Is the Time to Open Your Heart*, New York: Random House.

WALTON, James W.

1969 »Muinane Diagnostic Use of Narcotics«, in: *Economic Botany* 23, S. 187–188.

WASSON, R. Gordon

1957 »Seeking the Magic Mushroom«, in *Life*, Mai 1957, S. 100–120.

WATTS, Donald

2000 *Elsevier's Dictionary of Plant Names and Their Origin*, Amsterdam et al.: Elsevier.

WEATHERFORD, Jack

1995 *Das Erbe der Indianer. Wie die Neue Welt Europa verändert hat*, München: Diederichs.

WEISKOPF, Jimmy
1995 »From Agony to Ecstasy: The Transformative Spirit of Yajé«, in: *Shaman's Drum*, Herbst 1994, S. 41–47.
2002 *Yajé. El nuevo purgatorio*, Bogotá: Villegas editores.
WHEELWRIGHT, Edith Grey
1974 *Medicinal Plants and Their History*, New York: Dover.
WHITE, Timothy
2004 *Apprenticing with Ayahuasca. An Interview with Constance Grauds*, in: *Shaman's Drum* 67, S. 32–42.
2004 *Drinking Yajé in Colombia. An Interview with Jimmy Weiskopf*, in: *Shaman's Drum* 67, S. 19–31.
WICHTL, Max (Hg.)
1989 *Teedrogen*, Stuttgart: VWG (2. Aufl.).
WIESNER, Christian
1964 »Aus der Geschichte der indianischen Zauberpflanzen«, in: *Die Grünenthal Waage* 5 (3), S. 197–200.
WILBERT, Johannes
1987 *Tobacco and Shamanism in South America*, New Haven and London: Yale University Press.
1991 »Does Pharmacology Corroborate the Nicotine Therapy and Practices of South American Shamanism?«, *Journal of Ethnopharmacology* 32: 179–186.
WILLIS, Marcia
1971 *Urwälder am Amazonas*, o.O.: Christoph Columbus.
WOLF, Fred Alan
1992 *The Eagle's Quest*, New York: Touchstone Books.
WOLTERS, Bruno
1994 *Drogen, Pfeilgift und Indianermedizin. Arzneipflanzen aus Südamerika*, Greifenberg: Freund.

Discographie

Auswahl von Ayahuasca-Musik

Rockmusik

ATERCIOPELADOS, *El Dorado* (BMG Ariola Colombia, 1995).
ATERCIOPELADOS, *La Pipa de la Paz* (BMG ARIOLA de Colombia,1996). Produziert von Phil Manzanera (U.K.), dem Gitarristen von Roxy Music. Phil Manzaneras Mutter ist Kolumbianerin.
ATERCIOPELADOS, *Caribe Atomico* (BMG ARIOLA de Colombia,1998).
ATERCIOPELADOS, *Gozo Poderoso* (BMG, 2000). Ein Inga-Schamane aus dem Sibundoy-Tal spielt auf der Mundharmonika: Taita Antonio Jacanamijoy, der Vater des Malers Carlos Jacanamijoy, von dem ein Gemälde im Booklet abgedruckt ist.
ATERCIOPELADOS, *Evolución 17 Grandes Exitos* (BMG, 2003). Kompilation ihrer bisherigen Werke.
ÇATAL HÜYÜK, *Nature Loves Courage* (Icaro Records, 2000). Alle Stücke dieser Techno-Rock-CD sind durch Erfahrungen mit verschiedenen psychoaktiven Substanzen, u.a. Ayahuasca, inspiriert. Das Album ist Terence McKenna (1946–2000) gewidmet, der auf einigen Stücken spricht.

Greg White Hunt, *Enter the Orienté* (All is Well Records, 1997). Der Komponist hat seine Ayahuasca-Erfahrungen im Regenwald von Ecuador vertont. Er spielt selbst gebaute Bambusflöten und benutzt Samples aus der Dschungelsymphonie. Esoterisch angehaucht.

Kraken, *V: El Símbolo de la Huella* (Discos Fuentes, 1996). Viele der spanischen Texte wirken vom Dschungeltrank inspiriert.

Maná, *Sueños Liquidos* (Warner Music Mexico, 1997).

Paul Simon, *The Rhythm of the Saints* (Warner Bros. Records, 1990). Der US-amerikanische Sänger und Gitarrist Paul Simon (*1942), bekannt durch viele Hits des erfolgreichen Folk-Rock-Duos Simon and Garfunkel, ließ in mehreren Interviews verlauten, der Song »Spirit Voices« sei durch sein Ayahuasca-Erlebnis im Amazonas inspiriert.

Sting, *Nothing Like The Sun* (A&M Records, 1987; Remastered: A&M Records, 1998). Dieses Album entstand in der Zeit von Stings erster Ayahuasca-Erfahrung.

Sting, *Sacred Love* (A&M Records, 2003).

True Metal Subversion (Paranoia Productions, o.J., ca. 2003). Kompilation kolumbianischer Black-, Dark- und Death-Metal-Gruppen, die mit jeweils einem repräsentativen Stück vertreten sind.

Ethnische Musik

Brazil. The Bororo World of Sound (Auvidis-Unesco D 8201, 1989).

Brésil Central. Chants et dances des Indiens Kaiapó (VDE-Gallo, 1989).

Indian Music of the Upper Amazon: Cocama, Shipibo, Campa, Conibo (Folkways Records FE 4458, 1954).

Indiens d'Amazonie (Le Chant du Monde LDX 74501, o.J.).

Music of the Jivaro of Ecuador (Ethnic Folkways Records FE 4386, 1972). Aufgenommen und kommentiert von Michael Harner.

The Spirit Cries: Music from the Rainforests of South America & the Caribbean (360° Productions/Rykodisc, 1993). Ethnographische Anthologie, die Ayahuasca-Lieder der Shipibo (von 1964) und Asháninka (von 1964) enthält. Herausgegeben von Mickey Hart, dem Schlagzeuger der kalifornischen Band The Grateful Dead (The Library of Congress: Endangered Music Project).

Waorani Waaponi. Archaic Chanting in the Amazon Rainforest (Tumi Records CD043, 1994).

Amazonia: Urutma Uchiri. Ritos y danzas (Centro Cultural »SAUCISA«, Ecuador, o.J., centrocultural-saucisa@yahoo.com). Enthält die Aufnahme eines Natëma-Rituals am Wasserfall (Shuar).

Hilario y Miguel Chiriap cantan Cantos Sagrados de la Tradición Shuar (2002).

Songs from Quetsembetsa. Shipibo Shaman of Peru (X-TRACK/Spirit of Anaconda, 2000).

Luis Panduro Vasquez, *Ayahuasca Songs from the Peruvian Amazon* (Colibri Productions, 2000).

Kajuyali Tsamani, 2003 (Blessing Wings Production, 2003, pontanus@antenna.nl).

Francisco Montes Shuña, *Sacred Ayahuasca Songs* (Nowa's Ark Productions, o.J., sachamama@terra.com oder nowabest@hotmail.com). In Iquitos aufgenommen.

The Songs the Plants Taught Us (Cassette: Usko-Ayar, 1991). Ayahuasca-Lieder und Icaros aus Peru, aufgenommen von Luis Eduardo Luna.

Don Pedro Guerra Ganzales, *Songs of the Plant Spirits* (Colibri Productions, 2001). Live-Aufnahme aus dem Amazonas-Regenwald (Peru); Icaros mit Chacapa-Begleitung.

Carioca Chandra Edgar Dimos: *Celebration*, Ciranda (www.cariocafreitas.com.br).

Santo Daime Best 1. Musik aus dem Regenwald, Amina Music

1996 *Santo Daime. Sacred Music from the 1930's to the 1990's*, Orenda Institute.

1999 *Nova Era. Received Hymns of Padrinho Alfredo*, Cefluris.

Danksagung

Wir danken in erster Linie allen *ayahuasqueros*, *curanderos* und *curanderas* für ihren Einsatz, ihre tradierten Kenntnisse und ihr großes Wissen, das sie vielen Hilfesuchenden und Kranken selbstlos zur Verfügung stellen, sowie allen Schamanen, deren Fähigkeiten und Aussagen wesentlich zu diesem Buch beigetragen haben.

Für jahrelange Unterstützung und Erfahrungsaustausch gilt unser Dank vor allem Guillermo Arévalo, Kajuyali Tsamani und Hilario Chiriap; ferner Taita Querobín Queta, Taita Osvaldo Queta, Taita Diomedes Dias, Taita Nelson Dias, Taita Martín Agreda, Taita Juan Bautista Agreda, Taita Floro Agreda, Don Juan Tangoa Paima, Doña Adéla Navas de Garcia, Julio Americo Gomez-Cardenas und Lasteña Aginda Proaño, Don Ladimiro Murayari Ipushima und Doña María Angelica Rodriguez Gonzales. Natürlich auch allen westlichen Wissenschaftlern, die durch ihre Arbeit zur Erforschung der Materie beitrugen: Jace Callaway, Marlene Dobkin de Rios, Josep Maria Fericgla, Charles Grob, Luis Eduardo Luna, Terence McKenna († 2000), Dennis McKenna, Ralph Metzner, Robert Montgomery, Jonathan Ott, Fabio Ramirez, Giorgio Samorini, Benny Shanon, Rick Strassman, Ken Symington, Donna und Manolo Torres.

Darüber hinaus danken wir Esther van Gulick, Chaya Adelaars, Timo Adelaars, Jarko Almuli, Alex Best, Heleen de Bie, Hans Bogers, Jeroen Bos und Het Grasje, Hafid Bouazza, Hans Bryssink, Celine, Peter Cohen, Aaike Cools, Miek Coppens, Ad Cox, Max Daniel, Govert Derix, Doeschka, Raoul Dohmen, John Downer und Tilly Scott-Wilson, Duco, Ulrike Egidius, Erik Faber, Geraldine Fijneman, Richard Fowler, Iris Freie, Jan-Frank Gerards, Wieke Gerards, Robert de Geus und Toltech, Piers Gibbon, Gosha und Kaveesha, Monica Guillet, Rick Harlow, Peter van der Heijden, Gerben Hellinga, Bart Hoek, Jakob Huttner, Josh, Gerrit Kalsbeek, Kim und Gjalt, Hannah Klautz, Jan Pieter van der Kuijl und Andersen Destination Management, Bia Labate, Catalina Lasso, Lughien, Babs Matter, Maurice Maya, Menno, Peter Meyers, Ralph Miller, Akira Natchi und www.releasetherreality.com, Huib van Neck, Beatriz Paqarii Hampicamayoc, Paul Perry, Scott Petersen, Jolie Pierce, Margot Plantlady, Adéle van der Plas, Hans Plomp, Peter Richardson, Javier Rincon, Tomás Rios, Julie Rock 'n' Roll, Anja Saunders und Nicholas Saunders, Anna Schiering, Jan Sennema, Tomás Shiff, Alan Shoemaker und Mariella Noriega de Shoemaker, Nisvan van Sijl, Yatra W.M. da Silveira Barbosa, Jessica Smith, Roland van Tol, Donald M.

Topping, Birgit Weidmann und Kalla Sieger, Matthias Tanzer, Martha Urbina, Andy Weisner, Jan Willem van de Wetering, Richard Wolf, Jamie Yeti und José Zerivan.

Auch an alle im Buch berücksichtigten Künstlerinnen und Künstler geht unser Dank – besonders Nana Nauwald (für mannigfaltige Hinweise und Hilfestellungen), Alex Grey, Allyson Grey, Pablo Amaringo, Yando Rios und Serafina Klarwein. Albert Hofmann danken wir für seine chemischen Grundlagenforschungen, Achim Zubke für seine unermüdlichen Literatur- und Abbildungshinweise, Ernesto Blume, Berta Blume, Hans van den Hurk und Roger Liggenstorfer für die vielfältige Unterstützung unserer Arbeit.

Für die Realisierung des vorliegenden Buches danken wir nicht zuletzt dem AT Verlag und der Lektorin Barbara Imgrund.